EEN TWEEDE KANS

Van Harriet Evans verschenen eerder:

Bij ons thuis
Een hopeloze romantikus
De liefde van haar leven
Weet je nog?
Voor altijd

Harriet Evans

Een tweede kans

VAN HOLKEMA & WARENDORF
Uitgeverij Unieboek | Het Spectrum bv, Houten – Antwerpen

Oorspronkelijke titel: *Happily Ever After*
Vertaling: Anneke Panella-Drijver
Omslagontwerp: Andrea Barth | Guter Punkt
Omslagfoto: mauritius images | Radius Images
Opmaak: ZetSpiegel, Best

ISBN 978 90 00 30754 8 | NUR 302

Eerste druk 2012
Oorspronkelijke uitgave: HarperCollins Publishers

www.harriet-evans.com
www.unieboekspectrum.nl

Van Holkema & Warendorf maakt deel uit van
Uitgeverij Unieboek | Het Spectrum bv
Postbus 97, 3990 DB Houten

Voor Lynne
Heel veel liefs en bedankt voor alles

Ze leest dergelijke werken die heldinnen moeten lezen om hun geheugen te voeden met die citaten die zo goed van pas komen en zo troostrijk zijn bij de wisselvalligheden van hun veelbewogen levens.

– Jane Austen, *Northanger Abbey*

Proloog

Augustus 1988

Een tweede kans, door Eleanor Bee
Ze lachen me uit, de meisjes in de kantine.
Maar op een dag zal ik hen uitlachen.
Zwarte hoge laarzen zie je overal,
maar ik draag ze niet alleen omdat ze 'in' zijn.
O, bedrieglijke nacht,
waarom komt er geen einde aan?
Een happy end, waar
waar...

Eleanor Bee legde haar pen neer en zuchtte. Met een vermoeid gebaar rekte ze zich uit, als iemand die met haar eigen *Ulysses* worstelt, alleen bleef haar hand per ongeluk achter de glimmende gele koptelefoon van haar nieuwe Sony-walkman haken. Het plastic doosje vloog woest door de lucht en bleef even voor haar gezicht hangen voordat het met een harde smak op de grond viel.

'O, nee,' riep Eleanor uit tegen de vloer, tussen de wirwar van lange ledematen terwijl ze tegelijkertijd haar koptelefoon afzette, waardoor alles nog verder in de knoop raakte. 'Nee!'

De klanken van 'Don't Call Me Baby' van Voice of the Beehive op *Now That's What I Call Music 12* werden abrupt afgebroken. De walkman lag op de grond, het klepje van de cassettespeler was afgebroken en lag een paar meter bij haar vandaan tussen een nest stof en haren in de hoek van de kamer. Eleanor raapte hem op en staarde er wanhopig naar. De slaapkamerdeur stond op een kier, en ze hoorde het gerinkel van glazen, het geschraap van bestek op borden en de verheven stemmen.

'Je hebt gezegd dat jij haar morgen weg zou brengen, John. Dat heb je gezegd.'

'Niet waar. Wat een onzin.'

'Wel waar. Je luisterde natuurlijk weer niet. Je luistert nooit. Laat maar. Ik doe het zelf wel.'

'Niet in deze toestand. Mijn god, je zou jezelf eens moeten zien, Mandana...'

'Schijnheilig stuk vreten. Nu moet je eens goed luisteren...'

Eleanor zette de koptelefoon vlug weer op. Ze duwde hem met haar handen stevig tegen haar oren, kroop naar de stoffige hoek, pakte vlug het plastic klepje en klopte haar kleren af terwijl ze ging staan. Ze staarde uit het raam naar de vale citroengele avondzon die in de helderblauwe zee zonk. De laatste zwemmers kwamen het water uit gelopen, het strand op. Een moedig groepje mensen was bezig een vuurtje te stoken om te kunnen barbecuen, want zo noordelijk als hier ging de zon in augustus niet tot na tienen onder.

Eleanor zag het uitzicht en de mensen niet. Ze staarde met een lege blik naar het wankele houten pad naar zee en vroeg zich af of ze de keuken in moest stormen om haar ouders te vertellen dat ze geen zin meer had om naar Karen in Glasgow te gaan. Maar ze was bang hen te onderbreken. Ze wilde niet horen wat ze tegen elkaar zeiden.

De vader van haar moeder was twee weken voordat ze naar Skye waren gegaan, overleden. In eerste instantie had dit niet zo belangrijk geleken. Eleanor voelde zich daar een beetje schuldig over, maar zo was het nu eenmaal. Hij had in Notthingham gewoond en zij in Sussex en ze hadden hem en haar moeders moeder bijna nooit gezien. Haar moeder kon niet goed met hem opschieten en Eleanor en Rhodes waren maar twee keer bij hen in Nottingham geweest. De eerste keer had hij naar whisky gestonken en tegen hen gebruld toen ze in het achtertuintje aan het spelen waren geweest. De tweede keer was hij tegen hun moeder uitgevallen en had hij geroepen dat ze een schande was. Die keer had hij ook naar whisky geroken. (Eleanor had niet geweten wat het was, maar Rhodes had het haar verteld. Hij vond het fantastisch als hij haar dingen kon uitleggen die zij niet wist.) In plaats daarvan kwam hun oma naar Sussex of gingen ze met zijn allen een dagje naar Londen en dat vond Eleanor fantastisch, alleen was het tegenwoordig wel irritant dat haar oma niet snapte dat ze veertien was en geen zin had in kinderachtige dingen zoals Madame Tussauds, maar liever alleen in Hyper Hyper of op Kensington Market rondhing.

Haar moeder was veel verdrietiger over het overlijden van opa geweest dan Eleanor had verwacht. *Alle ouders maken ruzie,* dacht ze. Dat had Karen haar de week ervoor nog gezegd toen Eleanor bij haar had uitgehuild omdat ze geen zin had om met haar ouders en haar broer op vakantie te gaan. *Maar niet zo,* had Eleanor willen zeggen. Ze was het gewend zich zorgen te maken – of ze haar arm zou breken na een val van het paard tijdens de gymles, net als Moira op school, of dat haar vader en moeder aan een verschrikkelijke ziekte zouden overlijden, of zijzelf als gevolg van een geheimzinnige ziekte zou sterven, omdat ze ervan overtuigd was dat ze veel erger ongesteld was dan alle anderen, en in een brief in het blad *Mizz* had gestaan dat als je je zorgen maakte je absoluut naar de dokter moest – van al die dingen lag ze 's nachts wakker tot haar hart begon te bonzen en dan was ze weer bang dat haar hart uit elkaar zou klappen en het was haar niet opgevallen dat haar ouders elkaar ineens waren gaan haten. Plotseling was er iets helemaal mis en alleen als ze de muziek heel hard zette en zich met een boek op bed oprolde leek haar angst even te verdwijnen.

Ze hadden best een leuke dag gehad vandaag. Ze waren naar Talisker Bay gewandeld, waar whisky werd gemaakt. In de stokerij had Rhodes er van hun vader van mogen proeven omdat hij al bijna achttien was. De lucht was fris en helder, de hemel prachtig poederblauw, de laatste muggen waren echt weg en Eleanor was bijna blij om haar kamer weer eens uit te zijn, buiten met haar ouders en broer. Net als een normaal gezin, op een normale vakantie.

De problemen waren begonnen toen ze terug waren gekomen en tussen de middag diepvriespizza hadden gekregen. Haar vader was boos op haar moeder geworden, omdat de pizza niet goed ontdooid en in het midden nat was, en zij had tegen hem geschreeuwd. Eleanor en Rhodes waren dit gewend, maar hun vader was huisarts en werkte meestal tot laat en had vaak geen erg in de aangebrande pasta of halfgare kip Kiev.

'Wat smerig,' had hij gezegd, en hij had zijn bord weggeschoven. 'Dit kan ik niet eten, Mandana. Je had het moeten ontdooien voordat we gingen wandelen.'

Haar moeder zat aan haar tweede glas wijn. 'Natuurlijk, John, het is zeker volkomen ondenkbaar dat jij voor de lunch zou zorgen? Het is voor mij ook vakantie, ik heb een afschuwelijke tijd gehad en jij...'

Haar vader was opgestaan, had de tafel weggeduwd en was boos naar de woonkamer gebeend. Daar had hij met de deur dicht naar een cricketwedstrijd zitten kijken, totdat Mandana naar binnen was gegaan om hem eraan te herinneren dat hij Eleanor de volgende dag moest wegbrengen.

Eleanor was opgeschrokken van het geklop op de deur. Haar moeder had de deur langzaam opengedaan. 'Ellie, schat?' had ze gevraagd. 'Gaat alles goed?'

'Ja hoor.' Eleanor had haar koptelefoon afgedaan. 'Ik wilde...'

Mandana kwam de kamer in. Vermoeid streek ze met een hand over haar gezicht. 'Sorry dat ik zo schreeuwde. We hadden elkaar niet goed begrepen, je vader wist niet dat hij je weg moest brengen, weet je...'

Tienerwoede en angst borrelden in Eleanor omhoog. 'Ik weet het, jij hebt het hem gewoon niet gevraagd. Je had te veel gedronken en was het vergeten. Alweer.'

'Ellie!' zei haar moeder vinnig. 'Doe niet zo brutaal. Natuurlijk is dat niet zo. Je vader en ik kunnen op het moment gewoon niet zo goed met elkaar overweg, meer niet.'

'Gaan jullie scheiden?' Eleanor hoorde zichzelf de vraag stellen en hield haar adem in.

'Lieverd, natuurlijk niet! Hoe kom je daar nu bij?' Mandana streek wat onhandig over haar zachte donkere haar en voordat Eleanor iets kon terugzeggen, zei ze: 'Hoe dan ook, sorry voor de herrie. Je vader brengt je morgen naar het station, geen probleem.'

Mandana's stem trilde en ze bloosde. Eleanor rolde met haar ogen en sloeg haar armen over elkaar. 'Waarom doe je zo anders?'

'Hoe bedoel je?'

'Je bent veranderd sinds opa dood is. Ik begrijp het niet, je zei altijd dat je zo'n hekel aan hem had.'

'Ik had niet echt een hekel aan hem,' zei Mandana. 'Het zit me gewoon niet lekker. Ik zag hem nooit. Hij was een sombere man en daar word ik ook somber van en daardoor ga ik over dingen nadenken. Ik heb het gewoon een beetje moeilijk op het moment, meer niet.'

'Waarom was hij zo somber?'

'Nou,' zei Mandana kwiek, zoals ze soms plotseling kon doen. 'Zorg gewoon dat je klaarstaat, zoek je spullen vast bij elkaar. Het is...' Ze dwaalde af. Eleanor staarde naar haar moeder. 'Hè, ik ben vergeten wat ik wilde zeggen, Ellie. Sta nu maar gewoon klaar. Goed?'

'Noem me geen Ellie.'

'Oké,' zei Mandana met haar hand tegen de deur. 'We gaan zo eten. Bord op schoot. We hebben zin om naar een film te kijken. Leuk toch? We eten lasagne.'

Het had geen zin om tegen haar te praten. Het had gewoon geen zin. 'Prima,' zei Eleanor. 'Bedankt, mam. Tot zo. Ik ga inpakken.'

'Goed zo, en lieverd, maak je alsjeblieft geen zorgen. Alles komt goed. Je bent gewoon een piekeraar. We moeten eens met dr. Hargreaves praten als we weer thuis zijn. Misschien zou een hoofdmassage je goeddoen.'

De deur viel zachtjes dicht, en Eleanor staarde weer naar buiten.

Bij Karen zou het ongetwijfeld beter zijn – nou ja, bij de opa en oma van Karen. Nog één nachtje slapen. Ze legde de onbruikbare walkman op bed en pakte al neuriënd haar tas in. Ze hoorde niet dat de deur openging.

'Wat ben je in vredesnaam aan het doen?' Rhodes, haar broer van zeventien, stond voor haar bed. 'Waarom heb je een koptelefoon op die nergens aan vastzit, gek?'

Eleanor sloeg haar armen om zich heen. 'Houd je kop, sukkel. Ik ben aan het inpakken, want ik ga naar Karen. Niet dat het jou iets aangaat.'

'Je ziet eruit als een idioot.'

'Wauw, Rhodes. Wat ben jij welbespraakt.' Eleanor trok een gezicht.

Rhodes lachte. Eleanor zei niets, maar deed haar ogen dicht en riep het beeld op dat ze het liefst van haar broer zag. Hij werd langzaam in een vuurkuil neergelaten, schreeuwde zich schor met uitpuilende ogen, en zijn huid begon weg te smelten, terwijl zij boven hem hing en knikte tegen de bewaker die vroeg: 'Laten zakken, mevrouw?'

Ze was gek op dat beeld, ze had het het afgelopen jaar al vaker opgeroepen. Er was er ook een waarin Rhodes met kettingen vastgebonden zat en om genade smeekte terwijl hij door een bende aan stukken werd gesneden. Maar dit was beter. Hierin had zij de controle.

'Wat is dit in vredesnaam?'

'Rot op, Rhodes, dat is van mij.' Eleanor nam een grote stap, maar het was al te laat. Hij had haar schrijfblok opengeslagen. Zijn ogen begonnen te glimmen, en hij krabde opgewonden op zijn achterhoofd, aan zijn pluizige bruine haar.

'Poëzie!' Hij lachte. 'Je schrijft... Hahaha!' Hij barstte in lachen uit. 'Ha! Je schrijft gedichten! "Ze lachen me uit, de meisjes in de kantine". Natuurlijk doen ze dat, zusje!'

'Ik haat je!' riep Eleanor. 'Ik haat je, jij... jij vuile rotzak!' Ze keek om zich heen op zoek naar iets om mee te gooien en greep *Amber*, dat ze half uit had.

'Hoe heet het?' Rhodes staarde naar de bovenkant van de bladzijde. '"Een tweede kans". Ha! Hahaha!' Hij klapte dubbel en sloeg op zijn knieën.

'Het is een goede titel. Wat weet jij er nu van, idioot? Je kunt je eigen naam amper spellen, laat staan gedichten schrijven.' Eleanor trilde van woede.

'Mijn god, je neemt jezelf wel erg serieus, hè?' zei Rhodes, terwijl zijn genot bijna als een dansende duivel voelbaar was. 'Je denkt dat je beter bent dan ik, alleen maar omdat je de hele dag boeken leest en stomme gedichten schrijft. Je weet helemaal niets van het echte leven. Je hebt nog nooit iemand gezoend, er komt geen jongen in je buurt, tenzij hij homo is, want je ziet er zelf uit als een jongen!'

'Ik luister niet eens naar je, Rhodes. Ik heb medelijden met je,' zei Eleanor minachtend. Ze richtte het boek op hem. 'Echt waar.'

'Wat betekent een happy end dan eigenlijk?' vroeg Rhodes. Zijn ogen straalden, zijn pupillen waren verwijd en hij ademde vlug, alsof hij een wedstrijd had gewonnen. 'Nou?'

'Er staat "Een happy end, waar" en daarmee bedoel ik...'

'Nee, dat vraag ik niet. Weet je wat een happy end is? Heb je er wel eens van gehoord?' Hij lachte opnieuw.

'Jij bent zo vreemd. Ik weet niet eens waar je het over hebt.' Eleanor legde het boek neer en stak haar middelvinger op en dat was zo'n beetje het enige grove gebaar dat ze kende. 'Je bent zo'n idioot. Je doet alleen maar zo raar omdat je van slag bent over pa en ma.'

Zijn gezicht betrok, en hij kneep zijn ogen tot spleetjes. 'Daar weet jij helemaal niets van,' zei hij. 'Het is niet waar, dus rot op.'

'Nee. Ga weg. Ik haat je.'

'Wat een idioot ben je toch.' Rhodes glimlachte. 'Een happy end zeg je als je iemand aftrekt. Snap je? Rukken. Als ik over mijn lul wrijf tot ik klaarkom.' Hij pakte zijn kruis vast. 'Zoals Lucy Haines vorige maand bij me heeft gedaan. Dat is een happy end. O, ja.' Hij glimlachte en wiegde zijn heupen heen en weer. 'O, o, o, ja.'

Eleanor wist niet wat ze moest zeggen of waar ze moest beginnen, dus zei ze niets. 'Je bent een goorlap,' zei ze na een korte stilte. 'Je bent een viespeuk. Ga weg.'

Rhodes glimlachte nog steeds. 'Ik ga al. Een gelukkig einde. Mmmm.'

'Rot op.'

Eleanor sloeg de deur achter hem dicht, deed hem weer open en gooide hem opnieuw dicht, zo hard als ze kon. Ze klemde haar bureaustoel onder de deurkruk en legde haar hand over haar mond, haar lippen op elkaar geklemd. Ze legde haar boeken op een stapel: de Sylvia Plath-gedichten, de Sylvia Plath-biografie, *Amber* en nog een paar andere boeken, zodat ze geen stomme tijdschriften hoefde te lezen zoals *Just 17*, *19* en *Mizz*. Ze intrigeerden haar, maar beangstigden haar ook, ze stonden vol stomme meiden die maar doorgingen over jongens en die amandelolie in hun nagelriemen wreven – zij wist niet eens waar haar nagelriemen zaten. Het was zo dom om net te doen alsof die stomme dingen bij het echte leven hoorden, terwijl het echte leven slecht en afschuwelijk was, net als Rhodes, net als dit huis, net als... alles.

Ze keek naar haar gedicht. Een tweede kans. Ze rukte de bladzijde uit haar schrijfblok en scheurde hem in kleine stukjes. Haar onderlip stak naar voren terwijl de tranen die ze binnen had proberen te houden omhoogkwamen.

Eleanor Bee liet zich op de grond zakken, sloeg haar armen om haar knieën en zei tegen zichzelf dat alles op een dag goed zou komen. Dan zou ze volwassen zijn en zou het beter zijn. Het zou fijn zijn, ze zou een huis vol boeken hebben, een videorecorder om *Neighbours* op te nemen en alle kleren van Dash en Next die ze maar wilde.

Maar terwijl ze zichzelf heen en weer wiegde, de tranen op haar korstige knieën drupten en haar donkere pony in haar ogen viel, realiseerde ze zich dat het dom klonk.

'Londen slokt mooie meisjes zo op, wist je dat?'
'Mij niet!' verzekerde ze hem triomfantelijk. 'Ik ben niet bang!'

– Kathleen Winsor, *Amber*

1

April 1997

'Dus, Elle, wat lees je op dit moment?'

Elles handen zaten vastgekleefd aan de leren stoel en zouden een hard, piepend geluid maken als ze ze zou verplaatsen.

'Ik? Nou...' Elle hield haar mond en probeerde één hand voorzichtig weg te trekken, maar het ging niet. 'Ik weet het niet. Eh...' Ze pijnigde haar hersens voor de standaardzinnetjes die Karen en zij in Karens kleine keukentje hadden doorgenomen. Karen had ze op Post-its geschreven.

Een zinnetje. Een standaardzinnetje. Help.

'Nou, ik ben dol op lezen,' zei ze uiteindelijk. 'Het is mijn passie.'

Jenna Taylor tikte met haar pen op het grijze plastic bureau. Ze liet haar blik over de blauwe stoffen kamerschermen dwalen en keek haar weer aan, een glimlach forcerend. 'Ja, dat is geweldig. Dat zei je al, maar wat ben je op dit moment aan het lezen?'

Elle wist dat dit gesprek niet slechter kon gaan. Het deed haar denken aan haar tweede rijexamen, toen was ze bij het optrekken bijna op een grijze Mercedes gebotst, waardoor ze meteen was gezakt, maar ze had het examen van twintig minuten nog wel uit moeten rijden. Haar hoofd was helemaal leeg, en ze kon het pijnlijke schaamrood omhoog voelen kruipen. Dat gebeurde altijd als ze zenuwachtig was. Eerst kreeg ze rode vlekken onder haar sleutelbenen en die kropen dan via haar hals omhoog. Zo meteen zou haar gezicht felrood zijn. Ze verplaatste een hand. Een hoog, winderig gepiep steeg op van de stoel. 'Eh... hoe bedoelt u precies?'

Jenna's stem was ijskoud. 'Ik bedoel, kun je aantonen dat je op de hoogte bent van wat er zich momenteel in de uitgeefwereld afspeelt? Als je inderdaad zo gek op boeken bent als je beweert zou het fijn zijn als je een paar voorbeelden kunt noemen van wat je de laatste tijd zoal hebt gelezen.' Ze glimlachte kil.

Elle keek om zich heen in de kleine kantoortuin. Het was er bijna helemaal stil. In de kantoorruimte naast die van Jenna hoorde ze iemand typen en de airconditioning zoemde, maar verder hoorde ze niets. Niemand zei iets. Waarschijnlijk zat iedereen te lezen. Intellectueel te zijn. Beslissingen te nemen over romans, biografieën, gedichten en andere zaken. Wat fantastisch. Wat fantastisch om zelfs maar een sollicitatiegesprek bij Lion Books te hebben.

'De laatste tijd...' Elle wist wat het echte antwoord was, maar ze wist ook dat ze dat nooit zou durven toegeven. Ze was halverwege *Het dagboek van Bridget Jones*, het grappigste boek dat ze ooit had gelezen, en bovendien riep ze om de haverklap: 'Jemig, ik ook!'

Maar dat kon ze niet zeggen. Ze had een sollicitatiegesprek bij een van de meest respectabele uitgeverijen in Londen. Ze moest bewijzen dat ze zeer intellectueel was. Een intellectueel persoon. Ze kuchte.

'Nou, vooral klassiekers. Ik ben dol op Henry James en Emily Brontë. *Woeste Hoogten* is een van mijn favoriete boeken... Ik ben dol op lezen. Het is mijn passie...' O, nee.

Jenna sloeg haar benen over elkaar en rolde haar stoel dichterbij. 'Eleanor, kijk eens om je heen. Als je je goed had voorbereid, had je geweten dat ik populaire fictie voor vrouwen uitgeef.' Ze sloeg met haar hand tegen de boeken op een plank en trok een paar dikke paperbacks naar voren. 'Bladgoud. Benen gehuld in kanten kousen. Ik heb een secretaresse nodig die met commerciële auteurs wil werken.' Haar uitdrukking was hard. 'Als je zo dol bent op Henry James kun je beter bij Penguin Classics gaan solliciteren.'

Elle voelde de tranen in haar ogen prikken. Het schaamrood kroop over haar wangen, ze wist het gewoon. *Ik snap helemaal niets van Henry James.* The Buccaneers *vond ik alleen op tv leuk. Ik heb overal al gesolliciteerd maar niemand heeft interesse. Ik slaap al drie maanden bij een vriendin op de grond en eet twee keer per dag Coco Pops. Hierna houdt het gewoon op voor me. Jenna, geef me alsjeblieft een kans.*

'... als je me nou had verteld dat je *Bridget Jones* leuk vond of Nick Hornby aan het lezen was of Jilly Cooper of *Kant* van Shirley Conran, dan had ik een ieder geval een indicatie gehad dat je, even afgezien van je totale gebrek aan kantoorervaring, graag in de uitgeefwereld wilt werken. Nou?' Jenna draaide een kastanjebruine lok om haar vinger.

'Ik ben dol op *Bridget Jones*,' zei Elle zachtjes. 'Ik vind haar fantastisch.'

'Dat meen je.' Het was duidelijk dat Jenna haar niet geloofde. Ze keek op haar horloge. 'Goed dan, is er nog iets wat je zou willen zeggen?'

'O.' Elle keek omlaag naar haar zwetende dijbenen in de zwarte bobbelige panty en de grijs-zwarte kilt, die veel te kort was als ze zat. 'Alleen dat... O.'

Ik weet dat ik het heb verpest, maar wil je me nog een kans geven?

Ik heb deze baan echt nodig, anders moet ik terug naar Sussex en ik kan niet meer met mijn moeder samenwonen. Dat lukt gewoon niet meer.

Ik heb Kant wel gelezen, sommige stukken zelfs meerdere keren, maar ik kan er gewoon niet over praten zonder te blozen.

Mijn rokje is te kort en daar zal ik iets aan doen als u mij in dienst neemt.

Nee, nee, nee. 'Ik... Nee. Hartelijk dank. Het was leuk u te ontmoeten en ik... ik zal duimen!' Elle stak haar duimen in de lucht.

'Juist ja,' zei Jenna. Er viel een korte stilte terwijl ze allebei naar Elles handen staarden die door de lucht heen en weer bewogen. 'Bedankt voor je komst, Ellen. Leuk je ontmoet te hebben.'

'Eleanor...' fluisterde Elle. 'Ja,' zei ze wat harder. 'Bedankt, u bedankt! Voor deze kans.' Dat was een van de zinnetjes, zo herinnerde ze zich nu. 'Ik ben een ijverige en enthousiaste aanpakker en ik zou me een ongeluk werken,' voegde ze er lukraak aan toe. Maar Jenna leidde haar al door de smalle gangen en Elle besefte dat ze niet meer luisterde en bovendien hield zij, Eleanor Bee, haar duimen nog steeds in de lucht. 'Idioot,' mompelde ze toen ze bij de lift waren.

'Pardon?' Jenna streek haar lila crêpe jurk glad en haalde haar vingers door haar glanzende haar.

'Eh... niets,' mompelde Elle. Ze stapte de lift in. 'Nogmaals bedankt. Sorry. Bedankt, tot ziens.'

De liftdeuren schoven dicht en verborgen Jenna's verbijsterde gezicht.

2

Ik heb mijn duimen opgestoken.

Elle zigzagde zwaaiend met haar handtas over de Strand en probeerde zelfverzekerd te kijken. '*Let's all go down the Strand,*' zong ze fluisterend. '*Have a bandana. Oh, what...*' Haar stem brak en stierf weg. Ze wierp een blik op haar spiegelbeeld in een etalage en huiverde. Ze zag er verschrikkelijk uit in dat belachelijk korte rokje, waarom had ze het gekocht? En dat stomme blauwe shirt, het moest zijdewol lijken, maar dat betekende dat ze het op de hand moest wassen. Haar lichtbruine haar was te lang en te dik, het zat achter haar oren, maar overal staken plukken uit. Ze keek nogmaals in de ruit en kromp ineen. Ze stond voor de etalage van een Dillons-boekwinkel, waar een banner hing met daarop: ONZE VOORJAARSBESTSELLERS.

'*Kapitein Corelli's mandoline...* Die heb ik afgelopen zomer gelezen, waarom heb ik dat in hemelsnaam niet gezegd?' Elle sloeg zachtjes op haar voorhoofd. '*De Celestijnse belofte...* Mijn god, dat is dat rare boek dat mijn moeder aan het lezen is. Wilde ze echt dat ik daar iets over zou zeggen? Dat is toch geen literatuur!' Ze staarde naar de rij boeken. '*Het strand... Mannen komen van Mars, Vrouwen van Venus...* wat betekent dat nu weer?'

Elle liet haar schouders hangen en staarde naar de Pret a Manger naast de boekwinkel, waar drukke kantoormedewerkers met stokbroodjes en soep naar buiten kwamen. Zij wilde bij Pret a Manger eten. Ze kende de keten niet voordat ze naar Londen was gekomen, maar het leek haar het toppunt van glamour om samen met andere kantoormedewerkers een zaak binnen te gaan om echte koffie en een croissant te bestellen.

Helaas, ze had geen geld voor een kop koffie bij Pret a Manger, geen kantoor en geen baan. Elle beet op haar onderlip om te voorkomen dat ze ging huilen. *Kop op*, zei ze tegen zichzelf terwijl ze midden op de Strand bleef staan en de mensen zich langs haar heen wurmden. *Koop een* Evening Standard, *ga naar Karens flat, drink een kop thee terwijl je de banen in de krant doorneemt en je zult je een stuk beter voelen. Er is heus wel iets voor jou. Dat moet gewoon.*

Eigenlijk begon Eleanor Bee behoorlijk wanhopig te worden. Het was april. Ze was de zomer ervoor afgestudeerd aan de Universiteit van Edinburgh en ze was nog steeds op zoek naar een baan. Het leek net alsof al haar vrienden iets te doen hadden: Karen werkte als runner bij een tv-producent; Hester, haar oude kamergenote van de universiteit, was bezig met haar master in Bologna en Matty volgde een lerarenopleiding. Haar ex-vriendje Max was accountant in opleiding, en ze was hem een paar dagen geleden in de buurt van Fleet Street tegengekomen. Dat was net voor een verschrikkelijk sollicitatiegesprek met een educatieve uitgever geweest, waar Elle niet goed had begrepen wat ze bedoelden toen ze hadden gezegd: 'Klinkt dat als iets wat jij zou kunnen doen?', waarop zij had geantwoord: 'Natuurlijk, mag ik er later op terugkomen?' 'Nee,' had de grote norse man van middelbare leeftijd in een ribfluwelen broek gezegd, 'ik bood je de baan niet aan. Ik vroeg of je dacht dat je hem aan zou kunnen. Maar bedankt, we zullen contact met je opnemen.' Ze wist zeker dat het feit dat ze Max was tegengekomen ervoor had gezorgd dat ze zo zenuwachtig was geweest. Niet dat Max haar iets kon schelen, hij droeg gel in zijn haar, echt heel vreemd, en hij haalde constant zijn stomme nieuwe discman tevoorschijn om ermee te pronken. Maar het was het principe.

In februari had Elles beste vriendin van school, Karen, haar uitgenodigd om bij haar op de bank te komen slapen. 'Je zult in een dorpje in Sussex nooit een baan bij een uitgever vinden, Elle,' had ze kordaat gezegd. 'Bijt door de zure appel en kom naar Londen.' En Elle had ja gezegd, zenuwachtig maar ook opgewonden. Londen. Ze had ervan gedroomd naar Londen te verhuizen, ze had er van kleins af aan over gedroomd in een grote stad te wonen. Ze zou de stad gaan veroveren. Ze zou grijze rubberlaarzen met hakken dragen en een bijpassend grijs koffertje hebben, zoals op de Athena-poster van een stadsmeisje dat uit de achterkant van een dubbeldekker hing en een kusje naar haar knappe vriendje blies, die nog steeds bij Elle op de slaapkamer hing.

Maar Londen was in de verste verte niet de warme, bedrijvige literaire salon die Elle had verwacht. Notting Hill was groezelig, de stoeptegels waren gebarsten, er liepen veel crackverslaafden rond en bij Karen op de grond slapen was helemaal niet leuk. Ze was er intussen twee maanden. Ze had op elke open functie gesolliciteerd en naar elke uitgever die ze in het *Writers' & Artists' Yearbook* had kunnen vinden geschreven om werkervaring op te kunnen doen. Maar niemand had interesse. Ze kwam erachter dat het heel naïef van haar was te denken dat ze dat wel zouden hebben. Ze had vier gesprekken gehad en de afspraak van vandaag bij een grote uitgever was het belangrijkste tot nu toe geweest en had gunstig moeten uitpakken, maar het was duidelijk dat ze het volkomen had verpest. Ze had gedacht dat ze heel goed voorbereid was: ze had zoveel gelezen, echt zoveel, Karen had zelfs geopperd dat dat misschien het probleem was, dat ze haar neus eens uit de boeken moest halen.

Ze haatte de manier waarop haar dagen voorbijgingen. Ze zat in de stille flat en voelde zich lamlendig over zichzelf in de wetenschap dat ze moest opschieten, terwijl ze naar *Richard and Judy* keek en opzag tegen het moment dat Karen uit haar werk kwam en steeds onvriendelijker zei: 'En wat heb jij vandaag gedaan?' Haar sociale leven bestond uit een bezoek aan de pub of ze zat in de donkere flat in de omgeving van Ladbroke Grove te wachten tot de elektriciteitsmeter ermee ophield. Bovendien vonden Karens flatgenoten, Cara de kokkin en Alex de reclamejongen, haar duidelijk geen geweldige aanwinst voor de gezamenlijke woonkamer.

In de ondergrondse terug naar Notting Hill vroeg Elle zich voor het eerst af of ze wel naar Londen had moeten komen. Het was niet wat ze ervan had verwacht en hoewel ze het gewend was er niet bij te horen, had ze zich nog nooit zo onwelkom gevoeld, haar hele leven niet. Het schoot door haar hoofd dat als ze haar schamele bezittingen vanavond zou inpakken en morgenochtend vroeg de trein zou nemen, ze tegen lunchtijd bij haar moeder kon zijn.

Maar wat dan? Haar moeder en zij samen in de verbouwde schuur die Mandana na de scheiding had gekocht? Zou het daar erger zijn dan hier? Waarschijnlijk niet.

Elle had mazzel gehad toen ze uitstapte bij Notting Hill Gate. Iemand had een *Evening Standard* laten liggen, die zij mee had gegrist. Het was een koude aprildag en zij had rillend in haar dunne jas met de krant onder haar arm, lopend door de lege straten, geprobeerd te voorkomen dat haar stemming nog somberder werd.

Het was gewoon erg moeilijk om je plekje in de wereld te veroveren. Op de universiteit was het allemaal zo makkelijk geweest. Je wist elke dag waar je heen ging, wat je moest doen en met wie. Na de universiteit waren de regels plotseling anders, en Elle had het gevoel dat ze ergens was achtergebleven. Ironisch genoeg wist ze precies wat ze wilde. Ze had het altijd geweten! Ze wilde iets met boeken doen, goede literatuur lezen, schrijvers ontmoeten en leren hoe ze moest redigeren. Ze wilde gesprekken hebben zoals ze die met haar docent victoriaanse literatuur, dr. Wilson, had gehad over de Brontë's, over Austen, en of *Middlemarch* een geweldige victoriaanse roman was of niet... dat soort dingen. Natuurlijk wist ze dat ze onderaan moest beginnen, dat vond ze helemaal niet erg; sterker nog, ze dacht dat ze het best leuk zou vinden. Maar dat leek niets te veranderen.

Wat moet ik doen, dacht ze, terwijl ze vlug doorliep met haar hoofd omlaag. *Zal ik zo iemand blijken te zijn die door de mazen van de maatschappij glipt en nooit een baan vindt? Die verandert in een zonderling, alle kranten vanaf 1976 bewaart en met een bruine papieren zak de prullenbakken doorzoekt? Mijn god, zal ik zo worden?*

De koude sterke bries prikte in Elles gezicht. Ze veegde over haar ogen met de rug van haar hand, waardoor de *Evening Standard* scheefzakte en op straat viel, waar een windvlaag hem naar het midden van de weg blies. Ze rende erachteraan en terwijl ze hem opraapte zag ze dat hij een week oud was. Een hele week. Ze trok haar schouders op en keek om zich heen op zoek naar een plek om de irritante krant te dumpen. Er stond zelfs geen prullenbak, maar ze was nog niet zo depressief dat ze hem klakkeloos op de grond gooide. Ze stampvoette al mompelend terug naar de flat en het kon haar niet schelen dat ze nog maar een stap verwijderd was van een krantenverzamelende, prullenbakdoorzoekende idioot die dacht dat de wereld een wrede, zeer wrede plek was.

Elle zat aan de keukentafel de krant van de vorige week te lezen en nipte van een kopje thee, blij dat ze niet meer in de kou liep, maar nog steeds huiverend bij de gedachte aan het onrecht dat haar die dag was aangedaan. Er stonden weer geen banen in de *Evening Standard*. Vorige week had ze hem gemist; hij was uitverkocht geweest en zelfs al had ze hem vorige week gezien, hij was totaal nutteloos tenzij ze voor het plaatselijke bestuur of het tijdschrift *Red Knave* wilde gaan werken, en dat wilde ze absoluut niet.

De afwas stond hoog opgestapeld in de gootsteen. Gisteravond hadden ze mensen te eten gehad. Alex had pasta en een hasjpijp klaargemaakt en Karen had iedereen 'Total Eclipse of the Heart' in een houten lepel laten zingen. Elle had vroeg naar bed gewild om zich voor te bereiden op het sollicitatiegesprek, maar ze kon haar dekbed natuurlijk niet tevoorschijn halen en op de bank gaan liggen terwijl vijf anderen Bulgaarse witte wijn uit een schroefdopfles slurpten en tegen elkaar zaten te schreeuwen over de ophanden zijnde verkiezingen.

Elle wist dat ze zo meteen de vaat moest gaan doen, misschien zou Alex dan niet naar haar kijken als hij binnenkwam en zeggen: 'O, hoi,' waarmee hij bedoelde: 'O, zit je daar nu nog steeds mijn leven te verpesten'. Ze was niet echt dol op Alex, hij leek niets anders te doen dan zijn nieuwe mobiele telefoon showen en er gesprekken mee voeren, om vervolgens het hele weekend in de woonkamer Tomb Raider met zijn vriend Fred te spelen. Elle had de week ervoor nog met Fred gezoend, maar dat was eerder geweest omdat ze had geprobeerd te slapen en het makkelijker leek hem te zoenen dan hem door te laten gaan met Tomb Raider spelen en te vragen of hij wilde vertrekken. Bovendien kon Fred best oké zoenen, ook al hadden ze elkaar niets te vertellen. Gisteren was hij er ook geweest, maar hij was in een rare bui geweest en ze wist niet zeker of hij nog interesse in haar had, het zou haar niet echt verbazen als dat niet zo was, eerlijk gezegd. Hij had een baan en een flat samen met iemand anders, hij sliep niet ergens in een woonkamer en las ook geen kranten van een week oud.

Elle nam nog een slok thee en bladerde van de verouderde banen naar het nieuws, zich er lafhartig van bewust dat het zonde van haar tijd was. Er stond een foto van een glimlachende Tony Blair en een paar oude dames. Hij zag er jong en zongebruind uit en zijn haar zat best goed. Elle dacht onwillekeurig dat dit een pluspunt was, het zou er niet toe moeten doen, maar op de een of andere manier voegde het iets toe aan het romantische beeld dat hij uitstraalde. Tony Blair deed haar altijd denken aan die zin uit *Trots en vooroordeel*, wanneer Jane Lizzy vraagt hoe lang ze al van Mr. Darcy houdt en Lizzy antwoordt: 'Het is zo geleidelijk gegaan dat ik niet goed weet wanneer het is begonnen. Maar ik denk dat het dateert van het moment dat ik zijn prachtige landgoed in Pemberley voor het eerst zag.'

Een zwakke glimlach verscheen op haar gezicht bij de gedachte aan deze zin. Ze deed haar ogen dicht en vroeg zich af wat Lizzy Bennet en Mr. Darcy tegen elkaar te zeggen hadden nadat ze waren getrouwd en in Pemberley woonden. Dat was namelijk iets wat haar altijd bezighield, wat er gebeurde nadat een stel hun moeilijkheden had overwonnen, om lang en gelukkig verder te leven. Ze kon het niet helpen dat ze dacht dat Mr. Darcy misschien niet meer zo aardig zou zijn als Elizabeth het verkeerde diner zou samenstellen als er een hertog kwam logeren. Ze had gezien wat er met haar ouders was gebeurd, hoe gemeen zij hadden gedaan, en Elle kon niet geloven dat ze ooit verliefd op elkaar waren geweest.

John en Mandana waren nu zeven jaar gescheiden. Soms leek het heel lang geleden, maar soms kon ze zich het gezellige leven van vroeger in Willow Cottage nog herinneren alsof het gisteren was. De scheiding was uitgesproken toen Elle zich voorbereidde op haar eindexamen. Er was veel voor haar verzwegen zodat ze haar examens niet zou verpesten en iedereen behandelde haar heel voorzichtig, alsof er iemand was overleden. Zelfs het schoolhoofd had haar bij zich geroepen om even te 'babbelen' om te checken of alles in orde was. Elle had niet geweten wat ze moest antwoorden toen mevrouw Barber had gevraagd of ze het wel redde. Hoe kon je uitleggen dat je een afschuwelijk mens was, omdat je blij was dat ze uit elkaar gingen, blij was dat ze niet langer samen waren, blij was dat haar vader wegging omdat hij haar moeder de laatste tijd altijd zo van streek leek te maken? Zelfs toen ze het huis moesten verkopen en naar een schuur even buiten Shawcross verhuisden en zelfs toen John hertrouwde, in wat een vriendin van Mandana had omschreven als 'intense haast', raakte het haar niet zoals eigenlijk zou moeten. Ze had zich afgevraagd of ze een moordzuchtige maniak was – daar had ze een boek over gelezen en een van de eerste tekenen was een gebrek aan empathie. Maar Elle was blij dat het allemaal voorbij was, want het was afschuwelijk om zo te leven.

Elle was stiekem opgelucht, en Rhodes leek er net zo over te denken. Hij had in Amerika gestudeerd en werkte nu als analist bij Bloomberg in New York. Ze had hem voor het laatst met Kerstmis bij haar moeder gezien en het was verschrikkelijk geweest – haar moeder was dronken geworden, Rhodes had tegen haar gezegd dat ze te veel dronk en zich belachelijk gedroeg en dat iedereen snapte waarom hun vader haar had verlaten en toen was hij woedend vertrokken. Sindsdien had Elle hem niet meer gesproken. Haar moeder had altijd te veel gedronken, maar die zomer in Skye was het erger geworden, toen ook hun huwelijk slechter was geworden. Elle kon zich niet herinneren wat er als eerste was gebeurd, zoals bij de kip en het ei. Ze wist alleen dat hun oude leven en het huwelijk van haar ouders voorbij waren.

Dus Elle vroeg zich niet af wat er zou zijn gebeurd als haar ouders bij elkaar waren gebleven. Ze kende het echte einde na het einde. Ze was benieuwd naar mensen als Lizzy en Darcy of Beatrice en Benedick. Vaak had ze het gevoel dat zij de enige was die niet dacht dat ze bij elkaar zouden blijven als het boek uit of het toneelstuk voorbij was. Ze kon het niet helpen; ze geloofde er gewoon niet in.

Ze zat hierover na te denken met haar kin op haar knieën en haar benen tegen de tafel toen de deur open werd gegooid en Alex binnenkwam.

'O, Elle, hallo,' zei hij zonder naar haar te kijken terwijl hij zijn herentas op tafel smeet. 'Hoe gaat het? Succesvolle dag geweest?'

'Gaat wel, dank je,' zei Elle.

'Ik blijf niet thuis,' zei Alex. 'Ik ga met een paar jongens van het werk naar de pub, ik kom alleen even een ander shirt aantrekken.'

'Oké, prima,' zei Elle, die Alex' obsessie met keurige Ben Shermans-overhemden zowel tragisch als aandoenlijk vond.

'Hé.' Hij bleef staan en pakte de krant van haar af. 'Mag ik even iets opzoeken? Zat je ernaar te kijken?'

'Nee, naar de personeelsadvertenties, maar het geeft niet, er staat toch niets in,' zei Elle, die wanhopig graag met iemand wilde praten, al was Alex duidelijk niet geïnteresseerd. 'Hij is trouwens van vorige week...'

Alex negeerde haar en bladerde door de krant. 'Onze nieuwe advertentiecampagne voor Cape Town zou erin moeten staan, hij is vorige week gelanceerd en die stommelingen hebben ons nog steeds geen exemplaren gestuurd.'

'Maar deze krant is van vorige week.'

Hij negeerde haar en had moeite de pagina's om te slaan. 'Dat geeft niet. Waar staat hij? Hé! Daar heb je hem! Hoe cool is dat? Ziet er goed uit.'

Elle volgde zijn prikkende vinger. *Bezoek Cape Town voor een wereld van mogelijkheden*, las ze. 'Dat is super.' Ze knikte beleefd terwijl Alex sprak en toen ze weer omlaag keek viel haar blik ergens op, al begreep ze niet waarom. Daar, midden in het reiskatern, tussen de advertenties voor vakantiehuurwoningen in Cornwall en goedkope vluchten naar Thailand, zag ze plotseling het volgende:

Redactiesecretaresse gezocht voor onafhankelijke, gevestigde uitgeverij

Enthousiaste aanpakker met afgeronde studie en kantoorervaring

Marktconform salaris: £ 11.000

Stuur curriculum vitae per post naar:

Mevrouw Elspeth MacReady

p/a Bluebird Books Ltd, Bedford Square

'Wat doet dat nou hier?' vroeg Elle. Ze rukte de krant uit Alex' handen. 'Wat... Wat doet dat nu hier?'

'Geen idee.' Alex staarde haar geërgerd aan. 'Ik had die krant even, Elle.'

'Het spijt me, Alex,' zei Elle. Ze drukte de krant tegen haar borst en keek hem smekend aan, in paniek bijna. Wat als hij de krant zou afpakken en uit het raam zou gooien, hoe zou ze hem dan terugkrijgen? 'Het is een baan, hij klinkt perfect... Ik weet niet waarom hij daar staat, hij staat op de verkeerde plek. Alsjeblieft, laat mij...' Ze staarde weer naar de tekst. 'Stuur curriculum vitae... per adres Bluebird Books.' Ze beet op haar lip. 'Bluebird Books, die ken ik wel. Het is een echte uitgeverij, een oude!' Ze rende Karens slaapkamer binnen en doorzocht de wankele, zelf in elkaar gezette Billy van IKEA, volgestouwd met versleten bestsellers met goudfolie op de gebroken ruggen. 'Zie je nou. Ik wist het wel! Ze hebben Victoria Bishop uitgegeven! En... Old Tom! Ze hebben Old Tom uitgegeven. Nou, oma Bee zou blij zijn geweest.' Ze wierp een blik op haar horloge. Het was bijna halfzes. Te laat om de volgende lichting nog te redden. Er stond ook geen telefoonnummer bij. *Nee*, zei een stemmetje in haar hoofd. *Je gaat hiervoor. Je gaat hier iets aan doen in plaats van te blijven zitten en medelijden met jezelf te hebben.*

Elle beet op haar lip, beende terug naar de gang, haalde het telefoonboek tevoorschijn en bladerde er zittend op haar knieën doorheen. Alex kwam de gang in en keek naar haar.

'Mag ik de krant weer terug?' vroeg hij, en hij stak zijn hand uit.

'Nee! Heel even wachten, Alex, alsjeblieft!' Elle hoorde zichzelf blèren. Alex deed geïrriteerd een stap naar achteren.

'Je bent hier al veel langer dan je welkom bent,' mompelde hij.

Elle zette haar vinger op de pagina en draaide het nummer. De krant was een week oud en de advertentie stond op de verkeerde plek, wat een toeval was dit! 'Het spijt me, Alex,' zei ze. 'Het is waarschijnlijk vergeefs, maar ik moet het proberen. Hallo?'

'Goedemiddag,' zei iemand met een lage stem, een meisje. 'Bluebird Books, waarmee kan ik u van dienst zijn?'

'Hallo, eh... Nou, eh... ik zag zojuist een advertentie in de *Evening Standard* van vorige week voor de functie van redactiesecretaresse en ik wilde vragen of ik nog kon reageren? Er staat geen sluitingsdatum bij.'

Er viel een stilte en toen ging de stem verder, dit keer nog lager en veel dichter bij de hoorn. 'De personeelsadvertentie? Je hebt hem gezien? Je wilt solliciteren? Fuck.' Ze kuchte. 'Het spijt me. Ik bedoel, gelukkig.'

'Gelukkig?' Elle was stomverbaasd. Dit was niet de reactie die ze gewend was. Bij de laatste functie waarvoor ze had gebeld – assistente van de uitgever bij een onafhankelijke uitgeverij in Bristol – had de man aan de andere kant van de lijn gezegd: 'Sorry, functie vervuld,' en meteen opgehangen als in een scène van een film over de Grote Depressie.

'Je begrijpt het niet,' verzuchtte het meisje aan de andere kant van de lijn, en Elle besefte dat ze ongeveer even oud was, ondanks haar hese stem en Lancashire-accent. 'Er heeft niemand gereageerd,' zei ze zachtjes. 'Helemaal niemand. Ik begrijp er niets van. Juffrouw Sassoon blijft er maar naar vragen en als we niet vlug iemand vinden wordt ze gek. Het is al een week geleden en we hebben nog steeds niets gehoord! Helemaal niets!'

'Nou,' zei Elle. 'Ik denk dat ik wel weet hoe dat komt.'

'Hoe dan?' De stem klonk veel hoger.

'De advertentie staat tussen de vakantiewoningen,' zei ze vlug. 'Het is puur toeval dat ik hem zag staan.'

'Waar?'

'Bij de vakantiewoningen. Tussen een advertentie voor een huisje in Norfolk en een bungalow in de Lizard.'

Er viel een zware, betekenisvolle stilte.

'O, fuck,' fluisterde de stem. 'Fuck. Ze vermoordt me. Ze gaat me vermoorden. Hoe heb ik...'

'Ik denk niet dat het jouw schuld is,' zei Elle. 'De mensen die de advertenties erin zetten hebben het verkeerd gedaan.'

'Zo zal zij het niet zien. Mijn god. Jezus,' zei de stem. 'Wat moet ik nu? Daarom dus. O, jezus. Ze gaat het me morgen vragen. Christus nog aan toe.'

'Luister,' zei Elle autoritair. Ze knikte zichzelf toe. *Ga ervoor!* 'Waarom laat je mij niet langskomen voor een sollicitatiegesprek?'

Er viel weer een stilte. 'Ja,' zei het meisje uiteindelijk terwijl ze met een lang fluitend geluid uitademde. 'Zou je morgenochtend vroeg langs kunnen komen? Ze heeft dan geen afspraken en hij ook niet. En als je waardeloos bent, dan biecht ik alles gewoon op en kunnen we alsnog een advertentie zetten, zodat we iemand hebben tegen de tijd dat Posy van vakantie terugkomt. Zij heeft namelijk gezegd dat ze vertrekt als Hannah nog niet vervangen is als ze terugkomt. Jemig!' Er klonk een doffe klap.

'Wat was dat?' vroeg Elle gealarmeerd.

'Ik sloeg met mijn hoofd op mijn bureau. Als je komt, wil je het dan alsjeblieft niet tegen juffrouw Sassoon vertellen? Alsjeblieft.'

'Natuurlijk niet,' zei Elle. 'Wie is ze trouwens?'

'Heb je nog nooit van Felicity Sassoon gehoord?'

'Nee, nog nooit.'

'En jij wilt bij een uitgeverij gaan werken?'

'Ja,' zei Elle. 'Heel graag.'

'Nou, je moet deze baan krijgen, dus ik zal je helpen. Wacht even.' Er klonk geruis op de lijn. 'Even checken of iedereen weg is, Rory is jarig en ze zijn naar de pub. Nou, de vader van juffrouw Sassoon heeft Bluebird jaren geleden opgericht. Het is zo'n beetje de laatste oude uitgeverij op Bedford Square en dat vindt ze erg belangrijk, dus hamer daar goed op, dat heb ik ook gedaan en dat heeft goed geholpen. Je zou voor haar zoon, Rory, gaan werken. En voor Posy, de andere uitgever. Rory doet misdaad en hippe jonge fictie en Posy vrouwenfictie, familiekronieken en een aantal van Felicity's auteurs.' Ze zweeg even en zei toen: 'Ik neem aan dat je graag met dat soort boeken wilt werken? Je wilt echt bij een uitgeverij werken? Ze zullen je vragen wat je de laatste tijd hebt gelezen, dat soort dingen, of je Bluebird-schrijvers kent. Heb je zelf nog iets te zeggen?'

Elle haalde diep adem. 'Nou, ik vond *Kapitein Corelli* geweldig en ik ben halverwege *Bridget Jones*, bovendien ben ik een groot fan van Victoria Bishop en mijn oma had alle Devon-verhalen van Old Tom, maar ik heb Engels gestudeerd en mijn favoriete auteur is waarschijnlijk Charlotte Brontë.'

'Nou, dat zullen ze er wel vlug uit slaan, maar het is een begin. Dan, het volgende...'

'Wacht even,' zei Elle. 'Hoe heet je eigenlijk?'

'Libby,' zei de stem. 'Libby Yates, en jij?'

'Eleanor Bee,' zei Elle, 'maar noem me maar Elle, dat doet iedereen.'

'O, echt.' Haar laconieke toon was weer terug en je zou niet denken dat ze even daarvoor zo van haar à propos was geweest. 'Hallo, Eleanor Bee. Verder met de instructies. Dus...'

3

Nog geen twee weken later, op donderdag 6 mei, stond Eleanor Bee onder aan de trap van een groot pand en keek naar het blauwe emaillen bord boven zich.

Bluebird Books
Opgericht in 1932

'Ik heb vertrouwen,' mompelde ze tegen zichzelf. Ze keek omlaag naar haar nette donkergrijze broek – zaterdag bij Warehouse gekocht – het frambozenrode truitje met korte mouwen en de prachtige zachte zwarte pumps met bandjes van Pied a Terre die maar twintig pond hadden gekost in de kerstuitverkoop, ze kon nog steeds niet geloven dat ze van haar waren. Het was een prachtige lentedag en de frisgroene bomen op Bedford Square wuifden achter haar heen en weer. In de verte kon ze het gerinkel van een dubbeldekker horen, maar verder was het stil. Eleanor liep de trap op en belde aan.

Ze was zo zenuwachtig dat ze bang was dat haar knieën het zouden begeven. Twee weken geleden was ze hier ook al geweest, voor het sollicitatiegesprek, maar dat leek wel een eeuw geleden. Misschien was alles wel een grote vergissing. Elle kon het gevoel dat ze een bedrieger was maar niet van zich af schudden – ze stond hier alleen maar omdat niemand anders had gesolliciteerd en omdat de angstaanjagende juffrouw Sassoon, die even kort een gesprek met haar had gevoerd, onder de indruk was geweest dat ze *Amber* had gelezen, want de enige andere persoon die ze had gesproken was de dochter van een vriendin van een vriendin geweest en die had nog nooit van het boek gehoord. Nou, had Elle gedacht, *waarom had je dan ook een gesprek met de dochter van de vriendin van een vriendin? Niet echt een manier om goede mensen te vinden.*

'Dus je hebt het gelezen?' had juffrouw Sassoon gevraagd.

'Jazeker.' Elle was dol op *Amber*. Ze had het gelezen tijdens die afschuwelijke vakantie in Skye jaren geleden. 'Ik kon het niet wegleggen, ik vond het nog mooier dan *Gejaagd door de wind*.'

'Dat,' had juffrouw Sassoon vastberaden gezegd, 'is een onderwerp voor een andere keer.' Elle dacht dat ze geïrriteerd was geweest, maar juffrouw Sassoon had geglimlacht en Libby geroepen en toen had ze een gesprek met Rory gehad, die heel aardig was, in de dertig, vriendelijk en veel minder eng dan zijn moeder, dus ze had ontspannen met hem zitten babbelen en hij had haar geplaagd omdat ze de Spice Girls leuk vond en toen was ze vertrokken. Die avond had Libby haar thuis opgebeld om haar te bedanken. 'Volgens mij vonden ze je wel leuk. Ik weet dat Rory de uitzendkrachten zat is en de oude dame wil het gewoon zo snel mogelijk geregeld hebben. Je maakt absoluut een goede kans.'

En ze had hem gekregen. Ze hadden haar de baan gegeven en daar stond ze nu, al had ze geen flauw idee wat haar te wachten stond. Elle drukte nogmaals op de bel, ietsje harder.

'Halloooo?' klonk een wat oudere stem door de intercom.

'Hallo? Ik ben... Eleanor Bee. Het is mijn eerste werkdag, ik ben de nieuwe secretaresse van Rory en Posy en ik moet me om tien uur melden.'

'Eerste verdieping. Kommm binnennn,' klonk het klagerig door de intercom.

Elle liep de brede trap naar de eerste verdieping op en duwde tegen de tochtdeur, waarna ze werd begroet door Elspeth MacReady, de officemanager, die haar handen aan haar rok afveegde, voorover-boog en met haar waterige blik ongelukkig om zich heen keek.

'Goedemorgen, Eleanor,' zei ze formeel. 'Fijn je weer te zien. Welkom bij Bluebird Books. Meneer Rory zit in een vergadering. Hij heeft me gevraagd je op te vangen.'

Elle keek om zich heen en nam alles nogmaals in zich op. Een echte uitgeverij, waar mensen de hele dag boeken maakten. En zij was hier ook, ze maakte er deel van uit! Wat een magische plek! Verspreid over het havermoutkleurige tapijt op de gigantische eerste verdieping stond een verzameling vergelende houten bureaus omgeven door kamerschermen, grijs wordende archiefkasten en boeken. Overal stonden boeken, op planken, in stapels op de grond, puilend uit kartonnen dozen. Het vormde een vreemd contrast met de prachtige oude houten panelen en de vier of vijf oude portretten in vergulde lijsten. Ze kon Bedford Square door de enorme ramen in de zon zien liggen.

'Weet je al waar je komt te zitten?' vroeg Elspeth. 'Heeft iemand je de regels voor de pot en de sleutels uitgelegd?'

'Nee,' zei Elle. 'Ik heb... Ik heb Rory eigenlijk maar heel kort ontmoet en toen...'

'Mijn hemel. Mijn hemel.' Elspeth schudde haar hoofd. 'Iemand had het je moeten vertellen.' Ze zuchtte, en haar lange dunne gestalte schokte heen en weer.

'Het spijt me,' zei Elle.

'Het geeft niet. Nu dan. Waar zal ik beginnen? Ten eerste krijgt elke medewerker een sleutel. Deze sleutel is zeer belangrijk. Degene die het pand 's avonds als laatste verlaat moet de lampen uitdoen en de voordeur met de sleutel afsluiten.'

'En...' vroeg Elle voorzichtig. 'En dan?'

'Dan niets,' zei Elspeth, 'maar het is heel belangrijk.'

'Natuurlijk.'

'En we vragen iedereen of ze twee pond per maand aan de pot willen bijdragen, voor koffie en thee, en juffrouw Sassoon is zo vriendelijk de koekjes te verstrekken.'

'Goed,' zei Elle. 'En...'

'En verder niets,' zei Elspeth. 'Voor nu,' voegde ze daar vastberaden aan toe. 'Nou, dit is je bureau. En dit is Libby. Hebben jullie elkaar al ontmoet?'

'Ja.' Elle glimlachte dankbaar naar Libby, die driftig zat te typen met een dictafoon naast haar toetsenbord. Libby stopte, deed haar koptelefoon af, stak haar hand op en duwde haar donkerblonde bobkapsel uit haar ogen. Ze droeg Anaïs Anaïs, dat herinnerde Elle zich nog van hun eerste ontmoeting.

'Hallo, Elle. Leuk dat je er bent.'

Elle keek weg en bloosde alsof ze op heterdaad waren betrapt, als geheime geliefden. Ze staarde naar het bureau tegenover zich. 'O mijn god,' zei ze.

'Is er wat?' vroeg Elspeth paniekerig.

'Ik heb een telefoon,' zei Elle, niet in staat het te geloven. 'En een computer.'

'Natuurlijk heb je die,' zei Elspeth. Ze keek haar argwanend aan.

Uit het kantoor achter hen weergalmde een stem: 'Elspeth, kom eens hier, alsjeblieft.'

Als een tekenfilmpersonage vloog Elspeth erheen. Ze deed de oude houten deur open, en Elle zag een flits van een uitlopende donkerroze ribrok, een vrouw met opgestoken haar en dikke vingers met twee enorme ringen die diep in het vlees sneden en het grote houten bewerkte bureau waaraan ze de week ervoor had gezeten tijdens haar sollicitatiegesprek. *Felicity*. 'Rory zegt dat het manuscript...' hoorde ze, en toen ging de deur dicht.

'Ga zitten,' zei Libby, en ze keek haar aan. 'Blijf daar niet als een citroen staan kijken.'

'Nee,' zei Elle gehaast. Ze liet zich op de versleten zwarte stoel zakken en legde haar handen voorzichtig op het toetsenbord. Er stond een leeg blauw plastic IN-bakje, er stond een glimmende zwarte telefoon waarvan het snoer in de knoop zat en een pennenhouder van draad met vier balpennen en een potlood. Ze gleed met haar hand over het toetsenbord en opende het bovenste laatje van het bureau. 'Er liggen Post-its,' zei ze meer tegen zichzelf. 'Ik heb mijn eigen Post-its.'

Libby glimlachte. 'Je bent vreemd.' Ze zette de koptelefoon weer op en typte verder.

Elle deed de laatjes een paar keer open en dicht en drukte op het knopje van de grijze monitor. Ze staarde naar de planken achter de bureaus, probeerde te kijken alsof ze iets te doen had en pakte er een paar boeken vanaf. Het waren oude hardbacks met een gouden vogeltje op de ruggen en heel veel paperbacks, de meeste vrij oud, en een paar groen-oranje Penguins. Veel hardbacks van Victoria Bishop, met titels als *Verover de nacht* en *Lantaarns schijnen over Mandalay*, veel boeken van Thomas Hodgsons: *Old Tom in Dartmoor*, *Lente voor Old Tom* en *Kerst met Old Tom*... Ze rolde met haar ogen. Zo saai!

Er zaten heel veel thrillers bij. Ze stond op en pakte er een paar van de planken. *Begrafenis in een bunker*, met een groot hakenkruis op de kaft. Oude historische romans met titels als *Katherines belofte* en *Verover een koning*. Op een plank stond een rij exemplaren van hetzelfde boek, *Quantox' dilemma*, het enige boek dat nieuw leek, geschreven door ene Paris Donaldson, met een hilarische geposeerde zwart-witfoto van de schrijver waarop hij chagrijnig voor zich uit staarde. Elle wilde lachen; hij had wel wat weg van haar flatgenoot, Alex.

Het was echter de onderste plank die haar het meest verontrustte. De plank liep aan beide kanten van de bureaus door en op de ruggen van de boeken stond een hartje, verstrengeld met de woorden MijnHart. Elles ogen rolden bijna uit hun kassen terwijl ze de titels las. *Hij was een sjeik... zij een verpleegster. Mijn god, mijn veroveraar. De wraak van de laf-hartige hertog. Duivel in een witte jas.*

'O, mijn god...' fluisterde Elle terwijl ze probeerde niet in lachen uit te barsten. 'Libby, wat is MijnHart?'

Libby keek op en zette met een zucht haar koptelefoon af. 'Wat is er?'

'Wat is MijnHart?' vroeg Elle, ernaar wijzend.

'Ons romantiekfonds. Er komen er twee per maand uit. Posy is er verantwoordelijk voor.'

'Eh... dus ik moet ook aan die boeken werken?'

'Eh... ja.' Libby trok een wenkbrauw op. 'Hoezo, is dat een pro bleem?'

Elle begon te blozen. 'Nee, natuurlijk niet! Ik vind gewoon dat ze van die grappige titels hebben, jij niet?'

'MijnHart is het meest succesvolle onderdeel van het bedrijf, naast de vier grote auteurs,' zei Libby. 'Als ik jou was zou ik er geen grapjes over maken in de buurt van Felicity.'

Elle liep rood aan van schaamte. Ze voelde het zweet over haar voorhoofd lopen en onder haar oksels klotsen. 'Ja, natuurlijk. Het spijt me. Ik wilde niet...' Wat klonk ze toch dom! Haar ogen waren droog, en ze wreef erin. Ze had het gevoel dat ze nog last had van haar kater. Het weekend was ondanks haar goede bedoelingen groots gevierd, en ze was nog steeds aan het herstellen. Door het mooie weer en de verpletterende overwinning van de Labour-partij was iedereen in een euforische stemming geweest. Ze hadden de hele dag drinkend, kletsend en flirtend in Holland Park doorgebracht. Ze had zelfs weer met Fred gezoend en deze keer had ze er echt van genoten. Het was leuk om in het park met iemand te zoenen als het avond werd, het natte gras tussen je tenen te voelen, zijn lippen op de jouwe, jouw vingers verstrengeld in de zijne...

Libby typte verder. Elle zat rechtop, knipperde flink met haar ogen en vroeg zich af wat ze eens zou gaan doen, toen de deur van Felicity's kantoor openging en Rory naar buiten kwam met een vrouw van halverwege de dertig. De bewerkte houten deur ging meteen weer dicht, alsof er iemand achter stond die de mensen erin en eruit liet, zoals bij de koningin.

Rory fronste. 'We hadden ervoor moeten gaan, Posy. Het is belachelijk om het af te wijzen. Luister niet naar haar.'

De vrouw negeerde hem en liep naar Elle. 'Eleanor? Welkom! Ik ben Posy. Leuk je te ontmoeten. Sorry dat we elkaar nog niet eerder hebben gezien. Ik ben zo blij dat je er bent!' Ze was knap, maar zag er zenuwachtig uit, haar wangen waren roze en haar dunne haar krulde uitdagend in haar nek en achter haar oren. Ze zag eruit zoals een Posy eruit hoorde te zien. 'Dus.' Ze trok er een stoel bij en ging naast Elle aan haar bureau zitten. 'Zullen we even een paar dingen doornemen?' Ze glimlachte en streek met haar handen over haar voorhoofd. 'Hem heb je al ontmoet...'

'Posy, doe eens rustig.' Rory stond achter haar en legde zijn hand op Posy's schouder. 'Hallo Eleanor, fantastisch je weer te zien. Welkom. Heeft Libby je alle ins en outs al verteld? Je moet haar koesteren, ook al is ze een beetje nukkig en fan van een slecht rugbyteam.'

Libby, die tijdens het gesprek gewoon door had getypt, kon door de koptelefoon heen blijkbaar genoeg horen, want ze stak haar hand op. '*Talk to the hand*,' zei ze.

'Rory,' zei Posy. 'Zal ik Eleanor vast wat dingen laten zien en haar aan een paar mensen voorstellen?'

'Goed plan, heel goed plan,' zei Rory. 'Daarna kunnen we met haar gaan lunchen.'

Er viel een korte stilte. 'Nou...' zei Posy. 'Abigail Barrow heeft net ingeleverd en eigenlijk moet ik...' Ze wendde zich tot Elle. 'Het spijt me, Elle, we nemen je een andere keer mee lunchen.'

'O, dat geeft niet,' zei Elle haastig. Ze kon zich niets ergers voorstellen dan met haar bazen aan tafel zitten en over koetjes en kalfjes praten. Bovendien wilde ze een lang gekoesterde lunchdroom gaan vervullen. Ze zou op zoek gaan naar een Pret a Manger voor een broodje, om vervolgens met de *Evening Standard* als een echte kantoormedewerker in het park te gaan zitten.

Rory leunde naar haar toe. 'Ik moet gaan. Laten wij even met elkaar praten als Posy klaar met je is. We zijn echt heel blij dat je er bent,' zei hij. 'Het is afschuwelijk om ergens nieuw te zijn. Ik vond het verschrikkelijk toen ik net begon.'

'Was jij een secretaresse dan?' vroeg Elle.

Posy hinnikte van de lach. 'Rory! Die is goed. Hij heeft zijn hele leven nog geen fax verstuurd. Nou, kom op, Elle, laten we...'

Rory negeerde haar en zei: 'Ik heb alleen bij Foyles en hier gewerkt, tot mijn spijt.' Hij trok een gezicht. 'Ik ben de menselijke vorm van nepotisme, weet je. Mijn moeder wilde dat ik betrokken was bij de zaak en, nou, ik hou natuurlijk van boeken, hoewel er wel dingen zullen moeten veranderen. Het is een interessante tijd om dit spel te spelen.'

'Spel,' herhaalde Posy laatdunkend terwijl ze weer ging zitten. 'Rory is erg trendy, Eleanor. Ik ben bedeesd en saai en vind het gewoon leuk om boeken te redigeren en auteurs groot te maken. Rory vindt de midprice-list afschuwelijk en houdt alleen van schrijvers die er leuk uitzien op de foto.'

'Zoals Paris Donaldson,' zei Elle ernstig, en het verbaasde haar dat Posy in lachen uitbarstte en Rory, nadat hij heel even geïrriteerd had gekeken en met zijn handen op het bureau had geslagen, ook meedeed.

'Ze is scherp,' zei Rory. 'Ja, zoals Paris Donaldson, precies. Alle mannen willen net zo zijn als hij en alle vrouwen zijn dol op hem. Pure magie.'

'Ik vind het een lul,' zei Posy. 'Maar we zijn het bijna nergens over eens, hè Rory?'

'Nee, lieverd,' reageerde Rory meteen. 'Dat klopt. Ik zal jullie nu met rust laten. Succes, Elle.'

Fluitend wandelde hij weg. Elle zag hoe Posy hem nakeek. 'Eh...' zei ze even later, 'Juist ja, laten we wat gaan doen.'

Tegen de lunch had Elle echt zin in iets te eten en een groot glas drinken. Haar hoofd tolde. Posy had haar van alles laten zien en had om de haverklap gezegd: 'Het is heel belangrijk dat je niet vergeet dit te doen,' of: 'Controleer dit alsjeblieft altijd heel zorgvuldig,' maar als Elle eerlijk was had ze nog geen driekwart begrepen van wat ze had gezegd. Posy bleef maar dingen uitleggen, en Elle schreef ze in haar spiraalblok op, zinnen die helemaal nergens op leken te slaan.

Je moet de joden in de gaten houden om er zeker van te zijn dat de voorraad niet opraakt klonk niet helemaal correct, het zag er zelfs verontrustend uit.

Als er omsl. proeven binnenkomen van prod. stuur er dan 1 naar agent en 2 naar auteur, met aantekening van Posy i.o.v. mij, file andere twee, een in map auteur, een in omsl. circ. map. Wat betekende dit in vredesnaam?

Als Ed Victor of Abner Stein belt, roep Posy dan onmiddellijk. Het maakt niet uit waar ze is. Als er ene Lorcan belt, zet hem dan in de wacht en ga op zoek naar P of Tony, laat hem niet ophangen, hij is onmogelijk te pakken te krijgen.

Maar als er een vrouw genaamd Georgina King belt die zegt dat ze een MijnHart-auteur is en de RNA achter zich heeft, poeier haar dan af. Verbind haar niet door naar P. Ze is gek. Elle had geknikt en een Post-it op de onderste rand van haar computerscherm geplakt. *Georgina King = gek* in grote letters en met een blik alsof ze alles onder controle had. Uiteindelijk zei Posy: 'Begint het allemaal een beetje te dagen? Is er iets nog niet helemaal helder? Het moet allemaal vrij overweldigend zijn, maar vraag het gewoon als er iets is. Het is erg belangrijk dat je het vraagt.'

Gewoon vragen. Elle was het gewend om dat te horen, in elk baantje dat ze had gehad, of het nu via het uitzendbureau, een zomerbaantje of een zaterdagbaantje was, was dat tegen haar gezegd, maar het was klinkklare onzin. Ze meenden het nooit. Als je de moed verzamelde om iets te vragen, keken ze je aan alsof je over ze heen had gekotst. En waar moest ze in hemelsnaam beginnen? De RNA? Joden? Maar dit keer moest ze het proberen. Ze haalde diep adem. Wat zou ze kiezen?

'Wie is Lorcan?' vroeg ze.

'Lorcan?' Posy knikte. 'Het model dat op bijna elk MijnHart-omslag staat. Grote gespierde vent, lang haar, witte tanden, je kent zijn type wel. Hij is bijna net zo populair als de boeken zelf. We proberen hem altijd te pakken te krijgen voor fotoshoots, maar hij is nooit te vinden. Dus als we hem aan de lijn hebben, moeten we hem uit alle macht aan de praat zien te houden. Hij is de doorn in Tony's oog.' Elle keek wezenloos. 'Tony, de artdirector. Zeg, zal ik je eerst even aan iedereen voorstellen?'

Ze liep met Elle rond en introduceerde haar vliegensvlug aan een zee van mensen, en Elle wist dat ze de namen nooit zou onthouden. Iedereen was vriendelijk maar ongeïnteresseerd. Als Posy iets zei als: 'Sam is marketingassistent, ze werkt samen met Jeremy, onze marketingdirecteur,' knikte en glimlachte Elle, hoewel ze eigenlijk wilde roepen: 'Ik heb geen idee wat er gebeurt! Ik kan je geen hand geven want mijn stomme nieuwe trui is helemaal nat van het zweet en dat zie je als ik mijn arm omhoog doe!'

'Pak je jas maar, dan loop ik wel even mee voor de lunch. Ik moet zelf toch ook een broodje halen.'

Elle draaide rond en besefte dat ze geen idee had waar haar bureau stond, ze had geen flauw idee waar ze was. Posy keek haar aan alsof ze niet helemaal spoorde.

'Het spijt me,' fluisterde Elle. 'Ik ben een beetje in de war, ik kan me niet meer herinneren waar we heen moeten.'

Er veranderde iets in Posy's uitdrukking. 'Arme ziel. Ik herinner me mijn eerste dag nog goed. Ik heb op de wc zitten janken.'

Wist ik maar waar de wc was, dan kon ik daar gaan zitten janken, dacht Elle.

4

'Iedereen is dus aardig?'

Elle nam nog een slokje wijn. 'Ik denk van wel. Ze lijken in ieder geval aardig. Rory is erg grappig, Posy is vrij strikt, maar volgens mij wel oké.' Ze wreef in haar ogen. 'Ik ben doodop. Het is echt gekkenwerk, zo'n eerste dag, je hebt geen idee wat je doet of waar alles is.'

'Je raakt er wel aan gewend.' Karen klopte op haar arm. 'Je wordt fantastisch.'

'Dank je.' Elle glimlachte hartelijk naar haar beste vriendin. 'Karen, bedankt dat ik bij je mocht logeren.' Ze wierp een blik op Alex en Cara, die naast hen zaten te smoezen. Alex en Cara hadden een flirtige relatie, waardoor iedereen altijd tegen hen zei dat ze samen de koffer in moesten duiken. 'Ik weet dat ik veel te lang ben gebleven. Ik ben jullie heel dankbaar, jullie allemaal.'

Karen schudde haar hoofd. 'Graag gedaan, jij zou hetzelfde voor mij hebben gedaan.'

'Ik geef een rondje,' zei Elle, en ze stond op. 'Ik trakteer.'

Ze was moe, maar ze huppelde bijna naar de bar. Het was zo fijn om de drankjes eens te kunnen betalen. Het was zo leuk om naar de Lav Tav, de Lavenham Tavern, hun lokale pub, te kunnen gaan, een echte pub met lekker eten, een houten vloer, een open haard en geweldige krakkemikkige oude tafels en stoelen. Je kon er niet bijpinnen – in de Elephant and Castle, om de hoek, waar het veel loucher was, daar kon je altijd contant geld opnemen, hoe slecht je er financieel ook voor stond. Ze was de afgelopen maanden veelvuldig in de Elephant and Castle geweest, maar die periode was voorbij, hoopte ze. Geen mannen met enge honden aan oude kettingen meer of tandeloze vrouwen die hun jas binnen aanhielden en stilletjes voor zich uit zaten te kijken. De Lav Tav was haar stekkie van nu af aan – lelies op de bar en David Gray die uit de speakers schalde.

Aan de bar haalde Elle met een vreemd gevoel van tevredenheid diep adem. Ze was in de pub na een dag hard werken. Het was een prettig gevoel. Ze...

'Eleanor? Wauw!' zei iemand in haar oor. 'Ik wist niet dat je in de buurt woonde!'

Elle draaide zich om. 'O!' zei ze. 'Hoi!'

Het was een meisje dat ze op enig moment gedurende de dag had ontmoet. Elle keek haar wezenloos aan en toen herinnerde ze het zich weer: grote voortanden, kort blond haar, slecht gekozen glitterspeldjes en te enthousiast. Ze was de assistente van knappe Jeremy, de verbitterde marketingdirecteur. Hem herinnerde Elle zich wel, hij had geglimlacht en op flirtende toon gezegd: 'Wat ontzettend leuk dat je bij ons komt werken.' Dit meisje had om hem heen gehobbeld en was maar blijven herhalen: 'Nog een meiske! Super!' Shit, hoe heette ze ook alweer?

'Ik ben Elle,' zei ze in de hoop tijd te winnen en een antwoord uit te lokken.

'Dat weet ik!' zei het meisje. 'Duhhh! Wil je iets drinken? Ben je hier met je vrienden? Ik ben met mijn vriendje Dave, zullen we bij jullie komen zitten?'

'Tuurlijk,' zei Elle. 'Eh... ik doe dit rondje wel.'

Tegen de tijd dat ze met de drankjes terug bij het tafeltje was, zaten het meisje en haar vriendje al en hadden zich voorgesteld aan Karen, en aan Cara en Alex, die hen negeerden en weer zaten te smiespelen.

'Hoe lang werk jij er al?' vroeg Karen.

'Ik nu een jaar,' zei het meisje. 'Het is er fantastisch! Juffrouw Sassoon is geweldig, vorig jaar heeft ze ons allemaal een cadeaubon van vijf pond voor Marks & Spencer gegeven. Toen ik mijn moeder belde om het te vertellen, zei ze: "Jemig, dat geeft de koningin iedereen in Buckingham Palace ook!" Geweldig!'

Hoe heet je in vredesnaam, dacht Elle, en ze glimlachte. 'Het lijkt me een leuke plek om te werken.'

'Jazeker,' zei het meisje. 'Het is er heel leuk. Dave zegt altijd dat ik erover op moet houden, niet, Dave?' Ze stootte Dave aan, die niets zei en weer naar zijn biertje staarde. 'Waar woon je precies, Eleanor?'

'Hier net om de hoek, momenteel,' zei Elle. 'Maar dat is maar tijdelijk. Ik moet op zoek naar iets anders.'

'Echt waar? Jeetje, wat toevallig.' Het meisje zoog op haar rietje. 'Mijn huisgenote is pas naar Zuid-Afrika verhuisd, heel plotseling. Echt heel plotseling, ze is vorige week pas vertrokken en ze had het me de week daarvoor pas verteld.' Ze stak haar tong uit. 'Dave zei dat ze me zat was, maar dat is helemaal niet waar! Hoe dan ook, kom een keertje kijken. Naar de flat, bedoel ik.'

'Wauw, dat is... Waar is het?' vroeg Elle. Ze wilde zich niet vastleggen, maar toevallig ving ze Alex' kille blik op.

'Het is bij Ladbroke Grove, boven een taxibedrijf, vlak bij de Sainsbury. Daar waar dat grote bord hangt dat er getuigen worden gezocht van een misdrijf? Nou, daar. Het is er trouwens heel veilig, hoor, er zijn nooit problemen.' Ze glimlachte haar tanden bloot. 'Dus, ik ben op zoek naar iemand en de huur is maar acht pond per week, echt geweldig, dus...'

Er viel een schaduw over de tafel. 'Hé kerel, alles goed?' vroeg Alex, en hij sprong op.

'Hé, maat. Hallo iedereen. Hoi, Elle.'

'Hoi, Fred,' zei Elle met een bonzend hart. 'Hoe gaat-ie?' vroeg ze nonchalant, terwijl ze haar haar opzij flipte en onverschillig probeerde te klinken – dit was iets wat haar bij Cara was opgevallen, die altijd mannen als bijen om honing om zich heen had zwermen.

Fred knikte. 'Goed, goed. Leuk je te zien, Elle, hoe was je eerste werkdag?'

'Goed,' zei ze vergenoegd. Het meisje dat bij haar werkte glimlachte verwachtingsvol. 'Dit is een van mijn nieuwe collega's,' zei ze. 'Eh...'

Fred wachtte, terwijl Karen haar aanstaarde.

'Het spijt me,' gooide Elle er uiteindelijk uit. 'Ik weet je naam niet meer. Het spijt me echt. Ik... eh... Ik heb vandaag zoveel mensen ontmoet.'

'Dat geeft toch niks. Ik heet Sam! En jij?'

Fred glimlachte naar Elle. 'Nou?' vroeg hij. 'Hoe heet ik?'

'Eh...' Elle kon het niet geloven, maar ze moest even nadenken. 'Mijn god, hij heet Fred. Ik word gek.'

Fred ging naast Alex zitten, die hem een klap op zijn schouder gaf, terwijl Cara haar korte afrokapsel naar achteren streek en nog een slok van haar borrel nam. Karen glimlachte innemend naar Fred, terwijl Elle, die nu echt helemaal van de wijs was, naar de grond staarde en bedacht dat ze maar beter vroeg naar bed kon gaan. Toen herinnerde ze zich moedeloos dat het bed dat op haar wachtte bestond uit oranje en groen jarenzeventig-acryl met plekken van sigarettenpeuken aan de achterkant. Ze was plotseling zo moe, ze wilde niets liever dan slapen, aan het werk en deze baan goed onder de knie krijgen. *Morgen is er weer een dag*, zou Scarlett O'Hara zeggen.

'Dus...' Sam leunde voorover en sprak hard in haar oor. 'Kom je naar de flat kijken? Ik wil je niet onder druk zetten of zo, maar het is best leuk én goedkoop en ik ben toch heel vaak bij Dave, dus ik ben er niet zo vaak, het is bij Ladbroke Grove en je kunt er meteen in trekken, en we kunnen samenwerken en goede amigo's worden, gewoon, elkaar een beetje in de gaten houden.' Fluisterend ging ze verder: 'Ik vind het echt heel bijzonder, jij niet? Het universum wil ons vast iets vertellen, waarom zouden Dave en ik hier anders op precies dezelfde avond zijn als jij?'

Er waren een aantal dingen die Elle hierop had kunnen zeggen, maar ze was het zat om op een groezelige bank te slapen en ze wilde haar boeken en cd-speler uitpakken.

'Ik kom graag kijken,' zei ze tegen Sam. 'Wanneer komt het je uit? Morgen?'

'Jippie!' Sam klapte in haar handen. 'Fantastisch!' Ze klonk haar glas tegen dat van Elle. 'Je vindt het vast geweldig. Wat een dag! Zo bizar, vanmorgen hadden we elkaar nog niet eens ontmoet.'

Vanmorgen leek wel een eeuwigheid geleden, met alles wat er was gebeurd. Het voelde alsof ze eigenlijk ergens naar op weg was. Elle trok onopvallend aan de oksels van haar frambozenkleurige truitje. In de wirwar van nieuwe gezichten en feiten had ze vandaag uiteindelijk toch nog iets concreets geleerd: draag geen strakke, lichtgetinte wollen truitjes als je zenuwachtig bent.

5

September 1997

Op de eerste dag van de maand werd Elle vroeg en met kloppende koppijn wakker. Haar mond was droog en haar ogen waren opgezwollen en gevoelig van het gehuil de dag ervoor. De kamer was te benauwd. Ze deed het raam open en ging op haar rug liggen, starend naar het plafond, en ze knipperde met haar ogen. Er blies koele lucht naar binnen en hoewel het stil was in Ladbroke Grove, wist Elle plotseling dat hoewel het pas 1 september was, de herfst was begonnen. Ze ging rechtop zitten en wreef in haar gevoelige ogen, terwijl de herinneringen van de afgelopen zesendertig uur langzaam terugkwamen.

Ze wilde dat ze niet hoefde te werken. Kon ze zich niet ziek melden? Ze had heel veel gedronken het afgelopen weekend en dat was ook deels waarom ze zich zo vreselijk voelde, maar het kwam ook door het huilen. Ze had de hele dag gehuild. Ze was vergeten hoe slecht ze zich de volgende dag altijd voelde als ze had gehuild, alsof ze in elkaar was geslagen en voor dood was achtergelaten.

Elle en Libby waren zaterdagavond naar Kenwood House gegaan om naar het openluchtconcert te luisteren, aan de andere kant van het hek zodat ze niet hoefden te betalen. Ze hadden een deken meegenomen, chips en wijn, en hoewel ze geen kurkentrekker bij zich hadden en Elle de kurk met een haarspeld de fles in had moeten duwen, hadden ze erg veel lol gehad. Het was altijd gezellig met Libby, of ze nu pasta in La Rosa aten, het kleine Italiaanse restaurantje waar alleen uitsmijters en stripteasedansers kwamen, of dronken boeken bediscussieerden (Elle had op aanraden van Posy net *Cazalet Chronicles* van Elizabeth Jane Howard gelezen en vond het echt heerlijke boeken; Libby weigerde ze aan te raken vanwege de pastelkleurige omslagen), films (Elle had tijdens *The English Patient* continu gehuild, terwijl Libby het uitproestte van het lachen elke keer als de uitgebluste Ralph Fiennes op het doek verscheen) of jongens op kantoor (tot Elles grote razernij plaagde Libby haar met haar vermeende verliefdheid op Rory en Elle kon helemaal niets bedenken om daartegen in te gaan, omdat Libby zei: 'Die uitgeefkerels zijn echte losers. Elle, doe toch eens normaal.')

Uiteindelijk waren ze in de Dome in Hampstead beland en hadden daar nog meer gedronken. Het was een geweldige avond geweest. Toen Elle nog slechts over een leven in Londen had gefantaseerd was het zoiets geweest, in een cafeetje zitten, de hele nacht praten over het leven en boeken, de stad onder haar voeten en het nog altijd angstaanjagende maar tegelijk superspannende gevoel van alle mogelijkheden die voor haar uitgestrekt lagen. Het dagelijkse leven bij Bluebird was afwisselend monotoon en eng: na vier maanden begon ze in te zien hoe ver haar droom, dat ze een hippe uitgever zou worden, nog bij haar vandaan lag. Je werd geen hippe uitgever door faxen te sturen naar belangrijke literair agenten die begonnen met 'beste Shitley'. Hippe uitgevers lieten geen broodjes garnaal in een archiefkast liggen, waardoor het op kantoor zo smerig rook dat Elspeth ervan overtuigd was dat ze werden lastiggevallen door de geest van een misnoegde auteur. Ze kopieerden geen manuscript van vierhonderd pagina's ondersteboven met als resultaat een grote stapel blanco papier, en ze raakten al helemaal niet buiten westen in een hoek van de pub na te veel witte huiswijn tot groot vermaak van hun collega's. Ja, Elle wist dat ze nog veel moest leren.

Ze waren zo laat naar huis gegaan dat ze 's nachts rillend afscheid hadden genomen. Net als altijd had Elle zich schuldig gevoeld, terug sluipend naar Ladbroke Grove om twee uur 's nachts, maar Sam was diep in slaap geweest. Desalniettemin had ze Elle de volgende ochtend wakker gemaakt door hevig huilend op haar deur te kloppen, met grote ogen en haar vingers in haar mond.

'Lady Di is dood,' had ze gezegd, en Elle had haar gevraagd of ze het wilde herhalen, want het had niet echt geklonken.

Ze hadden de hele dag huilend doorgebracht, kijkend naar de tv en luisterend naar Capital, waar droevige nummers werden gedraaid. Ze waren in hun pyjama naar de winkel ernaast gegaan om chocolade te halen, Bombay-mix en goedkope wijn, en nu was het maandag en zou het gewone leven weer doorgaan, natuurlijk was dat zo, maar het was wel stom. Elle had prinses Diana natuurlijk niet persoonlijk gekend, maar net als zoveel meisjes had ze het gevoel dat het wel zo was – niet dat ze haar toebehoorde, dat was stom. Maar alsof ze haar had gekend of zo, alsof ze vriendinnen zouden zijn geweest als ze elkaar hadden ontmoet.

De tranen prikten in Elles ogen als ze dacht aan de kist die uit het vliegtuig kwam, de prins van Wales die klaarstond om hem te begroeten, zijn gezicht getekend door verdriet. *De val van zo groot een man moest grooter gerucht gemaakt hebben.* Dat citaat was toch van Shakespeare? Hoe pretentieus van haar om Shakespeare te citeren. Als Libby haar kon horen zou ze niet meer bijkomen van het lachen. Elle trok het dekbed over zich heen; het maandagochtendgevoel was sterker dan ooit.

Ze hoorde iemand met veel kabaal naar de badkamer stampen en de deur met een klap dichtgooien. Elle kromp ineen en zette zich schrap. De radio werd aangezet en de stem van Chris Evans zei langzaam en duidelijk: 'Het is maandag en voor ons allemaal een moeilijke dag. We gedenken een geweldige vrouw, dus hier is Mariah Carey met "Without You" ter nagedachtenis aan de hartenkoningin.'

'*Yooouuu...*' begon Sam, vals piepend door de dunne wandjes heen, '*... without yooouuu...*'

Sam was een ochtendmens, zoals ze Elle zo vaak vertelde als Elle haar verzocht om kwart voor zeven niet zo vals met 'Mr. Loverman' mee te janken. Een ochtendmens zijn leek te betekenen dat het je niets kon schelen dat je volledig gespeend was van muzikaal gevoel. Elle draaide zich op haar buik en schreeuwde in haar kussen, net als elke ochtend. Als ze ooit moest komen opdraven voor jurydienst en er stond iemand terecht die zijn huisgenoot of buurman voor iets dergelijks had vermoord, wist Elle dat ze niet zou aarzelen hem onschuldig te bevinden. Elke avond zei ze tegen zichzelf dat Sam helemaal zo erg niet was, dat ze best lol hadden met een wijntje en slechte tv-programma's. Maar elke ochtend werd ze wakker van wat klonk als een dronken hoer die met benzine en scheermesjes stond te gorgelen en dan voelde ze moordneigingen in zich opwellen.

Ze gaf Sam zelfs de schuld van het uitgaan van haar zogenaamde relatie met Fred. Ze hadden van de zomer een soort van verkering gehad, weliswaar zeer halfslachtig, want hij was twee weken weggegaan zonder het haar te vertellen. De tweede of derde keer toen hij was blijven slapen, had Sam hen beiden wakker gemaakt door op zo'n pijnlijke manier 'Lovefool' van The Cardigans te zingen dat Fred was weggegaan zonder te douchen en had beweerd dat hij vroeg naar een vergadering moest en langs huis ging om een pak aan te trekken. Omdat Fred voorzover Elle wist in een café in de buurt van Portobello werkte terwijl hij bezig was een script te schrijven waarmee hij een Oscar moest gaan winnen, was dit overduidelijk een smoes, maar ze kon het hem niet kwalijk nemen. Sindsdien had hij haar niet meer gebeld. Elle had geprobeerd het vervelend te vinden, maar eerlijk gezegd was dat niet zo. Fred behoorde tot het tijdperk van slapen op de bank, overdag tv-kijken en een hopeloos gevoel, en dat leek jaren, niet maanden geleden.

Veertig minuten later was Elle gedoucht en aangekleed. Het was nog vroeg, even na achten, en ze stond in de keuken met haar handen om een mok thee haar gevoelens te ontleden om erachter te komen waarom ze het gevoel had dat ze iets had gemist. Was het prinses Diana die haar uit balans bracht? Of was het haar werk? Het probleem was dat ze zich niets in het bijzonder kon herinneren wat ze was vergeten. Het was haar grote angst dat er weer een bom zou ontploffen; voor een vergeten urgent manuscript in de postkamer of een volgend beste-Shitley-fiasco was ze het bangst. In haar donkere dagen – en dit was er een van – wist ze niet zeker wat de toekomst voor haar in petto had. Hoe kon ze hun in hemelsnaam laten zien dat ze een goede redacteur was als ze geen flauw idee hadden wie ze was, behalve misschien vaag als de idioot die een taxi voor Rory had besteld naar Harlow in plaats van naar Heathrow? Ze staarde nog steeds voor zich uit toen Sam binnenkwam.

'Hoi,' zei ze. 'Wat een rare ochtend, hè. Ik ben nog steeds heel emotioneel. Jij ook?'

'Ja,' zei Elle afstandelijk, haar zingen-in-de-douche-woede was nog niet helemaal bekoeld. 'Het is vreemd.'

Sam keek tevreden en bewoog haar neus. 'We lijken zoveel op elkaar. Ben je klaar voor de maandag?'

'Niet echt,' zei Elle. 'Ik voel me lamlendig.' Ze zuchtte.

'Ik niet,' zei Sam. Ze deed haar haren achter haar oren en zwiepte haar gebloemde Accessorize-tas over haar schouder. 'Maar ik ben dan ook niet degene die de hele zaterdagnacht met Libby op stap is geweest! Of wel?'

Ze lachte net iets te joviaal en Elle, die nog steeds boos was, moest op haar tong bijten. Sam wilde altijd met Elle mee. In het begin had Elle het niet erg gevonden, maar nadat Sam op Karens feestje in juli boven op de verjaardagstaart was gevallen en zo dronken was geworden bij Matty, de vriend van Eue, die een feestje had gegeven ter ere van zijn nieuwe huis, dat ze in slaap was gevallen op een stapel jassen in de gang, was Elle ermee gestopt haar uit te nodigen. Ze waren huisgenoten, geen Siamese tweeling. Toen ze nog studeerde was zij altijd degene geweest die de dronkaards mee naar huis had genomen en ze verdomde het om dat weer te doen.

'Ik ga,' zei Sam. Ze was altijd om negen uur op haar werk en vertrok meestal voor Elle. 'Ben je vanavond thuis?'

Toen herinnerde Elle het zich weer. Ze zei: 'Ik wist dat er iets was wat ik moest onthouden. Rhodes komt vanavond.'

'Je broer?'

Elle knikte. 'Ik was het helemaal vergeten. Daarom...' Haar stem stierf weg en toen voegde ze eraan toe: 'Ik heb hem niet meer gezien sinds...' Ze probeerde het zich te herinneren. 'Nou, sinds Kerstmis, maar toen is hij eerder vertrokken.'

'Hoezo?'

'Hij had ruzie met mijn moeder.' Meer zei Elle niet.

Sam pakte haar rugzak en veranderde van onderwerp. 'Jeetje, dat manuscript is zwaar. Zie ik je zo?'

Terwijl ze haar mok in de gootsteen zette, pakte Elle haar tas. 'Ik ga met je mee,' zei ze. Ze deed het dubbele slot op de flinterdunne deur van spaanplaat en volgde Sam de trap af naar buiten, de septemberzon in.

'Heb je het uit?' vroeg Sam. Elle keek haar wezenloos aan. '*Polly Pearson*? Vond je het niet fantastisch?'

Haar handtas voelde plotseling heel zwaar. Elle keer ernaar en zag het dikke manuscript dat ze sinds vrijdag niet meer had aangeraakt.

'O, mijn god.' Elle trok wit weg. Geen wonder dat haar brakke hersens haar probeerden te vertellen dat ze iets was vergeten. Het waren twee dingen. Rhodes zou vanavond komen en... en dit. Ze klampte zich vast aan de zware tas. Natuurlijk. 'Ik heb Rory beloofd... dat ik het dit weekend zou uitlezen.'

'Maar je hebt het meeste toch gelezen?' zei Sam opgewekt, die de banden van haar rugzak vasthield en fluitend doorliep. Ze leek wel zo'n raar figuur uit het padvindershandboek.

Elle keek haar walgend aan. 'Daar gaat het niet om.' Ze kneep haar ogen stijf dicht. 'Ik wilde een mening vormen, een goed antwoord klaar hebben. Net zo zijn als... Libby. Iets te melden hebben.' Rory en Posy vroegen nooit naar haar mening. Ze was praktisch onzichtbaar voor hen, voor Felicity, voor iedereen. Dit was het eerste manuscript waarvan ze hadden gezegd: 'Elle, we zouden graag willen weten wat jij ervan denkt.' Alsof ze geïnteresseerd waren in haar mening. Libby was degene die in de pub onbevreesd met Rory en Jeremy kletste, degene die de auteurs kende als ze opbelden: 'Ja, Paris, met Libby,' zei ze dan als ze Elles telefoon voor haar opnam. 'Hoe gaat het ermee? Wat kan ik voor je doen?' Zij was in staat op agenten af te stappen tijdens de lancering van een nieuw boek om zichzelf voor te stellen en ze wist altijd precies wat ze zeggen moest: 'Hallo, ik ben Libby, de assistente van Felicity? Ja, we hebben elkaar vorige week nog gesproken! Ik wilde je alleen maar even zeggen hoe geweldig ik *Het SWAT-team/Moeder van al het kwaad/Lantaarns schijnen over Mandalay* vond.

Sam onderbrak haar gedachten. 'Hé, zullen we na het werk even naar Kensington Palace gaan om bloemen neer te leggen?'

'Nee,' zei Elle humeurig, hoewel ze heel graag zou gaan. Ze trok het manuscript met ezelsoren uit haar tas en begon al lopend te lezen. 'Ik moet dit uit hebben voordat we er zijn.'

'Prima,' zei Sam. 'Ik hou je wel vast.' Ze pakte haar elleboog en grinnikte tegen Elle, die de stoep af liep. Een bus zwenkte uit om haar te ontwijken en toeterde hard, de passagiers balden hun vuisten naar hen.

6

Sam ratelde de hele rit in de ondergrondse maar door over hoeveel ze van Dave hield (hoewel Elle hem slechts één keer had ontmoet sinds ze bij haar was ingetrokken) en dat haar zus gisteren had gezegd dat als ze een meisje zou krijgen ze haar Diana Frances ter nagedachtenis aan Lady Di zou noemen. Elle had zich echter aangeleerd Sams stem buiten te sluiten. Ze streek het manuscript op haar schoot glad en begon de laatste zeventig pagina's vluchtig door te nemen, haar ogen vlogen in paniek over de tekst op dubbele regelafstand. Het was halfnegen. Ze had nog een uur.

De roman heette *Polly Pearson vindt een man* en opmerkelijk genoeg was het naar Rory gestuurd en niet naar Posy. Het was geschreven door een Ierse modejournaliste, Eithne Reilly, en er lag al een aanbod van £ 150.000 voor twee boeken op tafel, een bedrag zo hoog dat Elle het hilarisch vond.

'Jeremy zegt dat iedereen het hebben wil,' zei Sam. 'Tjee, we zijn al bij Oxford Circus, is het niet wonderlijk hoeveel sneller het gaat als je iemand hebt om mee te kletsen!'

Elle keek met een wilde blik op. 'Help me. Krijgt Colette haar verdiende loon?'

'Ja, ze wordt ontslagen. Uiteindelijk blijkt Roland een rotzak en Max geweldig en zij heeft het helemaal bij het verkeerde eind, want Colette heeft tegen haar gelogen over de Gucci-account.'

Elle bladerde naar de laatste bladzijde.

'Verdorie, Polly!' zei Max Reardon terwijl hij op haar af beende. 'Ik wil dat je met me mee komt naar Dublin. Als mijn vrouw, niet als mijn redacteur!'

'Max...' Polly staarde hem aan met haar grote blauwe ogen en de tranen stroomden over haar wangen. 'O, Max... graag! Er is alleen één ding.'

'Wat dan, schat?' vroeg Max, die haar in zijn armen nam en kuste.

'De baan wil ik ook en ik weet al wat mijn eerste opdracht zal zijn. "Hoe vind ik een man?".'

Einde.

'Zo moet het maar,' zei ze, en ze propte het manuscript terug in haar tas. 'Ik weet in ieder geval hoe het eindigt. Grote verrassing, ze leefden nog lang en gelukkig.' Elle volgde Sam naar buiten nadat de deuren van de ondergrondse met een klap open waren gegaan.

'Is het niet geweldig? Vond je het mooi?' vroeg Sam, terwijl ze de roltrap op stapten, omgeven door medeforenzen.

'Min of meer,' zei Elle. 'Het is erg zoetsappig, maar wel romantisch. Ik vond Max geweldig, hoewel hij net zo heet als mijn afschuwelijke ex, dus dat zegt toch wel wat.' Libby had het natuurlijk waardeloos gevonden. Elle kon er niets aan doen, ze had ervan genoten, maar was dat verkeerd?

'Ik kon het niet wegleggen,' zei Sam. 'Zo grappig! Dat stukje in de All Bar One!' Ze sloeg haar armen om zich heen en trok haar TravelCard tevoorschijn. 'We zijn weer op Tottenham Court Road,' zong ze. 'Wat een geweldige...'

'Eh... Sam,' zei Elle, die plots wanhopig verlangde naar een moment van rust. 'Ik trakteer mezelf op koffie en een croissant. Ik zie je op kantoor. Je hoeft niet op me te wachten,' voegde ze er nog aan toe en het verbaasde haar hoe vastberaden ze klonk.

Elle stond in de rij met haar tas tegen haar borst gedrukt en zodra ze de koffie rook voelde ze zich meteen een stuk rustiger. Ja, dit was een goed idee. Het was dan wel drie pond die ze niet had, maar ze had dringend behoefte aan een opkikkertje, want door al het gehuil en al die wijn voelde ze zich erg zwak. Ze zou als ze straks naar Bedford Square liep wel een intelligente opmerking over *Polly Pearson* bedenken en dan zou alles weer in orde zijn.

Toen Elle op Tottenham Court Road met het papieren koffiebekertje stevig in haar ene hand en het croissantje in een wasachtig papieren zakje in de andere hand de hoek om sloeg, haalde ze diep adem en glimlachte. Het was een prachtige dag, de bomen op het plein waren heel donkergroen, klaar om te verkleuren. Ze was deze keer eens te vroeg. *Polly Pearson is een bruikbare chicklit en ik ben van mening*... Nee, te hoogdravend.

Polly Pearson? O, bedankt dat ik dat mocht lezen, Rory. Ja, het past helemaal in dit fonds en het heeft een verfrissende lichtheid, die me deed denken aan een... een suikerspin. Een veer. Een bevederde woordenkraam. Woordenkraam? Of bedoel ik woordenmix?

Ze liep de hoek om en keek op haar horloge. Het...

'Aaaaaahhhhh! O, mijn god!'

Elle was tegen iets aan gelopen en door de schok had ze in het bekertje geknepen, waardoor de plastic deksel eraf was gevlogen en de gloeiend hete koffie door de lucht vloog.

'Mijn... god!'

'Shit!' riep Elle, de koffie zat overal op de enorme vormloze massa voor haar en ze realiseerde zich nu pas dat het een persoon was, een vrouw. Ze keek Elle met haar groene ogen ziedend van woede aan en Elle voelde dat ze vanbinnen week werd. O nee. Neeeeeee.

'Waar...' bulderde Felicity Sassoon, terwijl de bruine vloeistof van haar gezicht droop, '... ben jij in hemelsnaam mee bezig, dom wicht?'

Voetgangers die langsliepen op de brede stoep negeerden hen, en Elle liet haar tas en croissant op de grond vallen en begon juffrouw Sassoon droog te deppen, die al druipend bleef staan, haar bolle grijze kapsel geplet en haar lichtblauwe tweedjasje onder de bruine vlekken. Ze leek wel een verontwaardigde exotische vogel uit de London Zoo in een stortbui. Elle bleef tevergeefs deppen met de dunne bruine Pret-servetjes. Ze stond op het punt aan haar borst te beginnen, maar juffrouw Sassoon duwde haar woedend weg.

'Onhandig stuk vreten,' zei ze. 'Blijf van me af.' Ze keek Elle voor het eerst goed aan. 'Mijn hemel,' zei ze. 'Jij bent het.'

'Ja...' zei Elle. 'Het... het spijt me zo... juffrouw Sassoon...'

Felicity Sassoon staarde haar aan en kneep haar ogen tot spleetjes. Elle bleef staan en het gevoel in haar buik bevestigde wat ze al had geweten sinds ze wakker was geworden.

Dit werd een verschrikkelijke dag.

7

Ze was met Felicity naar kantoor gelopen, had haar in handen van Elspeth achtergelaten, die bijna was flauwgevallen van schrik toen haar grote leider onder de vlekken en verfomfaaid was binnengekomen met de vochtige resten van met koffie doorweekte servetjes op haar jasje en rok geplakt. Libby had met haar ogen naar Elle gerold alsof ze wilde zeggen: *Wat heb je nu in vredesnaam weer gedaan?* Toen iedereen weer aan het werk was gegaan, had Elle haar computer aangezet en tegen Libby gezegd dat ze iets uit de kantoorartikelenkast moest hebben en was ze naar het damestoilet gevlucht, waar ze voor haar gevoel uren had zitten huilen, hoewel het in werkelijkheid maar een paar minuten waren. Ze zouden haar ontslaan. Felicity zou iedereen in de uitgeefwereld opbellen en waarschuwen haar niet aan te nemen. Dat was ze waarschijnlijk nu al aan het doen.

Toen ze klaar was, ging Elle naar de wasbakken, snoot haar neus en staarde naar zichzelf in de verweerde oude spiegel. Ze zag er verschrikkelijk uit: rode ogen en een rode neus die nog steeds opgezwollen en geschonden was van een weekend lang huilen en drinken. Ze plensde wat koud water in haar gezicht en depte het droog, want dat deden de heldinnen in romans altijd als ze geschokt waren, maar daar werd haar gezicht alleen maar roder van en bovendien verdween de Boots-camouflagestift die ze zo nauwkeurig op de puist op haar wang had aangebracht. Ze keek naar de pas gewassen handdoek aan het rekje: die zat onder de lichtbruine strepen.

Ze slaakte nogmaals een huiverende zucht toen er op de deur werd geklopt.

'Elle?' Het was een mannenstem.

'Hallo?' vroeg ze achterdochtig.

'Elle, ik ben het, Rory. Doe open.'

'Nee,' zei Elle, hoewel ze niet wist waarom.

'Kom op. Plassen doe ik heus wel op het herentoilet, hoor. Doe open.'

Elle haalde de deur van het slot, en Rory stak zijn hoofd om de hoek. 'Mijn hemel,' zei hij geschokt toen hij haar glimmende rode gezicht zag. 'Wat is er in hemelsnaam aan de hand?'

Elle barstte in tranen uit. 'Koffie... Juffrouw Sassoon is woedend... Arme ziel... Bij Buckingham Palace had een punker bloemen bij zich...'

'Hoe bedoel je? Wie heeft er bloemen meegebracht?'

'De punker, hij kwam een club uit en heeft een rouwboeket neergelegd.' Ze veegde haar neus met de rug van haar hand af. 'Ik heb de hele dag gehuild, arme jongens... Toen vanmorgen... Ik keek niet goed uit... Ze was waarschijnlijk bang voor me. Ik ben ook zo onhandig.' Elle snikte met haar handen voor haar gezicht.

Rorry klopte met een troostgevend gebaar op haar arm. 'Het was een ongelukje, Elle. Er is niks met Felicity. Haar jasje is al bij de stomerij en Elspeth heeft een bus Elnett voor haar gekocht, dus alles is weer in orde. Maak je niet zo druk.'

Elle begon nog harder te huilen.

'Mijn god,' zei hij. Hij wurmde zich verder het kleine toilet in en legde een arm om haar heen. 'Wat heb ik nu weer verkeerd gezegd?'

'Oma Bee zei altijd, maak je niet zo druk,' zei Elle. 'Het doet me aan haar denken en nu is ze dood... O...'

Rory kneep Elle in haar schouders en glimlachte. 'Nou, ze had gelijk. Elle, hou op met huilen. Ik vind het verschrikkelijk je zo te zien,' zei hij somber. 'Droog je tranen en kom eruit. Felicity wil je spreken.'

Elle had het gevoel alsof er ijsblokjes over haar rug rolden. 'O, nee,' zei ze.

'Het gaat over *Polly Pearson*, maak je geen zorgen. Ze gaat heus niet tegen je schreeuwen.'

Elle geloofde hem niet.

'Het komt goed,' zei Rory. 'Vertrouw je me?'

'Ja,' gaf ze toe.

'Kom op. Kijk niet zo dramatisch, schat.' Hij boog zich voorover en gaf haar een kus op haar hoofd, maar Elle verstijfde.

'Het gaat al weer,' zei ze. Ze deed een stap opzij en probeerde niet te blozen.

'Sorry,' zei Rory na een korte stilte. Hij klopte op haar arm. 'Ik riep de gedachte aan je oma zeker weer op. Dat soort dingen doen oma's, toch? Ik had geen flauw idee. Die van mij is weggelopen met de vrouw met de baard van het circus toen ik nog een klein jongetje was. Ben je zover?'

'Eh... natuurlijk,' zei Elle. Ze wilde dat ze een doosje poeder bij de hand had – haar gezicht glom afschuwelijk – maar als ze op het punt stond ontslagen te worden maakte het misschien toch niet uit. Ze stak haar kin in de lucht en marcheerde de wc uit, gevolgd door Rory, en langs een stomverbaasde Sam.

'Laat je niet op de kop zitten,' fluisterde Rory in haar oor. 'Succes, meid.'

Elle klopte op de deur. *Niets aan de hand,* zei ze tegen zichzelf. *Ik vind het hier toch vreselijk. Ik ga gewoon in een boekwinkel werken en dan hoef ik nooit meer zo'n stomme roman te lezen.*

Terwijl ze het dacht, wist ze al dat het niet zo was. Ze vond de monotone handelingen van het kopiëren of de angst te falen helemaal niet erg, als ze nog maar mocht blijven. Ze vond het leuk hier. Ze was gek op het gevoel en de geur van een gloednieuw boek, vers van de pers, de uitroep van vreugde van Jeff Floyd, de salesdirector, als Victoria Bishop in de top tien stond en de gedachte dat je in tegenstelling tot op school elke dag ergens heen ging waar je wilde zijn, waardoor je hard werkte, je vond het zelfs niet erg de slechtste van de klas te zijn, omdat je op een dag misschien wel beter zou worden.

'Kom binnen,' bulderde de stem vanuit het kantoor, en toen ze opendeed was ze verbaasd dat ze niet door vleermuizen en kruiperige aanhangers werd begroet. Ze gluurde naar binnen.

'Ah, Eleanor,' zei Felicity Sassoon vanachter haar enorme mahoniehouten bureau. 'Kom binnen en ga zitten.'

'Juffrouw Sassoon, het spijt me zo,' begon Elle, en ze deed de deur achter zich dicht. Ze ging zitten en haalde diep adem. 'Gaat het goed met u?'

'Natuurlijk gaat het goed met me,' zei Felicity ongeduldig. Ze speelde met de ring die ze altijd aan de ringvinger van haar linkerhand droeg, een grote antieke ring met een amethist. Ze had een ander jasje aan. Elles blik dwaalde af naar de gesloten kast achter haar, met daarin, zoals ze wist, de lay-out van de *Geïllustreerde biografie van de koningin-moeder*, die klaarlag om ter perse te gaan zodra de koningin-moeder zou overlijden. Niemand had er de laatste jaren in gekeken. Wat hield Felicity daar nog meer verborgen, naast verschillende Harris Tweed-jasjes? Een politie- of sexy kamermeisjespakje?

Elle knipperde met haar ogen. Felicity was niet echt iemand van wie je dacht dat ze een seksleven had. Hoewel ze getrouwd was geweest met Rory's vader, Derek, kende niemand zijn achternaam en iedereen noemde haar juffrouw Sassoon. Volgens de geruchten had Felicity Derek een hartaanval bezorgd en Jeremy zei dat hij blij was van haar verlost te zijn en met een glimlach op zijn gezicht was gestorven.

'Elle,' zei Felicity vastberaden, kijkend naar haar aantekeningen. Elle vermoedde dat haar naam daar stond. Eleanor Bee. Timide. Debiel. Verlegen. Rokjes te kort. Heeft me op maandag 1 september 1997 verbrand. 'Ik wilde je iets vragen. Toen je daarstraks probeerde de inhoud van een papieren bekertje gloeiend hete koffie van me af te vegen, zag ik het manuscript van *Polly Pearson* in je tas zitten. Heb je het gelezen?'

'Eh...' zei Elle overrompeld. Ze slikte. 'Ja, bijna helemaal.'

'Vond je het leuk?'

'Eh...' Ze had geen tijd gehad om een treffende volzin te bedenken. Ze schraapte haar keel, ging op haar handen zitten en haalde diep adem. Ze moest de waarheid vertellen, anders zou het opvallen. 'Nou, eigenlijk heb ik er best van genoten.'

Felicity fronste haar voorhoofd. 'Hoezo?'

Elle wiebelde. 'Het is romantisch, grappig en leesbaar,' zei ze in een poging het uit te leggen.

'Ik begrijp niet waarom het anders is dan een MijnHart-boek,' zei Felicity.

'Het is heel anders,' antwoordde Elle. 'Ik ben gek op MijnHart-boeken,' voegde ze er zenuwachtig aan toe. 'Maar soms zijn ze... eh... misschien ietwat ouderwets. Eh...'

Ze zakte weg in haar stoel, bang dat ze te ver was gegaan, maar Felicity leunde naar haar toe. 'Ga verder.'

'Nou, in een van de laatste MijnHarts die ik moest lezen, had de verpleegster een affaire met een dokter. Ze kreeg een kindje van hem en liep weg, omdat ze zich zo schaamde, en hij was helemaal van streek en dacht dat ze hem haatte,' zei Elle. 'Zoiets zou tegenwoordig niet meer gebeuren. Als ik zwanger zou raken van iemand op mijn werk, dan...' Ze zwaaide met haar armen om haar bewering kracht bij te zetten. 'Bijvoorbeeld door Jeremy, dan zou ik me toch niet schuilhouden. Ik zou op Jeremy afstappen en zeggen: "Eh... hé, Jeremy, wat gaan we hieraan doen?"' Ze hield haar mond omdat Felicity haar stomverbaasd aankeek. 'Of... iemand anders. U weet wel wat ik bedoel.' Ze kon haar oude vijand, het schaamrood, over haar sleutelbenen omhoog voelen trekken. 'Het is gewoon een beetje onrealistisch. Als een sprookje waarin alles op zijn pootjes terechtkomt. Vrouwen zijn niet gek. Ik bedoel, de boeken zijn erg goed, maar...' Haar stem stierf weer weg. 'Dat ze-leefden-nog-lang-en-gelukkig-gedoe is allemaal een beetje achterhaald. Ik geloof er niet in.'

'Je gelooft er niet in?' Felicity glimlachte, en haar blik dwaalde over Elles gezicht. 'Wat onromantisch, Elle, en wat een rare praatjes voor zo'n jong meisje.'

Het was niet waar. Eigenlijk wilde ze heel graag geloven in ze-leefden-nog-lang-en-gelukkig, meer dan in wat dan ook. Maar als ze dat zou toegeven, zou ze voorbijgaan aan de feiten die ze over het leven had verzameld. Dus wist ze niet wat ze hierop moest antwoorden, ze wist niet hoe ze moest toegeven dat ze heimelijk verlangde dat haar gezichtspunt zou veranderen, door iets of door iemand, wat dan ook.

'Kijk nou naar prinses Diana,' zei ze uiteindelijk.

'Diana, prinses van Wales,' corrigeerde Felicity haar spits. 'Ze was geen geboren prinses, dat was ze slechts door haar huwelijk. Een feit waar ze beter van doordrongen had moeten zijn. Zij is niet het voorbeeld dat ik zou gebruiken, Eleanor.'

'Maar zij...' begon Elle, maar ze zag in dat ze te ver was afgedwaald. 'Ik ben gewoon niet dol op verhalen waarin het overduidelijk is wie er met wie eindigt. Het echte leven zit zo niet in elkaar.'

Felicity schudde haar hoofd, alsof ze niet wist wat ze met Elle aan moest. 'Goed, ik geloof je, hoewel ik het heel droevig vind, mijn kind. Iedereen heeft er af en toe behoefte aan om aan het dagelijkse leven te ontsnappen. Wat vind je van Georgette Heyer?'

Omdat ze als kind elke zaterdagmorgen lezend in de Shawcross-bibliotheek had doorgebracht terwijl haar moeder als bibliothecaresse de boeken stempelde en adviezen gaf, had Elle wel eens van Georgette Heyer gehoord. Ze zei: 'Ik ken haar van naam, maar ik heb nooit iets van haar gelezen.'

Felicity keek haar stomverbaasd aan. 'Wat? Heb jij nog nooit een boek van Georgette Heyer gelezen?'

'Nee, het spijt me.'

'Dat verbaast me. Nog nooit iets van Georgette Heyer gelezen. Mijn god.' Felicity boog haar hoofd voorover alsof ze een medium was en de geest van Georgette Heyer in de kamer erkende. 'Ze is, eenvoudig gezegd, de beste. Jane Austen zou dol op haar zijn geweest.' Ze ademde langzaam door haar neus in. 'En dat compliment gebruik ik niet lichtvaardig.' Ze stak haar hand naar achteren en gaf Elle een exemplaar van *Venetia*. Het was een paperback uit de jaren zeventig met een afbeelding van een meisje in een maïsveld. 'Neem maar mee. Ik ben verbijsterd dat je nog nooit een boek van haar hebt gelezen. Dat had ik niet van jou verwacht.'

'Hoe bedoelt u?' vroeg Elle, en ze beet zenuwachtig op haar vinger.

'Nou, Eleanor, jij herinnert het je misschien niet meer, maar ik was onder de indruk van je sollicitatiegesprek. Je had een mening over boeken en je was enthousiast. 'Dat...' zei Felicity, en ze stak een potlood in haar blocnote, '... is een erg goede eigenschap. Verlies dat niet.'

Jij herinnert het je misschien niet meer. Elle moest lachen. 'Bedankt!' zei ze, en ze straalde van plezier.

'Ga het lezen. Ik benijd je, jij hebt al dat moois nog te goed. Hè, ik ben helemaal afgedwaald. Dat is een van de geneugten van praten over boeken, dat vind jij vast ook.' Ze wierp een blik op haar horloge. 'Over tot de orde van de dag. *Polly Pearson*. Waarom is het zo geweldig anders?'

Zelfverzekerd nu, stak Elle gehaast van wal, de woorden rolden eruit. 'Nou, het gaat over iemand van ongeveer mijn leeftijd, die in

Londen woont, plezier heeft en haar leven op orde probeert te krijgen. Ze kijkt graag naar *Friends*, laat haar eten het liefst bezorgen en hoewel het niet het beste boek is dat ik heb gelezen, zou ik zo vijf mensen kunnen opnoemen die het leuk zouden vinden, en bovendien hebben we zoiets bij Bluebird nog nooit gehad.' Elle wilde dat Felicity het leuk zou vinden, ze wist niet waarom, behalve dat ze wilde dat Rory het zou kunnen aankopen en tevreden over haar zou zijn. Ze kwam met de winnende opmerking: 'Bovendien hebt u zelf gezegd dat als je tijdens het lezen drie mensen kunt bedenken die het boek absoluut de moeite waard zouden vinden, u het in ieder geval zou uitgeven.'

Felicity's donkergroene ogen, die zo op die van haar zoon leken, al had Elle dat nog nooit eerder opgemerkt, waren tot spleetjes geknepen. 'Mmm,' zei ze, en Elle bespeurde een vleugje onzekerheid in haar stem. 'Heel interessant. Laat ik eerlijk tegen je zijn, Eleanor. Rory wil er een bod op doen. Hij wil dat we tweehonderdduizend pond bieden en de andere aanbiedingen ver achter ons laten. Hij zegt dat het iedereen zou bewijzen dat Bluebird aan de top kan concurreren. Maar het is belachelijk veel geld...'

Haar stem stierf weg, en ze keek Elle bedachtzaam aan. 'Die Bridget Jones-hype duurt veel langer dan ik had verwacht. *Bridget Jones in New York*. *Bridget Jones verhuist naar het platteland*... Ik ben bang dat ik het gewoon niet snap.' Ze zuchtte, en er gleed een schaduw over haar gezicht. 'Rory denkt dat ik mijn feeling kwijt ben, dat ik een goed boek niet meer herken ook al ligt het vlak onder mijn neus,' zei ze onverwacht.

Elle wilde haar geruststellen. 'Zoals ik al zei, het is niet fantastisch. Misschien is het een beetje cynisch allemaal.' Ze besefte dat dit ook zo was. 'En de personages zijn van bordkarton, alsof de schrijfster een paar andere boeken heeft gelezen en dacht, dat kan ik zelf ook. Maar toch vond ik het een leuk boek.'

Felicity's ogen begonnen te stralen. 'Prima,' zei ze, 'precies wat ik wilde horen. Bedankt.'

Elle glimlachte opgelucht. 'Oké dan. Eh... was dat alles, juffrouw Sassoon?' vroeg ze beleefd.

'Ja, mijn kind,' antwoordde Felicity. Ze pakte de dictafoon. 'Libby. E-mail aan Rory Sassoon, Posy Carmichael...' Ze drukte op het pauzeknopje. 'Lees Georgette Heyer. Laat me weten hoe je vordert.' Ze gebaarde met haar hand dat Elle kon gaan. Elle verliet vlug het koude donkere kantoor en trok de deur zachtjes achter zich dicht.

'Hoe ging het? Moet je je persoonlijke eigendommen gaan inpakken?' vroeg Libby fluisterend, terwijl Elle zich in haar stoel liet zakken.

'Nee, het ging goed.' Elle had het gevoel dat haar schouders van opluchting vijf centimeter lager hingen. 'Ze ondervroeg me over dat *Polly Pearson*-boek.'

'Ik hoop dat je haar hebt verteld dat het rommel is,' zei Libby.

'Nee,' zei Elle. 'Ik heb gezegd dat ik het best goed vond.' Ze hield op met praten en keek naar de versleten paperback in haar hand. 'Althans, ik denk dat ik dat heb gezegd.'

Toen Elle terugkwam van haar lunch met een stokbroodje tonijn, na een wandeling naar het British Museum, trof ze Rory aan naast haar bureau.

'Wat heb je tegen mijn moeder gezegd?' vroeg hij dringend. Hij haalde zijn handen door zijn lichtbruine haar en woelde erin tot het rechtovereind stond. Elle keek hem wezenloos aan. 'Tegen Felicity, Elle,' zei Rory. 'Over dat verdraaide boek. Kom op, wat heb je tegen haar gezegd?'

Elle ging zitten en zette haar tas op de grond. 'Dat weet ik niet meer,' begon ze. 'Hoezo?'

Rory had de mouwen van zijn overhemd opgerold en zijn handen op zijn heupen gezet. Hij keek haar dreigend aan met een barse uitdrukking en een sombere blik. Ze had hem nog nooit zo kwaad gezien.

'Ik ben vanmorgen weg geweest en toen ik terugkwam trof ik dit aan. Ze heeft echt een belachelijke e-mail gestuurd, met de boodschap dat ze een hoger bod niet goedkeurt.' Hij krabde boos op zijn hoofd. 'Ze zegt dat we het eerste bod mogen evenaren, maar meer niet. Nu krijgen we het verdorie niet, de agent is op geld uit. Dit was onze kans om te laten zien dat we geen tijdverspillend dameskransje zijn, dat we belangrijke spelers zijn! Vanmorgen wilde ze er nog voor gaan. Wat heb je tegen haar gezegd?'

'Ik heb helemaal niets gezegd!' zei Elle, en ze probeerde niet te piepen. 'Ik heb haar verteld dat ik ervan heb genoten, dat het veel realistischer is dan de meeste MijnHart-boeken en dat ik het leuk vond, dat Sam het leuk vond...'

Achter haar kuchte Libby.

Rory zwaaide met een stuk papier. 'Ik heb de jongere medewerkers op kantoor naar hun mening gevraagd,' las hij met een lage, boze stem voor, 'en mede vertrouwend op mijn eigen instinct, ben ik tot de conclusie gekomen dat het, in de woorden van een junior werknemer, "cynisch geschreven is, met personages van bordkarton alsof de auteur een paar andere boeken had gelezen en dacht dat ze iets dergelijks zelf ook wel kon". Daarom is het niet iets waaraan Bluebird geld zou moeten spenderen, hoe groot het verlangen ook is toe te geven aan een verleidelijke doch – ben ik van mening – vluchtige tijdgeest.'

Hij boog zich voorover en hield zijn smalle gezicht naast het hare. 'Heb jij dat gezegd?'

Als Elle misschien wat ouder was geweest of meer ervaring had gehad, dan zou ze Rory hebben gezegd dat hij haar niet bij een ruzie met zijn moeder moest betrekken, maar dat was niet het geval. 'Ja, dat heb ik gezegd,' zei ze zachtjes. Ze kon niet geloven dat dit dezelfde Rory was die elke dag om haar grapjes had gelachen, die een paar uur eerder nog zo lief voor haar was geweest, haar op haar hoofd had gekust. 'Maar ik heb haar ook gezegd dat ik het desondanks erg leuk vond. Ik beloof, Rory...'

'Elle...' begon hij, maar toen hield hij zijn mond. Hij deed zijn ogen even dicht. 'Mijn god, je snapt er helemaal niets van, hè? Dit is een commercieel bedrijf.' Hij balde zijn handen tot vuisten. 'Het is jouw schuld niet,' zei hij even later. 'Het spijt me. Alleen scoort nu iemand anders een grote bestseller en moeten wij weer proberen Smith te overtuigen de zoveelste Jessie Dukes over zusjes in de blitzkrieg te nemen.' Hij leunde voorover. 'Je bent een snob, Elle. Wist je dat?'

'Dat ben ik niet,' zei ze verontwaardigd.

'Dat ben je wel. Vorige week nog zag ik hoe je dat boek achter je bureau verslond. Je zei dat je het leuk vond.'

Hij leek oprecht van streek. Hij was nog nooit boos op haar geweest, het was verschrikkelijk. Posy was streng, een spelbreker soms.

Rory was grappig, aardig, wel een beetje lui, maar ze had altijd gedacht dat hij aan haar kant stond. 'Ik heb... Ik vond het wel goed, maar ik bedoel alleen maar dat het geen...'

'Geen wat? Echte literatuur is? Hou toch op.' Hij sloeg met zijn hand door de lucht alsof ze hem had teleurgesteld, de verkeerde beweging had gemaakt in een spel waarvan ze niet wist dat ze het speelde. 'Vergeet het maar. Het is al goed. Het gaat om haar, niet om jou. Op een dag zal ze het snappen, maar dan zal het te laat zijn.' Hij wandelde weg en liet haar onthutst achter.

8

Toen Elle die avond alles aan haar broer vertelde, was ze nog steeds van slag.

'Dus ik morste koffie over haar heen en dat leek ze helemaal niet zo erg te vinden! Ze heeft helemaal niet geschreeuwd of zo. Ik dacht dat ik ontslagen zou worden, maar zij vroeg me wat ik van het manuscript vond!' Ze schonk Rhodes nog een glas wijn in en dronk haar eigen glas leeg. 'Werkelijk, Rhodes. Je zou haar moeten ontmoeten om te zien wat ik bedoel, maar ze is verbazingwekkend, echt heel bijzonder. Haar man is overleden toen ze dertig was en hij heeft haar laten zitten met een zoontje en dit bedrijf en ze heeft het allemaal voor elkaar gekregen. Ze kent iedereen, ze gaat naar de chicste feestjes. Vorige week is ze naar de Vrouw van het Jaar-lunch geweest, waar Joan Collins ook was. Niet te geloven, toch?'

'Oké,' zei Rhodes, terwijl hij zich volpropte met Twiglets. 'En toen?'

Zijn toon verried beleefde verveling, maar Elle kon haar oudere broer de details niet onthouden, ze wilde hem vertellen hoe fantastisch haar nieuwe leven was. 'Nou,' zei ze, 'en toen hadden we echt een heel interessant gesprek over literatuur. Over dat soort interessante dingen.'

Vanaf de versleten oude bank in de hoek van de keuken gilde Libby hen toe: 'Elle, dat is onzin. Jullie hebben het over romans gehad en toen heeft ze je een oor aangenaaid. Als je het mij vraagt heeft ze je gewoon voor haar karretje gespannen.' Ze gooide een paar pinda's in haar mond en sloeg haar benen over elkaar, terwijl Rhodes haar goedkeurend bekeek.

'Hoe dan ook,' ratelde Elle verder, 'Rory was superboos en zei dat ik alles had verpest.' Ze herinnerde zich Rory's sombere uitdrukking terwijl hij boven haar hing. *Je bent een snob, Elle.* Ze vond het verschrikkelijk dat hij zo slecht over haar dacht.

'Hij spant jou ook voor zijn karretje,' zei Libby. 'Dat doen ze allebei. Soms heb ik echt zin om er weg te gaan. Het lijkt allemaal zo gezellig, maar hun politieke spelletjes zullen hun uiteindelijk de das omdoen.'

'Mmm.' Elle vond het niet leuk als Libby zo sprak. 'Het eten is bijna klaar.' Ze goot de pasta af en staarde er wanhopig naar, niet zeker wetend wat ze nu moest doen.

'Ik barst van de honger,' zei Rhodes, alsof hij haar gedachten kon lezen.

'Nog heel even!' galmde Elle, net even iets te hard.

Als Sam thuis was geweest zou ze bij Sainsbury een vierkazensausje hebben gekocht voor het geval dat. Sam plande haar maaltijden van tevoren, maar Elle improviseerde liever, met wisselende resultaten. Ze pakte een glas rode wijn waarvan ze toevallig wist dat het er al sinds de vorige dag stond en gooide het in de pan met een paar basilicumblaadjes van de verdorde plant op een schoteltje naast de gootsteen. Het leek nog niet echt ergens op, dus wanhopig als ze was, goot ze er een beetje sojasaus en plantaardige olie overheen.

'Wie heeft er honger?' vroeg ze klappend in haar handen in een poging als een Italiaanse *mamma* te klinken. 'Nou? Schuif maar aan!'

Rhodes ging aan het kleine tafeltje zitten en staarde naar de pan, en Elle voelde een steek van vertwijfeling. Ze moesten de hele avond nog door zien te komen. Haar eigen broer was praktisch een vreemde voor haar.

'Mmm,' zei Libby. 'Dat ruikt lekker. Komt Sam ook?'

'Nee, ze is weg.' Sam was toch naar Kensington Palace gegaan, samen met Dave. Elle was blij dat ze er niet was. Ze had een soort van naïviteit over zich waardoor de combinatie met Rhodes Elle niet zo geschikt leek. Om te beginnen wist ze dat hij gemeen zou doen over prinses Diana. Ze gaf Libby en Rhodes allebei een kom aan. De wijnachtige sojaolie had zich op de bodem verzameld en een vage rode droesem op de pasta achtergelaten. 'Dus,' zei ze. 'Sorry dat ik zo doorzaagde over mijn werk, het is gewoon een rare dag geweest. Het is er fantastisch, maar vreemd. Je weet wel wat ik bedoel.'

'Nee, niet echt,' zei Rhodes. Elle deed haar mond open, maar hij ging verder. 'Ellie, jij hebt helemaal niets verkeerd gedaan. Zij gebruiken jou, niet andersom.' Hij nam een mondvol, stopte en zwaaide met zijn vork door de lucht. 'Mmm. Wat zit er in deze pasta?'

'Ja, het is zalig, Elle,' zei Libby, hem onderbrekend. 'Rhodes heeft gelijk, laat ze niet met je rotzooien, Elle. Wees wat voorzichtiger de volgende keer. Rory denkt alleen maar aan zijn eigen belang en Felicity ook.'

'Rory denkt heus niet alleen maar aan zijn eigen belang.'

'Tuurlijk niet,' zei Libby sarcastisch. 'Ook goed.' Ze wendde zich tot Rhodes. 'Wat doe jij eigenlijk? Iets met geld toch?'

'Ik werk bij Bloomberg. Als analist,' zei Rhodes. 'In New York, ik heb daar gestudeerd en ben blijven hangen om mijn MBA te doen en daarna heb ik een baan bij Bloomberg gekregen. Ze zijn daar dol op Britten.'

'Mmm. Is New York niet gevaarlijk?' vroeg Libby. 'Mijn vader wil er graag heen, maar mijn moeder is doodsbang. "Geen denken aan, Eric! Ik zet daar geen voet aan de grond! Wie wil er nou bestolen en neergeschoten worden?"' zei ze, haar noordelijke accent sterk aanzettend. Elle wist dat ze hem expres zat uit te dagen. Libby zei altijd dat ze eens een paar dagen naar New York zouden moeten gaan. Ze was geobsedeerd door die stad.

'Hoezo? Het is er helemaal niet gevaarlijk,' zei Rhodes. Hij leek beledigd. 'Typisch die kleingeestige Britten weer. Echt totale onzin, het is 1997, zulke problemen waren er in de jaren tachtig, heel lang geleden. Het is er verdorie fantastisch.'

Hij duwde het bord van zich af.

'Sorry, Ellie. Ik kan dit niet eten. Het komt vast door mijn jetlag. Heb je misschien een menu van de pizzakoerier?'

Elle staarde hem aan, een rode gloed van woede vermengd met schaamte kroop van haar borstkas naar haar hals. 'Dat heb ik verdorie niet!' zei ze.

'Wat hangt er dan op de koelkast?' Rhodes wees naar het afhaalmenu.

Ze had zo de pest aan de manier waarop hij haar op de kast joeg. Ze zou willen dat het haar niet kon schelen wat hij dacht, dat ze niet zou willen dat ze beter was dan hij of dat hij onder de indruk van haar zou zijn. Het was te sneu voor woorden. Iets knapte er in Elle. 'Je krijgt verdorie geen pizza,' gilde ze.

'Waarom niet?'

Elle stamelde bijna. 'Je kunt hier niet zomaar komen opdagen met zo'n houding van "Wat ben jij stom en ik werk in New York en ik ben zooo fantaaastisch". Je moet altijd de coolste zijn, niet?'

'Ik ben cooler dan jij,' zei Rhodes bot. 'Ik bedoel, jemig, Ellie...'

'Noem me geen Ellie, dat is zo kinderachtig!'

Rhodes keek haar onverstoorbaar aan. 'Word nou niet boos,' zei hij. 'Ik wil alleen maar weten hoe het met je gaat en wat voor werk je doet. Ellie.'

Elle veegde haar neus af aan haar mouw. 'Nee, niet waar! Je komt hierheen omdat je moet, je vraagt nooit naar mam of hoe het met haar gaat...'

Rhodes onderbrak haar. 'Nou! Jij hebt mij anders ook niet gevraagd hoe het met me gaat. Je ratelt maar door over je baan en mensen die ik helemaal niet ken, je zet me een soort van pastasmurrie met sojasaus voor en vervolgens gooi je allerlei dingen naar mijn hoofd en begin je tegen me te schreeuwen.'

Elle staarde hem aan. Het was afschuwelijk zoals hij haar van streek maakte, zo was het altijd geweest, ze spraken nooit over dingen die onder de oppervlakte lagen. 'Begrijp je niet...'

'Ja,' zei Rhodes, knikkend alsof hij redelijk probeerde te zijn. 'Ik begrijp het wel. Echt. Alleen de feiten zijn gewoon niet zo eenvoudig. Je hebt koffie over je directeur gegooid. Daarom merkt zij jou voor het eerst echt op, dus heb je effectief genetwerkt, al zou ik die methode niet opnieuw gebruiken. Ze vraagt je naar je mening omdat ze back-up nodig heeft voor haar eigen strategie en jouw baas is boos omdat zij jou tegen hem heeft gebruikt. Het toont aan dat ze allebei waarde aan je mening hechten, tot op zekere hoogte. Dat is juist goed. En het toont aan dat het niet jouw strijd is, maar die van hen.'

'Dat heb ik ook al gezegd,' zei Libby.

'Dus de vraag is nu,' ging Rhodes verder, en hij zette zijn vingertoppen tegen elkaar, 'wat ga je doen om deze situatie zo goed mogelijk te benutten?'

'Hoe bedoel je?' vroeg Elle. 'Is dat niet een beetje... goedkoop?'

Rhodes lachte en sloeg zijn benen over elkaar. Hij legde een hand op zijn dijbeen en ondersteunde zijn kin met de andere hand.

'Het is gewoon business. De business kan zijn boeken verkopen aan oude dames die gek op breipatronen zijn, maar het is wel een business. En als zij met elkaar overhoop liggen, kun jij dat in je voordeel gebruiken. Maar eerst moet je erachter zien te komen wie de meeste lef heeft. Kies diegene en blijf hem of haar trouw. De oude dame of haar zoon? Zo te horen die oude dame, hij lijkt me een rotzak.'

'Rory is geen rotzak,' zei Elle. 'Hij is geweldig. Niet waar, Libs?'

Libby schraapte haar keel en zei: 'Maar Rhodes, als hij de rotzak is, betekent dat dan niet dat hij de meeste lef heeft?'

'Nee,' zei Rhodes, nog steeds ernstig. 'Dat is iets heel anders.'

Libby ging staan en schudde met haar schouders. 'Prima,' zei ze. 'Ik moet gaan. Ik heb Jeremy en nog een paar anderen beloofd naar de Filthy MacNasty's te komen.'

'Wat is dat in vredesnaam?' vroeg Rhodes, zowel geïrriteerd als geïntrigeerd.

'Een bar, Shane MacGowan gaat er altijd heen. Ze houden er boekenfeestjes, lezingen, beetje primitief. Best cool.'

Elle was in de zomer een paar keer naar Filthy geweest, maar vond het niets. Het was er altijd vol met jonge redacteurs en agenten met grote donkere brillen, die elkaar allemaal de loef af wilden steken en toen een van de auteurs had gezegd dat boeken dé nieuwe drugs waren, had ze het liefst hardop gelachen. Ze had geprobeerd een van zijn romans te lezen, onberijmde verzen zonder leestekens waarin niemand een naam had, de personages heetten roodharige man, man met bruine ogen, blonde vrouw, en natuurlijk moest de blonde vrouw haar kleren verschillende keren uitdoen, dat was zogenaamd nodig voor de plot maar eigenlijk super ordinair, en iedereen zei dat het kunst was, in tegenstelling tot de MijnHart-boeken, die natuurlijk beneden de stand van iedereen waren, zelfs al vond Elle dat de seksscènes aanzienlijk beter geschreven waren. Maar ja, als ze dit tegen iemand in Filthy zou hebben gezegd, zouden ze hebben gekeken alsof ze had gezegd dat Hitler niet helemaal goed begrepen was.

Rhodes leek onder de indruk; hij was onder de indruk van Libby in het algemeen, Elle zag het. Ze zei: 'Weet je het zeker, Libs? Het is in Clerkenwell en het is al halftien.'

'Geeft niet.' Libby pakte haar jas. 'Ik wil er graag heen en ik weet dat jij niet van dat soort tenten houdt. Daarvandaan is het niet zo ver naar huis. Ik zie je morgen. Bedankt voor de zalige pastasoep. Rhodes, leuk je te ontmoeten.'

'Leuk je...' begon Rhodes en hij stond op, maar Libby was al weg. Ze zwaaide even met haar slanke hand ter afscheid.

'Ze is cool,' zei hij, door de gang naar de voordeur starend.

Elle zette haar handpalmen op tafel en duwde zichzelf vermoeid omhoog. 'De pizzatent zit hiernaast. Zal ik iets voor je bestellen?'

Rhodes draaide zich om. 'Bedankt, Ellie. Ik bedoel, Elle. Dat klinkt goed.' Hij schraapte zijn keel en fronste zijn wenkbrauwen. 'Het spijt me. Dit was ook best lekker, hoor.'

Ze zuchtte en glimlachte. 'Als... voorgerecht misschien.'

'Precies.' Rhodes glimlachte naar zijn zus en trok het pizzamenu van de koelkast. Elle zei: 'Rhodes, heb je eigenlijk een vriendin? Sorry dat ik zo nieuwsgierig ben, maar ik meende het te begrijpen uit iets wat je zei.'

Rhodes keek vlug op. 'Dat klopt. Wat vreemd, hoe wist je dat?'

'Ik lees momenteel zo'n twee romans per week,' zei Elle. 'Noem het intuïtie gebaseerd op ervaring.'

'We hebben allebei zo onze vaardigheden,' zei Rhodes, maar Elle wist niet zeker of hij een grapje maakte. 'Eh... ja dus. Ze heet Melissa en ik wilde haar al heel lang mee uit te vragen, maar haar vriendje was een megarijke Amerikaan en ik dacht dat ik geen kans maakte, maar van de zomer heeft ze hem gedumpt, dus toen heb ik mijn kans gegrepen. Ik ben cocktails met haar gaan drinken in het Plaza, heb mijn Britse accent aangedikt, haar alles verteld over mijn idyllische jeugd op het Engelse platteland en... voilà.'

'Geweldig, ik ben blij voor je,' zei Elle na een korte stilte. 'Waar heb je haar ontmoet?'

'Ze werkt ook als analist bij Bloomberg, ze doet *global risk assesment*,' zei Rhodes. Elle knikte alsof ze wist wat dat betekende. 'Ze heeft op Brown gezeten, dus supergoede connecties, en ze is erg leuk. Ik wil haar graag meenemen naar Engeland, maar...'

Zijn stem stierf weg en ze staarden elkaar aan, alsof hij wist dat

Elle inzag hoe de glanzende kunstmatige wereld die hij had gecreëerd zou instorten. Een gezellige Engelse cottage, een moeder met appelwangen die koekjes bakt, een super betrokken vader, een amicale scheiding, twee geweldige nieuwe kinderen en een fantastische vrouw. 'Ja,' zouden mensen zeggen in deze fantasiewereld, 'de familie Bee heeft het goed voor elkaar. Ze zijn zo'n heerlijk, hecht gezin.'

Elle wist niet wat ze moest zeggen, dus knikte ze maar.

In de kleinbehuisde pizzatent wachtten ze, samen met de minitaxichauffeurs, de jongens met capuchontruien op de fiets en de glazig kijkende magere blondines, op hun pizza en vervolgens gingen ze terug naar boven om te eten, en Rhodes vond hem zo slecht nog niet. Niet zo goed als de pizza in New York, maar goed voor Londen. Samen keken ze op de bank naar het nieuws, de hordes mensen voor het paleis, de Spice Girls gekleed in het zwart bij een of andere awardceremonie, de begrafenis die op zaterdag zou worden gehouden, nog vijf dagen van dit ongebruikelijke on-Britse verdriet. 'Het zal niet altijd zo triest blijven voelen,' zei Rhodes toen Elle even snikte, en ze was ontroerd. 'Ik beloof het, Ellie.'

Hij hielp haar bij het opmaken van de slaapbank en ze bleven door praten. Elle vroeg hem naar Manhattan, en hij vertelde haar over de stoom die opsteeg uit de metro en het restaurant waar hij afgelopen weekend nog had ontbeten, de plek waar de orgasmescène uit *When Harry Met Sally* was opgenomen. En dat hij tijdens het eerste afspraakje met Melissa over Fifth Avenue was gelopen en een hoer voor Central Park tegen hem had geroepen: 'Trouw met haar, je zou met haar moeten trouwen!'

'Zo gaat het daar altijd,' zei hij. Hij stelde haar nog een paar vragen over haar baan, hoe het met Karen ging, of de herfst een drukke tijd was in de uitgeefwereld en hoe lang ze zichzelf nog bij Bluebird zag blijven. Maar hij vroeg niet één keer naar hun vader of moeder, en Elle noemde hen ook niet.

9

Maart 1998

'Nou, ik vind het erg leuk staan,' zei Sam weifelend, terwijl Elle in het kleine spiegeltje van het damestoilet staarde.

'Ik vind het afschuwelijk,' zei Elle dramatisch. 'Ik weet niet waarom ik het heb laten doen. Ik zie eruit als een brutale hoer,' zei ze, en ze liet een lok door haar vingers glijden. 'Er was niks mis met mijn haar. Nu zit het belachelijk. Kijk toch eens.'

'Het zit geweldig, echt,' zei Libby, en ze deed een beetje lipgloss op. 'En het is de salesconferentie van Bluebird maar, we zijn niet bij de Oscars.'

Er werd hard op de deur geklopt. 'Opschieten alsjeblieft,' zei Posy. Elle, Libby en Sam haastten zich zijwaarts uit de benauwde ruimte. Posy stond op hen te wachten, ze zag er stralend uit in een gebloemde schuin geknipte Jigsaw-jurk. Ze had blauwe oogschaduw en mascara op en ze had haar haar opgestoken. Elle kon haar ogen niet van haar af houden, ze had Posy nog nooit zo opgedoft gezien.

Posy stond met haar voet te tikken. 'De schrijvers komen er zo aan,' zei ze op een toon alsof ze de apocalyps aankondigde. 'Laten we gaan.'

Elle had nog nooit van een salesconferentie gehoord voordat ze bij Bluebird kwam werken. In wezen was het een excuus voor een grote zuippartij, voorzover zij het kon inschatten. Er was een presentatie, wat flitsende muziek op de achtergrond en vervolgens een diner met de auteurs en vertegenwoordigers uit het hele land in een Georgiaans herenhuis in Soho.

De marketingafdeling was verantwoordelijk voor de weken voorafgaand aan de salesconferentie en er arriveerden spannend uitziende dingen voor het evenement: Post-its in de vorm van hartjes, een agenda voor 1998/1999 met de nieuwe titel van Victoria Bishops boek, *Dagboek van een versleten hart*, als omslag, en een zaklantaarn met WEES BANG VOOR HET DONKER ter ere van Oona Kings nieuwste triller. Elle vond het verbazingwekkend wat ze allemaal verzonnen. Er gebeurde zoveel dat het haar zelfs na een jaar nog steeds verbaasde dat ze er echt werkte. Ze wist dat het sneu was om zo uit te kijken naar een werkgerelateerd evenement, maar ze kon er niets aan doen. Bovendien was het nu ze er tien maanden werkte superleuk om met haar collega's op stap te gaan. Iedereen maakte dezelfde soort grappen en er was altijd iemand om mee te praten of over te roddelen. Of Jeremy en Lucy de reclamemanager nu echt een affaire hadden, wat Rory zogenaamd tegen Felicity had gezegd tijdens hun laatste ruzie, wat een trut Victoria Bishop eigenlijk was enzovoort.

Voor dit langverwachte evenement had Elle zelfs een nieuwe jurk gekocht – een duifgrijs exemplaar van chiffon met kralenversiersels van Oasis – en de avond ervoor was ze van de opwinding en met een overweldigende drang om iets stoutmoedigs te doen en het leven te omarmen, een kapsalon op Tottenham Court Road binnengewandeld en blijkbaar had ze een black-out gehad, want toen ze weer bijkwam, zag ze dat ze hun had gevraagd haar haar superkort te knippen, wat nog niet zo heel erg was geweest als het niet ook in de kleur van een koolzaadveld was geverfd. Pas toen herinnerde ze zich, al was het te laat, dat de drang om stoutmoedig te zijn en het leven te omarmen doorgaans catastrofale gevolgen had. 'Mijn hemel,' zei ze verdrietig, terwijl ze haar jas pakte, haar computer uitzette en een glimp van haar gele haar in het zwarte beeldscherm opving.

Iemand tikte haar op haar schouder. 'Wat is er?'

Elle draaide zich om. 'Hallo, Rory.' Ze hing haar tas over haar schouder en probeerde er professioneel uit te zien. 'Goed, ik ben zover.'

'Waarom zucht je als een oude stoomlocomotief?'

Elle rolde met haar ogen. 'Eh... niets. Iets stoms.'

'Wat dan? Vertel het maar. Ik ben je baas. Wij hebben geen geheimen voor elkaar.'

'Het is... mijn haar. Het zit anders.'

'Ja, dat was me al opgevallen,' zei Rory.

'Natuurlijk is het je opgevallen, het zit afschuwelijk,' zei Elle. 'Het is echt verschrikkelijk.'

'Je ziet er geweldig uit, Elle, hou op met klagen. Dat korte haar staat je goed.'

'O.' Elle glimlachte naar hem, maar trok een lang gezicht. 'Maar de kleur is zo...'

'Het zit leuk,' zei Rory ietwat ongeduldig. Hij keek op zijn horloge. 'Wil je meerijden?'

'O. Dank je.' Elle keek naar hem. 'Jij ziet er ook goed uit. Een smoking is zo flatteus, vind je niet?'

'Wat een hatelijk compliment,' zei hij lachend, terwijl zij van schaamte begon te blozen. 'Ik weet zeker dat je zoiets niet tegen Jeremy zou zeggen.'

'Jeremy is anders,' begon Elle verward, maar Rory loodste haar richting de trap.

'Enfin. We zijn op weg naar het bal, Assepoester. Of beter gezegd, de glamoureuze achterafstraatjes van Soho. Het wordt een fantastische avond, dus hou op met klagen en geniet van je eerste salesconferentie. En drink niet te veel,' zei hij, terwijl ze naar de voordeur liepen. 'De wijn vloeit er als water. Wees voorzichtig. Ik ben per slot van rekening verantwoordelijk voor je. Misdraag je niet.' Hij zwaaide met zijn vinger naar haar.

'Natuurlijk niet,' zei Elle, die zich een stuk vrolijker voelde.

Rory keek geërgerd naar haar toen ze bij Auriol House waren en ze tegen Jeremy giechelde, die de gasten bij de deur welkom heette. Ze arriveerden net na de Ierse vertegenwoordiger Terry, die Jeremy hartelijk op zijn rug sloeg. 'Ga lekker naar binnen, Terry, leuk je weer te zien. O, hallo, Rory. Elle. Wauw, wat zie jij er fantastisch uit! Fantastisch kapsel, schat.'

Elle bloosde en wipte van haar ene op haar andere been. 'O. Bedankt, Jeremy!' Ze streek met haar hand over de achterkant van haar hoofd.

'Kom op,' zei Rory kregelig, en hij duwde met zijn duim tegen haar schouderblad. 'Ik moet op zoek naar Tobias Scott en jij moet even vragen of je iets kunt doen.' Hij friemelde aan zijn vlinderdasje, en Elle bedacht nogmaals hoe serieus hij eruitzag. 'Blijf daar niet staan als een of ander reserveonderdeel. Daar heeft Felicity een hekel aan. Ga met iemand praten.'

Ze knikte krachtig. 'Tobias Scott, de agent? Komt hij ook?'

'Ja,' zei Rory terwijl ze door de gang liepen, waar feestverlichting hing en een groot bord met de tekst: WELKOM IN DE WERELD VAN BLUEBIRD. 'Hij gedraagt zich als een glibberige oude paling op dit moment. Ik moet hem te pakken zien te krijgen.'

'Hoezo, wat heeft hij gedaan?' Elle vond het leuk om dit soort dingen te horen.

'Ze vragen veel te veel geld voor het nieuwe John Rainham-contract. Felicity wil natuurlijk met hem verder. Ik zou hem het liefst vertellen dat hij... O, daar is Emma. Die moet ik ook even spreken. Aan het werk.' Hij sloeg haar op haar schouder en liep weg.

Typisch Rory. Elle rolde met haar ogen en liep de eerste de beste kamer in, waar een enorm roze spandoek van MijnHart hing. Het land van ze-leefden-nog-lang-en-gelukkig. Binnen stonden een aantal gasten met een glas champagne in hun hand en in het midden stond een prachtige man zonder shirt, omgeven door vrouwen. 'De kalender komt vroeg uit dit jaar,' zei hij. 'Om aan jullie behoeften te voldoen, dat is wat ik heb gezegd.'

Elle staarde naar hem. Dit moest Lorcan zijn, het beroemde model van de MijnHart-omslagen. Lorcan kreeg zo'n vijftig brieven per week; dat wist Elle omdat zij ze moest doorsturen naar zijn manager. Hij had lang, dun wordend knisperend blond haar en een haviksneus. Zijn borstkas was volkomen kaal – ze keek er achterdochtig naar.

'Nou, ik moet zeggen dat ik u zeer dankbaar ben,' zei een van de dames, ze was klein en gedrongen en droeg een zilveren jasje vol pailletten. Ze bevochtigde haar lippen. 'Ik zeg altijd tegen iedereen, als jij niet op mijn boeken zou staan, zou ik ze niet verkopen.'

Naast haar zei een vrij verontrust uitziende Posy automatisch: 'Kom op, Abigail, dat is niet waar. Dit is mijn fantastische secretaresse, Eleanor,' ging ze verder, met een mengeling van opluchting en ergernis, dacht Elle. Posy ergerde zich vaak aan mensen, zelfs als je net de kamer was binnen gekomen – je had er eerder moeten zijn, helemaal niet, of nog iets anders. 'Dit is Abigail Barrow, Elle.'

Elle bloosde. Abigail Barrow was een van MijnHarts bekendste auteurs en een beruchte trut, maar ze schreef de meest hilarische seksscènes en Elle en Libby lazen ze vaak om de beurt hardop voor als het rustig was en iedereen lunchen was. Op twee dingen was ze erg gek: dieren en seksgeluiden. Haar helden gromden altijd en haar heldinnen kreunden in extase. Libby en zij hadden een favoriete zin uit een bijzonder gezwollen scène uit *Verloofd met hartzeer*. Wanneer Lady Anthea aandacht krijgt van hertog Rockfort: *Met gesmoord gekreun wist hij toen wie ze was, zoals een hinnikende hengst zijn lieftallige merrie herkent.* 'Hoe goed kennen wij elkaar?' vroegen ze elkaar dan. 'Nou, zo goed als een hinnikende hengst zijn lieftallige merrie herkent,' en dan kwamen ze niet meer bij van het lachen.

'Dit zijn Nicoletta Lindsay en Regina Jordan.'

Drie auteurs op dezelfde plek. Elle schudde hen om de beurt beleefd de hand en probeerde niet te staren, maar ze kon er niets aan doen dat ze lichtelijk teleurgesteld was. Ze had verwacht dat ze stralender zouden zijn, glanzend van een geheime creatieve kracht, waardoor ze knapper zouden zijn, glamoureuzer op de een of andere manier. Regina Jordan was niet eens een vrouw; hij was een kleine kalende man en droeg een bloezend leren jasje.

Hij draaide zich van Elle af en wendde zich tot Abigail Barrow. 'Ik wist niet dat je genomineerd was voor...'

'Wat leuk u te ontmoeten,' zei Elle tegen Nicoletta Lindsay, die flauwtjes naar haar glimlachte. 'Hoe bent u eigenlijk...'

Maar het gegons van een gong, dat steeds verder aanzwol, dreunde door de gang en Floyd verscheen in de deuropening. 'Het eten wordt zo opgediend,' kondigde hij aan.

Lorcan nam de leiding. 'Laten we gaan, dames,' zei hij, en hij hield zijn armen uit.

Boven bekeek Elle de tafelschikking. Ze deinsde terug van schrik toen er iemand in haar arm kneep.

'Kom hier,' zei Rory zachtjes. Ze draaide zich om. 'Ik heb je verplaatst,' zei hij in haar oor.

Ze kon zijn adem op haar wang voelen en ze huiverde. 'Waarom?' fluisterde ze. Ze ving een glimp van hen op in het raam: zij in haar zwierige grijze jurk, hij in het zwart, fluisterend in haar oor, verlicht door de kaarsen op de tafels, als een scène in een boek.

'Ik zat naast Tobias Scott, maar die oude rotzak is niet komen opdagen. Hij heeft zijn zoon gestuurd. En ik verspil mijn stoel niet aan Tom Scott, een waardeloze vent. Bovendien is de tafel heel ver weg. Dus heb ik geruild. Jij mag naast hem gaan zitten.'

'Maar dan zit jij aan de...'

Rory schudde ongeduldig zijn hoofd. 'Dat maakt niet uit. Ga daar nu maar gewoon zitten. Tafel drie, ik heb je naamkaartje verplaatst.'

Elle haalde haar schouders op. Prima dan. Als Rory liever aan de MijnHart-tafel zat en luisterde naar Lorcan die maar doorging over zijn kalender voor 1999, dan naast de plaatsvervanger van Tobias Scott, dan moest hij dat zelf maar weten. Ze zigzagde terug naar tafel drie, terwijl Felicity gehuld in goud satijn met haar haar nog prachtiger opgebold dan gewoonlijk stralend door de menigte richting de hoofdtafel zwierde, begeleid door de beroemde Old Tom, die er in hoogsteigen persoon was, slank, bebaard en bijna krom.

'Goedenavond!' zei Felicity tegen iedereen die ze tegenkwam, als koningin Victoria op de Great Exhibition. 'Fijn dat u er bent. Wat leuk u hier te zien. Hallo!'

Elle vond haar plaats en ging zitten. 'Hallo,' zei ze tegen de man naast zich. Ze keek op zijn naambordje. TONY ROONEY. 'Leuk u te ontmoeten.'

Tony Rooney knikte en staarde voor zich uit.

'Dus...' zei Elle. 'Wat doet u precies?' Ze besefte dat ze onbewust Felicity nadeed.

'Ik ben de vertegenwoordiger uit Londen,' antwoordde Tony. Hij zette zijn biertje neer en keek haar aan. 'En wie ben jij?'

Elle was in verlegenheid gebracht. 'O, sorry. Ik ben Elle, de secretaresse van Rory en Posy,' zei ze.

'Oké,' zei Tony. Hij pakte zijn bierpul, nam nog een slok en keek knorrig voor zich uit.

Een paar mensen namen tegenover hen plaats. Elle keek naar Rory, die zat te lachen met de MijnHart-auteurs naast wie zij had moeten zitten, hij had zijn hand op Posy's schouder. Posy straalde als een kerstboom. Elle haalde haar schouders op en probeerde niet teleurgesteld te zijn. Ze had weken naar deze avond uitgekeken, maar in werkelijkheid was het heel anders. Het was de avondversie van zoeken naar werk, waarbij niemand interesse in je heeft en het feestje aan een andere tafel lijkt plaats te vinden.

'Dus jij vervangt Rory,' zei iemand aan haar andere kant. 'Ik vroeg me al af met wie hij van plaats zou wisselen.'

Elle draaide zich om. Er zat een man naast haar van ongeveer Rory's leeftijd, misschien iets jonger. Hij had donker haar, heel kort geknipt, en hij was lang en hoekig. Zijn pak hing om hem heen alsof het voor een groter iemand was gemaakt. 'O, eh... nee, volgens mij was de tafelschikking niet helemaal juist,' loog ze. 'Ik ben Elle, Rory's secretaresse.'

'Hallo, Elle,' zei hij, en hij schudde haar de hand. 'Ik ben Tom Scott.'

'Hallo, Tom,' zei Elle. Er viel weer een stilte, en ten einde raad vroeg ze hem: 'En wat doet u?'

'Ik ben agent,' zei hij lichtelijk geïrriteerd. 'Ik werk samen met mijn vader, Tobias Scott.'

'O,' zei Elle, en de opluchting was van haar gezicht te lezen. 'Natuurlijk.'

Vanaf hun tafel, die echt in de verste uithoek van de enorme kamer stond, staarde Tom Scott naar de samengepakte menigte. 'Ik ben bij lange na niet belangrijk genoeg voor Rory om zijn tijd aan te verdoen,' zei hij, en hij nam nog een slokje wijn.

Hij was eigenlijk best lomp, dacht Elle: de vreemde manier waarop hij zijn kaken op elkaar klemde stond haar niet aan, noch de wijze waarop hij zijn grijze ogen tot spleetjes kneep als hij de kamer afspeurde. Alsof hij er eigenlijk niet wilde zijn. Libby zat naast Paris Donaldson, die afwisselend met zijn haar zwiepte en in haar oor fluisterde. Ze ving Elles blik en knipoogde, en Elle knipoogde terug. Elle deed net alsof ze het enorm naar haar zin had, of de hoek van de kamer Annabel's was, waar de champagne rijkelijk vloeide, vol vrolijk gelach en veel lol.

Tegen de tijd dat de eerste gang werd opgediend, waren Elle en haar tafelgenoten weggezakt in een stilte die bevestigde wat ze allemaal wisten. Ze zaten aan de suffe tafel. De stilte werd slechts verbroken door Elspeth, die met haar fluitende stem riep: 'Wat een grappige prei!'

Wanhopig wendde Elle zich tot Tony Rooney. 'Dus, Tony,' zei ze, 'over welke boeken voor de zomer en herfst ben je het meest enthousiast?

'Ik doe dit nu vijfentwintig jaar,' zei Tony. Hij stak een sigaret op en trommelde met zijn vingers op tafel. 'Het is na een tijdje moeilijk om nog enthousiast te zijn.'

'Dat is goed om te horen, ja, heel goed om te horen,' zei Elle, en ze knikte driftig.

'Neem je me in de maling?' vroeg Tony.

'Nee, nee!' zei Elle. *Wat is er mis met die vent?*

Tom Scott leunde voorover naar Tony. 'Ben jij vertegenwoordiger?'

'Yep, ik doe Londen,' antwoordde Tony. Hij legde zijn sigaret op het randje van de asbak en schudde Toms hand. 'Tony Rooney.'

'Tom Scott,' antwoordde Tom. Tony leunde ook voorover, voor Elle langs, alsof ze niet bestond.

'Voor wie ben jij hier, Tom?'

'Ik regel... Nou ja, mijn vader regelt de zaken voor John Rainham,' zei Tom.

'Je vader?' vroeg Tony.

Er viel even een stilte, en Tom leek zich slecht op zijn gemak te voelen. 'Hij leidt het agentschap, ik werk er. Hij kon vanavond niet, dus ben ik in zijn plaats gekomen. Ik ben ook agent...' Zijn stem stierf weg.

Hij heeft alleen maar een baan omdat zijn vader hem die gegeven heeft, dacht Elle gemeen.

Tony knikte. 'Nou, John Rainham is goed voor ons geweest,' zei hij. 'Goede boeken, geweldig gevoel voor locatie, goede fanbasis in de winkels. Ze zijn dol op hem in Greenwich, maar dat is waarschijnlijk ook logisch, hè?'

Hij glimlachte en Tom ook.

'Misschien zou je dat eens tegen Rory kunnen zeggen,' zei Tom. 'Hij lijkt het niet zo te zien. Hij doet heel moeilijk over de nieuwe deal.'

Elle onderbrak hen, ze moest wel. 'Nou, Rory is dol op John Rainham, hij...'

Tony viel haar abrupt in de rede. 'Ik zal zien wat ik kan doen,' zei hij, alsof zij niets had gezegd. 'Dat zou jammer zijn. Hij is een groot auteur voor mij. Goede kerel.'

Elle zat tussen hen in en dronk haar glas wijn leeg. Ze probeerde een plukje van haar nieuwe blonde haar achter haar oor te stoppen en fronste. Normaal gesproken had ze geen hulp nodig om zich dom te voelen. Maar het was veel meer dan dat, ze voelde zich onbeduidend, een dom wicht wier stem te hoog was, een verspilling van de ruimte. Voor het eerst sinds ze volwassen was vroeg Elle zich bewust af hoe ze behandeld zou zijn als ze een man was geweest.

'Tom, lieverd, hoe gaat het met je?' Felicity stond achter hem met haar handen op zijn schouders. Hij ging staan, en zij kuste hem op zijn wangen.

'Met mij is alles goed, Felicity, dank je. En met jou?' vroeg hij. 'Je ziet er fantastisch uit.'

Gluiperd, dacht Elle.

'Buitengewoon goed, dank je. Hoe is het met je lieve vader? Zo jammer dat hij er vanavond niet bij kan zijn, maar weet je, we moeten hem wel spreken om dat nieuwe contract voor John te regelen.'

'Vraag dat maar aan je zoon,' zei Tom met een glimlach, hoewel zijn ogen kil stonden.

Felicity leek dit te negeren en knipperde zelfs met haar wimpers naar hem. 'Die recensie over *Dora* in de *Guardian* was geweldig,' zei ze. 'Was je blij? Ik vond het geweldig. Ik kan niet wachten om de rest van de biografie te lezen. Het klinkt erg goed.'

'Hij is goed,' zei Tom. 'Leuk je te zien, Felicity.'

Hij ging weer zitten. Als Felicity verbaasd was over de abrupte beëindiging van het gesprek liet ze dat in ieder geval niet merken. Ze klopte Elle op haar schouder. 'Goed werk, Elle, mijn kind, goed werk,' zei ze, en ze liep verder.

Blozend na deze vriendelijke woorden van haar idool en plotseling vol zelfvertrouwen, wendde Elle zich tot Tom. 'Wie is Dora?' vroeg ze.

'Mijn moeder,' zei Tom. Hij kauwde met open mond op een stukje brood en deed net alsof hij niet meeluisterde met het gesprek aan zijn andere kant tussen Nathan, de artdirector, en Lorcans agent, over de volgende fotoshoot van Lorcan, waarvoor een Beiers kasteel in Teddington werd nagemaakt.

Het was zo'n vreemd moment waarop een grotere macht het overnam en de verbeelding veel verder ging dan de feiten. Elle klapte in haar handen. 'Dora Zoffany?' vroeg ze. 'Is dat jouw moeder?'

Tom knikte. 'Jazeker.' Hij leek niet erg verbaasd dat ze het doorhad.

'Maar dat is ongelofelijk!' Elle schudde haar hoofd. 'Jemig. Zij is een van mijn favoriete romanschrijfsters, we hebben haar op de universiteit gedaan.'

'Jullie hebben haar gedaan?' vroeg Tom. 'Hoe bedoel je?'

Jeetje, wat een idioot. 'Sorry, we hebben haar bestudeerd.' Elle was nog steeds rood van opwinding. Meer nog dan Barbara Pym of zelfs Rosamond Lehmann, was Dora Zoffany haar favoriet geweest van de cursus Vrouwelijke auteurs uit de twintigste eeuw. Ze had alles gelezen wat ze had geschreven – acht romans, brieven, korte verhalen – tientallen keren. In bijna een jaar bij Bluebird had ze heel veel auteurs ontmoet en er zelfs nog meer gesproken, maar om naast de zoon van Dora Zoffany te zitten was van een heel andere orde. Dora was een echte romanschrijfster. Er werden biografieën over haar geschreven! Bookprint Publishers was kortgeleden in het blad *Bookseller* nog flink op de vingers getikt omdat haar boeken niet meer te krijgen waren. Elle had dat artikel pas vorige week gelezen. En nu zat ze naast Dora Zoffany's zoon, ook al was hij een arrogante zak. Ze glimlachte vrolijk. 'Ik ben zo, zo...' Ze staarde hem aan, en haar stem stierf weg.

Tom zei: 'Wat? Zo onder de indruk? Vind je me nu soms interessanter?' Hij nam nog een stukje brood.

Elle was beledigd. 'Nee,' zei ze. 'Zo bedoelde ik het niet, ik ben gewoon echt heel gek op je moeders boeken.'

'Zoals zovelen,' zei Tom, en hij vouwde zijn servet op tot een stevig vierkant.

'Ik bedoel alleen maar, je bent vast erg trots op haar.'

'Natuurlijk,' zei hij. Hij draaide zich naar haar toe en fronste. 'Ik denk gewoon nooit aan haar als een beroemde romanschrijfster, weet je. Ze was gewoon mijn moeder.'

'Oké. Het spijt me.' Elle gaf het op. Goed dan. Blijkbaar wilde hij niet over haar praten, en ze hoorde dat haar stem weer hoog en dom klonk. Ze wilde dat ze eenvoudigweg kon zeggen hoeveel zijn moeders boeken voor haar betekenden en hoe verdrietig ze was geweest toen ze drie jaar geleden was overleden.

Maar Tom Scott leek geen behoefte te hebben aan medeleven of aandacht. Hij draaide zijn rug naar haar toe en begon een gesprek met Lorcans agent. Gelukkig moesten op dat moment alle vertegenwoordigers van tafel wisselen en vertrok Tony Rooney al na de kip. Hij werd vervangen door Jeanette, die Kent, Surrey en Sussex deed en echt heel aardig was, hoewel vrij geobsedeerd met het verkoopsysteem en de implementatie ervan. Maar in ieder geval keek ze Elle aan en ze hadden een lang gesprek over voorraadbeheer en boeken bestellen vanuit het magazijn, wat Elle, na het begin van deze avond, zeer geruststellend vond.

Tegen de tijd dat het dessert werd opgediend was Elle een beetje aangeschoten. Ze had twee glazen champagne en verschillende glazen wijn op. Niet dat het wat uit leek te maken, alle anderen waren het ook. Het werd rumoeriger en zodra het toetje was opgediend, begon het diner ten einde te komen. Tom Scott ging staan en knikte naar haar.

'Leuk je te ontmoeten, Elle,' zei hij. 'Succes met je werk.'

'Ze heeft geen succes nodig,' zei een stem achter haar, en toen Elle opkeek zag ze Rory staan. Hij legde zijn hand even op haar hoofd. 'Ze is de beste, nietwaar, Elle?'

'Natuurlijk.' Tom haalde zijn schouders op en de schoudervullingen in zijn te grote smokingjasje gingen op en neer. 'Het spijt me dat ik je vanavond heb gemist, Rory.'

'Ja,' zei Rory luchtig. 'We moeten gauw eens praten. Ben je er morgen?'

Elle zag de flits van paniek in Tom Scotts ogen. *Het gaat hem volledig boven zijn pet*, dacht ze.

'Eh... natuurlijk. Geef mij, eh... nee, ik bel jou wel.'

'Ik zal jou ook proberen. Bedankt voor je komst, Ambrose.'

'Ambrose?' zei Elle meer tegen zichzelf, terwijl ze een druif van een takje haalde.

Tom negeerde dit. 'Oké, dag,' zei hij, en hij liep weg.

'Waarom noemde je hem nou Ambrose?' Elle ging staan en voelde dat ze een beetje duizelig was.

Rory lachte. 'Zo heet hij. Grappig, hè? Hij heeft zijn naam veranderd toen hij ging studeren. Zijn moeder kende mijn moeder en ik speelde altijd met hem als we daar gingen lunchen, hij was echt enorm suf, heiliger dan heilig.'

'Ik had een beetje medelijden met hem,' hoorde Elle zichzelf tot haar verbazing zeggen. Ze keek Tom na terwijl hij naar de uitgang liep, onopgemerkt door alle anderen behalve door haar, zijn smalle schouders gebogen, zijn uitdrukking somber.

'Niet doen,' zei Rory. 'Ik kan dit zeggen omdat ik weet hoe hij is. Hij verafschuwt zijn baan, verafschuwt zichzelf. Elke keer als ik hem zie zou ik het liefst "zoek een leven" tegen hem roepen. Hoe dan ook, genoeg over Tom Scott. Hoe gaat het hier?'

Elle haalde haar schouders op. 'Ik weet het niet. Moet er nog iets worden gedaan? Moet ik nog op iemand letten?'

'Op mij,' zei Rory, en hij sloeg een arm om haar heen. 'Laten we nog wat gaan drinken. Jeremy zit al in de bar. Kom op.'

Het was ongeveer halftwee toen Elle om zich heen keek en besefte dat ze nu echt veel te dronken was om er nog te zijn. In de vier jaar in Edinburgh had ze veel geleerd, maar misschien was het nuttigste toch wel dat ze wist wanneer ze moest stoppen met drinken, omdat ze daarna geen interessante dingen meer deed zoals dansen op de bar zonder shirt of het zoenen van willekeurige vreemdelingen. Ze viel enkel om en gaf dan waarschijnlijk over. De disco was om elf uur begonnen en nog in volle gang; Jeremy zong mee met de Proclaimers en stond met Oona King te dansen. Floyd en een paar vertegenwoordigers stonden in een kring met een biertje in hun hand met hun voeten op de maat van de muziek mee te tikken en iedereen te bekijken. Posy en Wc-bril, oftewel Lucy, waren in een hoek in een diep gesprek verwikkeld, ze waren gestopt met het drinken van nog meer wijn en stonden elkaar al een paar minuten lang te knuffelen, allebei met de tranen in hun ogen.

Elle stond aan de bar met Rory, Joseph Mile – de naslagwerkenredacteur – en Sam. Ze hadden het over hun favoriete boeken. 'Jouw lievelingsboek is *Live and Let Die?*' Joseph Mile was verbouwereerd. 'Ik moet zeggen dat me dat verbaast, Rory, zelfs van jou.'

'Het is toch gewoon leuk?' zei Rory. 'Het is een fantastisch boek. En van jou?'

'Ik twijfel tussen *Felix Holt, The Radical* en *Jude the Obscure*,' zei Joseph Mile, en hij zette zijn vingertoppen tegen elkaar. 'Waarschijnlijk de laatste.'

Hoe kan hij nou zo sober zijn, dacht Elle. Ze kroop tegen de bar aan, in de hoop dat ze haar zouden negeren.

'En jij Sam?' vroeg Joseph Mile.

'*Autumn of Terror*,' zei Sam prompt. 'Het beste boek over Jack the Ripper. Echt heel bijzonder.'

'O.' Joseph Mile keek alsof iemand hem zojuist een emmer kots had overhandigd. 'Hmm. Elle? Heb jij een lievelingsboek?'

Elle legde haar hand op de kleverige bar om zich staande te houden. Plotseling kon ze niet meer bedenken wat haar lievelingsboek was. Ze pijnigde haar hersens. '*Jane Eyre*,' zei ze en dat was deels nog waar ook, omdat Libby en zij de zaterdagavond ervoor de nieuwste videofilm ervan hadden gehuurd, die met Ciarán Hinds. 'Aha,' zei Joseph Mile, en hij haalde diep adem om nog breder te worden. 'Wat interessant.' Naast hem stond Rory naar Elle te kijken met een vreemde uitdrukking op zijn gezicht.

'Ze is de beste heldin,' begon ze, omdat ze het gevoel had dat ze moest toelichten waarom *Jane Eyre* een goed boek was. Toen hoorde ze zichzelf echter en hield haar mond. Het was plotseling veel te warm in de kamer. Elle legde haar hand op haar voorhoofd. 'De rode kamer,' mompelde ze, en ze draaide zich om naar Sam. 'De rode kamer.'

'Wat?' vroeg Sam.

'Sam, ik... ik... moet naar huis.'

Sam knikte enthousiast. 'Cool, cool.'

'Ik neem een taxi, Sam?' Sam knikte weer, en Elle schudde haar vastberaden heen en weer. 'Sam! Ik neem een taxi, een taxi! Luister. Ga je mee?'

'Ik blijf nog even,' zei Sam vrolijk.

'Zeker weten? Je kunt ook met mij mee komen.'

'Zeker.' Sam keek naar Jeremy, die op Stevie Wonder stond te dansen. Ze zwaaide naar hem, en hij zwaaide naar haar en naar Elle. Elle bloosde. Rory ving haar blik op en glimlachte. 'Denk dat ik nog even blijf,' zei Sam. 'Tot straks.'

'Oké, nou goed dan.' Elle stak haar hand op. 'Ik ben ervandoor.'

'Dag,' zei Sam. Joseph Mile trok zijn wenkbrauwen zeer subtiel op, en Rory kuste haar op de wang.

'Gaat het wel?' vroeg hij.

Weer stroomde er een golf van hitte en wijn door haar heen. Ze moest hier weg. 'Ja, ja,' zei ze bijna ongeduldig, en ze liep behoedzaam naar beneden, haar voeten deden pijn.

Het was een natte, koude nacht, en Elle liep het kille, met vuilnis omzoomde zijstraatje in Soho in. Door de regen was het glad, en het was er eng stil. Ze huiverde en keek achterom naar het licht in het huis, dat fel schitterde in het donker. Ze was er niet helemaal zeker van waar ze was, ze vond Soho altijd erg verwarrend, dus liep ze de kant op waarvan ze hoopte dat het Regent Street was.

Haar hakken tikten door de plassen, en ze trok haar jas dichter om zich heen. Achter zich hoorde ze wat lawaai en iemand rennen.

'Hallo?'

Elle bleef doorlopen, iets vlugger nu, maar ze draaide zich niet om. 'Hé, Ello?'

Zei haar achtervolger nu 'Elle' of 'hallo'? Ze wist het niet. Elle versnelde haar pas.

'Kom terug!' De voetstappen waren inmiddels bijna achter haar.

'Elle! Eleanor Bee!'

Ze stopte en draaide zich om toen de man haar inhaalde. 'Rory?'

'Ik kwam naar beneden om te kijken of alles wel goed met je was,' zei hij. 'Ik besefte namelijk plotseling dat ik mijn werknemers niet alleen zou moeten laten vertrekken. Vooral niet als...'

'Ik ben niet dronken!' zei Elle verontwaardigd.

Rory veranderde van onderwerp. 'Ik zag je lopen en ik weet dat dit een doodlopende straat is...' Hij gebaarde voor zich uit. Elle zag dat de ruimte waarvan zij had gehoopt dat het een doorgang was in feite een ingang van een kantoorgebouw was.

'O.'

Hij loodste haar terug, en ze sloegen links af.

'Je hoeft je geen zorgen te maken,' zei Elle in verlegenheid gebracht, terwijl ze door het stille straatje liepen. 'Ik red me wel. Je kunt wel weer teruggaan.'

'Ik ging toch net weg,' zei Rory. 'Het geeft niet, heus.'

Er viel een ongemakkelijke stilte terwijl Elle probeerde te bedenken wat ze moest zeggen, niet over de keien te struikelen en niet hopeloos dronken te zijn in het bijzijn van haar baas. Ten slotte sloegen ze de hoek om.

'Dit is Wardour Street,' zei Rory. 'Hier zitten we goed.' Hij stak zijn hand op. 'Zal ik een stukje met je mee rijden?'

'Tuurlijk, tuurlijk...' zei Elle, terwijl Rory het portier opendeed en zij instapte. 'Ben je niet... Woon je niet de andere kant op?'

'Ik logeer in Notting Hill bij vrienden,' zei hij, terwijl hij achter haar aan naar binnen klom. 'Mijn keuken wordt verbouwd.'

Ze draaide zich om en keek naar hem, terwijl de taxi langzaam wegreed. 'Eh... bedankt,' zei ze. 'Echt heel erg bedankt. Je bent een goede baas.'

'Is dat zo?' Rory glimlachte naar haar, zijn gezicht was donker in de taxi. Ze kende zijn gezicht zo goed, kende hem zo goed, hoe hij met zijn vingers op elk beschikbaar oppervlak trommelde, hoe vaag hij keek als hij probeerde ergens onderuit te komen, hoe zijn mondhoeken opkrulden als hij een grapje maakte. Maar ze had nog nooit zo dicht naast hem gezeten, want hij was haar baas. Zo voelde het vanavond niet. Het was alsof ze andere mensen waren. Het was leuk. Rory was leuk, maar wat dan nog? Dat had ze altijd geweten.

'Ja, dat ben je,' zei ze tegen hem. 'Het spijt me, ik ben een beetje dronken, maar ik kan dit zeggen omdat ik dronken ben. Je bent echt een heel leuke man, en ik vind je aardig.'

'Nou,' zei Rory zachtjes, 'ik vind jou aardig.'

Hij leunde naar haar toe, legde zijn hand voorzichtig op haar wang en kuste haar. Elle bleef roerloos zitten, maar ontspande zich en kuste hem terug. Rory's arm gleed om haar heen, en hij trok haar naar zich toe. Hij smaakte naar wijn en sigaretten, en ze wist dat hij ook dronken was. Het grappige was dat het vreemd had moeten voelen, maar dat was niet zo. Hij bleef haar kussen, en ze stak haar tong in zijn mond, hij smaakte heel lekker en plotseling wilde ze wanhopig graag meer. Zijn hand ging over haar lichaam en trok langzaam een spoor over haar borst en het voelde super, zijn vingers op haar jurk, de manier waarop de stof tegen haar warme huid wreef.

Na een minuut maakte Elle zich los, haar lippen klopten, haar wangen gloeiden. Ze keek in de achteruitkijkspiegel, maar de taxichauffeur staarde strak voor zich uit. Ze wierp een blik op Rory en glimlachte flauwtjes naar hem.

'Wat is er?' vroeg hij, en hij streelde haar wang.

'Morgenochtend word ik wakker en denk ik, mijn god, ik heb Rory gisteravond gezoend,' mompelde Elle tegen zijn schouder.

Rory deed zijn ogen dicht en glimlachte. 'En wat denk je daarna?'

'Hoe lekker het was.'

Hij kuste haar opnieuw. 'Echt?'

'Echt,' zei Elle. 'Dit is bizar,' voegde ze eraan toe.

'Ik vind van niet,' zei Rory glimlachend. Ze keek hem aan en wist dat hij veel meer had gedronken dan ze had gedacht, maar ze besefte dat het Rory was, het zou toch wel goed komen?

Heel vaag vroeg Elle zich af of ze zo meteen wakker zou worden en wat er morgen op het werk zou gebeuren. Zou ze haar baan kwijtraken, zouden de anderen erachter komen, was het wel goed om dit te doen? Maar terwijl ze naar zijn hand keek die over haar been omhoog kroop, wist ze dat dat haar op dit moment niets kon schelen. Hij was een man, zij een vrouw. *Maak je daar morgen maar druk om*, zei ze tegen zichzelf. *Maak je voor één keer niet druk over morgen.*

'Ik dacht dat je Jeremy leuk vond,' fluisterde Rory in haar oor. Ze kon zijn warme adem op haar huid voelen, in haar hals.

'Ik vind jou leuker,' zei Elle zonder er goed over na te denken, en ze besefte dat het echt zo was. Ze kuste hem opnieuw.

'Echt waar?' zei Rory. 'Nou, ik vind het fijn om dat te horen. Heel fijn.'

Hij trok haar tegen zich aan, terwijl de taxi westwaarts reed door de regenachtige, verlaten straten.

Het is me opgevallen dat wanneer dingen in je fantasie gebeuren, ze nooit in het echte leven plaatshebben, dus ik houd me in.

– Dodie Smith, *Cassandra en het kasteel*

10

November 2000

Het had bijna twee weken onophoudelijk geregend. Grote delen van het platteland stonden onder water, en Elle raakte eraan gewend haar gordijnen 's ochtends open te trekken en een grijze lucht en regen kletterend op de metaalkleurige straten te zien. Haar paraplu was nooit droog en lag drassig onder in haar vochtige handtas.

Elle haastte zich de trappen in het Savoy af en bleef bij de ingang naar de American Bar even staan om zich voor te bereiden. Ze haalde haar handen door haar haar en graaide naar een lipgloss. Ze had zich vanmorgen zorgvuldig aangekleed, maar ze wilde dat ze niet zo zenuwachtig was. Een plek als deze maakte tegenwoordig geen indruk meer op haar. Agenten, auteurs of bazen ook niet – ze was geen klein meisje meer, ze was zesentwintig. Nee, het was het gezelschap waar ze geen zin in had, en waarom? Zij waren het toch maar. Ze glimlachte naar de hoffelijke kelner bij de deur en speurde de bar af terwijl ze kalm en zelfverzekerd probeerde te lijken.

'Elle, lieverd. We zitten hier!' riep iemand vanuit de verste hoek van de bar. 'Hier zijn we!'

Haar moeder stond op en zwaaide enthousiast. Ze riep veel te hard. Elle liep erheen en voelde dat ze gegeneerd begon te blozen. Mandana glimlachte, haar gezicht was rood van plezier. Elle omhelsde haar en het viel haar op hoe mager ze was, een klein vogeltje bijna.

'Hoi, pa,' zei ze, en ze gaf hem een zoen op zijn wang.

Haar vader en broer waren opgestaan, ze hadden hetzelfde figuur en waren allebei twee keer zo groot als haar moeder. 'Hoi, Elle, schat,' zei John. Hij omhelsde haar stevig. 'Wat fijn je te zien.'

'Het spijt me dat ik zo laat ben.' Ze omhelsde hem ook. 'Ik was ergens mee bezig, een redactie...'

'Het geeft niet.' Rhodes gebaarde dat ze moest gaan zitten. 'Je bent er nu. Wat wil je drinken? Dit is dus...' Hij stapte opzij alsof hij iets groots onthulde. '... Melissa.'

Elle leunde voorover en schudde Melissa, die bleef zitten, de hand. 'Hoi!' Ze glimlachte haar perfecte witte tanden bloot. 'Ik vind het geweldig om Rhodes' zus eindelijk te ontmoeten. Hij heeft me zoveel over je verteld!' Haar grijze kasjmieren vestje gleed van haar ranke schouders. Melissa schoof het met een elegant gebaar terug en legde haar handen in haar schoot.

'Ober?' riep Rhodes. 'Elle, wat wil je drinken?'

Terwijl Elle overwoog waar ze zou gaan zitten, bewogen haar ouders zo ver uit elkaar dat ze geen keuze had dan tussen hen in plaats te nemen. Ze zette haar tas op de grond en staarde wezenloos naar het menu. 'O, eh...' zei ze.

'Elle?' vroeg Rhodes opnieuw.

'Eh... ik wil graag een wodka martini met een twist,' zei Elle, maar onmiddellijk wilde ze dat ze het niet had gezegd. Ze had wereldwijs willen klinken, maar het kwam heel anders over, blufferig en stom, en bovendien dronk ze de laatste tijd niet meer in het bijzijn van haar moeder.

'Mam?' vroeg Rhodes. 'Nog wat drinken?'

Er viel een stilte. 'Nee, ik houd het bij een sapje, dank je!' zei Mandana. Ze hief haar glas op. De hand die het tuimelglas vasthad trilde iets.

Nadat de ober de rest van de bestelling had opgenomen, liep hij weg en opnieuw viel er een stilte.

'Sorry dat ik zo laat ben,' verontschuldigde Elle zich nog een keer. 'Ik moet hierna meteen weer door en ik heb de hele dag in een vergadering gezeten.'

Foute tekst. Rhodes sperde zijn neusvleugels open. 'Melissa, je moet weten hoeveel geluk je hebt dat Elle langs kon komen, al is het maar voor even...'

Melissa onderbrak hem, wederom glimlachend. 'Hoe dan ook, geweldig dat je er bent!' zei ze. 'En leuk jullie allemaal te ontmoeten.'

Weer viel er een stilte. De laatste keer dat ze als gezin samen waren geweest, was toen Elle in Edinburgh was afgestudeerd, meer dan vier jaar geleden. De keer daarvoor, dat wist God alleen. Ze wierp een blik op haar vader, die er onberispelijk uitzag in zijn donkerblauwe wollen pak. Hij zag er ouder uit dan Elle zich herinnerde, maar dat was altijd zo. In haar gedachten was hij tien jaar jonger, het moment dat hij was weggegaan. Het was vreemd welke invloed ouder worden op mensen had. Het was te zien in zijn ogen, om zijn mond en in zijn uitdrukking. Ze kon het niet uitleggen.

Elle glimlachte naar Melissa. 'Nou, welkom in Engeland!' zei ze opgewekt. 'Wat hebben jullie zoal gedaan sinds jullie hier zijn? Zijn jullie al in de London Eye geweest?'

'Nou, ik heb mijn master hier aan de LSE gedaan, dus ik ben hier al eerder geweest,' zei Melissa, en een slanke, perfect gemanicuurde vinger speelde met de parel in haar verfijnd gekrulde oor. 'Ik vind het hier echt geweldig. Londen is mijn lievelingsstad. Ik heb een paar oude vrienden opgezocht. We zijn naar het Tate Modern geweest en Rhodes heeft me meegenomen naar Jamie Olivers nieuwe restaurant in Sloane Street en dat was echt super.'

Naast Elle zat Mandana beleefd te knikken, de kleine ronde spiegeltjes op de stof van haar gilet glinsterden in het licht. Elle wist dat ze niet echt luisterde, maar haar vader ook niet en zelfs Rhodes niet.

'Nu mis je de Amerikaanse verkiezingen!' zei Elle, en ze was zich ervan bewust dat haar stem, net als die van haar moeder, te hard klonk. 'Dat moet vreemd zijn.'

Melissa lachte klaterend. 'Weet je? Het is heel raar, mijn vriendinnen denken allemaal dat ik niet goed wijs ben dat ik hier ben en niet daar, maar weet je wat ik tegen ze heb gezegd? Ik moet de familie van Rhodes gewoon ontmoeten, er is een goede reden!' Ze glimlachte en leunde voorover om haar glas leeg te drinken.

'Wat geweldig,' zei Mandana automatisch.

'Dus Elle, Rhodes vertelde me dat je bij een uitgeverij werkt,' zei Melissa, en ze glimlachte vriendelijk. 'Dat klinkt zo interessant! Wat doe je daar?'

Elle dacht aan het boek dat ze die avond had geredigeerd, *Romance met een soldaat uit Rome*, een erotische reis-door-de-tijd-roman. Dergelijke romans waren een enorme rage op het moment. 'Nou, ik ben daar begonnen als secretaresse, maar nu ben ik redacteur,' zei ze.

'Wauw,' zei Melissa. 'Dat klinkt fantastisch. Je redigeert boeken. Wat houdt dat in?'

Elle zei: 'Ik ben pas junior, dus zoveel houdt het nog niet in. Ik werk voor ons romantiekfonds. Dokters en verpleegsters, sjeiks en meisjes die in het buitenland zijn verdwaald, koninklijke heldinnen en knappe hertogen. Die hoek. En soms een paar weerwolven.'

'Romantiek!' Melissa lachte. 'O, wauw.' Toen besefte ze dat Elle het serieus meende en haar uitdrukking veranderde. 'Dat is vast heel boeiend.'

Ja, heel boeiend, wilde Elle zeggen. *Ik hang twee uur aan de lijn met Regina Jordan om hem te horen klagen over de verkoop en dat hij echt niet van plan is een passage te veranderen waarin een meisje twee weken lang met kettingen vastzit in een gotische grot en herhaaldelijk seks heeft met de kwaadaardige hertog, en elke keer een orgasme krijgt.*

'Wat lees jij in je vrije tijd dan?' vroeg Melissa.

Elle wilde niet zeggen dat ze momenteel *Cassandra en het kasteel* voor de zevende keer herlas. 'O, manuscripten,' zei ze.

'Elle heeft het goed gedaan,' zei haar vader toen de drankjes kwamen. 'Ik ben erg trots op haar.'

'Ik ook,' zei haar moeder zachtjes naast haar, en Elle voelde een steek in haar borstkas. 'Ze hebben haar een hogere positie gegeven, dus blijkbaar is ze erg goed.'

Elle pakte haar glas op. 'Niet echt,' zei ze. Ze wilde niet onbeleefd klinken, maar wilde ook niet als een verwaande trut overkomen. 'Vorig jaar ben ik tot junior redacteur benoemd zodat ze bepaald werk naar me toe konden schuiven. Mijn vriendin Libby had de baan aangeboden gekregen, maar zij is vertrokken, dus hebben ze hem aan mij gegeven. Ik werk er al meer dan drie jaar, dus ze waren het min of meer verplicht.'

'Libby?' zei Rhodes, die tijdens het hele gesprek verveeld had zitten kijken, en hij ging rechtop zitten. 'Eh... is dat niet dat meisje dat ik heb ontmoet? Je... woonde toch met haar samen?'

'Ik woonde niet met haar samen, maar ja, dat klopt, je hebt haar toen gezien.'

'Waar is ze heen gegaan?'

'Ze werkt nu bij Eyre and Alock, een literair fonds van een heel grote uitgeverij. Onderdeel van Bookprint.'

'Daar heb ik wel eens van gehoord,' zei Mandana. 'Libby heb ik maar een of twee keer ontmoet en je kon zien dat ze heel ambitieus was.' Ze zei dit op een manier alsof dat helemaal niet goed was. Elle vroeg zich wederom af waarom mannen nooit op een afkeurende manier als 'heel ambitieus' werden omschreven. 'Dat is geweldig, schat. Hoe is het met Karen?'

Rhodes tikte tegen zijn glas. 'Trouwens...' Hij kuchte. 'We willen iets vertellen.'

John en Mandana keken op, en Melissa stak haar linkerhand omhoog, die ze in haar schoot verborgen had gehouden.

'We zijn verloofd!' zei ze. 'Kijk!' Ze zwaaide met de diamant. Hij glom in de donkere bar, net als haar tanden.

'O!' zei Mandana, en ze sprong op. 'Dat is, eh... dat is fantastisch!' Ze omhelsde haar zoon onhandig. 'En Melissa, welkom! Welkom in de familie!'

Terwijl ze Melissa een knuffel gaf, die haar zo ver mogelijk bij zich vandaan hield, zag Elle hoe haar vader naar Mandana keek, hij verbleekte bijna.

Mijn god. Hij heeft echt een hekel aan haar, dacht ze. Elle beet op haar lip en stond op.

'Gefeliciteerd,' zei ze, en ze omhelsde Melissa. 'Wat een fantastisch nieuws. Ik ben zo blij voor jullie.' Ze klopte Rhodes op zijn schouder. 'De diamant is prachtig en ik ben dol op zilver.'

Er viel een ontzette stilte. 'Het is platina,' zei Melissa. 'Van Tiffany. Rhodes heeft hem zelf uitgekozen!'

Rhodes haalde zijn schouders op, zijn ogen halfdicht. Hij draaide zich naar Melissa en kuste haar vluchtig op de wang.

'Nou,' zei John, terwijl ze allemaal weer gingen zitten. 'Wat een geweldig nieuws. Hebben jullie al een datum geprikt?'

Melissa en Rhodes keken elkaar aan en lachten, op de irritante manier van stelletjes die iets willen delen waarvan zij denken dat het interessant is. 'Ja, dat hebben we!' zei Melissa. 'Volgend jaar herfst! Misschien in september, ik ben in oktober jarig en ik wil absoluut trouwen voordat ik dertig word!' Ze hield haar mond even en keek Rhodes aan. 'Zal ik het haar vragen?'

'Ga je gang.' Rhodes glimlachte, en Elle deinsde van schrik terug; ze had haar broer sinds halverwege de jaren tachtig niet meer zien glimlachen.

Gespannen vroeg Melissa: 'Elle, zou jij alsjeblieft mijn bruidsmeisje willen zijn?'

'Ik?' vroeg Elle, en ze probeerde verrukt te klinken. 'Eh... wauw, natuurlijk, graag!'

Melissa klapte in haar handen. 'Echt? O, dat vind ik fantastisch. Ik vind het echt heel belangrijk om Rhodes' familie erbij te betrekken en ik wil je graag beter leren kennen, je bent tenslotte Rhodes' zusje!' Elle deed haar mond open, maar Melissa ging verder. 'Mijn beste vriendinnen Hay Ley en Darcy zijn de andere bruidsmeisjes, samen met mijn zus Francie. Vier in totaal, niet veel voor een huwelijksplechtigheid, maar ik wil niet dat het al te verwarrend voor de gasten wordt. Ik kan niet wachten tot jullie elkaar ontmoeten!'

Elle was geroerd. 'Wat lief van je, Melissa,' zei ze. 'En wat spannend!'

'Ja!' zei Melissa. 'En ik hoop dat je ook naar mijn vrijgezellenfeestje kunt komen, dat wordt zo leuk! Heb je een vriend?'

'Eh...' zei Elle overrompeld. 'Nee, eh... nee, die heb ik niet.'

'Elle heeft geen tijd voor een vriendje, hè Elle?' zei John, en Elle besefte dat hij trots klonk. 'Ze is een carrièrevrouw.'

'Het een sluit het ander niet uit, pap,' zei Elle. 'Je hoeft geen contract te tekenen van de carrièrevrouwenheksenkring.'

'Oké, dat geeft niet,' zei Melissa, die het gesprek negeerde. 'Maar misschien ontmoet je voor de bruiloft nog wel iemand!'

'Nou!' zei Elle, en ze kruiste haar vingers. 'Misschien gebeurt dat nog wel!' Ze staarde naar haar martiniglas. 'Eh... eigenlijk heb ik wel zin in nog een drankje.'

Een ober verscheen naast hen en nam de bestelling op. Plotseling zei Mandana: 'Rhodes, schat, waar gaan jullie eigenlijk trouwen?'

Melissa en Rhodes keken elkaar aan en pakten elkaars handen weer vast.

'Nou, na de kerst verhuizen we naar Engeland,' zei Rhodes. 'Ik word overgeplaatst, al weet ik niet voor hoe lang.'

'Daarom is het zo geweldig dat jij me hier kunt helpen!' zei Melissa weer tegen Elle.

'O,' zei Elle. 'Joepie!'

'Hoe dan ook, we willen in Amerika trouwen, zodat onze vrienden en mijn familie kunnen komen,' zei Melissa. 'Mijn vader heeft een huis in Upstate New York, in de buurt van Woodstock, met een prachtige tuin vlak bij een oude koetsiersherberg. Onder aan het grasveld bij het water zetten we een rozenboog voor de ceremonie. Zo romantisch.'

Elles moeder leunde achterover. 'O.'

'O?' zei Rhodes agressief. 'Wat betekent dat nu weer?'

'Doe niet zo onbeschoft,' verdedigde Elle haar vlug. Ze had zo'n hekel aan de manier waarop Rhodes net als haar vader tegen hun moeder deed. Ze leken zoveel op elkaar, ze zagen er hetzelfde uit: zo ontoegankelijk, overtuigd van hun eigen gelijk, met een welomlijnde plek in de wereld, ze hadden het nooit bij het verkeerde eind.

Mandana draaide het kleine, glimmende servetje rond tussen haar vingers. Haar grote bruine ogen lagen diep in haar bleke gezicht.

Elles vader sloeg zijn armen over elkaar en keek naar Mandana. 'Kom op. Vertel het ze maar.' Het was de eerste keer dat hij zijn ex-vrouw direct aansprak sinds Elle er was.

'Wat wil je vertellen?'

Elle voelde een vleugje ongemak, zoals een straaltje zweet in haar nek. Iets was er mis. Ze wist niet wat. De alcohol deinde door haar lege maag. Dit was allemaal zo onnatuurlijk, ze waren als volwassenen nog nooit met zijn vieren samen geweest en dan die woorden als 'familie', 'verloving', 'bruidsmeisje', 'romantisch' – de familie Bee gebruikte dat soort woorden niet. Ze deden dit soort dingen niet.

Mandana slikte. 'Eh... mijn god, Rhodes. Nou, zie je. Ik, eh... ik kan niet komen.'

'Wat?' zei Rhodes fel. 'Hoe bedoel je, je kunt niet komen?'

John leunde achterover tegen de muur. 'Kom op. Vertel het ze maar,' zei hij met iets van voldoening in zijn stem.

'Ik kan niet komen als... als de bruiloft... in... in...' Mandana keek op, haar ogen schoten van haar ex-man naar haar zoon, haar dunne vingers kronkelden heen en weer in haar schoot. Ze schraapte haar keel. 'Ik kan niet komen als de bruiloft in Amerika wordt gehouden. Ik mag het land niet meer in.'

Melissa's ogen werden groot, en de aderen in haar hals zwollen op. Ze maakte een geluid achter in haar keel. 'Mmm?'

Mandana keek haar ex-man smekend aan. 'Nou, eh... toen ik... toen ik vijfentwintig was, was ik in Californië. In Haight-Ashbury. En daar ben ik, eh...' Ze sprak zo zachtjes dat Elle haar haast niet kon horen. 'Ik ben gearresteerd voor het dealen... voor het dealen van marihuana. Marihuana, meer niet, een heel klein beetje,' zei ze verdedigend. 'Ik werd veroordeeld. Kreeg een boete en een aantekening. En mijn visum is verlopen en die twee dingen samen betekenen... nou, die betekenen dat ik het land niet meer in mag.'

Er viel een lange stilte.

'Sorry... wat?' zei Rhodes. Zijn stem klonk zwak. 'Wat heb je gedaan?'

Mandana zei niets.

'Mam, is dat echt waar?' vroeg Elle vertwijfeld. 'Waarom heb je dat nooit verteld?'

'Ze had het niet eens aan mij verteld,' zei John.

'John, niet doen,' zei Mandana met iets van ongeduld in haar stem, als de woedende, felle Mandana van vroeger, niet deze verlegen vrouw die doodsbang was om iets verkeerd te doen. 'Doe nou niet.'

'Ben ik degene die niets zou moeten zeggen?' Elles vader keek niet eens naar haar moeder. 'Ik wilde altijd dat jullie het wisten,' zei hij terwijl hij van Elle naar Rhodes keek. 'Nu begrijpen jullie ook waarom ze niet mee naar Disney World is geweest. Alleen kwam ik er op het vliegveld pas achter.'

De vakantie naar Disney World. Bij de gedachte alleen al brak het zweet Elle uit. De rit naar het vliegveld, haar ouders die in een verschrikkelijk humeur waren, Mandana nog erger dan gewoonlijk. Maandenlang was er niets aan de hand en dan plotseling draaide ze helemaal door en dit was zo'n dag geweest. In de rij voor de douane, waar Elle met haar Dumbo-beestje over de linten tussen de rijen vloog, gebeurde er iets en Mandana schreeuwde tegen John, hij schreeuwde terug, waar iedereen bij was, maar het kon hun niets schelen: zo deden ze altijd. Rhodes en Elle, die destijds elf en acht waren geweest, hadden aan de kant gestaan en er stilletjes hand in hand naar staan kijken. Ze begrepen niet hoe deze vakantie, zo'n beetje het beste wat hun ooit was overkomen, die hun vader als verrassing had geboekt en waarover hij pas een week daarvoor had verteld, zo plotseling de mist in leek te gaan.

Hun moeder was vertrokken zonder zelfs maar afscheid te nemen. John had met de paspoorten en papieren gerommeld alsof er niets aan de hand was. Elle had haar moeder nagekeken, haar schouders gebogen, haar hoofd voorover. Ze was steeds vlugger gaan lopen, alsof ze blij was vrij te zijn, tot ze bijna door de grijze vertrekhal rende, er was niemand die er aandacht aan schonk. Elle staarde haar na tot ze plotseling de hoek om ging en verdween.

'Waar is mammie?' had Elle gevraagd toen ze even later bij de Wimpy een hamburger en patat hadden zitten eten in een poging het gevoel van opwinding weer te hervinden van even daarvoor.

'Ze gaat niet mee. Er was iets mis met haar paspoort,' had John gezegd, en daar hadden ze het bij gelaten. De vakantie was geweldig geweest. Kinderen zijn egoïstisch – het was natuurlijk wel Disney World – maar toen ze een week later thuis waren gekomen, was het heel erg geweest. Heel erg, want haar moeder kon niet goed alleen zijn. De gordijnen zaten dicht, er hing een muffe stank in huis, het was een troep, hun moeder zag er niet uit en toen ze hen had gezien was ze in tranen uitgebarsten. Dat was de eerste keer dat Elle had beseft dat ze te veel dronk. Niet als de moeder van Emily van de padvinders, die drie glazen sherry dronk en dan musicalliedjes begon te lallen. Dat was grappig, dat was anders. Dit was niet grappig. Maar Rhodes en zij konden op school opscheppen over hun vakantie naar Disney World en alles werd weer enigszins normaal, tot de keer daarop en de keer daarna en nog een paar jaar later, tijdens de vakantie in Skye, en dat was op de een of andere manier de laatste druppel geweest.

Elle wierp een blik op Rhodes en vroeg zich af of hij hetzelfde dacht als zij. Maar hij staarde naar hun moeder, en de blik op zijn gezicht sprak boekdelen.

'Het spijt me,' zei Mandana ten slotte. Ze keek op, haar ogen stonden vol tranen en haar wangen waren ingevallen. 'Het spijt me echt verschrikkelijk. Ik heb een stomme fout gemaakt toen ik jong was. Ik heb ervoor geboet, maar het is verschrikkelijk dat jullie er ook onder moeten lijden. Natuurlijk moeten jullie trouwen waar jullie willen. Ik zal heel blij voor jullie zijn, waar het ook is.'

Rhodes spreidde zijn handen uit over zijn knieën. 'Daar gaat het niet om!' Hij keek zijn moeder aan. 'Wat denk je dat de anderen hiervan zullen vinden, ma? Je hebt het altijd maar over die stomme reis naar San Francisco, dat het zo puur en vrij was en dat al het andere daarbij in het niet valt. Wat een onzin. Je bent een vieze leugenaar.'

'Rhodes,' zei hun vader met schelle stem. 'Zo is het genoeg.'

'Rhodes, nee,' zei Melissa. Ze glimlachte onbeweeglijk, haar onderlip duwde haar bovenlip omhoog en haar wangen bolden op. 'We kunnen het ook in Londen doen. Misschien moeten we erover nadenken de bruiloft hier te houden.'

'Of in een kasteel in Ierland zoals Posh en Beckham,' zei Elle in een misplaatste poging de gemoederen te bedaren. Alle vier keken ze haar bevreemd aan. De kelner zette de drankjes een voor een behoedzaam neer, en het was volkomen stil aan tafel.

'Nou, het zou fantastisch zijn als het... als het... als het hier zou zijn.' Mandana's stotterende stem was nauwelijks hoorbaar. 'Het spijt me zo. Echt alles.' Ze staarde naar haar sinaasappelsap.

'Nee,' zei Melissa plotseling, en ze legde een hand op Mandana's knie. Ze slikte. 'Eh... het is geen enkel probleem. Het is goed dat we er nu achter zijn gekomen, zodat we er iets aan kunnen doen. Het wordt fantastisch. Als het hier in Engeland is, zal ik Elles hulp nog harder nodig hebben. Gelukkig!'

Mandana knikte dankbaar, en Melissa glimlachte naar haar. Elle merkte dat ze haar al aardiger begon te vinden, hoewel ze niet dacht dat Melissa had verwacht dat de aankondiging zo zou uitpakken. Ze pakte haar martini en sloeg de helft in een grote slok achterover. Ze had geweten dat het een lange avond zou worden, en dat was het nu al.

Net voor negen uur verliet Elle het Savoy en de regen en de hobbelende bussen ontwijkend stak ze de Strand over. Ze liep langs de ingang van Lion Books en herinnerde zich, zoals altijd, dat verschrikkelijke sollicitatiegesprek met Jenna Taylor, toen ze niets anders had gezegd dan 'Ik heb een passie voor lezen... Ik ben dol op boeken, echt dol.' Toen ze ongeveer een jaar bij Bluebird werkte, was ze Jenna op een feestje tegengekomen en was ze onbeholpen op haar afgestapt om gedag te zeggen, maar Jenna had haar niet herkend. Althans, dat beweerde ze. Elle werkte nu meer dan drie jaar in de uitgeefwereld en ze had wel geleerd dat je niet op mensen afstapte om gedag te zeggen. Soms miste ze het onhandig zijn wel een beetje. Ze had het gevoel dat ze volwassen was geworden, maar dat betekende niet noodzakelijkerwijs dat ze iets had geleerd.

Elle haastte zich over Bedford Street langs de grote ramen van het

Garrick met rijen identieke schilderijen van oude grijze mannen aan de muren en de felgekleurde ruitvormige glas-in-loodramen van het Ivy. In de Amerikaanse diner op de hoek van Cambridge Circus werden de Amerikaanse verkiezingen gevierd met een speciaal rood, wit en blauw menu en de verschillende zitgedeelten waren aangeduid met GORE of BUSH. Toen ze in Dean Street was duwde ze een onopvallende zwarte deur open en ging naar binnen.

'Hoi,' zei ze onzeker tegen de man achter de zwarte balie. 'Ik ben hier voor het Eyre and Arlock-feestje.'

'Geweldig,' zei hij. 'Hier tekenen. Het is boven, achterin. De tv staat aan, maar de aankondiging is nog niet geweest.'

'Bedankt,' zei Elle. Ze gaf hem haar jas en wierp een blik in de spiegel. Haar haar was niet te nat, haar zwarte kanten choker zat nog op zijn plek en haar mascara was niet doorgelopen. Ze schraapte haar keel. Voor de tweede keer die avond wilde ze dat ze niet zo zenuwachtig was en weer snapte ze niet waarom, ze zou hier toch zo langzamerhand wel aan gewend moeten zijn.

Dit was toch wat je deed als je in de uitgeefbusiness zat? Je ging naar coole Booker Prize-feestjes in trendy mediatenten, je hing rond in Babington House of kreeg een tafel in het Nobu. Terwijl ze de smalle trap op liep kon ze vanaf de grote zaal onder zich de lachsalvo's en het pianospel horen opstijgen. Wie waren dat? Keith Allen en Meg Mathews? Chris Evans en Blur? Op de eerste verdieping zaten twee deuren. Op allebei waren A4'tjes geplakt. Op de eerste stond:

BOOKER PRIZE PARTY: BESLOTEN

Op de tweede:

UITGEVERSFEEST: BESLOTEN

Een beetje met het gevoel alsof ze Alice in Wonderland was duwde Elle de eerste deur open en ging naar binnen.

De kamer stond vol mensen en iedereen leek met zijn rug naar haar toe te staan. Ze waren diep in gesprek. In de hoek stond een klein tv'tje, waarop de Booker Prize-ceremonie live vanaf Guildhall werd uitgezonden. Elle haalde een glas wijn en keek om zich heen op zoek naar iemand die ze kende om niet het gevoel te hebben dat ze het vijfde wiel aan de wagen was. Haar blik viel op een flits blond haar tussen twee pakken in. 'Libby!' riep ze, en het haar draaide zich om.

'O, Elle. Je bent er!' Libby omhelsde haar enthousiast, en er verscheen een grote glimlach op haar gezicht. 'Ik was al bang dat je niet zou komen.'

Elle rook de Anaïs Anaïs en de sigaretten, de bekende Libby-geur, en ze deed haar ogen even dicht, zo sterk was het. 'Ik heb net zoiets raars meegemaakt...'

'Wacht even,' zei Libby meteen. 'Ik ging net iets te drinken voor Jamie halen. Ik ben zo terug.'

Ze verdween in de menigte. Elle nam nog een grote slok wijn en herinnerde zich dat ze al twee martini's achter haar kiezen had. Maar eerlijk gezegd kon het haar niet schelen. Ze was allang blij dat ze niet meer in het Savoy was. Ze kon nog steeds niet bevatten hoe vreemd het eerste gedeelte van de avond was geweest. De atypische herinnering van hen vieren aan tafel – vijf nu, vijf natuurlijk. Melissa hoorde nu bij de familie. Elle glimlachte, hoe kon je bij iets horen wat niet bestond? Ze wist dat ze op enig moment met haar moeder moest praten. Misschien kon ze dat dit weekend doen? Ze wist dat ze vrij was. Tegenwoordig was Elle in het weekend altijd vrij, voor het geval dat.

Libby was verdwenen. Terwijl ze een handvol nootjes van het blad van een voorbijlopende kelner pakte, keek Elle om zich heen in de volle, rumoerige ruimte. 'Nou, ik wed op Atwood,' hoorde ze iemand achter zich zeggen. 'Maar ik heb Simon zaterdag bij Mark's gezien en hij is erg terughoudend, volgens mij kan Passengers het zo maar wegkapen.'

'Ben jij naar Mark's geweest?' vroeg de ander, en hij ging met zijn vingers door een dikke kralenketting. 'Ik wilde er graag heen, maar we waren het weekend in Paul's en we konden niet even terugrijden.'

'O, jammer. Wist je dat...'

Elle bewoog zich door de menigte en voelde zich volledig onzichtbaar. Ze ving flarden van gesprekken op. 'Heb er meer dan vijfhonderd voor betaald. Ik weet het. Ze verdienen het nooit meer terug...' 'Ze vertrekt naar een andere uitgever, wist je dat? Ze had er genoeg van en wie kan het haar kwalijk nemen.' 'Ik zei tegen hem: "Sir Vidia, zo is het genoeg. Maak geen slapende honden wakker".'

Elle voelde zich nog meer een buitenstaander, nu ze zich in het feestgedruis bevond. Waarom had ze gezegd dat ze zou komen, als ze eigenlijk geen zin had?

Ze kende het antwoord maar al te goed en dat was nog triester. Ze hoorde een stem en keek op. Libby stond bij het raam samen met iemand te lachen. Elle hield in omdat ze hen niet wilde onderbreken, maar Libby had haar al gezien en gebaarde dat ze moest komen.

'Sorry, Elle,' zei ze. 'Zo onaardig van me dat ik je heb uitgenodigd en je dan in de steek laat!' Ze deed haar haar achter haar oor. 'Dit is Tom Scott, Tom, dit is een goede vriendin van me, Elle Bee. Hè, het klinkt altijd zo stom als ik je naam zo zeg. Eleanor Bee.'

Elle knikte naar Tom. 'Hoi,' zei ze. 'Ik ben Elle. Ik werk bij Bluebird.'

Ze wist niet zeker of ze moest refereren aan hun enige, vrij ongelukkige ontmoeting op de salesconferentie tweeënhalf jaar daarvoor. *Natuurlijk herkent hij me niet*, zei ze tegen zichzelf.

'Dat weet ik,' zei hij. Hij staarde haar aan. 'We hebben elkaar al eens ontmoet. Op de Bluebird-salesconferentie. Je had toen een andere kleur haar.'

'O,' zei Elle. 'Sorry, ik had je wel herkend, maar ik wist niet of je nog wist wie ik was.'

'Heus,' zei Tom op droge toon. 'Wat aardig van je.' Het was duidelijk dat hij haar niet geloofde. Libby lachte.

De ontmoeting in het Savoy, de martini's, de wandeling door de regen, de rumoerige kamer vol mensen die ze niet kende en het gevoel dat ze doodmoe was, overweldigden Elle plotseling. Ze keek nog een keer om zich heen en legde haar hand tegen haar wang om de tranen tegen te houden die tot haar afschuw in haar opwelden.

'Eh... ik denk dat ik maar ga,' zei ze. 'Sorry, maar ik ben echt supermoe en ik moet morgen heel veel doen.'

Libby keek haar met samengeknepen ogen aan en legde een hand op haar arm. 'O, wat ben ik erg,' zei ze. 'Je bent toch iets met je ouders wezen drinken? Was het heel naar?' Elle schudde haar hoofd, niet in staat iets te zeggen, en knikte. 'O, jemig. Sorry, Elle.'

Ellendig en verward wierp Elle een blik op Tom, maar van zijn gezicht viel niets af te lezen.

'Hier.' Libby pakte een bord van een voorbijlopende serveerster. 'Voor mijn vriendin, ze is duizelig,' zei ze.

Iemand achter hen draaide zich half om. 'Typisch iets voor Libby,' zei hij tegen de ander en ze lachten.

'Houd toch je kop, Bill,' zei Libby flirterig, en ze flipte haar haar opzij. Ze gaf Elle het bord met hapjes. 'Hij is onze algemeen directeur. Zo irritant! Hier, eet wat,' zei ze, en ze wiebelde het bord onder Elles neus heen en weer.

Elle at een minisamosa, en Libby keek haar aandachtig aan. 'Dus het was akelig. Heb je de Amerikaanse vriendin ontmoet? Hoe was ze?'

'Net een van de zusjes Appleton,' zei Elle. 'Die gemene. Ze zijn verloofd.' Ze pakte nog een samosa. 'Ze gaan in Amerika trouwen, alleen kan mijn moeder er blijkbaar niet heen omdat ze een strafblad in de Verenigde Staten heeft.' Ze gooide nog een samosa in haar mond.

'Wat?' vroeg Libby met open mond. Ze wierp een blik op een vrouw die achter hen langsliep. 'Hé! Ja! Ik zie je zo!' galmde ze.

'Pardon,' zei Tom, en hij wilde weggaan. 'Libby, ik zie je...'

'Nee, niet weggaan,' zei Elle vlug, en ze slikte nog een samosa door. 'Ik wil jullie niet wegjagen. Het is mijn familie maar. Mijn ouders haten elkaar en mijn broer haat ons allemaal.' Hoe gek dit ook klonk toen ze het hardop zei, ze voelde zich er wel beter door. 'Ja, ik heb zojuist de verloofde van mijn broer ontmoet. Het is voorbij. Achter de rug.'

Libby knikte aandachtig, draaide zich om naar Bill, begon tegen hem te praten en bood hem het bord met hapjes aan. Elles mond viel open van verbazing. Tom kwam iets dichterbij zodat hij vlak naast haar stond.

'Wauw.' Hij trok één wenkbrauw op. Elle was onder de indruk, dat had ze altijd al willen leren. 'Haten je ouders elkaar echt?'

'Nou, mijn vader heeft absoluut een hekel aan mijn moeder, en ik denk ook niet dat zij echt dol is op hem, eerlijk gezegd.'

'Dat klinkt net als mijn ouders.'

'Echt?' vroeg Elle, die verder niet wist wat ze zeggen moest.

Tom knikte. 'Je bent niet de enige. Ik bedoel, ik wil niet met je concurreren, maar het is echt zo. Misschien moeten ze gaan scheiden.'

'Dat hebben ze al gedaan,' zei Elle. 'Het is goed zo.' Ze probeerde luchtig te klinken, alsof het allemaal in orde was, maar dat lukte haar niet. Ze dacht aan haar moeders verdrietige blik, haar vader die zo stijf rechtop zat en de afstand tussen hen terwijl ze op dezelfde bank zaten.

'Dat spijt me. Hoe lang al?'

'O, jaren geleden al. Ik was zestien. Het is... Ik kan het niet goed uitleggen. Ik zie ze nooit samen, we zijn nooit meer met zijn allen bij elkaar en vanavond wel en daardoor... daardoor kwam ik achter dingen die me nog nooit eerder waren opgevallen.' Haar moeders trillende handen, het sinaasappelsap, de vakantie naar Disney World, de schitterende ring aan Melissa's vinger, haar vader en broer, hoe boos ze op haar moeder waren, hoe Mandana dat toeliet, alsof ze het verdiende, als een hond die door een groep jongens in elkaar werd getrapt. 'Sorry,' zei ze eenvoudigweg. 'Normaal gesproken sta ik er niet zo bij stil.'

Tom keek Elle aan. Ze keek naar hem op. Zijn kaak was hoekig, donker met een stoppelbaardje, zijn grijze ogen stonden vriendelijk. Hij zei: 'Nou, dat is in ieder geval wat. Mijn ouders zijn nooit gescheiden en toen stierf mijn moeder, dus werd mijn vader de kans ontnomen mijn moeder nog langer te bedriegen. Hij is nooit meer echt dezelfde geworden.'

'Wauw,' zei Elle. 'Jij wint.'

Tom knikte naar haar. 'Blij dat te horen. Ik blijf iedereen voor als het om trieste families gaat. Door de dode moeder win ik doorgaans. Wees dus maar blij.' Hij zag dat haar uitdrukking verstarde en fluisterend zei hij: 'Hé, het spijt me. Ik maakte maar een grapje.'

'Dat weet ik.' Elle schudde haar hoofd. 'Het komt gewoon door te veel martini's en geen eten, na een dag lang liefdesromans redigeren. Je wordt er een beetje raar in je hoofd van.' Ze wankelde licht, terwijl ze tegenover hem stond.

'Neem een hamburger,' zei hij. Hij pakte haar bij de elleboog. 'Hier.' Hij glimlachte tegen de serveerster en gebaarde naar het bord. 'Mag ik dit houden?'

De serveerster haalde haar schouders op. 'Doe eens gek.'

'Opeten,' ging Tom verder. 'Zullen we het nog erger maken? Van welke liedjes moet je huilen, welke huisdieren ben je verloren en hoe dicht bij de dood ben je geweest?'

Elle lachte. 'Mijn hond Toogie heeft een otter aangevallen in een beek en heeft een spuitje gekregen.'

'Een deprimerend verhaal.'

'Ja, met de otter was niets aan de hand. Met de dode hond wel. Jemig, wat was ik van streek.'

Hij lachte ook, en ze bedacht hoe leuk zijn gezicht was als hij glimlachte. Hoe leuk hij eigenlijk was. Het was raar om tegen een jongen te kunnen praten zonder dat je bang was dat hij zou denken dat je een oogje op hem had of een spelletje met hem speelde, want ze zou nooit geïnteresseerd in hem kunnen zijn, al kon ze niet zeggen waarom.

Tom veranderde van onderwerp. 'Dus je redigeert MijnHart-boeken. Vind je dat leuk?'

'Of ik het leuk vind?' Elle was lichtelijk in de war. Niemand vroeg haar ooit of ze het leuk vond. 'Het is geweldig. Ik vind het heel leuk, maar overdaad schaadt, neem ik aan,' zei ze vlug. 'Ben je... Hoe gaat het met, eh... Ben je nog steeds non-fictieagent?' vroeg ze onbeholpen. 'Ik zou het moeten weten, het spijt me. Ik heb nog niet veel met agenten te maken, tenzij ze gespecialiseerd zijn in liefdesverhalen over dokters en verpleegsters.'

Tom schudde zijn hoofd. 'Nou, dat is jammer. Ik heb een voorstel klaarliggen over een dokter en zijn liefde voor de eerste vrouwelijke Beefeater, maar dat is zeker niets voor jou?'

Elle keek alsof ze het jammer vond. 'Nee, het spijt me.'

'En een man met een schurftig gezicht en een dokter gespecialiseerd in huidziekten? Met de titel...' Zijn stem stierf weg, en hij beet geconcentreerd op zijn lip.

'Schurftkees en de City. Kies mij, Schurftkees.'

'Nee. Mijn geschilferde vriend en ik.'

Elle proestte het vrolijk uit en er schoot een beetje wijn achter in haar keel. Ze verslikte zich, hoestte en dronk gretig nog een slok. Hij glimlachte weer. 'Gaat het?'

'Schurft? Beefeaters?' Toen Libby hen hoorde lachen, draaide ze zich wild om. 'Waar hebben jullie het over?

'Ik stond net op het punt Eleanor Bee te vertellen,' zei Tom, 'dat ik niet langer agent ben.'

'Echt niet?' vroeg Elle.

'Nee. Zoals je tijdens de salesconferentie misschien al was opgevallen, was ik een waardeloze agent. Ik ben dol op boeken, maar ik ben geen ster in het zorgen voor auteurs. Ik had echt een verschrikkelijke hekel aan dat soort avondjes. Ik heb nu een boekwinkel.'

'Wat geweldig. Waar?'

'In Richmond, vlak bij de rivier. Het is vrij groot, twee verdiepingen, en de locatie is goed, we trekken veel voorbijgangers.'

'De winkel van Tom is fantastisch, Elle. Je zou er eens langs moeten gaan,' zei Libby. Ze legde haar hand op Toms arm. 'Bovendien heeft Tom de Dora Trust opgericht.' Ze knikte tegen Elle alsof ze wilde zeggen: *Doe net alsof je weet waar ik het over heb.*

'O...' zei Elle zwakjes. 'Natuurlijk...'

'Heb je ervan gehoord?' vroeg Tom.

'Ja...' Elle knikte enthousiast. 'Een verbazingwekkende... trust.'

'Nou, nou, nou,' klonk een stem achter haar, 'wie hebben we hier? Hoofdverraadster Libby Yates, overloper naar de wereld van literaire rommel? Zwart-witfoto's van stoppelige jonge schrijvers verplicht? Omslagen met grote blokletters verticaal geprint?'

'Ga toch weg, Rory,' zei Libby, maar haar ogen begonnen te stralen. Ze grinnikte en omhelsde hem. 'Hoe gaat het met je? Is het waar wat er wordt gezegd, dat we op het punt staan Bluebird over te nemen? Word ik jouw baas dit keer?'

Rory glimlachte en deed net alsof hij haar negeerde. Hij wiebelde het glas in zijn hand heen en weer en keek om zich heen. Alsof hij Elle op dat moment pas opmerkte, zei hij: 'Hallo Elby, waar ben je geweest? De godganse dag aan het werk zeker?'

'Ik had... een borrel,' zei Elle. Hij knikte vaag.

Tom stak zijn hand uit en pakte Rory's glas. 'Hoi, Rory,' zei hij. 'Zal ik er nog een voor je halen?'

Rory keek geschokt, alsof Tom had geprobeerd hem te bestelen. 'Wat? O, hoi Tom. Bedankt, ja graag.'

Terwijl Tom wegliep en Libby met haar rug naar haar baas, Bill, ging staan, fluisterde Elle tegen Rory: 'Rory, wat is de Dora Trust?'

'Nou.' Rory rolde met zijn ogen. 'Het is een of andere prijs ter nagedachtenis aan Dora Zoffany. Ambrose heeft hem eerder dit jaar in het leven geroepen. Het is bedoeld om schrijfsters in de picture te spelen. Zeer politiek correct. Hij heeft heel veel publiciteit gehad. Bookprint sponsort het, ik neem aan dat Libby daarom zo dol op hem is.' Zijn glimlach veranderde in een beleefde grijns toen Tom weer verscheen.

'Bedankt, kerel.' Rory pakte het glas aan. 'Ik vertelde Elby net over de Dora Trust, hoe spannend dat is. Hoe staat het ermee?'

'Goed,' zei Tom. 'Vorige week hebben we een meeting met een pr-bureau gehad. En er komt een website, hoewel ik op dit moment nog geen idee heb wat we erop moeten zetten. Ik snap er geen bal van.'

Een agent, een jonge, pezige vent genaamd Peter Dunlop, plukte Rory aan zijn mouw. 'Hé, Rory. Hoe gaat het?'

Elle trok haar neus op. 'Nou, wij zijn bezig een MijnHart-database op te zetten. Het is verbazingwekkend hoeveel mensen er tegenwoordig thuis internet hebben. Zo niet, dan geven ze hun werkadres op. We mailen ze eens per maand over de pas uitgekomen boeken en met speciale aanbiedingen. Ik weet dat het maf klinkt, maar...'

'Nee,' zei Tom. 'Nee, dat klinkt helemaal niet maf. Wat een geweldig idee. Waarom denk je dat?'

Elle schaamde zich dat ze bloosde. 'Nou ja, het zijn romannetjes. Het is niet te vergelijken met...' Ze maakte een weids gebaar naar de anderen in de kamer. 'Je weet wel.'

Tom glimlachte geamuseerd. 'Bedoel je de Groucho? Of...' Hij keek naar de regenachtige straat onder hen, die glinsterde in het gele schijnsel van de lampen. 'Of het district Londen? Of het verbazingwekkende literaire mirakel, de firma Eyre and Alock?'

Ze lachte. 'Ik neem aan die laatste.'

'Ze waren al failliet voordat Bookprint ze kocht, vergeet dat niet. Bluebird verdient nog steeds geld, het is praktisch de enige zelfstandige die nog over is.'

Hij hield zijn mond toen Peter Dunlop hem aanstootte. 'Hé, Tom, wat zei je daar over Bluebird?'

'Niets dan lof,' zei Tom. 'Vooral het fantastische MijnHart-fonds. Ik heb gehoord dat die boeken geweldig worden geredigeerd.'

Peter zei: 'Heb je de geruchten gehoord dat het te koop staat? Rory beweert dat het onzin is.'

‘Het is onzin.’ Rory was een stuk kleiner dan beide mannen. Hij stak zijn nek uit en zei resoluut: ‘Absoluut niet waar. Het gaat super.’ Elle keek hem aan en probeerde niet te lachen; ze vond Rory hilarisch en op een vreemde manier schattig als hij probeerde met de grote jongens mee te doen, ze wist niet waarom.

‘Dat is niet wat ik heb gehoord,’ zei de meedogenloze Peter. ‘Ik heb gehoord dat de familie, Harold Sassoon en zo, meer geld aan het bedrijf wil verdienen. Ze denken dat Felicity haar feeling kwijtraakt. Sorry, kerel.’

‘Nogmaals,’ zei Rory, van de ene op de andere voet wippend en met een ongeduldige glimlach: ‘Het is niet waar. Alles is onder controle. Deze praatjes gaan alleen maar rond omdat de mensen jaloers zijn, ze willen graag dat we ten onder gaan, alleen maar omdat we de laatste echte uitgeverij zijn. Je weet hoe Felicity is. Morgen koopt ze een boek voor tweeduizend en daar verkoopt ze er een miljoen van.’

Peter Dunlop haalde zijn schouders op. ‘Bluebird heeft *Polly Pearson* afgewezen door haar, dat weet iedereen. Dat is wat ik bedoel met ze raakt haar feeling kwijt. Sorry, ik wilde je niet beledigen.’

Er viel een korte stilte. Het succes van *Polly Pearson vindt een man* en de twee vervolgen, *Polly Pearsons grote drama* en *Polly Pearson gaat trouwen* was een zeer pijnlijk onderwerp bij Bluebird. Het laatste boek was pas twee weken geleden in hardback verschenen en van de drie boeken samen waren meer dan één miljoen exemplaren verkocht.

‘Headline verdient het succes, ze hebben het heel goed gedaan,’ zei Rory na enige aarzeling. Hij klopte Peter op zijn rug en zei minzaam: ‘Sorry, ik heb geen betere roddels voor je, Peter. Bel me, dan gaan we een keer lunchen. Jij ook, Tom, ik zou het leuk vinden om even bij te praten en te horen hoe het met de winkel gaat.’

‘Hij is zo goed,’ zei Libby, die naar het laatste gedeelte van het gesprek had staan luisteren, tegen Elle.

Elle was gewend aan haar baas. ‘Ja, dat klopt, alleen weet hij dat zelf ook.’

Een uur laten hing er een dronken-melancholische sfeer op het feest. Ze waren samengedromd om de tv en hadden Margaret Atwood zien winnen, tot walging van de mensen in de zaal. De agenten en uitgevers van andere bedrijven waren het er natuurlijk beleefd over eens dat hun auteur had moeten winnen. Elle was in gesprek met Lucy, de publiciteitsmanager van Bluebird, die evenals alle publiciteitsmanagers het beste feestje had geroken en daarop was afgekomen. Tom Scott kwam op hen af lopen.

'Ik ga ervandoor,' zei hij. 'Het was leuk je weer te zien. Succes met je werk.'

'Bedankt,' zei Elle. 'Jij ook.'

'En bedankt voor het database-idee,' zei hij, en hij hief zijn glas op. 'Heel interessant. Eh... tot gauw.' Hij krabde op zijn hoofd en liep weg.

'Ik ga zo ook,' zei Elle, die hem nakeek. 'Ik ben er klaar mee.'

'Jij ook al?' Wc-bril zette haar glas hardhandig neer. 'Misschien ga ik wel mee.' Haar blik volgde die van Elle, die Tom nakeek, en ze zwiepte haar manen van de ene naar de andere kant. 'Hij is leuk, hè? Zo nerdy en humeurig, ik weet niet of hij me zou verslinden of een kaassoufflé voor me zou maken, snap je wat ik bedoel? Jammie.'

'Eh... ja,' zei Elle, die niet echt had staan luisteren. Ze rommelde door haar tas. 'Ik zoek mijn TravelCard.' Ze rommelde nog wat. 'Verdorie, ik hoop niet...' Ze keek naar de kapstok. 'Wacht niet op mij, W... Lucy. Ik kan mijn TravelCard niet vinden. Ik ga daar even kijken.'

'Vraag Rory ook maar als je daar toch bent, we weten heus wel dat je een oogje op hem hebt,' zei Wc-bril, en ze lachte net iets te hard.

Elle lachte ook. 'Goed plan. Ik zie je morgen. Is dat goed?'

'Tuurlijk,' zei Wc-bril. Ze trok haar trenchcoat strak om haar smalle middel en paradeerde nonchalant naar de uitgang. 'Tot morgen. Adios.'

Elle liep naar het rek in de hoek en pakte haar jas. Ze tikte Rory op zijn schouder.

'Ik ga ervandoor,' zei ze. 'Ik zoek mijn TravelCard, maar kan hem niet vinden.'

'Goed,' zei Rory kortaf, terwijl hij wegdraaide van het gesprek met een man met een vlinderdasje. 'Ik zie je morgen.'

'Oké,' zei Elle. Ze deed haar mond open om nog iets te zeggen, maar zei slechts: 'Prima. Veel plezier nog.'

Ze liep naar beneden en trok haar jas intussen aan. Halverwege herinnerde ze zich echter dat ze Libby geen gedag had gezegd. Ze stopte, maar wist dat ze niet terug kon gaan. Het was helemaal fout gelopen toen ze dat de vorige keer had gedaan.

Ze liep tot St. Anne's Court en bleef daar wachten. Lang duurde dat dit keer echter niet.

'Hé.' Rory rende achter haar aan. Ze stak haar hand op voor een voorbijrijdende taxi. 'Ik heb je TravelCard. Hij lag op de grond bij de kapstok.'

'O, mijn god!' zei Elle hardop. 'Bedankt! Wil je een lift?'

Ze stapten de taxi in, die richting Soho Square reed. Zodra ze op Oxford Street waren, waar geen verkeer was, bewogen ze naar elkaar toe en begonnen ze te zoenen. Hij duwde zijn hand over haar dijbeen naar boven, zij trok hem naar zich toe, voelde zijn tong in haar mond, de spieren onder zijn overhemd...

Ze werd warm vanbinnen, het was een geweldige, gladde, plakkerige warmte. Dit was waarop ze had gewacht, de hele eindeloze dag en avond lang, zijn harde, stevige lichaam tegen dat van haar, zijn handen, zijn huid onder haar vingers.

'Dat ging goed,' zei Rory, en hij trok de knopen van haar nieuwe shirt. 'Maar we moeten iets anders bedenken. Dat TravelCard-trucje hebben we nu al twee keer gedaan.'

'Wat maakt het uit,' zei Elle, en haar ogen straalden in het donker. 'Kus me.'

11

Ze was haar tandenborstel weer vergeten en haar shirt was nog een beetje nat; ze had geen reserveshirt of schone onderbroek meer. Elle dacht aan haar opgeruimde, kleine, gezellige kamer in Ladbroke Grove met haar boeken, pyjama en non-sexy bedsokken. Ze schudde haar haar uit en fronste in de spiegel. Wat belachelijk om naar dingen als bedsokken te verlangen als ze hier was. Ze liep met ingehouden buik de badkamer uit; de gedachte aan Melissa's dunne armen en platte buik gaf haar het gevoel dat ze een sumoworstelaar was.

'Rory, mag ik je iets vragen?' Ze klom in bed.

'Mmm.'

'Schat, waarom slapen we altijd hier?'

'Hmm?' Rory lag een boek van Minette Walters te lezen met zijn benen gespreid en zijn penis glibberig en slap op zijn buik. Elle trok het dekbed over hen heen en ging tegen zijn borstkas liggen, waar ze zijn hart hoorde kloppen. Ze vond het vooral na het vrijen fijn bij Rory, als hij haar vasthield, kusjes op haar hoofd gaf, haar een veilig gevoel gaf, het gevoel dat alles goed zou komen. En tot voor kort was dat ook zo geweest.

Iets moest er veranderen. Ze wist niet wat er zou gaan gebeuren, maar er moest iets veranderen.

'Ik zei, waarom slapen we altijd bij jou? Het is erg lastig. Ik ben mijn tandenborstel en onderbroek vergeten, ik heb hier geen kleren meer en ik heb meer nodig dan jij,' zei Elle gesmoord. 'Ik heb make-up nodig en elke dag een andere outfit. Ik moet er representatief uitzien. Jij draagt gewoon hetzelfde pak met een ander overhemd.'

Rory klopte afwezig op haar hoofd. 'Ik weet het.'

Elle hield haar mond even, maar ging toen rechtop zitten. 'Luister je wel naar me?' vroeg ze zacht. 'Heb je überhaupt wel gehoord wat ik zei?'

Rory legde zijn boek neer en zuchtte. 'Ja, ik heb je gehoord. Mijn antwoord is, ik ben niet dol op jouw flat, het is ver weg en Sam kan ons zien. Bovendien moet ik vroeg op de zaak zijn. Ik dacht dat jij daar geen problemen mee had.'

'Dat was ook zo,' zei Elle vlug. 'Maar... het duurt nu al even, Rory. En ik dacht...'

Hij leunde voorover en kuste haar tepels om de beurt. 'Je kunt dit weekend meer kleding meenemen en wat betreft je ondergoed...' Zijn hand gleed tussen haar benen. 'Ik vind het lekker als je geen ondergoed draagt, schat. Ik vind het fijn als je onder je kleren zo naakt mogelijk bent,' zei hij fluisterend in haar oor, en hij kuste het zachtjes. 'Ik vind het een prettige gedachte dat ik je hand zou kunnen pakken, mijn kantoordeur kan sluiten, je rok omhoog kan doen en je op mijn bureau kan nemen.' Zijn handen lagen nu op haar borsten en streelden ze zachtjes. 'Vind je ook niet?'

Hij wist precies wat hij moest zeggen. Dat was altijd zo. Elle ademde in en huiverde. 'Ik ben... Ik ben geen stuk speelgoed, Rory.'

'Dat weet ik, schat.' Hij likte haar tepels en begroef zijn hoofd tussen haar borsten. 'Je bent veel meer dan dat.' Hij keek op en kuste haar lippen. 'Ben je boos?'

'Nee, ik wou alleen...'

'Het enige wat ik vanavond wou, was jij. Wist je dat?' Zijn groene ogen boorden zich in die van haar en hij klemde haar handen in de zijne, zijn vingertoppen streelden zachtjes haar handpalmen. Ze kon de warmte van zijn huid voelen, alsof hij haar brandmerkte. 'Alleen jij, je maakt me echt helemaal gek.'

'Echt?' Elle vond het heel fijn om dit te horen, al geloofde ze het niet helemaal. Waarom had hij dan twintig minuten met die agent Emma Butterworth staan praten en tijdens de tv-uitzending overdreven met Libby staan flirten, als hij werd gekweld door een niet te stillen lust voor haar?

'Mijn god,' zei Rory. 'Zoals je met Tom Scott stond te praten... Hij deed me denken aan die ellendeling met wie je verkering had en waarmee je altijd in de pub kwam, ik had echt een hekel aan hem.'

'Fred?' Elle lachte. 'Rory, dat is meer dan drie jaar geleden. Hij kwam een keer toevallig de George MacRae binnen. Bovendien was ik toen je secretaresse nog.'

'En toen heb ik je nooit met een vinger aangeraakt. Nou ja, een of twee keer misschien. We wisten dat er iets gaande was, maar ik heb gewacht tot je een vrouw was. Als bij een koninklijk huwelijk.'

Dat was een van hun grapjes, dat wat ze deden niet verkeerd was omdat hij had gewacht tot zij gepromoveerd was voordat ze met elkaar naar bed gingen. Alleen wist Elle nooit helemaal zeker of het wel een grapje was of niet.

'We hebben gezoend en daarna hebben we er nauwelijks iets over gezegd, deels omdat we allebei zo dronken waren dat we het ons amper konden herinneren,' zei Elle in een poging redelijk te klinken. Ze glimlachte naar hem en voelde een golf van liefde door zich heen stromen. 'Romantiseer het niet.'

Ze staarden elkaar in stilte aan.

'Ik romantiseer het niet, Elby. Ooit zal dat het verhaal zijn dat we aan onze kleinkinderen vertellen.' Hij ging weer liggen, en zij legde haar hoofd achterover op zijn warme borstkas. 'Maar ik herinner me elk klein detail nog.' Hij pakte zijn boek weer en sloeg zijn andere arm om haar heen. 'Dat maakt nu toch niet meer uit?' vroeg hij. 'Je bent helemaal van mij. Helemaal, voor eeuwig en altijd, ze leefden nog lang en gelukkig, einde.' Hij trok haar dicht tegen zich aan, en zij glimlachte vergenoegd en vol liefde. Alles was goed. Dat was altijd zo als ze alleen met hem was.

Het was altijd goed als ze alleen met hem was. Het was eigenlijk grappig hoe makkelijk het allemaal leek, want als ze dacht aan alle consequenties werd ze best bang, dus ze duwde ze weg en dacht alleen maar aan hoeveel ze van hem hield. Andere dingen waren moeilijk, maar als ze samen waren, was het eenvoudig en geweldig, omdat het allemaal zo gewoon was.

Het klopte dat ze zich de kus in de taxi na de salesconferentie amper nog herinnerde, tweeënhalf jaar geleden. De volgende dag had ze zich zo geschaamd en was ze bijna niet naar haar werk gegaan, maar Rory had alles goedgemaakt. Hij was achter haar aan gekomen toen ze ging lunchen en ze hadden er stilletjes om gelachen terwijl ze richting Tottenham Court Road waren gelopen. Ze waren het erover eens geweest dat het dom en gênant was, maar er was geen kwaad geschied. Ze maakten grapjes over hun katers en gingen glimlachend uit elkaar en toen ze weer achter hun bureau hadden gezeten, hadden ze gegrinnikt en was alles in orde. Elle vond hem daardoor alleen maar nog leuker, de manier waarop hij er een grapje van kon maken en haar tegelijkertijd niet het gevoel gaf dat ze iets doms had gedaan.

In juli kusten ze opnieuw. Het was na een borrel in de George MacRae na het jaarlijkse zomeruitje naar Eastbourne. Achteraf gezien dacht Elle dat ze allebei wel wisten dat het ging gebeuren, ze waren zogenaamd naar buiten gegaan voor een sigaret en hadden staan zoenen in een van de zijstraatjes in de buurt van het British Museum, waar ze niet werden gezien behalve door toeristen en studenten. Toen opnieuw die januari daarop in een nis in Kettner's na een diner met een aantal boekverkopers van Ottaker.

Het was vreemd omdat het niet vreemd voelde. Het voelde als een volledig afzonderlijk gedeelte van hun relatie. Ze zagen elkaar de dag erna op het werk en het was net alsof er niets was gebeurd, maar ze droeg het met zich mee, een geheim waardoor ze soms achter haar bureau zat te glimlachen.

De salesconferentie was op donderdag 12 maart 1998.

Het uitje naar Eastbourne op vrijdag 24 juli 1998.

De avond in Kettner's op woensdag 20 januari 1999.

Jazeker, Elle herinnerde zich elke datum nog, echt allemaal. Het was alsof iets in haar was aangestoken, er een knop was omgedraaid; hoewel er maanden voorbijgingen waarin er niets gebeurde, was het goed, het zat in haar hoofd tot een volgende keer. Het werk was een groot toneel. De mensen bleven haar maar vertellen hoe goed ze eruitzag, hoe dik haar haar was, en was ze soms afgevallen? Elle, die had gezworen dat ze niet in ware liefde geloofde. Elle, die dol was op liefdesromans omdat wat achter het omslag zat in het geheel niet op het echte leven leek – als ze nu terugkeek, besefte ze dat ze gewoon rijp was geweest om te plukken. Ze had het aan moeten zien komen. Want toen ze viel, viel ze hard.

In oktober diende Libby haar ontslag in om naar Bookprint te gaan. Felicity, Posy en Rory hadden geprobeerd haar om te praten – Libby was fantastisch met schrijvers, geweldig in kopij, ze had altijd nieuwe ideeën en wond zich nooit op. Maar ze zei nee, ze wilde bij een meer literaire uitgeverij werken, dat had ze altijd gewild, en tot Elles grote verbazing werd ze gepromoveerd. Ze kocht dan wel geen bestsellers en vloog niet naar Frankfurt, maar ze hoefde ook niet meer te faxen of te archiveren. Soms werd er naar haar mening gevraagd. Felicity gaf haar een keer de eerste paar hoofdstukken van haar dierbare Victoria Bishop te lezen, omdat ze wilde weten of er genoeg vaart in zat. Posy liet haar zelfs iets zeggen tijdens een meeting over het nieuwe contract van Abigail Barrow.

En Rory... Ze voelde Rory's blik op zich gericht terwijl de dagen voortschreden en haar vertrouwen groeide. Ze droeg niet langer korte rokjes en kwam eerder op haar werk. Ze voelde dat hij glimlachte van plezier als andere mensen het met haar eens waren, haar lof toezwaaiden, haar opmerkten. Ze wist dat hij toekeek. Ze wist het. En het was voor hen beiden daarom geen verrassing dat ze na een zeer dronken avond in de George MacRae – waar iets te vieren was geweest, er was altijd wel een reden om naar de pub te gaan – met Rory mee naar zijn flat was gegaan, waar ze voor het eerst met elkaar hadden gevreeën. Hij woonde in de buurt van Myddelton Square, in Clerkenwell, 'kom op, het is een taxiritje van nog geen vijf minuten'. Het was haast alsof dat de volgende stap was. Ze hadden er de volgende dag om gelachen, terwijl ze haar kleren bijeenscharrelde en vlug naar huis ging om zich om te kleden. *We zijn zo'n cliché.*

Maar Elle reageerde heel beheerst. Het was alsof hij dat zo wilde, wilde dat ze verfijnd was, het competente meisje dat hij wist dat ze zou worden, niet het broodje-garnaal-in-archiefkast-meisje met het afschuwelijk geverfde haar dat ze was geweest. Dus werd ze voor hem volwassen. Ze glimlachte even naar hem op het werk en deed haar eigen ding, maar de gloed was er, die twinkeling in haar ogen, dat... *je-ne-sais-quoi*.

Ze was blij dat Libby weg was. Ze zou het voor haar niet verborgen hebben kunnen houden.

Na het kerstfeest sliepen ze weer samen en dit keer leek het iets permanents. Sam was achtergebleven in het conferentiehotel om op te ruimen en Rory kwam mee naar Elles flat en op de een of andere manier was het laten zien van de plek waar ze woonde een teken dat ze hem in haar leven toeliet. Hij leek dat ook te erkennen. Ze vreeën die avond in Elles kamer met de IKEA-meubels en de oude filmposters die met buddy's op de muur zaten en het was intenser dan ooit. Het was intens omdat het in haar kitscherige, huiselijke flat heel echt voelde. Hij was haar baas, hij ging met haar naar bed, en zij was echt vreselijk verliefd op hem. Toen hij die eerste avond klaarkwam, huilde ze.

Die eerste paar maanden waren heerlijk. Hij maakte haar aan het lachen, hij gaf haar een veilig gevoel, ze kon hem alles vragen over boeken en boekenmensen, over het leven in het algemeen, en hij gaf antwoord. Ze had meer gelezen dan hij en dat vond hij fantastisch. Hij was ouder en had meer ervaring. Zij was wijzer, degene die hem kalmeerde, hem adviseerde X niet te bellen en Y te vertellen dat hij op moest rotten. Ze pasten perfect bij elkaar; zij keek naar hem op en zorgde voor hem. Hij was zulk gemakkelijk gezelschap, zo charmant en grappig en humeurig en gek, zo knap, met zijn vriendelijke ogen en charmante gezicht, zijn rechtopstaande haar. Ze kon niet geloven dat hij van haar was. Hij deed haar denken aan Anthony Andrews in *Brideshead Revisited*, ietwat aristocratisch, zwoel en knap.

Ze aanbad hem en kon niet geloven dat dat eindelijk mocht. In het begin huppelde ze letterlijk over Amwell Street naar de bushalte als ze een nacht bij hem had doorgebracht. Wat vreemd dat het mogelijk was je zo te voelen, alsof de zon altijd scheen, alsof je geboren was om van iemand te houden, alsof de wereld alleen maar logisch leek als je bij hem was.

Ze zagen elkaar twee keer per week, doorgaans op dinsdag en donderdag, bijna altijd in zijn flat, als Sam bij haar nieuwe vriendje bleef slapen – Dave was lang geleden uit beeld verdwenen – en Elle weg kon zonder achterdocht op te wekken. Elle vond het soms grappig dat haar liefdesleven zo nauwgezet was gepland rond het feit dat Sams vriendje Steve op maandag voetbaltraining had en een wedstrijd op woensdag, en dat hij graag op vrijdag met zijn vrienden ging stappen en normaal gesproken op zaterdag en zondag in Hertford was. Rory vond het niet erg, hij vond die duidelijkheid zelfs wel prettig. Als ze ooit over de volgende stap sprak of dat het niet opschoot, dan werd hij gek. *We moeten voorzichtig zijn. We moeten wachten op het juiste moment om het iedereen te vertellen. Nu nog niet.*

Het grootste gedeelte van dat jaar vond Elle het prima. Ze wilde het niet eens met iemand anders bespreken. Het ging om hen samen: video's kijken, vrijen, koken, dansen op muziek van de Stones op zijn oude pick-up, wegkruipen in een donker hoekje in een restaurant. Dit was romantiek, grote, volwassen, echte romantiek. *Op een dag*, zei ze tegen zichzelf, *zullen we hierop terugkijken en lachen om de periode dat we het niemand konden vertellen.* Ze had het gevoel dat ze door dit geheim te houden, betaalde voor de relatie die meer voor haar betekende dan alles wat ze ooit had gehad. Soms als ze dacht aan het gezicht van Felicity als ze erachter zou komen, of wat de mensen op kantoor ervan zouden zeggen – Sam, of Libby zelfs, hoe ze het zo lang verborgen had kunnen houden – schrok ze daarvan. Iedereen die hetzelfde heeft meegemaakt, weet hoe het is en ze zei tegen zichzelf dat ze wist dat hij van haar hield. Die zekerheid gaf haar kracht, terwijl de zomer vervaagde en overging in een koude, winterige herfst.

Ze besefte niet dat alles op enig moment zou moeten veranderen, het lag niet in haar aard om zo te leven. Ze merkte niet wat er om haar heen gebeurde, de donderwolken die zich boven hen samenpakten.

12

De ochtend na de Booker Prize zat Elle aan de ontbijtbar een tosti te eten terwijl de zon door het grote openslaande raam van Rory's woonkamer naar binnen scheen. Rory was zich in de andere kamer aan het aankleden en luisterde naar Radio 4 met het nieuws over de onbesliste uitkomst van de Amerikaanse verkiezingen. Bush was tot winnaar uitgeroepen, maar dat was weer ingetrokken en er was een hertelling in Florida aangekondigd.

'Ze zullen Bush nooit kiezen!' zei Elle hardop. 'Dat kan echt niet!'

Rory verscheen in de deuropening van de keuken annex eetkamer en rommelde met zijn stropdas. 'Doe normaal, natuurlijk wel. Het is een uitgemaakte zaak. Zijn broer is gouverneur van Florida en ze hebben de hoogste ambtenaar van die staat in hun zak, die zegt dat ze de verkiezing hebben gewonnen. Het is verschrikkelijk. Dit is een vent die twee keer is gearresteerd. Ik ken zelfs niemand die één keer is gearresteerd, laat staan twee keer.'

Dat komt omdat je mijn moeder nog steeds niet hebt ontmoet, wilde Elle zeggen. Rory liep terug naar de slaapkamer en Elle, die met de mond vol tanden stond, at haar tosti op en vroeg zich af of ze de radio op Capital FM zou mogen zetten. Ze was er erg voor om op de hoogte te blijven van de actualiteiten, maar ze zag niet in waarom ze zich daarmee om zeven uur 's ochtends bezig moest houden als haar geest net ontwaakte. Ze had behoefte aan vrolijke popmuziek en grapjes op dat tijdstip, niet aan John Humphries die sprak over Tsjetsjenië of wat er met de Millennium Dome zou gaan gebeuren.

Moedig stond ze op en zette de radio op een andere zender, net toen iemand zei: 'En nu weer terug naar de verschrikkelijke overstromingen die de afgelopen twee weken in Sussex veel schade hebben aangericht...'

Er waren erge overstromingen geweest in de buurt van haar moeder. Mandana had er gisteravond in het Savoy iets over gezegd, herinnerde ze zich nu. Die borrel... Elle stond bij de radio, staarde uit het raam en beleefde de vorige avond opnieuw. Het was niet haar moeders veroordeling die haar had geschokt; dat was niet zo'n punt. Het was de sfeer. Het feit dat Rhodes' verloving zo sterk had blootgelegd hoe de familie Bee zoals zij die kende gewoonweg niet meer bestond. Ze wisten niet hoe ze samen moesten zijn, zelfs niet op een beleefde manier.

Stukje bij beetje had ze ingezien hoe haar relatie met Rory haar had geholpen veel daarvan weg te duwen. Ze werd niet langer boos op haar vader en moeder, haar broer irriteerde haar niet meer en ze ergerde zich ook niet meer aan Sam als ze onder de douche enthousiast met Robbie Wiliams meezong. En dat was prima, alleen vroeg ze zich steeds vaker af, zoals met zoveel dingen, of ze door dit vreemde dubbelleven niet echt merkte wat er om haar heen gebeurde tenzij ze er direct mee werd geconfronteerd, zoals gisteravond. Elle besloot haar moeder te bellen om te vragen of ze zin had in het weekend langs te komen. Nee, ze zou naar haar toe gaan om haar te helpen en wat tijd met haar door te brengen.

'Rory?' riep ze, terwijl ze de andere kamer in liep. 'Het was toch zo raar met mijn vader en moeder gisteravond... Wauw! Jij ziet er chic uit.' Ze kuste hem.

'Bedankt,' zei hij. 'Kun je die herrie afzetten en hem weer op Radio 4 zetten voor het geval er iets over de Booker wordt gezegd?'

'Maar we weten toch al wie er heeft gewonnen?' Elle verbaasde zich altijd over Rory's obsessieve gedrag als het op de boekenwereld aankwam. Hij kon het niet uitstaan als hij niet tot in detail op de hoogte was. Als Posy bijvoorbeeld tegen Felicity zei: 'Heb je gehoord dat Sue MacGregor in *Today* Helen Fraser heeft geïnterviewd?', dan was Rory echt woedend als hij dat niet wist, alsof dat betekende dat hij een buitenstaander was, een melaatse.

'Luister,' zei ze. 'Het was echt afschuwelijk met mijn vader en moeder gisteren. Ik heb het je nog helemaal niet verteld.'

'Wat?' Hij draaide zich om en keek haar aan. 'Zit mijn das recht?'

Ze negeerde hem. 'Ik heb je toch verteld dat Rhodes zich heeft verloofd?'

'Zeker,' zei hij, 'met een magere angstaanjagende Amerikaanse. Ze klinkt best tof. Kan ik haar niet ontmoeten?'

Er viel een stilte. 'Je zou ze allemaal kunnen ontmoeten als je dat zou willen,' zei Elle. 'Dat weet je zelf ook.'

Rory ging er niet op in. 'Ga verder. Ik ben laat,' zei hij, en toen wat vriendelijker: 'Kom, liefje, vertel het maar.'

Ze probeerde niet te laten merken hoezeer hij haar hiermee irriteerde en ging verder: 'Nou, ze zeiden dat ze in Amerika wilden gaan trouwen en dat vonden we allemaal een leuk plan, maar toen verkondigde mijn moeder dat ze dat land niet meer in mag omdat ze in de jaren zeventig is veroordeeld voor het dealen van hasj en haar de rest van haar leven de toegang is ontzegd.'

Rory stond in de spiegel te kijken, maar draaide zich met een verbaasde uitdrukking op zijn gezicht om. 'Echt waar?'

'Echt, en nu valt alles ook op zijn plek.' Elle beet bedachtzaam op haar vingertopje. 'Ook waarom ze niet met ons mee naar Disney World is geweest.'

'Wat?'

'Lang verhaal,' zei Elle. Dit was niet het juiste moment om hierop in te gaan, ze wilde het goed vertellen. 'Te lang voor 's ochtends vroeg, maar niet alleen dat, ook hoe zij en mijn vader elkaar hebben ontmoet en waarom ze zo vlug moesten trouwen – alles valt op zijn plek.'

'Hoe vlug zijn ze getrouwd nadat ze elkaar hadden ontmoet? Als je begrijpt wat ik bedoel.' Rory trok zijn blazer aan en borstelde zijn schouders om beurten af.

'O, al na zes maanden,' zei Elle. 'Ze hebben elkaar ontmoet bij een CND-mars tegen kernwapens. Mijn vader liep niet mee, maar heeft mijn moeder behandeld toen ze door een politieagent omver werd geduwd en naar het ziekenhuis moest.' Elle staarde voor zich uit. 'Ze was vast dronken. Daar heb ik nooit eerder bij stilgestaan.' Ze schudde haar hoofd. 'Mijn arme moeder. Ze was zo... van streek gisteravond. Mijn vader deed echt heel onaardig tegen haar.'

'Denk je dat ze weer zal gaan drinken?'

'Ze drinkt niet echt meer, Rory.' Een jaar geleden had ze hem over haar moeders alcoholprobleem verteld en hoe dat soms slechter en dan weer beter ging. Ze wilde dat ze dat niet had gedaan; hij vertelde haar altijd wat ze eraan moest doen, alsof ze een klein meisje was, en bovendien gebruikte hij altijd het woord 'alcoholiste'. Mandana was geen alcoholiste, ze was een bibliothecaresse uit West Sussex.

'Dat zeg je altijd,' zei Rory. 'Maar voor iemand als zij geldt, één dag tegelijk. Zei je niet dat ze een paar jaar geleden met kerst heel dronken was geworden en dat je broer daarom was weggegaan?'

'Ja, maar...' Elle zuchtte. 'Rhodes haat mijn moeder. Hij geeft haar er de schuld van dat ze zijn gescheiden. Hij is ouder. Het is moeilijker voor hem.'

Rory keek haar bevreemd aan. 'Misschien herinnert hij zich dingen die jij je niet herinnert.'

'Ik weet niet hoe dat zou kunnen als hij er verdorie bijna nooit was,' zei Elle.

'Nou, misschien zou je haar eens moeten vragen hoe het met haar gaat.'

'Ik ga van het weekend naar haar toe,' mompelde Elle. 'Vind je dat goed, baas?'

'Ik meen het, Elle.'

'Ze is mijn moeder, niet die van jou,' zei Elle boos. 'Ze is in orde. Vertel mij niet hoe ik voor mijn familie moet zorgen. Je hebt ze nog nooit ontmoet, je hebt duidelijk gemaakt dat je dat niet wilt, je wilt ze niet kennen. Oké?'

'Oké, oké.' Rory liep naar haar toe en legde zijn arm om haar heen. Hij kuste haar haar, en ze ontspande in zijn omhelzing. Ze voelde de ruwe stof van zijn wollen pak tegen haar wang, zijn warme slanke lijf tegen dat van haar. 'Het spijt me, Elby,' zei hij. 'Arm meisje, jij bent degene om wie ik geef, niet zij. Het spijt me.'

Hij hield haar even stevig vast en deed een stap naar achteren. 'Ik moet gaan,' zei hij. 'Ik ben wat later op de redactievergadering, ik ga even met Paris Donaldson ontbijten.'

'O, oké. Je hebt hem vorige week toch ook al gezien?' Elle zocht haar vest, dat de avond ervoor ergens onder het bed was beland in een verhitte worsteling om hun kleren uit te trekken. Plotseling keek ze op. 'Hé, ik moest net ergens aan denken. Weet Wc-bril het?'

Hij stond bij de deur in zijn zakken naar zijn sleutels te zoeken en deed zijn das om. 'Wat?'

'Over ons. Ze was aardig dronken gisteravond, maar ze zei iets...'

'Stom wijf.' Zijn gezicht betrok onmiddellijk. 'Wat zei ze?'

Elle huiverde van verbazing. 'Jemig, ik weet het niet. Iets in de trant van dat het wel duidelijk was dat ik een oogje op je had en dat we maar eens met elkaar naar bed moesten. Ze was dronken, Rory. Ze bedoelde er niets mee.'

'O.' De frons op zijn gezicht verdween. 'Nou, dat betekent niet dat ze iets weet. Stom gewauwel. Gelukkig maar.'

'Hoezo?' zei Elle zachtjes. 'Waarom zou het zo verschrikkelijk zijn als ze erachter zou komen.'

'Dat vind ik nou eenmaal, schat,' zei Rory. 'Luister, Elby, ik wil ook dat de mensen het weten. Ik wil het vieren. Ik wil je ouders ontmoeten, ik wil dat je bij me komt wonen en dat dit allemaal voorbij is. Maar dit is niet het juiste moment.' Hij zuchtte. 'Je lijkt het niet te begrijpen. Voor mij is het ook niet makkelijk.'

'Hoezo niet? Waarom is het voor jou dan moeilijk?' Elle sloeg met haar hand tegen de muur. 'Ik heb er een gruwelijke hekel aan om als een jengelend meisje te klinken, Rory, maar je kunt niet steeds maar blijven zeggen dat dit niet het juiste moment is,' zei Elle, en haar stem klonk steeds hoger. 'Wanneer? Wanneer is het dan wel het juiste moment?' Het leek haar te overspoelen, het gevoel van hulpeloosheid, van wanhoop, ze was net haar moeder, een verliefde gek. Ze schraapte haar keel. 'Werkelijk waar, Rory.' Haar stem trilde toen ze sprak. 'Het is nu al bijna een jaar gaande en volgens mij is er helemaal niets veranderd, behalve dat ik... Ik dacht dat dit voor eeuwig was.'

'Het is ook voor eeuwig,' zei hij met een klein stemmetje. 'Elle, zeg niet van die dingen.'

'Je snapt het niet,' zei ze. 'Ik weet gewoon niet of... of ik dit nog langer kan. Ik meende wat ik van de zomer zei. Dit moet veranderen. En ik geloof niet dat je naar me luistert, ik geloof niet dat je het wilt veranderen.'

In juli, na een soortgelijke ruzie, was Elle uit de flat vertrokken en had ze tegen hem gezegd dat ze nooit meer terug zou komen, dat ze er niet meer tegen kon. En dat was ook zo. Ze kon het niet. Ze vroeg

Sam op het werk te vertellen dat ze griep had en dat ze op bed lag, waar ze zich wentelde in haar eigen vettige, ongewassen vuil. Ze huilde zo hard dat Sam haar, elke keer als ze bij haar kwam kijken, door de roodomrande ogen en loopneus geloofde. Na zes dagen wist Elle dat ze hier niet mee door kon gaan. Ze belde hem huilend op, en hij kwam meteen naar haar toe met een lijkbleek gezicht en een bosje chrysanten van de benzinepomp in zijn hand. 'Ik heb je zo gemist,' zei hij. 'Het was verschrikkelijk. Ga nooit meer bij me weg, Elby.'

Dat was het moment, terwijl ze hem aanstaarde, staand op de drempel in de sjofele deuropening, dat Elle besefte dat ze hoe dan ook al te diep in zijn netten verstrikt zat. Ze hield van hem en dat wist hij, en ze zou naar hem teruggaan en dat wist hij ook. Die herfst kon het haar enige tijd niet schelen, omdat ze zoveel van hem hield. Ze hield om zoveel redenen van hem. Hij maakte haar aan het lachen. Hij gaf haar voor het eerst het gevoel dat ze een volwassen, verstandige vrouw was in een volwassen relatie, die nadacht over de toekomst. Ze werkten in dezelfde wereld, ze dacht dat ze hem kende. En ze wilde hem, zo eenvoudig was het. Elle had gedacht dat ze verliefd was geweest op Max, haar studievriendje, maar dat was niets in vergelijking hiermee. Ze kon Rory niet weerstaan als hij haar aanraakte. Hij kende haar zo goed, en ze kon slecht om meer vragen. Hij had haar onder controle in bed, kon haar laten schreeuwen en gillen van genot. Elle had daarvoor niet geweten hoe het was om iemand zo graag te willen dat je je nergens anders meer op kon concentreren. Elke keer wilde ze zijn naam ter sprake brengen, ook als die totaal niet ter zake deed, als een talisman, een bewijs van toewijding. Rory was zeven jaar ouder dan zij en had veel meer ervaring. Op alle vlakken. De laatste tijd had ze het gevoel dat hij haar inhaalde, haar voorbijstreefde, en ze kon niet precies zeggen waar dat aan lag.

'Gauw,' zei Rory. Hij trok haar tegen zich aan en keek op haar neer, zijn heldere, koele ogen speurden haar gezicht af alsof ze op zoek waren naar instemming. 'Luister, eerst moet de kerst achter de rug zijn. Het nieuwe jaar zal een heel nieuw begin zijn. Ik kan niet zeggen wat, maar ik heb een verrassing. Je zult het geweldig vinden, ik beloof het. Vertrouw me.' Hij kneep even in haar schouders. 'Vertrouw je me?'

'Ja, jawel,' zei Elle glimlachend.

Hij aarzelde weer. 'Luister, waarom zeg ik mijn afspraken voor het weekend niet af. Wat zullen we gaan doen?' Hij kuste haar voorhoofd. 'We kunnen hier blijven, misschien ergens een dagje heen gaan. Naar Whitstable, een frisse neus halen, oesters eten. Hé, we zouden zelfs een weekendje weg kunnen gaan, als we snel iets regelen.'

Elle voelde haar hart tekeergaan; ze waren twee keer een nachtje weg geweest, naar een boetiekhotel, heel romantisch op het platteland, maar verder hadden ze nog nooit een weekend samen doorgebracht. 'Het spijt me, maar ik kan dit weekend niet,' zei ze. 'Ik moet echt naar mijn moeder.'

'Natuurlijk.' Hij knikte. 'Volgende week dan. Laten we het volgend weekend doen.'

'Schat, dan kan ik niet. Ik ben er niet.'

'Waar ben je dan heen?' vroeg hij vlug.

'Naar Bristol. Naar Hester.'

'Wie?'

'Een oud-studiegenootje?' Hij keek volkomen wezenloos. Ze probeerde zich niet te ergeren; hoe kon hij haar vrienden ook kennen als hij hen niet wilde ontmoeten? Terwijl ze het zei, vroeg ze zich af of ze eronderuit kon komen. *Nee. Je hebt Karen al niet meer gezien sinds jullie vakantie in Griekenland en zij is je beste vriendin; je hebt Libby al twee maanden niet meer gezien en je weet heel goed waarom. Doe niet hetzelfde met je studievriendin.*

'O.' Hij keek triest, maar toen vrolijkte zijn gezicht weer op. 'Een andere keer dan. Dan neem ik je mee naar Whitstable om je oesters te voeren en je te verslinden terwijl de wind tegen de ramen beukt.' Hij legde een vinger onder haar kin. 'Is alles weer goed? Ben je weer oké?'

'Ja, oké dan,' zei ze met een glimlach. 'Ga maar. Het is al goed. Je ziet er erg goed uit en ik hou van je. Tot straks.'

'Ik hou van je. Ik wil dat je me vertrouwt. Vergeet dat niet. Wacht maar af. Tot straks, lief meisje.'

Hij pakte zijn sleutels, deed de deur achter zich dicht, en zij bleef alleen achter in de galmende flat.

13

Er hing een vreemde sfeer op kantoor toen Elle aankwam. Ze zette haar koffie op haar bureau, worstelde zich uit de manuscriptentas en zette haar prehistorische computer aan terwijl ze rondkeek wie er al was.

'Verschrikkelijke ochtend, niet?' zei ze tegen Helena, Libby's vervangster, die slechts in eenlettergrepige woorden sprak.

Helena knikte beleefd en ging verder met het uittypen van het dictafoonmateriaal. Elle onderdrukte een zucht. Ze miste Libby zo. Ze miste hun vriendschap, ze zagen elkaar nog wel maar het was niet meer hetzelfde. Ze gingen nu naar de bios in plaats van te lallen bij goedkope valpolicella in stoffige Soho-restaurantjes. Ze miste het om haar van alles te vertellen; maar er was zoveel waarover ze niet met haar kon praten. Libby was dol op haar nieuwe baan en ze had geen interesse in het leven dat ze had achtergelaten. In het begin probeerde ze het nog wel, maar het werd algauw duidelijk dat het haar niet meer kon schelen of er een drama was geweest met Elspeths nieuwe typemachinelint en hoewel Elle het probeerde te begrijpen, miste ze het wel.

Elle nam een slokje van haar koffie en wachtte tot de computer opstartte. Ze sloeg haar notitieblok open en bladerde naar een nieuwe bladzijde.

Woensdag 8 november, noteerde ze.

Zoals ze tegenwoordig elke dag deed, maakte ze een lijstje van dingen die ze moest doen. Elle had een bepaalde routine, en die was anders dan die op de universiteit of op school, anders ook dan die van haar dromerige boekenwurmige zelf. Het was vreemd dat hoe meer ervaring je in je vak kreeg, hoe minder je genoot van hetgeen waarom je het überhaupt had gekozen. Haar vriendin Karen, die nu assistent-producer was bij een tv-zender, zei dat ze nooit meer tv-keek. Elle had al in geen tijden meer een boek voor de lol gelezen. *Venetia* lag nog steeds op de vensterbank en vergaarde daar schandelijk veel vieze stof.

Elle schreef net op: *Abigail Barrow bellen*, kauwde op haar pen en probeerde een manier te bedenken om haar te vertellen dat ze de seksscène van acht pagina's in *Hertogin, moeder, minnares?* drastisch had ingekort, toen de e-mails langzaam maar zeker haar inbox binnenstroomden. Het was op de een of andere manier kwellend en stressvol om te wachten tot haar prehistorische computer alle nieuwe berichtjes had binnengehaald. Ze staarde naar de eerste en keek nog eens goed. Het e-mailadres kende ze niet.

Aan: Eleanor.Bee@Bluebird-Books.co.uk
Van: Mhoffman@Bloomberg.com
Onderwerp: Planning vrijgezellenfeestje!!

Hoi Eleanor,
Het was geweldig jou en je ouders gisteravond te ontmoeten. Bedankt dat jullie me zo warm in jullie gezin hebben verwelkomd!

Ik voel me vereerd dat je mijn bruidsmeisje wilt zijn. Ik vond het een goed idee even contact over mijn vrijgezellenfeestje te hebben. Heb je al ideeën of een thema? Ik heb echt nog niets behalve een paar standaarddingen. Het maakt me niet zoveel uit wat we gaan doen, hoewel Rhodes me madame OCS noemt! Ik wil alles zorgvuldig plannen en het goed doen zodat iedereen het naar zijn zin heeft, vooral omdat we nu vastzitten aan de locatie vanwege het feit dat je moeder niet overal heen kan reizen. Hier volgen een paar mogelijkheden:

1. Een weekendje New York? Op die manier kunnen we mijn vriendinnen zien, een cocktail drinken en winkelen zo lang we willen! Alleen kan je moeder er niet bij zijn.

2. Een spaweekend? Een goede vriendin van mij heeft vorig jaar hetzelfde gedaan in Mexico en dat was erg bijzonder. Mag je moeder wel naar Mexico reizen?
3. Wijn proeven in Frankrijk of anders in Californië? Bethany woont in Sonoma en ik weet zeker dat ze ons graag te logeren zou hebben. Ik snap dat dit niet geschikt is voor je moeder.
4. Weekend met de meiden naar Rome of Barcelona. Dit brengt hoge kosten met zich mee voor mijn Amerikaanse vriendinnen, dus misschien moeten we over andere mogelijkheden nadenken.

Mijn voorkeur gaat uit naar een weekendje New York.
Laat me weten wat je ervan vindt! Ik kijk ernaar uit je vlug te spreken. Het is allemaal zo spannend!
Melissa x
PS Ik zou het fijn vinden als je moeder het gevoel heeft dat ze mee mag komen, als dat gepast is.

Elle leunde achterover in haar stoel en probeerde rustig te blijven ademen. Ze verdiende £17.500 per jaar. Ze woonde in de duurste stad van Europa, ze hield net iets meer dan £1000 per maand over en dat was een hele prestatie. Vluchten naar New York kostten minstens £300, dat wist ze omdat ze Rory's vluchten altijd reserveerde. Daar kwam dan het hotel, de cocktails en het winkelen nog bij... En wat wilde ze met haar moeder doen? Madame OCS, nou ja, daarin had Rhodes in ieder geval gelijk. Vierentwintig uur geleden hadden ze elkaar nog nooit ontmoet en vanmorgen had ze al een vierstappenplan voor Melissa's vrijgezellenweekendje moeten presenteren?

Elle constateerde bijna opgelucht dat hoewel haar affaire met Rory bijna al het andere waarin ze geloofde op zijn kop had gezet, ze zich nog steeds verbaasde over de meeste bruiloften. Ze wilde voor altijd samen met Rory zijn, voor eeuwig en altijd. Maar voor de rest – een dure jurk die maar één keer werd gedragen, dikke onaangename taarten met glazuur van wit cement, zware niet-geurende bloemen die van plastic leken en de geheimzinnige code van vrouwengedrag rondom bruiloften die ze niet begreep, met veel samenstellingen die begonnen met 'meiden-', jarretels en een heleboel geschreeuw – liet het haar koud. Elle was vorig jaar zomer naar de bruiloft van een schoolvriendinnetje in Dorset geweest. Het hotel had haar £120 gekost, het treinkaartje £50, het cadeau £40 en het vrijgezellenweekend £170, waardoor ze tot haar volgende salaris Rice Krispies had moeten eten. Ze had het niet erg gevonden als het voor Libby of Karen, of zelfs voor Sam was geweest, maar zo aardig vond ze Charlotte nu ook weer niet en ze kon zich niet meer herinneren waarom ze was gegaan, behalve dat het leek alsof je alles wat met bruiloften te maken had niet half kon doen. Er was een moment geweest, terwijl ze met zijn allen aan tafel hadden gezeten en die meisjes onophoudelijk over hun vriendjes en relaties hadden gesproken, dat hij nooit zijn sokken waste en wat voor soort bruiloft zij wilden, dat ze had moeten denken aan wat haar moeder, die nota bene voor haar beroep zelf sprookjes aan kinderen voorlas, haar een paar jaar daarvoor had gezegd tijdens een van haar breedsprakige momenten: 'Wees voorzichtig met wie je kiest, schat. Samenwonen is moeilijk, verliefd worden niet. Iedereen kan een witte jurk kopen.'

Ze dacht hier vaak aan terug nu ze samen met Rory was en ze had het gevoel dat Mandana het zou goedkeuren. Ze zaten momenteel in een moeilijke periode. De toekomst zou er veel zonniger uitzien.

Terwijl Elle hem een e-mail schreef, gewoon iets geks om even gedag te zeggen, zag ze hem gehaast binnen komen lopen, een halfuur voor de redactievergadering. Hij was drijfnat, de regen sloeg neer op het gebouw en het plein.

Ze had net geschreven:

Ik weet dat je het moeilijk hebt. Ik hou van je. Ik wilde alleen maar zeggen...

'Elle?' klonk een stem achter haar. Elle schrok en drukte meteen op Control en Tab, hopend dat ze het niet had gezien. Het was Posy. 'Heb jij de cijfers voor het nieuwe contract, die ik je had gevraagd uit te printen?'

'Ja, ja...' zei Elle, terwijl ze de papieren in haar bakje klungelig verschoof. 'Eh... o...'

'Is alles in orde?' vroeg Posy, haar wangen lichtelijk roze. Ze was altijd achterdochtig, ervan overtuigd dat er iets achter haar rug om gebeurde. Elle voelde haar gezicht gloeien. Ze knikte zonder iets te zeggen. 'Neem ze maar gewoon mee naar de vergadering. Felicity wordt woedend als we ze niet hebben. Ze is een beetje in een vreemde bui vandaag. Goed?' voegde ze daar nog aan toe.

'Ja... ja! Prima. Sorry, je hebt me gewoon laten schrikken.'

Elle liet zich achterover zakken en ademde uit.

Er stond die dag zoveel wind dat er zelfs op de tweede verdieping blaadjes langs de oude ramen vlogen, die hard ratelden terwijl de verschillende medewerkers voor de vergadering plaatsnamen. Elle ging zitten en gaf de verkoopcijfers aan Posy. 'Dit zijn ze,' zei ze. 'Hopelijk is het goed zo.'

Van redactievergaderingen werd ze nog altijd zenuwachtig, ook al werkte ze hier nu al een tijd. Je kon niet inschatten in wat voor humeur Felicity zou zijn of wat haar standpunt was. Posy glimlachte niet. Ze knikte alleen maar. 'Bedankt,' zei ze. Ze zat in een rij met Jeremy en Wc-bril, die er atypisch somber uitzag.

Er klonk een gedempt sissend geluid toen de deur openging en Felicity geflankeerd door Floyd en Rory de kamer binnen zwierde en aan het hoofd van de tafel ging zitten.

'Goedemorgen allemaal,' zei ze, terwijl ze haar papieren heen en weer schoof. 'Wat een akelige dag. Mijn ochtend is ietwat opgeluisterd door een artikel in *The Times* waarin staat dat...'

Elle gromde vanbinnen. Felicity was dol op een goed verhaal. Waarom zij dacht dat luisteren naar een lang verhaal over een poesje uit haar jeugd of de keer dat ze koningin Mary had ontmoet een soort van bedrijfseenheid kweekte, was Elle een raadsel. Maar ze deed het vooral aan het begin van redactievergaderingen. Elle keek naar haar to-do-lijstje. Ze had zich al geërgerd aan een e-mail van de agent van chicklitauteur Katy Frank, die Rory had aangekocht om te wedijveren met Polly Pearson, waarin stond dat ze allebei van mening waren dat het font op het omslag een dramatische kleur tomatenrood was en dat dit een zeer ernstige zaak was. Ten slotte had hij er nog onder gezet:

Katy maakt zich zorgen over de overnamegeruchten en zij niet alleen. Is het waar? Geef ons de primeur!

'Hoe dan ook,' zei Felicity, 'misschien hebben jullie het artikel zelf wel gezien of het van vrienden gehoord. Ik kan jullie verzekeren dat jullie je nergens zorgen over hoeven te maken.'

Elle ging rechtop zitten. Waar had ze het over?

'De situatie is als volgt.' Felicity zette haar vingertoppen tegen elkaar, en haar stem was nog altijd iets hijgerig van de klim naar boven. 'Iemand heeft aangeboden Bluebird Books te kopen.'

Elle keek naar Rory, maar hij hield zijn blik strak op de tafel gericht. Wist hij het? Ze beet op haar lip; nu begreep ze het. Natuurlijk had hij het geweten.

'Het is een veel groter bedrijf, een groot concern. Kort gezegd zou hun bod alleen succesvol kunnen zijn als genoeg directieleden hun aandelen zouden willen verkopen en er een bod kan worden uitgebracht. Ik heb met de voltallige directie gesproken...' Felicity hoestte ratelend, en Elle keek verontrust op, maar ze leek onverstoord. '... bestaand uit familieleden van mijn vader en familieleden van de oorspronkelijke investeerders. We hebben niets te vrezen. De verkoop zal geen doorgang hebben. Mijn zoon en ik zullen hier nog jaren zitten.' Ze keek naar Rory, die even vlug lachte. Iedereen keek hen verlamd aan. 'Vooral Rory! Maar ook ik zal hier nog heel lang te vinden zijn.' Ze stak haar arm uit en klopte op de mahoniehouten tafel. 'Zo God het wil.' Er ging gemompel van goedkeuring door de kamer, en ze straalde. 'Dan nu over tot de orde van de dag, maar voor we zover zijn, heeft iemand nog vragen?'

Joseph Mile stak zijn hand op. 'Ik heb een vraag,' zei hij langzaam. 'Welke directieleden overwegen het bod?'

Felicity bracht een grommend keelgeluid uit en verstijfde ietwat. 'De details zijn niet van belang, Joseph,' zei ze.

'Die zijn wel van belang, als ik zo vrij mag zijn,' drong Joseph aan. Er viel een gespannen stilte. 'Ik vraag het zodat u ons gerust kunt stellen door ons te verzekeren dat het aanbod om aandelen te verkopen maar door een paar directieleden is overwogen, in plaats van door de meerderheid.'

Felicity sloot haar ogen even. 'Goed dan,' zei ze. Rory wierp Joseph een woedende blik toe. 'De neef en nicht van mijn vader, Harold en Maud Sassoon, hebben gezamenlijk het grootste aandelenblok. Zij overwegen het aanbod. Ik verwacht echter dat ze het zullen afwijzen.'

'Waarom?' vroeg Joseph.

'Omdat ik hoop dat ik ze ervan heb overtuigd dat mijn visie voor Bluebird altijd de juiste is geweest en ook zal blijven,' zei Felicity.

Joseph Mile knikte. 'Dank u wel,' zei hij, terwijl hij zijn lippen tuitte alsof hij een geweldig debatpunt had gewonnen. Elle zag dat Rory hem een blik van verachting toewierp.

'Rory,' zei zijn moeder. 'Wil jij hier nog iets aan toevoegen? Jij hebt het allemaal van dichtbij meegemaakt.'

'Niet echt,' zei Rory. Hij wendde zich tot de anderen in de zaal. 'Luister, jongens, ik weet dat dit een grote schok is. Wij zijn een van de laatste onafhankelijke uitgevers in Londen en dat zullen we de mensen ook laten zien.' Hij pauzeerde even en herpakte zich weer. 'Ja, we zullen het ze laten zien. Bluebird kan sterker en beter dan ooit tevoren de eenentwintigste eeuw tegemoet treden.'

Felicity keek hem verrukt aan. 'Geweldig gezegd.' Ze knikte.

'De luie donder wil gewoon niet voor iemand anders werken,' fluisterde Floyd na de vergadering tegen Elle toen iedereen fluisterend wegliep, niet-wetend wat ze ervan moesten denken. 'Hij bedenkt graag dingen die hij anderen laat uitvoeren. Ergens anders zou hij het nog geen tel volhouden.'

'Niet waar,' antwoordde Elle loyaal, en haar hoofd tolde.

Iemand tikte op haar schouder. 'Elle.'

Ze draaide zich om, het was Rory. 'Hoi,' zei ze.

'Ik heb een manuscript op je bureau gelegd. De nieuwe thriller van Paris. Kun je het lezen en een paar aantekeningen maken, dan bespreken we die later.'

'Natuurlijk,' zei Elle. 'Ik kom straks wel even naar je toe.'

Zijn blik was uitdrukkingsloos. 'Ik heb tegen hem gezegd dat ik de eerste opmerkingen tegen het einde van deze week terug zou koppelen, dus...'

'Oké, oké.'

Hij liep vlug naar beneden, zonder om te kijken. 'Redigeer jij zijn manuscripten?' vroeg Floyd verbaasd.

Elle wilde Rory naroepen, zodat hij zich zou omdraaien, zodat ze zijn knappe trieste gezicht even kon zien, hem kon verzekeren dat alles goed zou komen. 'Ja, natuurlijk,' zei ze even later. 'Voor Posy ook. Het hoort bij mijn werk.'

'Maar ik weet zeker dat Posy niet net doet alsof ze het zelf heeft gedaan.'

Elle negeerde hem. 'Floyd, zou jij mij eens iets kunnen uitleggen? Ik ben dol op dit bedrijf, maar waarom zou iemand ons willen kopen? Zijn we niet hopeloos ouderwets?'

Floyd lachte even. 'Je bent zo naïef, Elle. We zijn een goudmijntje voor de juiste koper,' zei hij. 'Voor een groot bedrijf als Bookprint of Lion Books zijn we super aantrekkelijk. We hebben reguliere auteurs, grote merknamen, een winstgevende referentielijst, en we hebben MijnHart. We weten wat de gemiddelde Engelse lezer wil. Het is misschien niet sexy, maar een verduveld goede investering. Die oude neven hebben tig hebberige kinderen die het geld willen. De overname gaat door.'

Hij liep weg, en Elle keek hem chagrijnig na. Jeff Floyd was de somberste man die ze ooit had ontmoet. Hij was in staat elk goed bericht de grond in te boren. 'Ze staat weer in de top tien,' had hij eens aangekondigd met betrekking tot Victoria Bishop. 'Maar het is de slechtste verkoopweek sinds achttien maanden. Ze zou helemaal nergens zijn geweest als het niet zo was.' Zijn woorden bleven echter nagalmen in haar oren. Rory was niet lui. Elle wist dat ze meer van Posy leerde over het redigeren van een boek of het onderhandelen over een contract dan van Rory, die de neiging had om op de hoek van haar bureau te gaan zitten en te zeggen: 'Je moet opzien baren. Waarom probeer je Helen Fielding niet af te pakken?' Of: 'Laten we Jilly Cooper wegkapen.' Hij was niet de meest vlijtige redacteur, maar hij was zeker niet lui. Hij hield van grote ideeën, niet de uitwerking daarvan. Ze hield van hem, maar ze was niet blind voor zijn tekortkomingen.

Ze vroeg zich af wat dit betekende. Toen de onafhankelijke educatieve uitgever Edward Olliphant vorig jaar werd verkocht, was iedereen op vijf mensen na werkloos geworden. Ze keek het kantoor rond, en het viel haar op dat de rest dat ook deed.

'Is het waar?' Helena was niet bij de vergadering geweest. Ze siste over haar bureau: 'Wat hebben ze gezegd, zijn we te koop?'

Elle knikte. 'Iemand heeft een bod op ons uitgebracht, maar volgens mij hoef je je geen zorgen te maken. We zijn particulier bezit en de familie moet willen verkopen. Volgens Felicity is dat niet zo.'

'Maar wat als het wel gebeurt? Dan zullen ze jou en mij niet meer willen. Ze nemen alleen de belangrijke mensen mee. Wij kunnen als eersten vertrekken.'

'O, Helena, kom op zeg. Misschien gebeurt het nooit en wie weet sterven we voor die tijd allemaal aan de pest.'

Ze hield haar toon luchtig, maar ze kon er niets aan doen dat er een koude rilling, waarvan ze vermoedde dat het angst was, over haar rug liep.

14

Onderweg naar Sussex die zaterdag, nog steeds buiten adem omdat ze zich had verslapen en de trein bijna had gemist, met een kater en met een kop koffie in haar hand geklemd, haalde Elle haar nieuwe Nokia 3660 tevoorschijn en huiverde opnieuw. Hoewel ze vele uurtjes vrolijk sms'end met haar nieuwe mobiel kon doorbrengen, wilde ze dat er telefoonpolitie in de straten van Londen patrouilleerde, die je mobiel van je afnam als je duidelijk met te veel drank op de kroeg uit kwam rollen en op het punt stond de nachtbus in te stappen zonder enige andere vorm van afleiding dan de gevaarlijke sms-wereld, zoals dat gisteravond was gebeurd met desastreuze gevolgen. Elle kneep in haar koffiekopje, huiverend bij de herinnering.

Het kantoor had al gegonsd van de roddels. De mensen waren zenuwachtig, hielden elkaar in de gaten, speculeerden hevig. Elle kon de verandering in de lucht voelen en ze vond het vreselijk. Ze had geen idee wat er aan de hand was; ze had Rory op hun gebruikelijke donderdag niet gezien en had hem nauwelijks gesproken. Hij was aan de telefoon of niet op kantoor. Op vrijdag gingen Sam en zij iets drinken in de George MacRae met een paar andere junior medewerkers van Bluebird. Halverwege haar eerste glas wijn was Rory plotseling met Jeremy binnengekomen. Ze hadden naar hun tafeltje gezwaaid, maar waren om het hoekje gaan zitten.

'Ik vraag me af waar ze het over hebben,' zei Georgia van de afdeling Publiciteit.

'O, waarschijnlijk over hoe ze het bedrijf in stukken gaan hakken,' zei Helena somber.

'Als ik mijn baan kwijtraak ga ik op reis,' zei Angelica van Sales. 'Sam, hoorde jij Rory ook zeggen dat hij dit weekend iemand van de directie zou ontmoeten?'

Elle spitste haar oren, zoals ze altijd deed bij informatie over Rory. 'Wie?' vroeg ze. 'Waar?'

Angelica keek haar bevreemd aan. 'Geen idee, hoezo?'

Elle leunde achterover. 'Zomaar,' zei ze.

Ze had hier zo'n hekel aan. Als ze het zouden weten, deze meisjes die haar collega's en vriendinnen waren, zouden ze denken dat ze tegen hen had gelogen, hoewel ze net zo in het duister tastte als zij, misschien zelfs nog meer, omdat ze nooit roddelde of speculeerde. Ze wilde met Rory in de pub kunnen zitten, zoals Sam dat met Steven deed, of zoals Matty en Karen dat afgelopen weekend met hun vriendjes hadden gedaan, ze wilde hand in hand over straat kunnen lopen, in het openbaar naar hem kunnen glimlachen, niet dit gecontroleerde, martelende formele gedrag.

Soms had ze het gevoel dat ze was veranderd van een witte-wijndrinkende stadse in een korte rok die 's avonds in de bus in slaap viel, in een soort geisha in een toren, wachtend tot ze werd geroepen, gewild was. Het viel haar op, deze week in het bijzonder, dat ze volledig geïsoleerd was. Ze kon niet met Rory praten, ze kon niet met haar vrienden praten en ze wist niet wanneer dat zou veranderen. Ze kon er niets aan doen, ze was zwak omdat ze zoveel van hem hield, niet dat dat een zwakte was, maar... ze was machteloos. Ze schoof ellendig heen en weer op haar stoel en sloeg het laatste slokje achterover.

'Ik geef een rondje,' zei Sam, en ze sprong op. Ze probeerde haar altijd vol te gieten. Elle klopte Sam op haar arm en zei: 'Nee, het is mijn beurt. Echt.' Ze stond op en liep naar de bar en toen ze opkeek maakte haar hart een sprongetje, Rory stond pal naast haar.

'Hoi,' zei ze om zich heen kijkend. Terloops nam ze de pub in zich op, een blik die ze het afgelopen jaar had geperfectioneerd. Ze liet haar ogen even kort op zijn profiel rusten en voor de zoveelste keer voelde ze haar hart als een gek tekeergaan. Hij was van haar. Hij was zo knap, zo volwassen en slim, en hij was van haar. Ze zou het het liefst hardop aan iedereen verkondigen, maar dat kon niet.

'Hoi,' zei Rory, en hij wierp een blik op haar. 'Gaat het?'

'Ja hoor, maar ik heb hier zo'n hekel aan,' zei ze zo luchtig mogelijk terwijl de barman haar bestelling klaarmaakte.

'Ik weet het.' Rory keerde zich naar haar toe. 'Luister, het spijt me dat ik je e-mail gisteren niet heb beantwoord.'

'En mijn telefoontje. En die van de dag ervoor.' Elle sloeg haar armen over elkaar. 'Ik weet dat je het druk hebt, Rory, maar je kunt me best even sms'en. Ik kan het niet meer – het is heel moeilijk – het...' Haar stem stierf weg omdat haar keel samenkneep en ze wilde zichzelf niet voor schut zetten. Ze kon hem niet dwingen met haar af te spreken.

Rory liet zijn adem ontsnappen. 'Luister, Elle. Ik heb je toch gezegd dat het me spijt. Het is een gekkenhuis op het moment, dat weet je. Bovendien zijn de directieleden zo oud dat ze maar met moeite in beweging komen. Het is echt heel lastig om met hen te moeten werken. En Felicity is zo verontwaardigd dat iemand het lef heeft een bod op haar geliefde bedrijf uit te brengen dat ze niet eens erkent dat er een probleem is. Ik ben werkelijk waar de afgelopen twee avonden bezig geweest haar te kalmeren, meer heb ik niet gedaan.'

Het viel Elle op dat moment voor het eerst op dat het eigenlijk best vreemd was, dat hij zijn moeder, behalve in tijden van enorme stress, altijd Felicity noemde, nooit mama of mam. 'Je zit tussen twee vuren... Arme Rory,' zei ze, en ze probeerde meelevend te klinken, maar dat lukte niet. Ze was boos. Ze miste hem en ze was bang, diep vanbinnen, omdat ze voelde dat hij zich terugtrok en hoewel hij haar had verzekerd dat het niet zo was, geloofde ze hem niet.

Hij keek haar achterdochtig aan. 'Ik zit inderdaad tussen twee vuren, Elle. Je hebt geen idee.'

'Wat betekent dat?'

Zijn stem was fluisterend, dringend. 'Het betekent wat ik woensdagmorgen tegen je heb gezegd. Heb geduld tot na Kerstmis, schat. Dan komt alles in orde.'

Elle staarde naar de flessen sterke drank boven de bar. 'Waarom heb je het steeds maar over Kerstmis? Wat gebeurt er met kerst?'

Rory antwoordde niet. Zijn hand lag naast de hare, op het natte glazen oppervlak van de bar. Langzaam duwde hij hem tegen die van haar en heel voorzichtig haakte hij zijn pink om de hare. Hij wreef met zijn duim over de zijkant van haar handpalm en ademde uit door zijn neus.

'O, Elby, ik mis je,' zei hij. 'Ik wil je zo graag.'

'Ik wil jou ook,' fluisterde Elle, en ze wankelde lichtjes bij zijn aanraking. 'Sorry dat ik zo'n heks ben.'

'Dat ben je niet, dat ben je niet,' zei hij. Zijn stem was krachtig. 'Nog even volhouden. Dit is over een paar weken voorbij, maar we moeten zelfs nog voorzichtiger zijn dan eerst. Mijn moeder hoorde vorige week dat ik met je aan de telefoon was. Ze weet dat ik een vriendin heb. Als ze er nu achter komt, zoals ze zich nu voelt... Dat risico kan ik niet nemen.'

'Dat is elf pond tachtig, alsjeblieft, schatje,' onderbrak de barman hun gefluister.

Rory gaf hem twaalf pond. 'Alsjeblieft.'

'Dat hoef je niet te doen,' zei Elle. 'Het is al goed.'

'Minste wat ik kan doen,' zei hij. 'Onthoud goed dat ook al spreken we elkaar niet, ik wel aan je denk, liefje. Dat doe ik altijd.' Hij keek om zich heen: Jeremy zat de krant te lezen. 'Ik denk aan de volgende keer dat we samen zijn en ik al je kledingstukken een voor een kan uittrekken.' Zijn stem werd nog zachter, en nog steeds keken ze elkaar niet aan. Ze boog iets voorover. 'Jouw zachte huid tegen de mijne. Mmm? En...' Hij zuchtte even. 'Mijn vingers die ik in je laat glijden om erachter te komen hoezeer je me hebt gemist.'

Elle keek over haar schouder naar Jeremy, en Rory's adem kietelde in haar oor. Haar oogleden waren zwaar, haar lichaam voelde week. Ze bloosde en wilde met hart en ziel dat ze haar armen om hem heen kon slaan, dat hij haar tegen de bar zou drukken en ze zijn lippen op haar huid kon voelen. Het kostte haar alle kracht die ze in zich had. 'Tot straks,' zei ze, en ze liep weg met het blad vol glazen en het plotselinge verlangen haar gevoelens weg te drinken.

Terwijl de trein Victoria Station verliet en over de loodgrijze kolkende Theems heen reed, bekroop een gedachte Elle en vlug keek ze in haar 'Verzonden'-mapje.

Daar in zwarte letters op een misselijkmakende grijsgroene achtergrond zag ze drie sms'jes van de vorige avond. In de eerste stond:

Aan: Rory
Ik mis je zo ontzettend. Ik weet dat jij het nu ook moeilijk hebt. Ik zal echt altijd van je blijven houden en op een dag wil ik je kinderen baren. Dat was het. E x

Shit. Elle trok wit weg. Ze opende de volgende.

Aan: Rhodes
Ik wilde alleen maar even kwijt... je hebt je vorige week echt als een ull gedragen tegen mam. Dat was het. E

Mijn god. Elle slikte. Met trillende hand pakte ze haar koffie. Ze opende de laatste.

Aan: Mam
Mam, 'k an niet w8en je te zien morgen. Ik moet dit even kwijt... Ik vind het verschrikkelijk als je drnoken bent. Ik ben blij dat je niet meer drinkt. E x x

De trein ging sneller rijden. Elle staarde naar de rijtjeshuizen in de buitenwijken en knipperde met haar ogen. Ze was bang dat ze moest overgeven. Waarom had ze dit gedaan? Ze was een verschrikkelijke dronken sms-ster. Alles wat ze overdag wilde zeggen, kwam er 's nachts uit, als een vampier. En dat toontje! Zo pretentieus!

Ze deed haar ogen dicht, en haar hoofd bonkte. Ze wilde dat ze op bed lag in Ladbroke Grove, luisterend naar het verkeer. Ze zou uit bed kruipen, met Sam in de warme keuken gaan zitten, zwarte koffie drinken en dan mogelijk in haar pyjama naar beneden gaan naar de winkel aan de andere kant van de pizzatent om een krant en een paar tijdschriften te kopen, de nieuwe *Heat* en *Hello!* lezen en wachten tot de zaterdagavondprogramma's op tv zouden beginnen. Was het maar zo'n feest.

Elle knipperde met haar ogen. Er parelden zweetdruppeltjes op haar voorhoofd. Ze begon langzaam te typen. Eerst aan Rory.

Negeer sms'je. Ik was dronken. Schaam me diep. Spreek je morgen. E x

Hoi, Rhodes. Negeer sms. Was dronken en schaam me diep. Sorry. E x

Hoi mam. In trein. Negeer sms. Spijt me zeer. Was heel dronken.

Ze stopte. Wat nog meer? *Ik was heel dronken dus vond dat ik je moest vertellen dat je een alcoholprobleem hebt.* Ze huiverde. Jemig, wat was ze toch een idioot. Ze verwijderde de laatste zin en typte:

Ging mijn boekje te buiten. Tot straks. E xxx

Elle deed haar ogen dicht. Wat een rotbegin van het weekend. Terwijl ze richting het platteland raasden, dat groen en miezerig was en nog steeds vol water stond na de recente overstromingen, zakte ze weg. Ze zag ertegen op naar haar moeder te gaan – eigenlijk zag ze er de hele week al tegen op.

Na de scheiding had Elles vader gezegd dat hun huis verkocht moest worden. Hij had het geld nodig: het was een prettig huis, niet heel groot, met drie kleine slaapkamers, een grote tuin aan een riviertje en op vijf minuten loopafstand van de trein naar Londen. Mandana, die dol op de tuin was geweest en het feit dat ze zo dicht bij haar vriendinnen woonde, was heel erg van streek. Ze klaagde luidruchtig, ook lang na haar verhuizing naar een verbouwde schuur even buiten het dorp. Alles wat niet goed was aan de schuur was Johns schuld. Twee weken na de verhuizing was hun oude hondje Toogie terug naar Willow Cottage gerend en had een zwangere otter gevangen, waarna ze hem hadden moeten laten inslapen, en Mandana had haar ex-man tranen met tuiten huilend opgebeld in Brighton. 'Kom maar eens kijken wat je nu weer hebt gedaan!' herinnerde Elle zich dat ze had geroepen. 'Je hebt de hond vermoord, je hebt de hond vermoord!'

Elle had medelijden met haar, maar heimelijk was ze blij dat ze nooit meer terug naar dat huis hoefden. 'Hij zit in Brighton, in zijn pretentieuze huis met die klere-AGA – echt zo belachelijk in een stadswoning!' had haar moeder op een keer geschreeuwd, toen ze net in de schuur woonde en de wind rond het afgelegen huis huilde en de voordeur opentrok, die onrustbarend hard tegen de stenen muren sloeg. 'Het kan hem verdorie geen moer schelen, dat weet je toch? Hij loopt verdorie met zijn zwangere vriendin bij de Laura Ashley, waarom zou hij zich nog om ons bekommeren!'

Zo kwam Elle erachter dat haar halfbroer Jack onderweg was. Later, toen ze studeerde, had ze geleerd dit om te buigen tot een grappig verhaal. Het was zo afschuwelijk dat het grappig was zoals ze het vertelde. De mensen krompen ineen, lachten, knikten en zeiden dan: 'Ouders, echt ongelofelijk! Wauw.' Dan had Elle altijd het gevoel dat ze niet alleen was, dat er anderen waren die wisten hoe het was, hoe je je voelde als alles instortte en niemand wist of het weer goed zou komen.

Wachtend op het kleine station in de ijskoude vochtige mist stampte Elle met haar voeten en zwaaide zodra de gehavende oude Mini in het zicht draaide naar haar moeder. Hoewel de koffie en wat water veel hadden gedaan om haar gemoedsrust te herstellen, was ze nog altijd zenuwachtig. Door de vieze voorruit heen wierp Mandana een blik van herkenning op haar dochter. Elle zwaaide opnieuw en haar hart bonkte.

Mandana zette de auto stil aan de andere kant van de parkeerplaats. Ze leunde opzij en draaide het raampje open.

'Kom hierheen,' riep ze. Het kleine groepje mensen dat uit de trein was gekomen keek nieuwsgierig om. 'Ik kan best rijden, hoor. Ik heb vandaag maar twee flessen wijn op.'

Elle bleef stokstijf staan van schaamte. Ze keek om zich heen en haastte zich naar de overkant.

'Mam, het spijt me...'

Mandana glimlachte toen ze zag hoe ontsteld Elle keek. 'Lieve hemel, haal die ongeruste uitdrukking van je gezicht. De komeet Halley valt niet te pletter op het huis, die moedervlek is geen kanker en ik ben niet boos op je. Dat was ik wel, maar nu niet meer.'

'Het was dom, het spijt me, ik wilde je niet...'

'We doen allemaal wel eens dingen die we niet zouden moeten doen, schat. Dat weet ik beter dan wie dan ook. Stap in en relax.'

Lachend van opluchting stapte Elle in, en ze reden weg.

Pas later die middag begon Elle zich weer mens te voelen. Het was na drieën, maar het begon al te schemeren en de geur van het haardvuur en het warme gevoel in haar buik van Mandana's pompoensoep en de vermoeidheid van het naar beneden sjouwen van dozen vanaf de zolder droeg bij aan een slaapverwekkend gevoel van welbehagen. De benedenverdieping had onder water gestaan, maar de flagstones waren nog heel en er was geen blijvende schade. Elle en haar moeder pakten Mandana's geliefde kinderboeken uit, waaruit ze voorlas in de bibliotheek, plus de dingen die op de planken hadden gestaan tot de overstromingswaarschuwing was gekomen: een paar vakantiekiekjes van Elle en Rhodes, een foto van de grootmoeder van haar moeder, haar smalle, zorgelijke gezicht bijna in een glimlach, staand op een pier in de wind, en een klein zwart-witfotootje van Mandana die ergens protesteerde voor een klassiek gebouw, waar wist ze niet meer. De kamer was gezellig toen alles weer op zijn plek stond, voor de verandering eens helemaal schoon, en voor het eerst sinds lange tijd voelde Elle zich thuis in de schuur. Haar ogen werden zwaar.

Terwijl Mandana opstond van de bank om een houtblok op het vuur te gooien zei ze: 'Schat, vertel me eens over je werk. Je zei aan de telefoon dat je niet zeker wist wat er aan de hand was.'

'Nou, ik hoop dat het goed komt,' zei Elle, die met haar ogen moest knipperen om wakker te blijven. 'Iedereen moet willen verkopen en blijkbaar is dat niet zo. Maar Felicity en Rory brengen veel tijd achter gesloten deuren door.'

'Felicity is toch de eigenaresse?' vroeg Mandana.

'Ja, sorry. Rory is haar zoon. Hij is mijn baas.'

'Natuurlijk. Volgens mij vind je hem best aardig.'

Elle wierp vlug een blik op haar moeder, maar haar uitdrukking onthulde niet meer dan een milde interesse. 'Hij is geweldig, ja.'

'Ik ben zo trots op je.' Mandana leunde voorover en klopte op haar arm. 'Je doet het zo goed. Wanneer denk je dat je echte boeken mag gaan doen?'

Elle lachte. 'Wat bedoel je met echte boeken?'

'Eh... ik weet het niet. Geen romannetjes, neem ik aan. Je wilt toch niet je hele leven dit, wat het ook is, blijven doen? Sprookjes?'

Elle wierp een blik op de rij gehavende oude Ladybird-boeken op de boekenplank. *Jij bent degene die me elk elfenverhaal zo'n twintig keer heeft verteld, moeder.* 'Dat ben ik niet van plan, mam,' zei Elle, en ze probeerde zich niet te ergeren. Plotseling zag ze zichzelf op Elspeths leeftijd, nog steeds MijnHart-boeken redigerend, nog steeds kruipend voor de negentig jaar oude Abigail Barrow, in een kantoor vol spinnenwebben, met dezelfde grijze monitor en plastic bakjes onder een laag stof, nog steeds wachtend tot de tachtigjarige Rory hun relatie aankondigde.

'Al een vriendje?' vroeg Mandana plotseling. 'Ik hoor je nooit over vriendjes.' Elle had er echt een hekel aan als ze dat deed, zo'n vraag stellen als ze er totaal niet op bedacht was.

'Nee, niemand,' zei ze, kijkend naar haar schoot. 'Ik ben een zwart gat als het op romantiek aankomt.'

Ik wilde dat je het soort moeder was met wie ik erover kon praten, dacht ze. *Ik wilde dat je kalm en verstandig was en dat ik naast je op de bank kon gaan zitten om je alles te vertellen.*

Terwijl ze dit dacht wist ze hoe oneerlijk het was. Ze kon het haar moeder niet vertellen omdat ze niet wist hoe ze na al die tijd over Rory moest beginnen. Ze had haar hersens ingesteld op haar geheime leven en dat moest haar hebben veranderd, besefte ze nu, voorgoed, ook op manieren die ze nog niet begreep.

Mandana stond met haar armen over elkaar voor haar. 'Ik geloof je niet!' zei ze, en haar toon verried hoe verrukt ze was over haar eigen speurwerk. 'Je liegt! Wie is het?'

'Niemand,' zei Elle. 'Echt niet.'

Mandana ging naast haar zitten. 'Is het een meisje?' vroeg ze, en met haar bruine ogen tuurde ze tussen haar pony door. Ze gaf Elle een aai over haar bol. 'Het geeft niet, schat. Je weet dat ik dat niet erg zou vinden.'

'Wat? Nee, het is geen meisje!' zei Elle. 'Jemig, mam! Ik heb geen vriendje, dus ben ik lesbisch? Dat is best een belediging voor lesbiennes, vind je ook niet?'

'Snauw niet zo, Ellie,' zei Mandana kortaf. 'Ik vraag het alleen maar omdat je zo gesloten bent. Je vertelt me nooit iets en ik ben bang dat...'

'Mam,' zei Elle, en ze sloeg haar armen over elkaar, 'ik ben niet lesbisch. Ik heb geen vriendje. Alles is in orde. Jij wilt altijd dat er iets mis is, maar dat is niet zo.' Ze wist dat het verkeerd was om dat te zeggen zodra de woorden over haar lippen kwamen. *En noem me geen Ellie,* wilde ze er nog aan toevoegen.

Maar Mandana reageerde niet zoals ze had verwacht, ze stoof niet op. Ze tuitte haar lippen en stond op. 'Het spijt me dat je dat denkt,' zei ze. 'Luister, het zou me echt niet kunnen schelen als je lesbisch bent. Ik ben je vader niet. Nee, zo bedoel ik het niet, ik bedoel... Toen ik in San Francisco was, vlak na de Summer of Love, was de helft van mijn vrienden homo.'

Elle en Rhodes hadden vroeger altijd grapjes gemaakt over Mandana's verwijzingen naar haar tijd in San Francisco. Als ze het erover had, was het net alsof ze aanwezig was geweest bij het schrijven van de Tien Geboden. Ze begrepen nooit goed wat er zo bijzonder aan was. Zij waren in de jaren zeventig geboren. Hippies waren niet interessant.

'Ja, dat weet ik,' zei Elle, die niet bot wilde doen over haar gouden tijd in San Francisco, vooral niet in het licht van de aankondiging van afgelopen dinsdag in het Savoy. Ze bedacht hoe weinig ze er eigenlijk van afwist ondanks de neiging van haar moeder er erg overdreven over te doen, bijvoorbeeld door te zeggen dat ze lsd had gebruikt met Timothy Leary. Ze keek naar de foto van Mandana voor een klassiek gebouw. 'Is die foto daar genomen?' vroeg ze tot haar grote ergernis belangstellend.

'Dat zou kunnen, volgens mij is dat het stadhuis. We protesteerden tegen de oorlog, mijn vriendin Kathy is daar gearresteerd.'

'Hoe lang ben je daar eigenlijk geweest, voordat... voordat je moest vertrekken?'

Mandana zette haar handen in haar zij en keek naar het plafond. 'Oooh, niet zo lang. Een maand of vier, vanaf oktober.'

'Toen was de Summer of Love toch al voorbij?'

'Eh... ja. Het was in zevenenzestig. Allang dus.' Mandana zweeg even. 'Eerlijk gezegd heb ik de beste tijd waarschijnlijk gemist. Er waren heel veel mensen die helemaal uit hun dak gingen, alles was *tie-dye*. En het was er ijskoud. Ik dacht dat in Californië het hele jaar door de zon scheen, maar niet in San Francisco. Daar sneeuwde het. Ik had alleen een regenjasje bij me. Dat is mijn voornaamste herinnering, de kou. Niet erg heftig, man.' Ze glimlachte.

'Je deed altijd net alsof je er middenin had gezeten, mam,' zei Elle. 'En nu zeg je dat je twee jaar te laat was en dat het geen zomer maar winter was. Wat een leugens heb je ons op de mouw gespeld.'

'Dat weet ik,' zei Mandana vrolijk. 'Maar het voelde alsof er nog altijd iets bijzonders in de lucht hing, zelfs toen. Het was erg... bijzonder.'

'Waar sliep je?'

Mandana ging op de bank zitten en trok haar voeten onder zich. 'Nou, in Haight-Ashbury, samen met andere jongeren die waren weggelopen op zoek naar de hippiedroom,' zei ze, en ze sloeg haar armen om zich heen. 'Het huis was van een oude boeddhist. Hij hoefde geen huur, maar wilde alleen dat we kookten, schoonmaakten en van elkaars gezelschap genoten.' Ze zuchtte. 'Het was een geweldige plek met uitzicht over het Panhandle-park. Ik deelde een kamer met Jackie, uit Liverpool. Alle anderen waren Amerikanen en ze waren dol op Jackies accent vanwege The Beatles. Jackies zus had zelfs met Paul op school gezeten. De mensen kwamen gewoon langs om haar te ontmoeten.' Haar ogen schoten vol bij de herinnering. 'En ze waren ook dol op mijn accent, dat was in die tijd veel noordelijker. Daarna heb ik het weggepoetst. Later. Een jongen zei ooit tegen me dat ik op Jane Fonda leek. Uit Liverpool. Ik bedoel, ik kwam niet uit Liverpool, maar ik heb hem niet op zijn fout gewezen.'

Elle schoof wat heen en weer. 'Maar wat deed je daar eigenlijk de hele dag? Ik bedoel, vonden je ouders het wel goed? Oma en...'

Ze had nooit echt een naam voor haar opa gehad. Hoewel ze hem eigenlijk opa hoorden te noemen, zagen ze hem bijna nooit en het leek een te gezellige benaming voor iemand die je niet kende.

'Ik was weggelopen. Ze konden er niet veel aan doen,' zei Mandana. Ze leek zich een beetje te schamen. 'Ze dachten dat ik na de universiteit een secretaresseopleiding ging volgen en dat ik in Spanje Spaans ging leren, dus hadden ze een ticket naar Madrid voor me gekocht. Ik heb een cheque vervalst en het ticket veranderd in een vlucht naar New York en daarvandaan ben ik naar de andere kant van het land gelift. Ik wilde zo ver mogelijk weg.'

'Was je vader niet woedend?'

'Het kon me niet schelen,' zei ze eenvoudigweg. 'Ik haatte hem en ik haatte mijn moeder ook, maar vooral hem. Hij was een afschuwelijke man.'

'Hoezo?'

'Hij dronk.'

'Dronk hij? Was hij...' Elle wist niet hoe ze het moest omschrijven. 'Erg?'

'Ja, erg.' Mandana glimlachte flauwtjes en ging vlug verder voordat Elle haar kon onderbreken. 'Waar was ik gebleven? San Francisco. O, ja. Ik was thuis in Nottingham en dacht dat ik daar nooit weg zou komen. Al mijn vrienden studeerden en leerden hoe ze dingen moesten doen. Mijn vader wilde me niet laten gaan, dus werkte ik bij Boots. Elke avond kwam ik thuis, at het smakeloze eten, zat in het donker naar hem te luisteren en wilde dat hij dood was. Ik kon er gewoon niet meer tegen, dus verzon ik een secretaressecursus in Spanje en bleef liegen.' Haar accent was sterker, alsof ze weer negentien was. 'Ik mocht van mijn vader het huis niet uit als ik mijn haar niet netjes in een staart had, ik droeg het getoupeerd met een strik, weet je. En altijd die verschrikkelijke platte schoenen, ik had er zo'n hekel aan. Echt zo'n hekel. Geen zon, niemand die glimlachte, overal scheuren in het wegdek en onkruid. En een maand later zat ik nog geen twee straten bij de Grateful Dead vandaan, vlak bij de oceaan, waar het niemand iets kon schelen of je je haar waste, een beha droeg of wat dan ook. Je kon er gewoon jezelf zijn. Geen leugens, geen nepgedoe, geen maatschappij. Iedereen voelde zich op zijn gemak.' Haar ogen stonden glazig. Elle keek haar gebiologeerd aan. 'Ik heb Ken Kesey ontmoet, wist je dat? En ik ben in Altamont geweest, dat was mijn mijlpaal.'

'Wat was Altamont?'

Mandana knipperde met haar ogen, alsof ze even vergeten was dat Elle er was. 'O,' zei ze. 'Eh... het was een gratis Stones-concert even voorbij Oakland. Uitgelopen op een grote ramp. Een paar Hells Angels hebben een aantal jongens doodgeslagen. Er werd gezegd dat er op dat moment een einde aan het hele love-en-peace-gebeuren kwam. Dat was in december. En in januari was het zo koud en ik werkte als serveerster, maar toen werd ik betrapt...' Ze pauzeerde even. 'En naar huis gestuurd. Nu weet je alles. Het spijt me dat ik het je niet eerder heb verteld. Dat ik ben gearresteerd.'

'Het geeft niet, mam,' zei Elle ongemakkelijk. 'Het is niet erg, maar je had het ons heus wel kunnen vertellen. Het was toch geen heroïne of zo. Zo erg was het nu ook weer niet.'

Mandana schoof dichter naar Elle toe. Ze pakte haar hand. 'Voor mij wel. Voor mijn gevoel was het: dit was je fantastische leven, je hebt ervan kunnen proeven en nu zul je er nooit naar teruggaan, je gaat terug naar dat rotleventje in Nottingham waar je vader nog altijd zit te drinken en je moeder nog altijd liegt en doet alsof er niets aan de hand is en dat is je straf, meer nog dan hoe boos ze op je zijn. En het spijt me. Soms denk ik... Nou ja. Maar ik heb in het Savoy toch niet de hele avond gedronken?' Ze knielde neer en klopte Elle op haar knieën, haar bruine ogen stonden bezorgd. 'Het is in orde, Ellie. Ik ben niet zoals vader.'

'Mijn vader drinkt bijna nooit.'

'Mijn vader, niet die van jou.'

Elle kon zich haar grootvader nauwelijks herinneren. Ze kende haar grootmoeder, die stil en volgzaam was, en bang voor schaduwen, slaande deuren en rennende kinderen. Ze woonde in een miezerig huisje in een donker zijstraatje in Notthingham. Elle was er zelden geweest. Ze ging veel liever naar oma Bee, dicht bij de Theems in de buurt van Marlow, in het land van *De wind in de wilgen*. Ze wist dat haar moeder er ook zo over dacht.

'Dus... hij was... alcoholist?'

'Ik vermoed van wel. Hij was absoluut een dronkaard. We hadden het er nooit echt over. Hij zat in de woonkamer de *Express* te lezen en whisky te drinken, of in de pub. Hij was een rotzak, je bleef wel uit zijn buurt. Ik haatte hem.'

Elle legde een arm om haar heen. 'Mam, dat heb ik nooit geweten. Waarom heb je het nooit verteld?'

Mandana haalde haar schouders op. 'Ik vond het niet prettig om eraan herinnerd te worden. Ik was niet de enige, weet je. In de jaren na de oorlog was er niet veel geld, er was geen werk. Hij was gewond geraakt in Frankrijk. Toen hij terugkwam was iedereen doodmoe, alles was veranderd. Hij wilde graag een filmtheater, iets met veel glitter en glamour waar de sterren op af zouden komen. Hij wilde niet in een winkel werken. Volgens mij was hij een teleurgesteld man, maar toch hield ik niet van hem. Ik kon het niet. Hij was niet aardig. Zo is het gewoon en niet anders.'

Elle wist niet wat ze zeggen moest. 'Jeetje, wat erg. Heb je je nooit afgevraagd of het invloed heeft gehad... ik weet het niet, op jouw leven?'

'Hoe dan?' Mandana trok zich iets terug.

'Nou...' Elle hield haar adem in en zei: 'Waarom je zoveel drinkt of waarom je dat deed. De rottijd toen papa is wegging, dat allemaal.'

Mandana klopte op haar knie. 'Ik weet hoe je in elkaar zit en je hoeft je geen zorgen te maken. Die rottijd, dat is heel lang geleden.'

Elle slikte. 'Ik weet het met jou gewoon nooit,' zei ze.

'Ik weet dat ik destijds te veel dronk en er zijn heel veel dingen die ik heb verprutst. Maar het is nu meer dan tien jaar geleden dat hij weg is gegaan en ik heb alles weer onder controle.' Haar moeders bruine ogen waren strak op haar gezicht gericht.

'Echt?'

Mandana zei: 'Ik beloof het je.' Ze knikte.

Elle besefte niet dat ze haar adem had ingehouden. Ze ademde uit en probeerde haar schouders van opluchting niet te laten hangen. 'Oké.'

'Ik drink niet meer, er is heel veel om naar uit te kijken en alles komt goed. Je hoeft je over mij geen zorgen te maken. Ik kan heel goed voor mezelf zorgen.'

'Ik maak...'

'Jawel, jij maakt je overal zorgen over, Ellie. En ik vind het verschrikkelijk als je over mij inzit. Ik ben je moeder en met mij gaat het goed.'

Elle knuffelde haar en glimlachte tegen haar schouder. 'Het spijt me. Ik zal het niet meer doen. Je hebt gelijk.'

'Eerlijk gezegd,' zei Mandana, 'wilde ik iets met je bespreken.' Ze sprong op, liep naar de keuken, pakte een doek en begon het aanrecht te poetsen. 'Ik zou graag willen dat je iets voor me deed.'

'Natuurlijk, wat dan?' Elle stond op en liep naar haar toe.

Mandana streek over haar platte korte haar met de hand waarmee ze de doek vasthad, ze was slecht op haar gemak. 'Eh... ik wil graag dat je je vader een e-mail stuurt om hem te laten weten dat ik zijn geld niet langer wil.'

'Wat?'

'Hij stuurt me elke maand geld.' Ze hield haar kaken stijf op elkaar. 'Ik wil het geld waarmee hij zijn schuld afkoopt niet meer.'

'Maar, mam, dat is je alimentatie,' zei Elle. 'Hij heeft toegestemd dat tot je zestigste te betalen. Het is erg gul van hem. Je moet het niet teruggeven.'

'Dat wil ik!' riep haar moeder plots. Ze liet de doek in de gootsteen vallen en veegde haar handen aan haar ribbroek af. 'Het gaat goed met me! Ik wil verdorie geen geld meer van hem! Ik wil dat hij me met rust laat. Met rust!'

'Mam,' zei Elle standvastig. 'Ik wilde alleen maar...'

'Ik heb een nieuw leven. Ik wil het huwelijk achter me laten. Het gaat goed tussen Bryan en mij en...'

'O,' zei Elle. 'Nou, eh... wauw, dat is...'

'Het is geen grote romantische toestand op dit moment, schat.' Mandana stak haar hand op. 'Ik wil je alleen maar laten weten dat ik andere dingen heb lopen. Ik draai meer uren in de bibliotheek en krijg dus meer geld. Anita uit het dorp en ik beginnen ons eigen bedrijfje, Ellie. Je weet er nog helemaal niets van. We zijn een importbedrijfje aan het opzetten.'

'Oké,' zei Elle langzaam. 'Dat klinkt interessant. Wat voor bedrijfje?' Ze riep zichzelf een halt toe, want ze klonk als een afkeurende leraar.

Mandana zei trots: 'In Indiaas textiel. Vooral spreien. Anita gaat constant heen en weer naar Rajasthan. Ze koopt daar spullen, brengt ze mee terug, en we verkopen ze hier. We hebben open dagen, een soort... exotisch magazijn. We hebben er al drie verkocht.' Ze ging verder met schoonmaken, terwijl Elle naar haar stond te kijken. 'Ik zou het dus heel fijn vinden als je je vader zou kunnen mailen. Ik vind het niet prettig om op zijn zak te teren, Ellie. Ik wil me niet laten onderhouden, ik moet het zelf doen.' Ze haalde diep adem. 'Het is tijd dat ik opnieuw begin. Stop met het slechte gedrag. Het verleden vergeet.' Ze tilde haar hoofd op. 'Hij is duidelijk bezig geweest Rhodes tegen me op te zetten en dat Amerikaanse meisje. Dus ik wil graag dat jij met hem praat.'

'Vond je het vervelend afgelopen dinsdag?' vroeg Elle.

Mandana lachte zachtjes. 'Het is mijn schuld, alles. Ik schaam me zo voor alles wat er is gebeurd. Maar ik vond het niet prettig hoe ze naar me keek.'

'Melissa? O, ik denk dat ze best oké is,' zei Elle, vooral omdat ze dat hoopte, niet zozeer omdat ze het zelf geloofde.

Mandana schudde haar hoofd. 'Ik hoop dat ik het bij het verkeerde einde heb. Ze kijkt je aan en je ziet gewoon dat ze vindt dat ze beter is. Ze lijkt mij een onrustzaaier.' Ze kneep haar ogen tot spleetjes. 'En ik weet dat het belachelijk is, maar ik heb geen zin om met je vader te communiceren, vooral niet na de dingen die hij in het Savoy tegen me heeft gezegd. Ik weet dat we ons op de bruiloft allemaal moeten gedragen, als die hier wordt gehouden, maar in de tussentijd... nou... zou ik je erg dankbaar zijn. Je begrijpt het toch wel?'

'Jazeker,' zei Elle, en ze schudde haar hoofd. 'Natuurlijk begrijp ik het, mam.'

Ze pakte haar theekopje en vroeg zich af wat Rory aan het doen was. Hij had haar sms'jes niet beantwoord en daar was ze eigenlijk wel blij om. Terwijl ze om zich heen keek, probeerde ze zich voor te stellen dat hij hier was, met haar moeder bij de open haard zat te kletsen. Het lukte haar niet.

'Ik vind het fijn dat je er bent, Ellie,' zei haar moeder, haar gedachtegang onderbrekend. 'Bedankt dat je bent gekomen. Bedankt dat je het met me uithoudt.'

'Jij ook met mij,' zei Elle. 'Ik ben degene die zich zou moeten verontschuldigen.'

'Nee, schat, dat ben ik,' zei Mandana. 'Maar zoals ik al zei, alles is nu in orde.' Ze keek uit het raam en lachte. 'De toekomst ziet er stralend uit. Ik wil graag dat je me gelooft, Ellie, schat.'

Ze hieven de mokken thee in een stille toost naar elkaar op. Buiten klonk het aanhoudende geraas van nog meer regen, kletterend op het dak, het pad en in de plassen.

15

Tegen half december zaten ze 'absoluut midden in de gure winter', zoals Bernice zei, de dame die de telefoons en toetsenborden schoonmaakte tijdens haar wekelijkse bezoek. Het was heel koud, de zon was al dagen niet tevoorschijn gekomen en vooral op Bedford Square veroorzaakten de hoge gebouwen lange schaduwen tegen de naakte zwarte takken op het plein.

Op een zekere donderdagmorgen voelde Elle zich bijzonder slecht. Ze was verkouden, een kou die haar hersens dempte, zodat alles in slow motion leek te gebeuren, en alles op de een of andere manier buiten haar bereik lag. Ze had Rory sinds dinsdag niet meer gezien; de dag ervoor was hij niet op kantoor geweest en vanmorgen was hij er ook nog niet en ze was sinds de week ervoor geen moment meer alleen met hem geweest. Ze had haar eerste boek willen kopen, een grappig boekje met als titel *Koninklijke romance*, en zowel Rory als Posy had nee gezegd, alsof ze een irritante vlieg was. Ze was het zat. De telefoon ging, en ze nieste hard. Tegenover haar deinsde Helena een stukje achteruit, alsof ze de pokken had. Lusteloos pakte ze de hoorn op.

'Hallow, redactiee,' snifte ze.

'Hé, Bee,' zei een stem. 'Mijn god, je klinkt verschrikkelijk. Wat is er?'

'Niets. Libs, ben jij dat?'

'Ja. Ik belde om te vragen hoe het met je gaat.'

'Goed hoor,' zei Elle. Ze keek om zich heen. Het was onmogelijk om in een kantoortuin een normaal gesprek met iemand te voeren. 'Eigenlijk gaat het helemaal niet zo goed. Ik ben vreselijk verkouden.'

‘Ohhhhhh.’ Libby klonk bijna teleurgesteld. ‘Goed dan. Ik belde alleen maar om te…’

Haar stem stierf weg. Elle zuchtte. Het was meer dan vier weken geleden dat Felicity de aankondiging tijdens de redactievergadering had gedaan en er was nog steeds niets gebeurd. In het kantoor en daarbuiten gonsde het nog van de geruchten, als een zware mist in een krakende horrorfilm. Het was dodelijk vermoeiend. Elke keer als Elle een auteur sprak, vroeg hij of zij klaaglijk: ‘Nog nieuws?’ Als ze ging lunchen met een agent of een vergadering had met iemand die iets met uitgeven te maken had, zei diegene: ‘Weet je, ik heb gehoord dat het Rupert Murdoch is. Hij haalt het bedrijfsvermogen eruit en gebruikt alleen de naam nog.’ ‘Gisteren heb ik Liz Thomson van *Publishing News* gezien en zij zegt dat het zeker weten WHSmith is. Je verhuist naar Euston Road.’ ‘Heb je de *Boeken en boekenmensen*-column in *Private Eye* gelezen? Het moet Rory zijn.’ Alleen deze ochtend al had Elle twee verschillende gesprekken over de overname gehad.

‘Belde je voor de roddels?’ vroeg Elle recht voor zijn raap. ‘Die zijn er niet. Echt niet.’

Libby zei: ‘Sorry. Dat was niet aardig van me, maar iedereen bij Bookprint wil het graag weten. Ze denken dat we jullie gaan overnemen en dat jullie hierheen komen en dat wij erotische romans en zo moeten gaan uitgeven. Ik blijf ze maar vertellen dat Bluebird veel meer doet dan dat, maar ze willen niet luisteren.’ Ze schraapte haar keel. ‘Wat ga je vanavond doen, Elle? Het is al zo lang geleden. Ik kan me niet meer herinneren wanneer ik je voor het laatst heb gezien. Nee, dat is niet zo. Dat was de avond van de Booker Prize en toen heb ik je ook bijna niet gesproken. Ik ben een slechte vriendin geweest. Heb je zin om vanavond iets te gaan drinken? Eentje maar?’

‘Zin wel, Libs, maar ik kan echt niet,’ zei Elle. ‘Ik ben doodop en ik moet tot laat werken. Ik denk dat ik rechtstreeks naar huis ga en op de bank plof. Vind je dat erg?’

‘Nee, dat is goed,’ zei Libby. ‘Arme ziel, ben je erg druk?’

‘Het is verschrikkelijk op dit moment.’ Elle keek om zich heen en wilde verder niets zeggen. Ze wilde dat ze over *Koninklijke romance* kon klagen, maar dit was niet het juiste moment, en hoe kon je uitleggen dat je je bazen zat was en dacht dat een van hen niet goed wist waar hij het over had, hoewel je wel met hem naar bed ging? Bovendien kon ze er niet helemaal op vertrouwen dat Libby de agent niet vlug zelf zou bellen om het boek te kopen. Zo was ze tegenwoordig wel een beetje.

'Oké, oké,' zei Libby. 'Luister, ik moet ophangen. Ik wilde alleen even weten of alles goed met je ging. Alles gaat toch wel goed met je, Elle?'

'Natuurlijk,' zei Elle verbaasd. Ze nieste. 'Behalve dat ik verkouden ben, gaat alles prima! Wat zou er moeten zijn?'

'Niets,' zei Libby. 'Ik maak me soms gewoon zorgen om je.' Ze zweeg even. 'Ik wilde alleen even gedag zeggen. Er is niets.'

Er is niets. Elle voelde zich ongemakkelijk. Wat bedoelde ze? 'Luister,' zei ze. 'Ik bel je morgen.'

Nadat ze had opgehangen wenste ze voor de zoveelste keer dat ze met Libby kon praten, haar om advies kon vragen, maar dat kon niet.

Elle keek haar e-mailtjes door en met een zucht ontdekte ze weer een epistel van Melissa. Intussen twijfelde Elle enorm of ze wel het type bruidsmeisje was dat Melissa nodig had. Ze wilde Elle niet alleen voor elk weekend in het nieuwe jaar reserveren om jurken te passen en dingen te plannen, maar ze schreef ook steeds dingen die Elle lichtelijk verontrustend vond:

> Zouden de bruidsmeisje nu al moeten nadenken over hun haarlengte in september volgend jaar? Tijdens een gesprek met Darcy en mijn zus heb ik hun namelijk laten weten dat ik het geweldig zou vinden als jullie je haar allemaal lang en steil zouden hebben en in een chignon kunnen dragen. Omdat jouw haar kort is zou het misschien handig zijn als je het vanaf nu laat groeien. Of vanaf volgend jaar, dat maakt me echt niet uit! (Maar misschien is nu beter, omdat het haar van sommige mensen erg langzaam groeit.)
> Melissa xoxo

Eleanor hoorde een harde krak en sprong op. Pas toen besefte ze dat ze haar potlood onder het lezen in tweeën had gebroken. Ze trok aan haar haar en dacht na over de parallelle wereld die ze op de een of andere manier had betreden. Wat zou ze in de volgende mail voorstellen? Plastische chirurgie zodat ze allemaal dezelfde cupmaat hadden?

'Jemig, Elle. Je hebt een gezicht als een donderwolk. Wat is er aan de hand?' vroeg Posy, en ze legde een omslag op haar bureau om te checken.

'Rotbruiloft,' gromde Elle zonder dat ze het kon helpen. 'Ik moet bruidsmeisje spelen op de bruiloft van mijn broer, en zijn aanstaande wil dat we –' Ze haalde diep adem. '– ons haar laten groeien zodat we in september allemaal hetzelfde kapsel hebben.'

'O, vertel mij wat.' Posy ging op Elles bureau zitten en sloeg haar armen over elkaar. 'Ik was altijd bruidsmeisje. Ik ben het geweest bij iemand met wie ik op school had gezeten en op de ochtend van de bruiloft vroeg ze me of ik achter de bruidsjonkers kon gaan staan als de foto's werden genomen, want ze had de foto's van haar vrijgezellenfeestje bekeken en ik was niet fotogeniek genoeg om bij de andere bruidsmeisjes te staan.'

Elles mond viel open van verbazing.

'Ik weet het,' zei Posy met een glimlach. 'Nu kan ik erom lachen, maar ik heb wel eens gedacht, wat vreemd dat iemand zich daar druk om maakt op zijn trouwdag.'

Elle was verbaasd, want het meest persoonlijke gesprek dat ze tot nu toe met Posy had gehad was over de dood van Mr. Collins geweest, haar kat. Ze knikte, omdat ze niet goed wist wat ze moest zeggen.

'Ik dacht alleen maar, ik wil me mijn trouwdag herinneren omdat ik ben getrouwd met de man van wie ik hou en omdat mijn vrienden er allemaal waren,' zei Posy even later, terwijl ze een haaltje in haar roze vest bestudeerde. 'Niet, o kijk eens hoe lelijk Posy is. Ik ken haar dan wel al sinds mijn achtste, maar ze verpest alle foto's, ik wilde dat ik haar had gevraagd een handdoek om haar hoofd te doen.'

'Wauw,' zei Elle. 'Echt ongelofelijk.'

'Weet je waar ik ook zo'n hekel aan heb,' zei Posy, en ze duwde zichzelf nog een stukje verder het bureau op. Ze keek op toen Rory zijn kantoor uit liep en dat van Felicity binnen ging en de deur achter zich dichtsloeg. 'O.'

'Het is sla-de-deur-dicht-dag,' zei Elle.

'Geen goed teken.' Posy ging staan.

'Het kan van alles betekenen,' zei Elle, en ze probeerde optimistisch te klinken. 'Het zou goed nieuws kunnen zijn. Misschien krijgen we allemaal wel een enorme kerstbonus.'

'Geloof mij,' zei Posy, en ze staarde naar Rory's lege kantoor, 'ik heb voor Robert Maxwell gewerkt. Er komt nooit goed nieuws als de deuren dicht zijn. Nooit.'

Om halfeen deed Elle langzaam haar jas aan. Ze ging met Nicoletta Lindsay lunchen om haar te vertellen dat ze moest ophouden haar doktersromannetjes te veranderen in mysterieuze korte verhalen over de lokale heidense geschiedenis. Ze zou haar hele boek moeten herschrijven en ze moest serieus gaan nadenken over de richting van haar toekomstige romans als ze nog een contract bij MijnHart wilde. Felicity had Elle deze speech gisteren gegeven tijdens de redactievergadering, en Elle had de belangrijkste punten op Post-its genoteerd die ze aan de binnenkant van haar tas had geplakt, klaar om die zo nodig tijdens de lunch heimelijk te kunnen checken.

Terwijl Elle haar sjaal omsloeg liep ze naar het kopieerapparaat bij Felicity's kantoor om de laatste verkoopcijfers voor Nicoletta Lindsay te kopiëren. Rory's kantoor was leeg; ze had hem de hele ochtend nog niet gesproken. Terwijl ze op het knopje drukte en zich afvroeg of ze nog even bij Felicity binnen zou lopen om haar een hart onder de riem te steken, hoorde ze haar stem plotseling door de zware houten deur heen.

'Hoe kon je me dat niet vertellen?' riep ze. 'Rory, ik begrijp het niet.' Huilde ze? 'Met háár nota bene. Ik begrijp het niet.'

Elle drukte mechanisch op de knopjes, maar haar hart bonsde en ze kreeg een brok in haar keel.

Rory antwoordde, maar hij praatte te zachtjes. Ze ving alleen het einde van de zin op. 'Je begrijpt het niet. Het wordt geweldig. Ik dacht dat je blij zou zijn als ik zou uitleggen...'

Het ergste was nog wel Felicity's toon. Ze klonk zowel geamuseerd als wanhopig.

'Blij? Rory, ben je gek geworden? Heb je enig idee wat je hebt gedaan?' Er klonk een enorm trillend, naar adem happend geluid. 'Ze is nog zo... jong! En ze weet niets! Dit heb ik niet voor je gewild, schat. Alle plannen...' Ze hield haar mond. Rory wilde iets zeggen, maar ze onderbrak hem. 'Je moet er een punt achter zetten. Het uitmaken. Nu. Ze begrijpt het wel als je het uitlegt, dat weet ik zeker, Rory.'

Elle pakte de blaadjes met handen die nat waren van het zweet en hield ze dicht tegen zich aan. Ze keek om zich heen om te zien of iemand anders ook iets had gehoord. Helena zat nog te typen. Joseph Mile was aan de telefoon, met twee vingers streek hij zijn rossige kuif glad en in de hoek onderhielden Jeremy en Wc-bril de afdelingen Marketing en Publiciteit met het verhaal dat Jeremy de week ervoor op Victoria Bishops schoothondje was gaan staan. Alleen zij had het gehoord.

Elle sloop naar buiten en de uitroepen in Felicity's kantoor klonken steeds zachter. Toen ze bij de trap was begon ze te rennen.

16

Naderhand vroeg Elle zich af hoe ze de lunch had overleefd. Ze kon zich er niets meer van herinneren, niet wat ze had besteld, niet wat ze tegen Nicoletta Lindsay had gezegd, niet hoe Nicoletta het nieuws had opgenomen en niet of ze überhaupt wel duidelijk was geweest. Ze wist dat Nicoletta na afloop, toen ze in Charlotte Street voor het restaurant hadden gestaan, haar de hand had geschud en had gezegd: 'Weet je Elle, je hebt me veel stof tot nadenken gegeven. Misschien heb je gelijk, misschien moet ik alle voorzichtigheid wel laten varen en die 'terug in de tijd'-roman gaan schrijven.' Elle kon zich herinneren dat ze had geknikt en gedacht: *zo had het helemaal niet moeten gaan...*

Ze liep door Percy Street en keek in de etalages van de galerieën, hoewel ze niet echt iets zag, en ze huiverde van de bittere kou. Moest ze terug naar kantoor? Zou iedereen het al weten? Zou Felicity haar op staande voet ontslaan, haar bevelen het gebouw te verlaten? Dat kon ze toch niet doen, of wel? Elle bleef staan, niet wetende wat ze moest doen.

Ze voelde zich heel klein. Ze wilde dit nu al een poosje en ze had geweten dat Felicity verbaasd zou zijn, maar de minachting, die afschuw in haar stem! Die was van een heel andere orde. Weer vroeg ze zich af hoe ze hier was beland, met niemand die ze kon bellen, om advies vragen, zonder vrienden. In feite was ze alleen.

Elle dacht terug aan de laatste keer dat ze Rory echt had gezien de week ervoor. De seks in zijn flat was geweldig geweest, met veel kabaal, ongeremd, ze hadden elkaar de kleren van het lijf gerukt om de restricties die hen normaal omhulden uit de weg te ruimen. Rory had de gordijnen aan de kant van het plein dichtgetrokken, een oud zijden kleed voor het haardvuur gelegd, en daar had ze op haar knieën naakt op hem zitten wachten tot hij terug was gekomen met twee glazen champagne.

'Stond nog in de koelkast,' zei hij, terwijl hij haar kuste en ze een slok namen. 'We zouden het moeten vieren. Ons. Ons moeten vieren, liefje.' Toen duwde hij haar achterover op het kleed en ze rolden om tot ze bovenop zat, haar knieën op de harde vloerplanken, één zij warm van het vuur, haar dijen samenknijpend om de warmte van hem tussen haar te voelen, de dikte van hem in haar. Allebei konden ze de grijns niet van hun gezicht halen.

'Ik hou van je,' zei ze plotseling, terwijl ze langzaam heen en weer schommelde.

Hij had zijn tanden op elkaar geklemd en zijn ogen dicht, maar toen ze het zei, lichtte zijn gezicht op en hij keek ernstig.

'Ik hou ook van jou. Meer,' zei hij.

De opluchting toen hij dat zei was overweldigend. Ze pakte zijn schouders vast. De opluchting om bij hem te zijn, zich weer thuis te voelen: dit, hier, zij twee, bij het vuur, buiten adem, elkaar vastgrijpend, naakt zonder iets anders wat hen definieerde, hier draaide het allemaal om, wat er ook gebeurde. Later waren ze stiekem naar de Charles Lamb-pub geweest en hadden ze worstjes met vogelnestjes gegeten. Ze waren enorm dronken geworden van de cider en lachend en heen en weer zwaaiend over City Road terug naar huis gelopen, naar de veilige thuishaven van zijn flat, waar ze in elkaars armen in slaap waren gevallen, hij ademend in haar haar, op haar oor.

Die herinnering had haar de afgelopen zeven dagen op de been gehouden en deed dat nu nog. Wat er daarna zou komen was misschien doodeng, maar ze zouden verder kunnen gaan met de rest van hun leven samen. Uit eten gaan met vrienden, elkaars familie ontmoeten... op een bepaalde manier was dat ook doodeng, de wetenschap dat ze niets meer had om zich achter te verschuilen. Ergens dacht ze dat ze er nog niet toe in staat zou zijn, dat ze zich de rest van de middag ziek moest melden, naar huis moest gaan om onder een dekbed te gaan liggen trillen.

'Geen leugens meer. Nee,' zei ze zachtjes tegen zichzelf. 'Kom op, Eleanor Bee.'

Ze moest terug om de waarheid onder ogen te zien. Ze stak Tottenham Court Road over en begon sneller te lopen, graaiend in haar tas naar haar handschoen.

'Hé!' riep iemand achter haar. 'Hé, jij daar! Je hebt iets laten vallen.'

Ze draaide zich om. Er rende een man naar haar toe met de ontbrekende handschoen. 'Tom?' Ze schudde haar hoofd. 'Hallo. Wat een verrassing.'

'Elle!' zei Tom Scott. Hij pakte haar schouders en glimlachte. 'Ik dacht al dat jij het was.'

'Dank je.' Elle glimlachte terug. 'Hoe gaat het met je?' Ze keek lichtelijk buiten adem naar hem op. Ze vergat altijd hoe lang hij was, hoe zacht hij sprak, helemaal nu in het geraas van het verkeer.

'Goed. Ik ben net wezen lunchen met een oude vriend van de uitgeverij...' Hij keek haar eens goed aan. 'Hoe gaat het met jou?'

'Met mij gaat alles goed, zijn gangetje.' Ze herpakte zichzelf. 'Niet echt. Ik neem aan dat je weet wat er bij ons aan de hand is?'

'Dat weet ik,' zei hij. 'En ik heb de laatste berichten ook al gehoord.' Hij knikte. 'Grote ruzie vanmorgen tussen Rory en Felicity. Het nieuws gaat als een lopend vuurtje.'

Ondanks de schok en haar angst was Elle stomverbaasd over de snelheid waarmee sommige geruchten rondgingen. 'Het is... Het is onzin. Luister er niet naar.'

Tom stak zijn handen in zijn zakken. 'Ik weet zeker dat je gelijk hebt,' zei hij. 'Ik zou zulke roddels niet moeten herhalen, zeker niet tegen jou. Het spijt me.' Er viel een stilte. 'Luister,' zei hij. 'Ik had je eigenlijk nog willen mailen om je te bedanken. Die database was een fantastische tip.'

Elle staarde hem aan. Ze had geen flauw idee waarover hij het had. 'Database?' vroeg ze wezenloos.

'Voor de Dora Trust. Je hebt het zelf voorgesteld. Het doet er niet toe.' Hij schudde ongeduldig zijn hoofd. 'Ik ben een idioot. Zit er maar niet over in.'

'Nee, nee, ik herinner het me weer.' Elle schuifelde heen en weer. 'Geweldig. Luister, ik moet...'

'Ik weet het, ik weet het,' zei hij. 'Mag ik nog één ding zeggen?'

'Wat dan?'

Hij schraapte zijn keel en haalde diep adem. 'Elle, luister. Ik ben je een gunst verschuldigd. Waarschijnlijk gaat dit me helemaal niet aan, maar...' Zijn zachte stem was bijna niet te horen, ze moest voorover leunen om hem te kunnen verstaan. 'Vertrouw Rory niet. Ik weet dat hij je baas is en ik weet dat je hem graag mag, maar het wordt daar een puinhoop. Hij lijkt totaal niet op zijn moeder. Hij weet niet waar hij mee bezig is en daarom is hij gevaarlijk. Wees voorzichtig.'

Ze staarde hem aan. 'Ik snap niet waar je het over hebt,' zei ze. 'Ik moet gaan.'

'Hé, Elle.' Tom haalde zijn knokige schouders op zodat ze bijna ten hoogte van zijn oren zaten. 'Hé, ik wilde je niet beledigen. Ik had het gevoel dat ik je iets verschuldigd was. Ik wilde je alleen maar...'

Maar Elle rende de straat al over, hem alleen achterlatend. Hoe durfde hij! Wat verschrikkelijk. Ze had hem eigenlijk altijd al verschrikkelijk gevonden, met dat smalle gezicht en die rare manier van doen. Hij was jaloers op Rory, dat was het probleem, lieve Rory...

Ze rende de hele weg terug naar Bedford Square. Toen ze op de bel drukte, antwoordde Elspeth en zodra Elle haar naam had gezegd, zei ze: 'We zitten allemaal in de vergaderzaal. Wil je alsjeblieft meteen naar boven komen?'

17

Langzaam liep Elle de oude, uitgehouwen trap op, langs de portretten van de voormalige directieleden van het bedrijf, langs de ingelijste omslagen, langs het damestoilet waar ze van afschuw had gekrijst toen ze haar geel geverfde haar had gezien de avond toen ze Rory voor het eerst had gekust, en ze probeerde op adem te komen. Toen ze langs de eerste verdieping kwam, keek ze naar het lege kantoor dat pas met kerstverlichting was versierd, de boom fonkelde in de hoek. Haar knieën knikten een beetje, wat was er gebeurd? Ze liep de trap naar de tweede verdieping op en klopte zachtjes aan.

'Kom binnen,' galmde Felicity's stem.

Elle deed de deur open en ging naar binnen. De grote mahoniehouten tafel stond tegen de muur en bijna alle personeelsleden zaten in rijen met hun armen over elkaar. Terwijl Elle met een bonkend hart bij de deur stond, kruiste haar blik die van Felicity, haar ogen waren bloeddoorlopen en opgezwollen. Haar kapsel was plat en rommelig en haar broche zat een tikje scheef. Elle verbleekte van schrik, omdat ze haar nog nooit anders dan onberispelijk verzorgd had gezien.

'Kom binnen, Elle,' zei ze met een dikke stem. 'Ga zitten, alsjeblieft.'

'Ik...' Elle aarzelde. Ze zocht Rory maar zag hem niet. Iemand deed de deur achter haar open en ze sprong op. Het waren Sam en Georgia.

'O, daar ben je,' fluisterde Sam. 'Ik heb je overal gezocht. Kom je bij ons zitten?'

Op dat moment begon Elle zich af te vragen of ze het allemaal bij het verkeerde einde had. 'Zeker,' zei ze dankbaar.

Sam keek haar aan. 'Alles komt goed, weet je,' zei ze.

'Wat?' vroeg Elle.

'Alles. Het doet er niet toe. We hebben het er later wel over.' Sam knikte. Ze liepen achter elkaar aan naar achteren langs het andere personeel, dat in stilte of zachtjes fluisterend wachtte. De deur ging weer open, en Rory kwam binnen. Elles hart maakte een sprongetje, zoals altijd als ze hem zag. Hij zag er zo knap en serieus uit in zijn chique grijze pak.

Hij was samen met een lange slanke vrouw met dun blond haar, smalle vingers en een lang, op een vreemde manier knap gezicht, als een engel in een Vlaams schilderij. Ze zei iets tegen Felicity, die op de eerste rij zat, en Rory klapte in zijn handen.

'Hallo, allemaal,' zei hij. 'Luister, ik neem aan dat jullie wel geraden hebben dat er iets gaande is. We wilden het jullie al een tijdje vertellen en het was best lastig omdat het zo spannend is, maar tegelijkertijd brengt het ook veel veranderingen met zich mee.'

De vrouw naast hem knikte. Elle keek verward toe. Sam en zij zaten zo ver achterin dat ze Rory bijna niet konden verstaan, laat staan zien.

'Jullie weten dat Bluebird een prachtige en illustere geschiedenis heeft. Nou,' zei Rory, 'het wordt tijd om deze geschiedenis mee naar de eenentwintigste eeuw te nemen. Gedurende de afgelopen maanden hebben we nagedacht over de nalatenschap van Bluebird. We hebben een paar aanbiedingen gehad, zoals jullie misschien wel weten. Het was moeilijk te bedenken wat de beste manier is om verder te gaan. Te doen wat juist is voor het bedrijf, voor de directie en het personeel.'

Hij schraapte zijn keel.

Felicity stond op, en haar stoel kraste over de vloer. Het klonk net als Rory's keel. Ze schudde haar hoofd en sloeg een hand voor haar mond. 'Het spijt me,' zei ze met gedempte stem. 'Ik kan hier niet naar luisteren. Dat doe ik niet.' Ze liep weg en sloeg de deur achter zich dicht.

Je kon een speld horen vallen. Rory keek naar de dichte deur en duwde met zijn duim en wijsvinger tegen zijn neusbrug. 'Daarom,' zei hij, en hij ging verder alsof er niets was gebeurd, 'gaat er vandaag een persbericht de deur uit dat we jullie nu willen voorlezen.'

Hij pakte een vel papier uit zijn jaszak.

'"De gezamenlijke directies van Bluebird Books Ltd en Bookprint Publishers zijn verheugd te kunnen melden dat ze vandaag, dinsdag 12 december, overeen zijn gekomen het bedrijfsonderzoek in gang te zetten, dat naar verwachting deze week zal worden afgerond, wat de verkoop van Bluebird Books aan Bookprint Publishers zal voltooien. Bluebird zal een imprint van Bookprint Publishers worden, de grootste uitgeverij van Groot-Brittannië".'

Rory pauzeerde even en keek op, maar slechts tot de bovenkant van zijn papier, alsof het hem niet lukte verder te kijken.

'Ahh. Eh...' Hij las verder: '"Op dat moment en met onmiddellijke ingang wordt Rory Sassoon onderdirecteur van Bluebird Books en hij zal toezicht houden op de transfer van de aandelen naar Bookprint Publishers. Felicity Sassoon legt haar functie van directeur neer. De directie is haar zeer dankbaar voor vijfendertig jaar trouwe dienst. Ze blijft aan als algemeen uitgever.

Na de herstructurering van het bedrijf zal er een periode van beraadslaging volgen, die tot ontslagen binnen het bedrijf zal leiden. De directies van Bluebird en Bookprint Publishers zijn in gesprek over het aantal en het type ontslagen. Deze ontslagen hebben alleen betrekking op Bluebird Books en zijn er tezamen met de verkoop aan de grootste en beste uitgeverij van Groot-Brittannië op gericht dat het merk een lange en succesvolle toekomst tegemoet treedt".'

Toen hij klaar was, was het doodstil, het enige wat je hoorde was het geluid van het vel papier dat door Rory's bevende handen werd opgevouwen en werd weggestopt. Hij keek op – Elle kon het niet goed zien, maar Sam zwoer later dat hij het had gedaan – haalde zijn schouders op, zuchtte en glimlachte flauwtjes.

'Wat betekent dat: ontslagen?' Wc-bril stak haar hand op en haar stem klonk hard door de stille kamer. 'Hoeveel?'

'Eh... dat weet ik nog niet.' Rory schudde zijn hoofd. 'Luister, jongens. Dit is een schok. Ik weet het. Het is voor veel mensen een schok geweest, maar de directie is het met me eens. We moeten, eh... naar de toekomst kijken.'

Elle bleef naar hem staren in de hoop dat hij haar kant op zou kijken, maar dat deed hij niet. *De directie is het met me eens?* Wat betekende dat? En Felicity dan?

'Juist. Je hebt ons dus om de tuin geleid, Rory,' zei Floyd rustig. 'Je strijkt het geld van de bedrijfsovername op en laat ons in de steek. Wat vindt je moeder ervan? Is ze daarom weggegaan?'

'Felicity is het ermee eens dat dit het beste is.' Rory wipte van de ene op de andere voet. Elle keek naar hem. Ze schrok zich een hoedje toen Sam naast haar ging staan.

'Pardon?' zei ze beleefd. 'Ik hoop niet dat je het vervelend vindt dat ik dit zeg, maar ze leek niet erg blij te zijn. Ik begrijp niet goed waarom zij het bedrijf niet langer leidt.'

Elle kon haar wel knuffelen. 'Luister,' zei een kalme stem. 'De nalatenschap van Bluebird Books leeft voort. Dat is belangrijk.' De dunne vrouw in het grijs was zo stil geweest dat Elle haar al weer was vergeten; haar stem was laag en ze had een licht Frans accent. Iedereen luisterde gebiologeerd.

Rory wees met zijn rechterhand naar haar. 'Jongens, dit is Celine Bertrand,' zei hij. 'Sorry, ik had haar eerder moeten voorstellen. Zij is de directeur van Bookprint UK.'

Celine knikte en keek hen aan, haar slanke handen ineengeslagen. 'Ik kijk ernaar uit jullie allemaal te leren kennen. Voor sommigen zal het onder verdrietige omstandigheden zijn, voor anderen onder leuke. Maar ik beloof dat Rory heeft gedaan wat het beste is voor het bedrijf door de directie te overtuigen ons bod te aanvaarden.' Ze draaide zich beheerst naar hem toe. Hij glimlachte naar haar. Elle staarde naar hem in zijn mooie grijze pak met zijn korte haar, blozend van opwinding, als een klein jongetje met een nieuw speeltje. Ze beet hard op haar lip: deze Rory herkende ze nauwelijks. Maar toen ze het bloed proefde, besefte ze dat het wel zo was. Natuurlijk herkende ze hem wel. Ze had deze versie gewoon uit haar gedachten verbannen, alleen maar gezien wat ze had willen zien. Deze Rory was er echter altijd geweest. Hij zat daar nu voor haar.

Weer achter haar bureau keek Elle om zich heen. Iedereen was geschokt; Wc-bril troostte iemand van Publiciteit die zachtjes in haar armen lag te snikken. Ze zag het hoofd van Carl van IT boven de kamerschermen. Hij zei tegen Floyd: 'Wat moet ik nu? Mijn vrouw is ziek, ze kan het komende jaar niet werken ook al wordt ze beter, en er is geen enkele kans dat ze mij houden. We zijn de klos.'

En Floyd, kalm en praktisch: 'Nee, dat is niet zo, ik beloof het, kerel. De regeling is goed, dat heb ik gezien. Ik beloof het.'

Elspeth was in tranen, en Posy klopte haar op de rug. 'Ze... Ik werk hier al dertig jaar,' zei ze. 'Wat moet ik nu? Ik kan niets anders.'

'We weten nog niet wie er weg moet,' zei Posy met een grauw gezicht. 'Het heeft geen zin om je nu al druk te maken, Elspeth. Rory zou ons niet...'

'Zou ons niet op straat laten verhongeren?' zei Elspeth hatelijk. 'Als hij zijn eigen moeder kan bedonderen, neem ik aan dat hij overal toe in staat is, jij niet?'

Verdrietig zei Posy: 'Ja, misschien wel.' Ze zag er afgetobd uit en leek ineens veel ouder. 'Ik dacht dat ik hem kende. Grappig, vind je ook niet?'

Elles telefoon rinkelde, terwijl ze ernaar keek. Ze schrok. 'Kun je even naar mijn kantoor komen?' vroeg Rory zakelijk.

Elle pakte haar notitieblok – ze wist niet waarom – liep naar de andere kant en trok de deur achter zich dicht. Haar hart klopte in haar keel.

'Hallo,' zei ze.

'Ga zitten.' Rory wreef in zijn ogen en keek haar aan. 'Hoi,' zei hij. Hij raakte haar hand aan, en zij sloeg haar ogen neer. 'Dus...' zei hij. 'Dit is het dan.'

'Ja?' vroeg Elle. Ze wist niet precies wat hij bedoelde. Haar vermoeide geest leek de informatie die binnenkwam slechts moeizaam bij elkaar te schrapen.

'Ik wilde even weten of alles goed met je is en ik wilde je vertellen dat ik het met Celine heb geregeld. Jij zit goed. Jouw baan is veilig.'

Elle staarde hem aan. Ze wist niet wat ze moest zeggen. 'Eh...' zei ze uiteindelijk. 'Dank je.'

Op kantoor riep iemand: 'Pub! Kom, we gaan naar de pub!' Daarop volgde het geritsel van tassen en jassen die werden gepakt. Elle en Rory zaten er op zijn kantoor in stilte naar te luisteren, hun knieën raakten elkaar bijna.

'Waar is je moeder?'

Rory haalde zijn schouders op. 'In haar kantoor. Ik denk dat ze binnenkort vertrekt. Het is beter zo.'

'Maar ze is toch nog steeds algemeen uitgever?' zei Elle, en terwijl ze de woorden uitsprak wist ze hoe naïef ze klonken.

'Dat betekent niet echt veel,' zei Rory zachtjes. 'Dat is een titel die je mensen geeft als ze... Nou ja. Ze weet het zelf ook. Iedereen weet het.'

'Rory, hoe kun je haar dat aandoen? Hoe kun je haar zo verraden?'

Zijn ogen schitterden. 'Ik heb haar een gunst bewezen, Elle. Je hebt geen idee waar je het over hebt. Er moest iets veranderen, anders zouden we failliet gaan. Ze was een briljante vrouw in haar tijd, maar dat is ze niet langer.' Rory trommelde ongeduldig met zijn vingers op het bureau en keek haar aan alsof hij verwachtte dat ze het met hem eens zou zijn, hem gerust zou stellen. Ze kon niets uitbrengen. 'De verkoop levert een mooie winst op voor haar en mij, zodat zij met pensioen kan en Bluebird de eenentwintigste eeuw in.'

'Je hebt het steeds maar over de eenentwintigste eeuw,' zei Elle vermoeid. 'Maar onze bestsellers, de boeken waar we echt geld aan verdienen, gaan allemaal over mensen in het verleden.'

Rory keek haar aan alsof hij haar niet goed begreep. 'Elle dit is zakelijk,' zei hij kortaf.

Elle probeerde niet te gaan schreeuwen. 'Nee, dit gaat over mensen,' siste ze. 'Over je moeder, je vrienden, je collega's, over mij!'

'Ik heb toch gezegd dat jij je geen zorgen hoeft te maken,' zei Rory. 'Ik beloof het.'

Ze ging staan. 'Je begrijpt het echt niet, hè Rory? Ik wil geen baan omdat ik met je naar bed ga.'

'Maar je hebt er wel een.' Rory's stem klonk kil. 'Ik dacht dat je blij zou zijn.'

'Maar ik wil...'

'Hou je mond,' onderbrak hij haar ongeduldig en hij leunde voorover. 'Ik heb gezegd dat ik mensen voor de overgangsperiode nodig heb die ons fonds goed kennen. Iemand moet het doen, dus waarom jij niet? Je zult het prima doen, ik weet het zeker.'

'Begrijp je me nou echt niet?' Elles handen vielen slap langs haar zij. 'De vrouw van Carl is ziek, Elspeth vindt nooit meer een andere baan, Angelica stuurt elke maand geld naar haar moeder. Het zijn mensen en ze zijn goed in hun werk. Je begaat een grote vergissing, je kunt een bedrijf als dit niet zomaar uitwissen. Het gaat niet om mij.' Haar stem klonk smekend, ze wilde wanhopig graag dat hij het zou zien, het zou begrijpen. 'Ik ben je...'

Ze wilde zeggen: *Ik ben je minnares niet*. Maar dat was precies wat ze was, dat begreep ze nu zelf ook voor het eerst.

Rory keek haar verwachtingsvol aan. 'Luister,' zei hij. 'Celine is fantastisch. Ik heb haar de afgelopen weken goed leren kennen. Zij zal ons hierdoorheen loodsen en alles komt goed.' Hij ging rechtop zitten. 'Als het allemaal voorbij is, kijken we terug en zeggen: We hebben gedaan wat goed was.' Hij gaf een rukje aan zijn das. 'De juiste manier. Elby?' Hij glimlachte flauwtjes naar haar. 'Tegen de tijd dat het kerst is, ben je eraan gewend. Ik zei toch dat je me moest vertrouwen. En zoals ik al zei, zaken zijn zaken.'

Vertrouwen. Ze wist niet wat ze nog moest zeggen, dus draaide ze zich om en vertrok, en voor het eerst sinds ze hem had ontmoet kon het haar niet schelen of hij haar nakeek of niet.

18

De dag voor het zogenaamde kerstfeest kwam Elle laat thuis. Ze was moe en geïrriteerd na het doen van haar kerstinkopen. Binnen zat Sam aan de keukentafel een papieren servetje aan stukken te scheuren en zong het kerstliedje 'Good King Wenceslas'.

'Is alles goed, Sam?' Elle zette haar tassen op het linoleum en schudde haar jas uit, dankbaar voor de warmte in het kleine keukentje.

'Jawel. Nee, niet echt. Ontslag gekregen. Net gehoord,' zei Sam.

Elle ging aan tafel zitten, met haar mond open van verbazing. 'Nee, nee toch,' zei ze. 'O, Sam, het spijt me zo.'

Maar Sam keek haar niet aan. 'Ja, erg vervelend. Ik dacht dat het allemaal voorbij was.'

De afgelopen twee weken waren zwaar geweest. De dagen na de aankondiging werd duidelijk dat alles tot in het kleinste detail was gepland; een voor een moest bijna iedereen het veld ruimen. Er werkten vijftig mensen op het kantoor in Londen. Dertig daarvan raakten hun baan kwijt. Carl, Elspeth, Helena, Angelica. De hele afdeling Publiciteit, inclusief Wc-Bril, was al weg. Sandy, de dame van de postkamer, was vertrokken op de middag dat ze het haar hadden verteld. Floyd en bijna het hele verkoopteam kregen ontslag. Zelfs Posy, die het de week ervoor had gehoord. Er zou niemand meer over zijn, op Elle en een paar anderen na, en niemand wist precies wat Posy en Elspeth deden. Het was te gek voor woorden.

Elle slikte. 'Ik dacht dat ze klaar waren. Ik dacht dat jij niet weg hoefde.'

'Ik ben de laatste die ze het hebben verteld.' Sam glimlachte. 'Leuk hè?'

Elle wist niet wat ze moest zeggen. Ze pakte Sams hand. 'Rotzakken. Wat krijg je mee?'

'Zes maanden,' zei Sam. 'Niet slecht. Ik zing het wel even uit. Misschien kijk ik wel wat Steve wil doen. Snap je?'

'Dat is een goed plan. Of je kunt even de tijd nemen om na te denken of je iets anders wilt gaan doen?' Elle vond het verschrikkelijk dat ze zo opgewekt klonk.

Sam luisterde niet echt. Ze bleef naar de keukenmuur staren. 'Eigenlijk wil ik gewoon niet weg. Ik had het er naar mijn zin. Ik vond het leuk zoals het ging. Jeremy wil me meenemen, heeft hij gezegd. Hij heeft iemand nodig, maar ze houden voet bij stuk. Alle campagnes die ik al heb uitgezocht voor maart en zo. Hij weet niet eens waar alles ligt. Hij zal alles verpesten.'

Elle huiverde. 'Jij bent degene die de afdeling leidt. Hij heeft de baan alleen maar omdat hij een vriend van Rory is. Dat weet iedereen.'

'Kun jij niet met Rory praten?' vroeg Sam, en ze ging staan. 'Kun jij hem niet zeggen dat ik moet blijven?'

Elle krabde op haar hoofd. 'Ik denk niet dat hij naar me zal luisteren, Sam, maar ik zal het proberen. Hij is dom bezig.'

Sam ging verder. 'Ik moet waarschijnlijk op zoek naar iets anders of bij Steve gaan wonen.' Ze schraapte haar keel. 'Ik neem aan dat jij bij Rory intrekt?' Ze keek Elle aan. Buiten klonk de sirene van een ambulance, terwijl de meisjes elkaar aanstaarden. 'Toch?'

'Hoe bedoel je?' vroeg Elle pseudoschertsend, en ze stak haar ellebogen opzij, als een ouderwetse actrice.

'Elle, kom op zeg,' zei Sam. Ze trok haar bovenlip over haar tanden.

'Hoe ben je erachter gekomen?' vroeg Elle zachtjes.

'Ik ben niet achterlijk, Elle. Ik woon al drie jaar samen met je. Ik weet dat we niet zo close zijn als Libby en jij, maar ik ben niet achterlijk.'

Elle had een droge keel. 'Sam...' Ze legde haar handen op haar gloeiende wangen. 'Sam, het spijt me. Ik had het je moeten vertellen. Niemand weet het. Libby niet, niemand. Toen gebeurde dit allemaal met de overname en zo.'

'Jij gaat zeker mee naar Bookprint?'

'Ja,' zei Elle. 'Dat denk ik wel.'

'Dat dacht ik al.' Sam knikte. 'Ik neem het je niet kwalijk, Elle. Echt niet.'

Elle voelde een snik omhoogkomen. 'Dat zou wel moeten.'

'Het geeft niet. Je houdt van hem. Dat heb ik altijd geweten door de manier waarop je naar hem kijkt. En hij houdt van jou.' Sam wreef over haar neus. 'Ik ben blij voor je, het is gek, maar het is wel zo.'

Nu ze er eindelijk met iemand over kon praten, wist ze niet wat ze moest zeggen. Ze wendde zich af. 'Het spijt me,' zei ze opnieuw.

'Waarom? Dat hoeft niet. Met mij komt het wel goed. Echt. Over een paar jaar kijken we hierop terug en lachen we erom,' zei Sam filosofisch. 'We blijven toch altijd vrienden? Hoe dan ook, iedereen heeft altijd geweten dat Rory de leiding over het bedrijf wilde.'

'En dat is ook prima, maar niet de manier waarop hij het heeft gedaan.' Elle staarde weer naar de muur. 'Ik begrijp het gewoon niet. Ik weet niet wie hij is... Ik weet het wel, maar ik kan... Ik denk...' Ze fluisterde: 'Ik denk niet dat ik bij hem kan blijven.'

'Meen je dat?' Sam trok zichzelf op en ging op het aanrecht zitten. Ze pakte twee koekjes uit een trommeltje en stopte ze in haar mond. Ze zag er afgemat uit en haar ogen waren bloeddoorlopen. In de meer dan drie jaar dat ze samenwoonden, had ze Sam nog nooit zien huilen, behalve tijdens de begrafenis van Lady Di.

Ze trapte tegen het keukenkastje. 'Ik wil hem aan kunnen kijken en tegen hem kunnen zeggen: "Ik ben trots op je, ik hou van je, je bent een goed mens." Maar dat kan niet. Nooit meer.' Ze had dat nog nooit hardop gezegd en het niet eerder beseft.

Ze stond op, liep naar de koelkast en haalde er een paar worstjes uit. 'Ik zal wat te eten voor je maken. Wil je wel wat eten?' voegde ze eraan toe, en ze vroeg zich af of Sam eigenlijk honger had. Ze wist niet zeker of ze zelf wel kon eten.

Tot haar verbazing zei Sam vrolijk: 'Ja, graag. Rol je ze in deeg?'

'Ja hoor,' zei Elle.

'Kan me niet herinneren wanneer we voor het laatst samen hebben gegeten,' zei Sam. Ze begon 'Deck the Halls with Boughs of Holly' te zingen. 'Ik ga beneden even wat wijn halen.' Ze pakte haar tas. 'Dit is onze kerstmaaltijd.' Ze wendde zich tot Elle. 'Echt, ik ben blij voor je, als jij maar gelukkig bent.'

Elle haalde haar schouders op. 'Bedankt, Sam,' zei ze. Ze pakte haar hand en keek haar aan, daar in de warme keuken, waar ze samen misschien wel duizend koppen thee hadden gedronken, uren hadden zitten kletsen en meer tijd met elkaar hadden doorgebracht dan Elle met de meeste mensen in haar leven had gedaan, en dat liep nu ten einde. 'Bedankt voor alles.'

'Geen dank,' antwoordde Sam, en ze liep fluitend naar buiten, Elle alleen achterlatend.

19

De volgende dag, vrijdag 22 december, gingen Elle en Sam samen naar kantoor, met een zwaar hart en een zwaar hoofd na de hoeveelheid rode wijn die ze de avond ervoor hadden gedronken. Sam was teruggekomen met een bisschopswijnmengsel van de duistere slijterij, ze hadden kerstliedjes gezongen en Sam had gezegd dat het de beste avond in tijden was, wat Elle best vreemd had gevonden voor iemand die net was ontslagen.

Ze werden begroet met het bericht dat de periode van due diligence voorbij was en de verkoop was afgerond. Om één uur zette Floyd zijn computer uit en riep: 'Ik ben weg. Ik ga voor het laatst naar de pub. Eerste rondje is van mij.' Hij keek naar Rory's gesloten deur, waarachter Rory zoals altijd in geheim overleg met Celine zat. 'Tot ziens, Rory,' riep hij. 'Het was geweldig. Succes met dit bedrijf. Je zult het nodig hebben, kerel!'

Hij zwaaide zijn rugtas over zijn schouder en beende weg.

In vijf minuten tijd was het kantoor praktisch verlaten en Rory en Elle waren de enigen op hun verdieping die nog over waren. Toen Celine eindelijk wegging, stopte Elle de laatste dingen in de verhuisdoos en deed de deksel dicht. Ze zette haar computer uit, pakte haar tas en liep met trillende benen naar Rory's kantoor. Ze voelde zich net een klein meisje of het meisje dat de trap die dag in mei had beklommen, zo lang geleden, in haar gloednieuwe roze Oasis-trui, zo trots, nerveus en opgewonden.

Ze klopte op de deur.

'Ik ga naar de pub,' zei ze.

Rory keek op en toen hij zag dat zij het was, duwde hij zijn papieren opzij. 'Elle, o,' zei hij. 'Ik loop met je mee.'

Elle haalde haar schouders op; ze kon geen nee zeggen. Rory pakte zijn jas en samen liepen ze door het verlaten kantoor.

Het was ijskoud op het plein, te koud voor sneeuw, zoals oma Bee altijd zei. Er hing een dikke mist over het park, die haar botten in leek te kruipen. Ze huiverde. Plotseling, ze wist niet waarom, moest ze denken aan de dag dat ze koffie over Felicity had gegooid en hoe Rory had gezegd: 'Maak je niet zo druk,' net als oma Bee altijd had gezegd. Het was zo lang geleden. Ze keek omhoog naar het gebouw en besefte dat ze er niet meer naar binnen zou gaan. Nooit meer.

'Luister, Rory,' zei ze. 'Ik wilde even zeggen dat ik snap dat alles tussen ons op het moment een beetje vreemd is, ik weet dat je heel veel moet... regelen.' Ze wist niet welk woord ze anders moest gebruiken. 'Maar ik heb er eens goed over nagedacht en ik wil niet naar Bookprint. Ik wil graag dat je mijn baan aan Sam geeft. Je hebt haar harder nodig dan mij.' Ze knikte. 'Geloof mij, ik probeer niet edelmoedig te zijn, het is gewoon zo.'

'Begin je nu weer?' Rory stampte met zijn voeten om warm te blijven. 'Luister, Elle. We hebben beslissingen genomen om zakelijke redenen. Ik geef Sam geen baan. Zij is een marketingassistente van dertien in een dozijn. Jij daarentegen...' Hij legde zijn hand onder haar kin. 'Jij bent uniek en ik wilde dat je dat begreep. Dit is geen liefdadigheidsinstelling, maar een bedrijf.' Ze stond nog steeds stil en keek in zijn groene ogen. Hij deed een stap naar voren. 'Verdorie, Elle, voor mij is dit ook niet makkelijk. Ik heb Celine vijftien keer per dag aan de telefoon. Mijn moeder gaat tegen elke oude agent in de stad tekeer en verspreidt allerlei geruchten over me. Ik weet verdorie niet eens wat ik aan het doen ben. Kun jij me in ieder geval niet een beetje steunen?'

Ze legde haar handen op zijn borstkas, het kon haar niet schelen of iemand het zag. Ze kon zijn warmte onder zijn jas voelen. 'Maar Rory, dat is nu juist het probleem, ik ben het met je eens. Ik denk ook dat je niet weet wat je aan het doen bent.' Ze slikte en staarde hem aan.

Zeg het, riep de stem in haar hoofd. *Zeg het*.

Zeg het niet, zei een ander stemmetje. *Zeg het niet, Elle, je zult er de rest van je leven spijt van hebben.*

'Jee...' zei Elle, wetend dat ze het zou gaan zeggen, dat ze zichzelf niet kon tegenhouden. Ze wist niet waar het vandaan kwam en een deel van haar wilde wanhopig graag dat ze haar mond zou houden. 'Mijn god. Luister, Rory. Ik denk dat het voorbij is.'

'Wat?' vroeg hij fel.

Elle haalde diep adem, de ijzige lucht prikte in haar longen. 'Ik ken je niet, dat is het probleem.' Ze huiverde. 'Ik dacht dat ik je kende.'

'Je kent me ook,' zei hij, en hij staarde haar vol ongeloof aan. 'Ik weet dat je geschokt bent, maar ik kon het je niet vertellen, dat zou niet eerlijk zijn geweest. Maar nu is alles achter de rug...'

'Jezus, Rory, ik zeg dit niet omdat je het me niet hebt verteld. Ik doe dit omdat... omdat...' Elles stem stierf weg.

Hij zag een opening en zei vlug: 'Zeg het maar.' Zijn stem was hees. 'Elle, kom op, doe dit niet. Ik doe alles voor je, dat weet je.'

Plotseling wist ze wat ze moest doen. Het was zo helder als glas.

'Kus me, nu, hier op het plein,' zei ze. 'Kus me net als vorige week, zoals je doet als niemand ons ziet.'

Hij aarzelde. Ze ging door en bleef hem aankijken. 'Bel Celine dan. Vertel haar dat we verliefd zijn. Ga met me mee naar de pub, geef een rondje, houd mijn hand vast en kus me opnieuw. Je kunt het net zo goed nu doen, Rory, ze hebben toch al een hekel aan je. Ze zullen zeggen dat het niet eerlijk is, dat ik mijn baan niet had mogen houden, dat ik een achterbakse trut ben.' Haar gezicht was heel dicht bij dat van hem en met klem zei ze: 'Ik heb meer te verliezen, maar dat kan me niet schelen, als je dat voor me doet, dan weet ik het.'

Ze klampte zich vast aan de voorkant van zijn jas, starend naar zijn scheve, vrolijke mond.

'Kus me dan,' zei ze opnieuw resoluut.

Hij ging rechtop staan en week iets naar achteren. 'Wauw,' zei hij. 'Je bent zo veranderd.'

'Wat?'

'Het meisje dat je was, met die lange benen en dat lange haar, zo verlegen en apart, durfde nog geen boe tegen een gans te roepen. Je bent veranderd. Volwassen geworden. Soms kijk ik naar je en heb ik het gevoel dat ik je niet meer ken.'

'Dat meisje ben ik allang niet meer.' Ze bleef vastberaden staan, bijtend op haar lip. 'Ik heb je een vraag gesteld, Rory. Wat is je antwoord daarop, ja of nee?'

Hij aarzelde. 'Zo eenvoudig is het niet.'

'Dat is het wel,' zei Elle, en haar hart deed fysiek pijn. 'Dat moet. Als je niet met me mee gaat naar de pub, vertrek ik nu, anders verander ik van gedachten en dat zou dom zijn. Heel dom.' Ze bedekte haar gezicht met haar handen en haalde diep adem. 'Zo dom als ik de afgelopen paar jaar geweest ben... nee, dat nooit meer.'

Het was zo vreemd om deze woorden zelf te zeggen, ze niet in een boek te lezen of op het witte doek te zien. Zo voelde het als je hart er langzaam uit werd gerukt. Als je het er zelf uit rukte na jarenlang stiekem te hebben gedroomd en plannen te hebben gemaakt. *Dom, dom meisje,* zei ze tegen zichzelf. *Je had nooit zoveel hoop moeten koesteren. Weet je niet dat je altijd voor je hoofd wordt gestoten? Hou op met hopen. Geef het op.*

Rory pakte haar handen in de zijne. 'Elle, je meent het niet. Laten we het nieuwe jaar afwachten. Dan beginnen we opnieuw – dan werken we bij een nieuw bedrijf en kunnen we plannen gaan maken. Een frisse start!' Hij leunde voorover: ze stond heel dichtbij en hij kon haar wang zoenen, haar nek, haar schouders vastpakken en haar kussen. '*O baby,*' zei hij zachtjes. 'Doe dit niet, lieverd. Je hebt me nodig, ik heb jou nodig... Kom op.'

Het was dat 'Kom op' dat het hem deed; alsof ze een ongehoorzaam paard was, of een puppy die hij aan het trainen was. 'Ik ben geen baby, Rory,' zei Elle. 'Ik ben een volwassen vrouw en dit is niet goed genoeg.' Ze liep weg en haar hakken maakten een zacht krakend geluid op het berijpte, glinsterende wegdek.

'Ik zal je van gedachten doen veranderen. Echt,' riep Rory uit over het lege plein. Zijn stem sneed door de ijskoude lucht. 'Neem de tijd, Elle. Ik ben niets zonder jou.'

Ze bleef bijna staan. Zou het niet gemakkelijk zijn, zou het niet geweldig zijn om naar hem terug te rennen. Nog één keer? Zijn warme hand in de ijskou te pakken? Te weten dat ze weer samen zouden zijn, zij tegen de rest van de wereld?'

Maar waarom tegen de wereld? Waarom was het zo moeilijk? En waarom vertrouwde ze hem niet?

Elle liep door.

'Je kunt ook niet zonder mij, Elby, dat weet je,' riep hij. 'Dat weet je.' Het verbaasde haar dat hij zo hard riep, maar misschien moest hij iets bewijzen. Ze was vergeten hoe slecht hij tegen zijn verlies kon.

Net op dat moment ging de voordeur van Bluebird open en kwam Felicity de trap af. Ze had iets felroods aan en drie of vier boeken onder haar arm. Naast haar stond Elspeth te snikken met het schilderij van Maurice Sassoon in haar hand geklemd dat bij Felicity op kantoor had gehangen.

Iemand moest het de anderen hebben verteld, want een heel groepje mensen stroomde de pub uit en bleef op de hoek naar haar staan kijken. Floyd liep naar voren. 'Kom wat met ons drinken, Felicity,' riep hij.

Ze glimlachte zwakjes. 'Lieve jongen, ik drink uitsluitend sterke drank en het liefst een dubbele. Ik kwam alleen maar even wat dingen ophalen. Een ander keertje.' Ze pakte zijn hand. 'Bedankt voor alles.'

Ze stak haar hand op, en onmiddellijk verscheen er een taxi. Elspeth zette het schilderij er voorzichtig in en omhelsde Felicity, die met haar hand op het portier van de taxi leunde. Posy omhelsde haar, zei iets tegen haar en wees naar de overkant van het plein. Felicity draaide zich om, net als Elle, en ze zag het grootste gedeelte van het personeel op de stoep voor de George MacRae staan.

Felicity keek met grote ogen naar hen, er zat mascara op haar wangen en ze stak haar hand op. Elle staarde haar aan en voor het eerst zag ze de vrouw onder al dat uiterlijke vertoon, onder het grote kapsel, de opvallende kleuren en de koninklijke tred. Haar ogen waren opgezwollen, ze had haar rozenrode lippen strak op elkaar en haar wangen waren rood en heel even leek ze jong, kwetsbaar en menselijk. De taximotor ronkte ongeduldig. De mensen zwaaiden en knikten.

'Tot ziens,' zei Elle zachtjes, die achter alle anderen stond. 'Bedankt.' Felicity keek nog een keer op en stapte langzaam in de taxi. Elspeth deed het portier dicht, en de auto reed weg. Elle draaide zich om want ze wilde zien of Rory had staan kijken, maar hij liep met gebogen hoofd richting Gower Street. De anderen liepen terug naar de pub. Posy omhelsde Elspeth. 'Kom mee iets drinken, oud besje,' zei ze.

Elle liep achteruit, in haar ogen brandden de tranen. 'Ga je mee naar de pub, Elle?' vroeg iemand, al wist ze niet wie.

'Nee, dank je,' zei ze. 'Nee, het is goed zo.' Ze hield haar handen tegen haar buik en probeerde niet hardop te snikken. De deur van de pub ging open, en de klanken van een elektronische 'Jingle Bells' stroomden het plein op. De anderen gingen terug naar binnen, ze praatten, klopten elkaar op de rug, omhelsden elkaar. Rory sloeg de hoek om en verdween uit het zicht.

Het was weer stil. Elle keek om zich heen, maar iedereen was verdwenen.

Jane Eyre, die een hartstochtelijke vrouw vol hoop was geweest – een bruid bijna, was weer een koud, eenzaam meisje: haar leven was flets; haar vooruitzicht wanhopig.

– Charlotte Brontë, *Jane Eyre*

20

Juni 2001

'Je kunt er weer vanaf komen,' zei de dame met op haar neus een half brilletje en een mond vol spelden. 'Het is bijna perfect.'

'Bedankt, Margaret.' Melissa stapte van het voetstuk en keek over haar schouder vol bewondering in een van de lange spiegels naar haar eigen spiegelbeeld. Elle zat vanaf het crèmekleurige muurbankje naar haar te kijken.

'Mmm?' zei Melissa vragend, hoewel Elle niets had gezegd.

'O, hij is prachtig,' zei Elle gehoorzaam. 'Betoverend. Je ziet er fantastisch uit.'

'Vind je?' vroeg Melissa onzeker. 'Vind je hem niet te opvallend?'

'Als het goed genoeg voor Posh is,' zei Elle.

'Wie?' vroeg Melissa scherp.

'Posh Spice. Ik bedoel deze stijl, die had zij ook. Als het goed genoeg was voor haar...' Melissa snapte het niet.

'O.' Melissa draaide zich om toen Margaret weer verscheen.

'Wanneer is je trouwdag ook alweer?' Margaret sloeg een blocnote open.

'Je moet natuurlijk ook zoveel data onthouden! Het is zaterdag 29 september,' zei Melissa glimlachend, hoewel Elle dat toontje wel kende. Eigenlijk zei ze: *Margaret, je zou de datum achterstevoren op je voorhoofd hebben moeten laten tatoeëren.*

'Goed. Dan zien we je nog een keer terug om door te passen. Tegen die tijd zul je nog wel wat afgevallen zijn. Dat is altijd zo.' Margaret likte tot Elles genoegen aan haar potlood en maakte een paar aantekeningen.

'Ik niet,' zei Melissa vastberaden. 'Ik ben al op mijn bruiloftsgewicht.'

'Geloof mij,' zei Margaret. 'Alle bruiden...'

'Ik ben niet zoals alle bruiden.' Melissa legde haar hand rustig op de blocnote. 'Ik niet. Ik wil het zo hebben en zo blijf ik.' Ze grinnikte als in een reflex, alsof een robotstem in een onzichtbaar oortje zei: *Toon menselijkheid door te glimlachen*. De witte tanden en grote diamanten ring glinsterden tegelijkertijd. 'Dan zie ik je in augustus, Margaret. Dank je.'

'Ik beheer de global risk van alle Afrikaanse landen voor een totaalbedrag van zeven miljard dollar per jaar,' zei Melissa toen ze vijf minuten later door Marylebone High Street liepen. 'Ik denk dat ik wel weet hoeveel ik in september zal wegen. Wat kunnen mensen toch vreemd doen.'

Elle zei niets, maar glimlachte. De hemel was bedekt met een dikke witgrijze deken. Het was vochtig, de lucht was zwaar van de warmte en uitlaatgassen. Ze slikte. Ze had enorm veel zin in een drankje, hoewel het pas even na twaalven was. 'Waar moeten we heen?' vroeg ze. 'Wat gaan we nu doen?'

Melissa knikte. 'Ik wil de schoenen bij Selfridges even checken. Niet voor mezelf, voor jullie. Er zijn vandaag spullen van Carvela binnengekomen en ik moet even kijken of ze die sandalen in Francies maat hebben. Ze heeft zulke enorme voeten, net een vent, je zou niet denken dat we zussen waren.' Ze duwde haar zonnebril voor haar ogen en zuchtte. 'Er zijn zoveel dingen om over na te denken. Echt belachelijk.'

'Maar het wordt fantastisch!' zei Elle, en ze probeerde vrolijk te klinken. 'We moeten het ook nog even over het vrijgezellenweekend hebben. Mijn vader betaalt mijn vlucht, heb ik dat al verteld? Ik kan niet wachten, ik ben nog nooit in New York geweest. Ik kijk er zo naar uit!'

Melissa was zo'n bruid die alles wat aan de bruiloft voorafging alleen maar door haar eigen bril kon bekijken. De gedachte dat een reisje naar New York voor Elle spannend kon zijn, boeide haar totaal niet. Ze knikte vlug en zei: 'Ja, geweldig. Jemig, ik vind het zo irritant dat we het voor Darcy in juli moeten doen vanwege de kinderen. Tussen jou en mij gezegd dan.' Ze haalde haar schouders op. 'O, ik ben zo'n trut.'

'Nee, dat ben je niet!' zei Elle automatisch hoewel ietwat hysterisch. Melissa draaide zich om en keek haar aan. Ze ging met haar tong over haar lippen en stopte alsof ze op het punt stond iets te zeggen.

'Bedankt, Elle,' zei ze ten slotte. 'Ik weet dat dit net werk voor je is en dat je me niet kent en ik lijk vast volledig door alles in beslag genomen. Maar ik weet gewoon mijn hele leven lang al hoe mijn bruiloft eruit moet zien. En we kunnen het niet in Amerika doen en dat is prima, maar als al het andere ook niet perfect kan zijn, dan hoeft het van mij niet. En misschien...' Ze bleef staan en keek om zich heen. Ze stonden voor een tapasbar in de buurt van St. Christopher's Place. 'Hé, het maakt niet uit. Ik weet niet wat er vandaag met me aan de hand is. Waarom gaan we hier niet even wat eten. Ik heb honger.'

Ze plofte neer aan een van de tafeltjes buiten, zette de tassen op de grond en wuifde zichzelf wat koelte toe. Elle ging naast haar zitten. Ze had het gevoel dat er iets was wat Melissa haar niet vertelde.

'Is alles wel in orde?' vroeg ze.

'Natuurlijk!' zei Melissa. Ze knikte vol overgave, alsof ze dit aan zichzelf bevestigde. 'Natuurlijk. Maar genoeg over mij. Nu even over jou. Hoe bevalt je nieuwe baan? Het moet zo'n opluchting zijn geweest dat je je baan kon behouden. Ze moeten je wel geweldig vinden!' Ze glimlachte, en Elle glimlachte terug. Ze wist dat Melissa aardig probeerde te doen.

'O, ja. Het gaat wel,' zei Elle. Ze duwde het servet en het bestek van zich af.

'Het gaat wel?' Melissa vouwde het servet netjes uit over haar schoot.

'Het is best zwaar,' zei Elle. 'Ik mis het oude bedrijf. Dat was... fantastisch. Het voelt als zo lang geleden, alsof er een hele laag weg is.'

'Hoezo? Is dit bedrijf niet beter dan?' vroeg Melissa.

'Het is groter, ik weet niet of dat beter is. Het is vreemd.' Elle kon de grootsheid van het Bookprint-gebouw niet uitleggen, het feit dat ze sinds januari drie keer was vergeten op welke verdieping ze werkte, dat ze elke avond onderweg naar de lift langs rijen en rijen bureaus liep en geen idee had wie al die mensen waren of wat ze deden.

'Heb je daar nog geen vrienden? Is er niemand anders meegekomen? Ik dacht dat Rhodes zei dat je daar iemand kende, je baas toch?'

'Mijn vriendin Libby werkt er. Maar zij werkte er al en we zijn... heel anders.' Ze moest het iets opleuken, want het klonk belachelijk. 'Er zitten een paar mensen van Bluebird, het oude bedrijf, maar het is gewoon niet meer hetzelfde.'

Ze wist niet waarom ze hierover tegen Melissa zat te praten, behalve dat ze het iemand moest vertellen. Haar keel deed pijn van het niet vertellen van dingen. Acht, negen maanden geleden kon ze niet wachten om naar haar werk te gaan, ze was dol op haar dramatische spannende leven, het wanhopige verlangen naar hem, de blijde zekerheid als Rory en zij samen waren, het feit dat het kantoor een toneel was waar ze elke dag kon kijken naar de man van wie ze hield en kon zien hoe hij naar haar keek, naar haar glimlachte, omdat ze een geheim deelden. Elke ochtend werd Elle wakker en was ze blij om te leven. Ze was zelfs gewend geraakt aan het zingen van Sam onder de douche. Nu zat Sam in Hertfordshire, en Elle was in maart verhuisd naar een kleine, vochtige zit-slaapkamer in Kilburn. Ze werkte bijna in stilte met mensen die ze niet kende en ze was Rory kwijt. Ze was hem kwijt omdat ze hem had laten gaan en ze stond zichzelf niet toe spijt te hebben van haar besluit.

Misschien zou het anders zijn als ze hem niet meer zou zien. Maar ongewild dacht ze aan hem, hoe het met hem ging, of hij aan haar dacht. Toen, twee weken geleden, had hij ge-sms't en had zij haar antwoord gehad.

Ik moet steeds aan je denken. Ik mis je. Kunnen we even met elkaar praten? Niet op kantoor. Het gaat niet over het werk.

Hij was haar baas niet langer, dus Elle wist niet waarom hij schreef dat het niet over het werk ging en ze wist niet wat ze moest doen.

De volgende avond in Chandos, de stamkroeg van de mensen van Bookprint, in de buurt van Carnaby Street, was ze eindelijk overstag gegaan en had ze Libby alles verteld. Libby was niet opgetogen of verleid door de romantiek, zoals Elle had gehoopt. Eigenlijk had ze heel vreemd gereageerd.

'Wat ben jij een gluiperd! Eleanor Bee!' Ze had Elle staan aankijken alsof ze haar helemaal verkeerd had ingeschat. 'Rory? Echt waar? Al die tijd?'

'Eh... ja,' had Elle gezegd, en ze vroeg zich af of het klonk alsof ze alles had verzonnen. Was dat zo? Waren de afgelopen achttien maanden gewoon een rare droom geweest?

'Wel heb ik ooit!' Libby schudde haar hoofd. Ze glimlachte vreemd. 'De viezerd. Ik kan het gewoon niet geloven.'

'O,' zei Elle. Ze kneep haar ogen tot spleetjes. 'Nou, het is echt waar en ik weet niet wat ik...'

'Ik dacht dat je geen man uit de uitgeefwereld wilde?' ging Libby verder. 'Je zei altijd dat je geen interesse had.'

Elle had geprobeerd niet ongeduldig te klinken. 'Dat kan ik me niet meer herinneren. Dat is vast heel lang geleden. Luister, ik wilde dat ik het je niet had verteld. Ik wilde je advies.' Er viel een stilte. 'Ik weet niet wat ik moet doen. Ik weet niet of ik een verschrikkelijke fout heb gemaakt en of ik nog steeds verliefd op hem ben.'

Libby had vastberaden gezegd: 'Ik vind het echt heel lullig van hem, dat hij op die manier gebruik van je heeft gemaakt... en je nog steeds gebruikt. Niet antwoorden.'

'Ik kan niet niet antwoorden,' zei Elle.

Libby was plotseling boos geworden, bozer dan Elle haar ooit had gezien. 'Hij buit je uit, Eleanor. Hij houdt je compleet voor de gek.'

'Nou, misschien wel, maar...' Elle was het er niet helemaal mee eens. 'Ik bedoel, wat heeft hij eraan? Het is niet alsof ik Celine ben of iemand die hij ervan probeert te overtuigen het bedrijf te kopen. Ik was slechts een assistent-redacteur. We waren... Nou, ik dacht echt dat we verliefd waren.'

'Je was een makkelijke prooi.' Libby schudde haar hoofd. 'Hij had het niet mogen doen. O, Elle.'

Elle keek in de kleine pub om zich heen en sloeg de rest van haar drankje achterover. Ze wilde dat ze Libby niets had verteld, ze wilde dat ze thuis was. Ze speelde met het boek in haar tas.

'Wat ben je aan het lezen?' vroeg Libby dringend.

Elle wilde haar dat ook niet vertellen. Ze wilde niets meer onthullen. Na een korte pauze zei ze met weerzin: *'Dochter van de Farao.'*

Libby keek haar wezenloos aan. 'Ken ik niet.'

'Van Georgette Heyer.'

'O.' Ze haalde haar schouders op. 'Zo'n Felicity-boek.'

Elle voelde dat haar gezicht rood van ergernis werd bij de gedachte aan dat gesprek. Vreemd dat ze het zich zo had aangetrokken; ze maakte zich tegenwoordig nergens meer echt druk om. Haar baan, haar flat, haar liefdesleven, het zomerweer, wat dan ook. 'Poeh poeh,' zei ze, en ze nam een slok van haar rioja. Het was zalig, zwaar, sterk en het verwarmde haar keel. Ze veranderde van onderwerp.

'Trouwens, Melissa, ik wilde je nog vragen of je hebt nagedacht over het etentje met mijn moeder, ergens in augustus? Met ons drieën of misschien nog met iemand anders die niet meekan naar New York voor het vrijgezellenfeestje? Ze vroeg er vorige week naar.'

Dat was een leugen; Mandana had helemaal nergens naar gevraagd. En Elle had bewust vermeden over de bruiloft te praten, een combinatie van kinderachtigheid en schaamte voor het feit dat het door haar hier werd gehouden. Maar sinds Melissa en Rhodes in februari voor zijn werk naar Londen waren verhuisd, had het feit dat ze nu dichter in de buurt waren er alleen maar meer nadruk op gelegd dat Mandana helemaal geen moeite voor Melissa deed. Ze waren te anders, zo simpel was het. Toch zou Elle willen dat ze het in ieder geval zou proberen.

'Ja! Natuurlijk, daar wilde ik het net met je over hebben.' Voorbijgangers drongen langs elkaar heen op de volle stoep. Melissa bestudeerde hen even en zei toen: 'Wat zou je moeder op de bruiloft willen doen, wil ze ergens bij betrokken worden? Ik heb haar het e-mailadres van mijn stiefmoeder gegeven zodat ze informatie kunnen uitwisselen en ervoor kunnen zorgen dat hun kleren niet vloeken.'

'O, geweldig,' zei Elle onzeker.

'Is er nog iets anders wat ze zou willen doen? Ik heb het gevoel dat ze zich inhoudt, of misschien interesseert het haar gewoon niet.'

Aangezien dat de waarheid was, wist Elle niet goed wat ze moest zeggen. 'O, nee,' zei ze vol medeleven, en door de lichte roes van de wijn klonk ze overtuigend. 'Dat is niet waar.'

Melissa streek haar haar, dat over een schouder hing, glad. 'Nou, over een paar weken gaan we naar haar toe. Rhodes wil wat tijd met haar doorbrengen om te checken of alles wel goed met haar gaat zo vlak voor de bruiloft.'

Een waarschuwingslicht flitste voor Elles ogen heen en weer. 'Wat bedoel je, checken of alles goed met haar gaat?'

Langzaam zei Melissa: 'Ik denk, eh... nou, gewoon checken. Je weet wel.'

'Goed.' Elle wist niet waarom ze zo in de verdediging schoot. 'Ik denk dat Rhodes dingen ziet die er niet meer zijn.'

'Ik weet niet of hij soms dingen ziet,' zei Melissa. 'Sommige dingen die hij me heeft verteld over toen ze nog dronk... Misschien heeft ze jou niet alles laten zien, misschien wachtte ze tot je op school was. Hij is bang dat ze weer begonnen is of weer begint. Ik weet het niet.' Ze haalde weifelend haar schouders op.

'Hij is vertrokken zodra hij kon!' Elle begon bijna te lachen. 'Melissa, heus! Ik heb de meeste tijd met haar doorgebracht. Als zij een drankprobleem heeft, zou ik het weten.'

'Mijn vader was tien jaar lang alcoholist voordat ik erachter kwam,' zei Melissa zakelijk. 'Meer heb ik er niet over te zeggen.'

Elles mond viel open van verbazing. 'O, het spijt me. Dat wist ik niet,' zei ze.

'Het geeft niet. Hij is het nog steeds.' Melissa pakte het schaaltje olijven aan dat door de kelner werd aangeboden, en netjes zette ze een van de bordjes opzij. 'Het gaat niet weg, weet je. Hij heeft sinds vijfennegentig niet meer gedronken. Hij is gestopt op de dag dat hij voor de derde keer in een jaar in de nor wakker werd. Hij was op de Interstate 87 tegen een boom gereden. Hij was niet gewond, maar dat was puur geluk. Hij had wel slachtoffers kunnen maken.' Langzaam streek ze met haar slanke vinger over een bordje. Het liet een streep op het glanzende witte porselein achter.

Ineens schoot het Elle door haar hoofd dat Mandana onderweg naar school haar auto ook eens tegen een heg had gezet. Maar dat was maar één keer voorgekomen en het regende, dat was niet helemaal hetzelfde. 'Dat is verschrikkelijk,' zei ze.

'Het was verschrikkelijk te moeten wachten tot hij uit zijn werk kwam, nooit te weten waar hij uithing. Ik onderhandelde altijd met God. Breng hem deze keer in ieder geval veilig thuis, dan zal ik mijn wiskunde maken, mijn korstjes opeten en zelfs Francie niet meer pesten met haar pony.' Ze glimlachte. 'Mijn zusje was te jong om het zich te herinneren. Dus nu ik volwassen ben, wil ik dat de dingen gaan zoals ik het wil. Anders is het niet goed.'

Ze legde haar handen op haar buik en toen was ze stil.

'Nou, ik zal het mijn moeder vragen, misschien moeten we ergens heen gaan, een dagje naar een spa of zo,' zei Elle zwak, hoewel de gedachte aan Mandana die in een wollige witte badjas een manicure kreeg, erg vreemd was. Ze zou gaan gillen en spottend lachen bij de gedachte alleen al. 'Ik zal wel met haar praten. Maak je geen zorgen.' Toen zei ze vriendelijk: 'Ik weet dat Rhodes soms vindt dat ze moeilijk doet, maar ik beloof je, ze wil niets anders dan hem gelukkig zien.'

Melissa legde haar hand op die van Elle. 'Zo zijn we allemaal, neem ik aan. Ik zou me erbuiten moeten houden. Heerlijk hè, familie. Ik vind het heel leuk om tijd met je door te brengen. Ik heb het gevoel dat we elkaar al veel beter kennen en dat is waar het allemaal om draait bij familie, toch?'

Ze glimlachte breed en wederom week Elle opzij, ze voelde zich ongemakkelijk in de grote straling. Ze had het gevoel dat ze verder bij haar toekomstige schoonzus vandaan stond dan ooit.

21

'Ik ben dit soort boeken zo zat,' zei Bill Lewis, directeur van de divisie BBE – Bookprint Press, Bluebird en Eyre and Alcock – en hij probeerde de brief behorende bij het manuscript door de kamer te gooien. Het papiertje dwarrelde echter doelloos door de lucht en landde een paar centimeter bij hem vandaan op de lichte essenhouten tafel. Alles bij Bookprint was van glas of van licht essenhout. 'Ze zeiden dat het een eendagsvlieg was en het duurt nu al vijf jaar. Er lijkt geen einde aan te komen. Als ik nog een keer iets lees van een meisje dat voor een reclamebureau in Londen werkt en dat van winkelen en haar baas houdt, dan word ik gek.'

'Maar dit boek is anders.' Annabel Hamilton – junior redacteur, Bookprint Press – keek beledigd. Ze wierp een blik op Libby, haar heldin, maar Libby zat op haar aantekeningen te tekenen en keek niet op. 'Ze is een heks, de heldin, en kan geen man vinden.'

'Ha!' Bill Lewis lachte hol. 'Er is altijd wel iets. Deze is anders. Ze komt uit Azië, ze is lesbisch, het speelt zich af in Bogotá, in een vechtclub.' Zijn stem ging omhoog, tot hij bijna hysterisch klonk. 'Maar ze zijn verdorie altijd hetzelfde. Ik haat Bridget Jones. Ik haat ze allemaal! Stomme roze omslagen!'

Niemand zei iets. Iedereen schoof ongemakkelijk heen en weer in de glazen vergaderzaal. Elle, die stiekem had zitten lezen, ving alleen die laatste zin op.

'Dat is niet waar,' zei ze mild. '*Het dagboek van Bridget Jones* had geen roze omslag en er stond een citaat van Nick Hornby op. Het is gewoon erg grappig.'

Er viel een stilte, en ze bloosde. Ze wilde dat ze haar mond had gehouden. Redactievergaderingen hier duurden zo ongelofelijk lang, elk boek werd afgekraakt en afgekraakt. Dan zou ze willen roepen: *Nee, niemand, niemand hier wil een boek kopen van een politieagente die graag naar naaktstranden gaat. Maar waarom moeten we daar tien minuten over discussiëren, Bill, jij oude geile bok. Waarom?*

Bill wendde zich tot Rory. 'Dus, Rory, wat vind jij ervan? Heb jij een mening?'

Rory had naar de tafel zitten staren. 'Eh...' zei hij. 'Ik ben het met Elle eens.'

'Natuurlijk,' zei Bill humeurig. Elle wierp een blik op Rory, maar die keek naar het vergaderverslag. Niemand anders ving haar blik. Ze wist dat ze allemaal dachten dat ze nutteloos was, een kater overgehouden aan het schattige Bluebird, die alleen maar over romantische boeken kon praten. Ze wist dat het haar iets zou moeten kunnen schelen, maar dat was niet zo.

'Oké, we zijn nog steeds bezig met de nieuwe projecten,' zei Bill. 'Wie volgt?'

'Ik heb de *Shaggy Dog Story*,' zei Libby naast Elle.

Bill ging rechtop zitten. 'Natuurlijk. Geweldig. Libby, wil je iedereen even uitleggen wat dit is?'

'Tuurlijk. Eerste boek van deze auteur. Fantastisch idee. Ik wil dat jullie je voorstellen dat...' Libby stak een helder en bondig verkooppraatje af, en Elles gedachten dwaalden weer af. Het was een roman over een jongen met een hond die tegen hem praatte. Elle vond het echt te zot voor woorden, maar er was een enorme bieding gaande en het werd vergeleken met *Flauberts papegaai* en *De god van kleine dingen*, dus wie was zij nu helemaal.

'Dus we gaan straks naar de beste biedingen,' zei Libby. 'We staan één zeven vijf tegen één. Dit houden we binnenskamers, goed?'

Iedereen knikte. 'Klinkt geweldig,' mompelde Jeremy. 'Yep,' echode iemand anders. Elle sloeg de bladzijde om.

'Libby, kun je ons laten weten of je verkoopcijfers nodig hebt of iets anders wat je kan helpen?' zei Sally, salesmanager van de BBE-divisie.

'Fantastisch, Sally,' zei Libby glimlachend. 'Dank je!'

'Dat klinkt spannend,' zei Bill, en hij knikte naar Libby. 'Hou ons op de hoogte. Goed. Wat nu?'

1. *Vuilniszakken kopen*
2. *Jurken passen bruidsmeisjes bevestigen*
3. *Vluchten naar New York boeken. Vandaag*
4. *Melissa mailen over fotoboekjes, nepsluier, cakejes in New York*
5. *Mam bellen*

Omdat ze had geleerd dat de enige manier om een lijstje te maken, was door te eindigen met iets wat je echt graag wilde doen, schreef ze op:

6. *Koop* De weerspannige weduwe

Elle friemelde met de laatste bladzijden van *Frederica* en staarde voor zich uit, toen Libby haar plotseling aanstootte en ze Bill hoorde roepen: 'Elle! Luister je wel?'

Nee, Bill. Ik was een to-do-lijstje aan het maken omdat ik een vrijgezellenfeestje moet organiseren en dat is, als je het echt zo graag wilt weten, praktisch een parttimebaan. Bovendien ben je erg saai en een opgeblazen eikel.

Alle anderen waren stil. 'Sorry,' zei Elle. Ze wierp een blik op Rory, maar die staarde naar zijn blocnote. 'Wat is er?'

'Celine wil je hierna graag spreken.' Bill glimlachte gemeen. 'In haar kantoor.'

'Oké,' zei Elle koeltjes, en ze probeerde net als Libby te doen. 'Dank je, Bill.'

Toen ze de vergaderzaal uit liepen bleven Jeremy en zij tegelijkertijd stilstaan bij de deur. Ze groetten elkaar niet. Elle hield haar hoofd gebogen en haastte zich terug naar haar glazen kantoor.

Tijdens haar eerste weken bij Bookprint had Elle geprobeerd de mensen van Bluebird gedag te zeggen, niet Rory, maar de anderen: Jeremy, Nathan de artdirector, Joseph Mile – naast Rory de enige overgeblevenen van de redactie. Maar ze kwam er al snel achter dat dat niet handig was. Bij Bookprint kwam je niet tot bloei door te praten over waar je vandaan kwam en dingen te zeggen als: *Het is best lastig om hier te wennen, daar waren we zo'n hechte groep!* Omdat het niemand wat kon schelen.

Nee, je wijdde je aan het grote nieuwe bedrijf met de glimmende glazen kantoren in Soho, je scande je veiligheidspasje om door de glazen poorten naar binnen te mogen en je liep verder met klikkende hakken en je koffie de glazen liften in alsof je bij Willy Wonka werkte. Niemand glimlachte in de lift, maar je kwam op tijd en verdiende geld voor het bedrijf. G.E.L.D. De gedachte dat daar een Bernice zou rondlopen om de telefoons en toetsenborden schoon te maken met een zachte doek was een lachertje, net als de gedachte aan Felicity's schone handdoekjes in haar kantoor, de familieportretten in het trapgat en het jaarlijkse uitje naar zee. Bij Bookprint werkten Eritrese schoonmakers die geen Engels spraken en beleefd en verlegen waren. Niemand sprak tegen hen, je werkte gewoon door als ze je kantoor in kwamen, als vampiers in het donker terwijl de tl-buizen boven hen zoemden en kraakten. Er was een enorme kantine, er stonden oneindig veel crèmekleurige archiefkasten en er waren veel loze ruimten, die 'ontsnappingsruimten' werden genoemd. Soms had Elle het gevoel dat ze vanuit de achttiende eeuw zo in *The Matrix* was terechtgekomen.

Elle deelde een klein kantoortje met Mary, de kookboekenredacteur. Net toen ze ging zitten, stak Libby haar hoofd naar binnen. 'Gaat het wel?' vroeg ze. 'Je leek mijlenver weg.'

'Ja hoor,' zei Elle. Annabel Hamilton stond in de gang te wachten tot Libby klaar was.

Libby fronste. 'Heeft hij je weer ge-sms't?'

Elle verstarde. Ze rolde haar ogen naar Mary, haar collega, die het gesprek angstvallig negeerde en met een potlood aantekeningen op een manuscript maakte.

'Ik ben druk,' zei Elle, en ze wilde dat Libby wegging. 'Heb je zin om straks samen even een broodje te gaan eten? Of vanavond iets te gaan drinken?'

'Ik kan niet. Ik ga met Peter Dunlop lunchen, de Engelse agent van *Shaggy Dog*,' zei Libby. Ze bloosde. 'Vanavond heb ik een borrel met een paar auteurs, dus dan kan ik ook niet. Maar we moeten gauw iets afspreken. Ik wilde even zeker weten dat alles goed met je was.'

'Libs, Libs,' jengelde Annabel vanuit de gang.

Elle knikte. 'Met mij gaat het prima. Ik zie je straks.'

'Geweldig.' Libby glimlachte. 'Later!' Ze draaide zich om en huppelde naar buiten. 'Hoi, Rory!' hoorde Elle haar roepen.

Elle kroop weg toen Rory langs het kantoor liep. Hij draaide zich om en keek naar binnen, zoals altijd.

Niet voor het eerst vroeg ze zich af hoe hij het hier deed. Hij leek niets anders te doen dan door de gang lopen of manuscripten lezen op zijn kantoor, die hij nooit leek te kopen. Bij Bluebird waren ze allemaal gek van hem geworden, van zijn energie en overdreven ambitie, maar hier leek het net alsof hij continu een klein jongetje op zijn eerste schooldag speelde, dat niet zeker wist of hij het wel goed deed. Zelfs Celine, die in december nog zijn beste vriendin was geweest, negeerde hem nu. Elle vroeg zich af of hij spijt van de verkoop had. Om verschillende redenen. Maar ze stond zichzelf niet toe er te lang bij stil te staan. Ze had haar hart voor hem afgesloten en er was heel wat voor nodig om het weer open te breken.

Rory liep doelloos verder, en Elle keek met een bonzend hart weer naar het scherm. In gedachten maakte ze een lijst van de personages uit *Frederica* en ademde rustig in en uit in een poging kalm te blijven. Dit was het enige wat hielp, had ze ontdekt. Ze moest aan iets anders denken, een lijst die ze kon opsommen, anders werd ze gek.

Op een lange, donkere nacht in februari toen ze dacht dat haar hoofd uit elkaar zou barsten door al dat gepieker, was ze naar de boekenplank gekropen, had Felicity's lang geweigerde exemplaar van *Venetia* gepakt, was naar de eerste pagina gebladerd en begonnen met lezen. Lezen zoals ze had gedaan voordat ze redacteur was geworden. Ze had een bladzijde omgeslagen en nog een en nog een, tot het bijna ochtend was. De volgende dag had ze nog een boek van Georgette Heyer gekocht en het was nu begin juli en ze had er zestien gelezen. Ze wist dat het gek klonk, maar ze was ervan overtuigd dat ze het aan Georgette Heyer te danken had dat ze niet was doorgedraaid. Afgelopen weekend had Elle plots gedacht dat als ze een rapper was geweest ze een tattoo van haar idool had laten zetten. Misschien moest ze dat wel doen. Maar waar? Op haar dijbeen? Op haar heup? Boven haar linkerborst in de vorm van een hartje?

De eerste tattoo ooit van een auteur van Regency-romans, in een krullerig handschrift, onder je beha. *Ja*, dacht ze, *dat is absoluut dé manier om er zeker van te zijn dat niemand je ooit nog naakt wil zien*. Dan kon ze net zo goed met een groot bord om haar nek rond gaan lopen met daarop de woorden OUDE VRIJSTER, en net toen Elle zich afvroeg of dat inderdaad een teken was dat ze gek werd – als je de naam van je favoriete auteur op je boezem wilde – draaide Mary, de redacteur met wie Elle een kantoor deelde, zich om en zei: 'Wat ik je nog wilde vragen, hoe gaat het met de plannen voor het vrijgezellenweekend?'

'Goed, dank je,' zei Elle, dankbaar voor de onderbreking. 'Alleen kreeg ik vanmorgen een e-mail van mijn vader, die zo vriendelijk is om mijn vlucht naar New York te betalen, want hij is boos omdat het honderd pond meer kost dan ik had gedacht.' Elle stak haar vuist op en deed net of ze woedend was. 'Dit is een vrijgezellenweekend!'

'Maar je gaat naar New York!' zei Mary. 'Het wordt vast heel leuk!'

'Denk ik ook,' zei Elle, en ze probeerde enthousiast te klinken. 'Het is alleen allemaal zo'n gedoe en het rare is dat ik Melissa helemaal niet zo goed ken. We vliegen samen naar New York. Ik ken haar vriendinnen niet...' Ze aarzelde.

'En?' vroeg Mary nieuwsgierig.

'O, ik weet het niet.' Elle voelde zich een beetje ontrouw, maar ze moest er met iemand over praten en Mary was zo kalm en verstandig. 'Het is een obsessie voor haar om alles perfect te hebben. Twee weken geleden moest ik nog overal met haar heen, ze belde me twee keer per dag, vroeg me of ik mee ging passen. Ik heb haar borsten wel vier keer gezien en ze e-mailde me drie keer per dag over de meest belachelijke dingen. Of de T-shirts een thema moeten hebben bijvoorbeeld.'

'Wat voor thema?' vroeg Mary achterdochtig.

'Zoals het T-shirt dat Madonna droeg met daarop KYLIE MINOGUE. Zij wil MELISSA op de voorkant en MRS. BEE TO BE op de achterkant.'

'Wauw,' zei Mary. 'Mijn god, ik dacht dat mijn schoonzus erg was, maar van haar hoefden we alleen maar servetten te borduren.'

'Wat moesten jullie doen?'

Mary schudde haar hoofd. 'Het ligt nog te vers in mijn geheugen. Ik kan er niet over praten. Mijn hemel, wat moet dit worden?'

'Ik durf er niet aan te denken,' zei Elle. 'Ik heb nee gezegd. Ik laat mijn haar al groeien zodat ik het in zo'n stomme chignon kan dragen en ik weet niet eens wat dat is! Jemig. Je zou een stel mannen toch ook niet vragen om hun haar te laten groeien als ze bruidsjonkers zijn. Echt zo achterlijk. Ik kan haar borsten niet meer zien. Natuurlijk weet ik dat ze hier niet zoveel mensen kent en ze bedoelt het vast goed, maar... ik heb haar in november pas voor het eerst ontmoet. Het is te gek voor woorden.'

'Gelijk heb je,' zei Mary vriendelijk. 'Misschien moet je haar een beetje op afstand proberen te houden.'

'Dat is nu juist het probleem. Ik kan haar niet meer bereiken. Ik ben haar kwijt. Ze reageert niet op mijn telefoontjes en ik weet niet waar ze is. Ik heb al dagen niets meer van haar gehoord. Het hele weekend heb ik stickerbadges zitten maken, maar ik hoor niets meer. Volledige radiostilte. Blijkbaar heb ik haar per ongeluk van streek gemaakt, maar ik weet niet waarmee.'

Ze had in haar hoofd de laatste passessie en de lunch daarna, tien dagen geleden nu, verschillende keren afgespeeld. Waar hadden ze over gesproken? Had ze iets gemist? Misschien had Melissa een beetje vreemd gedaan – maar ja, ze was ook vreemd.

'Natuurlijk niet,' zei Mary. 'Waarschijnlijk is ze gewoon druk met van alles en nog wat.'

Elle wilde het met haar eens zijn. 'Ja,' zei ze, 'waarschijnlijk wel.'

'Hoe dan ook, de bruiloft klinkt geweldig.' Mary glimlachte en sloeg haar handen ineen. Ze had zich net verloofd en was dol op bruiloftspraat. 'Sandito Hall is zo'n prachtige locatie, wij zijn er ook wezen kijken.'

'Echt waar? Wat goed,' zei Elle. Door de nauwsluitende donkerpaarse zijden jurk die ze moest dragen met het groengrijze haarstukje waardoor ze net een aubergine leek plus het organiseren van het vrijgezellenweekend had ze nauwelijks nog aan de ceremonie zelf gedacht. Haar familie deed niet aan grote feesten of partijen, nooit gedaan ook. 'Dat zal ook wel, ik snap alleen niet waarom ik er niet naar uitkijk.' Vlug zei ze erachteraan: 'Misschien komt het wel omdat ik alleen ga.'

'Je zou iemand moeten meenemen,' zei de verstandige Mary. 'Ze is Amerikaanse, Amerikanen nemen toch altijd iemand mee naar een bruiloft?' zei ze opgewonden. 'Je kunt een date meevragen! Vraag of dat mag.'

'Nou, goed,' zei Elle. 'Maar wie moet ik meenemen?' Ze lachte en hoopte dat het nonchalant klonk, maar het was net iets té.

Mary keek om zich heen en glimlachte ondeugend. 'Eh... ik weet het niet. Misschien moet je Rory vragen. Ik heb altijd het gevoel dat hij gek op je is.'

'Echt?' vroeg Elle. Ze glimlachte en hoopte dat het er afkeurend uitzag en ze veranderde van onderwerp. 'Maar goed, ik hoop dat ze Rhodes niet heeft vermoord en ervandoor is gegaan.'

Er viel een stilte; Mary lachte ongemakkelijk, en Elle hield haar mond. Wat als er echt iets ergs was gebeurd en zij er nu een grapje over maakte? Ze haalde gegeneerd haar schouders op en terwijl Mary verderging met de drukproef, opende Elle haar e-mails. Er was er een van de assistente van Celine.

Celine wil je graag even spreken zodra je tijd hebt.

Verdorie, helemaal vergeten. Nou ja, het kon vast nog wel een halfuurtje wachten. Elle keek naar het boek van Georgette Heyer dat ze bijna uit had en dacht aan wat ze tijdens de lunch wilde gaan doen. Het was bijna halfeen, ze kon nu vast wel weg. Ze pakte haar handtas.

'Ik ga even een broodje halen,' zei ze.

Bookprint was gehuisvest in een groot glazen jarentachtiggebouw op Golden Square, aan de andere kant van Soho, in de buurt van Charing Cross Road. Naast vele andere tweedehandsboekwinkeltjes zat daar ook Bell, Book and Candle, waar Elle minstens eens per week kwam, vaak twee keer, tijdens de lunch of onderweg naar huis.

'Heb je dat boek nu al uit?' vroeg Suresh, de oude eigenaar van de winkel, die Elle inmiddels kende. 'Wil je er nog een?'

Elle glimlachte en liep rechtstreeks naar de plank in de hoek. Ze ademde de oude, muffe geur van tweedehands boeken in, even troostend als altijd. 'Ja,' zei ze, terwijl ze de planken afspeurde. 'Ik ben zo klaar.'

'Goed. Goed.' Suresh trok zich mompelend terug.

Helemaal alleen in de gelukzalige rust en stilte van het donkerste hoekje van Bell, Book and Candle ademde Elle uit, voor het eerst sinds dagen. Ze voelde zich hier op haar gemak. Geen *ping*-geluidje als er een e-mail binnenkwam, geen bruiden die ze achterna moest zitten of bruidsmeisjes die haar belden, geen voicemailberichten van moeders die schreeuwden en scholden, geen gillende vaders... maar ook geen eenzame echoënde stilte zoals op de avonden in haar nieuwe flat. Alleen de geweldige geur van oude boeken, schimmel, wierook en papier, het geschuifel van andere snuffelaars over het versleten linoleum, het vage gezoem van het verkeer buiten en een plank vol ongelezen Georgette Heyers waaruit ze kon kiezen.

Elle vroeg zich vaak af wat Felicity's lievelingsboek was. Ze wilde dat ze er met haar over kon praten, erachter kon komen wat ze deed, zelfs al was het alleen maar om haar te bedanken. Ze had haar een keer in Regent Street gezien in iets wat eruitzag als een grijze wollen cape. Het was vreemd om haar zich een weg tussen de toeristen voor Hamleys door te zien banen. Felicity was geboren om binnen te zijn, een betoog te houden tijdens een vergadering, ze was niet iemand die zich inliet met toeristen in T-shirts en op gympen. Ze was te ver bij Elle uit de buurt geweest om haar gedag te kunnen zeggen, maar Elle wilde dat ze achter haar aan was gerend. Ze had slechts staan kijken hoe de grijzige statige gestalte was vervaagd, werd opgenomen in een zee van rugzakken en spijkergoed.

Elle pakte *De weerspannige weduwe* – haar vingers talmden bij de andere boeken van Georgette Heyer, maar ze haalde ze weer weg, want ze had als regel: één per week en één per keer, meer niet – en betaalde. 'Heb je ervan genoten?' vroeg Suresh met een knikje naar *Frederica*.

'Briljant,' zei Elle vrolijk. 'Erg goed.'

'Tot volgende week dan maar weer,' zei Suresh, en hij schudde zijn hoofd, het was duidelijk dat hij dacht dat Elle niet helemaal goed snik was. Elle zwaaide en liep terug naar kantoor, haar tas blij vastklampend bij de gedachte aan een nieuw te verslinden boek. Er was absoluut geen kans dat Elle een Max Ravenscar of Lord Damerel zou tegenkomen, niet bij Mecca Bingo op Kilburn High Road en zeker niet in het strafkamp met airco van Bookprint Books Ltd, nee, daar zeker niet. Ze stak Golden Square over, en de glazen deur schoof stilletjes voor haar opzij.

'Elle?' riep een stem achter haar. 'Hallo, Elle?'

'O,' zei Elle, die uit haar gemijmer ontwaakte en zich angstvallig omdraaide. 'Hoi, Celine. Sorry dat ik niet... Ik stond op het punt naar je toe te komen, ik moest even een broodje gaan halen, het is...' Ze hield haar mond. Waarom verzon ze zoveel verschillende smoesjes? 'Hoi,' zei ze, en ze deed net alsof ze niets had gezegd. 'Ik stond net op het punt naar je toe te komen.'

'Goed, goed,' zei Celine. 'Blij je te zien, Elle. Kom je mee?'

Ze liepen samen door de felverlichte Bookprint-lobby. Elle drukte op het knopje van de lift.

'Dank je,' zei Celine. Haar stem klonk altijd hetzelfde, gelijkmatig en met een licht accent, net vriendelijk genoeg. 'Je bent hier nu dus zes maanden, nietwaar?'

'Ja, dat klopt.'

'Je weet dat je heel veel complimentjes hebt gekregen.'

'Eh... bedankt,' zei Elle.

'Ja. Felicity, Posy en Rory zeiden allemaal dat je iemand was om in de gaten te houden.'

Twee van hen heb je ontslagen. Elle fronste om haar blos van verwarring te verbergen. 'O, dat wist ik niet.'

Celine snapte zelfonderschatting niet, dat zag Elle meteen.

'Ik heb het gevoel dat we elkaar nog niet echt hebben gesproken sinds je hier werkt. Ben je al een beetje gewend?' informeerde ze, alsof Elle een gast in haar bed and breakfast was.

'O, ja,' zei Elle, en ze verstopte het plastic tasje aan haar arm met de Georgette Heyer. 'Het leven is... goed. Ja, geweldig. Echt goed.'

'Ik ben blij dat te horen,' zei Celine. 'Maar ik wilde je spreken, want ik heb een project voor je. Ik wil graag dat jij de fondslijst van Dora Zoffany onder je hoede neemt.'

Elle was oprecht van haar stuk gebracht. Ze keek om zich heen om te zien of Celine het niet tegen iemand achter haar had. 'Dora Zoffany? Ik?'

Celine tikte ongeduldig met haar onberispelijke puntige hakje op de glimmende marmeren vloer. 'Tjee! Die liften. Ze zijn verschrikkelijk, vind je ook niet? Ik stuur je de e-mail door als ik weer achter mijn bureau zit. We moeten ze opnieuw laten drukken. Allemaal.'

'Ik kan sowieso niet geloven dat haar boeken niet meer op voorraad waren,' zei Elle. Ze bedacht dat dat misschien wat kritisch klonk, dus voegde ze er vlug aan toe: 'Wat goed. Bedankt!'

Celine sloeg haar armen over elkaar en trommelde met haar vingers op haar elleboog. 'Nou, ik doe het liever niet, ik vind het zonde. Ze verkoopt... niets. Maar Tobias Scott is een belangrijke agent, drie van onze grootste auteurs zitten bij hem. We moeten wel.' Elle vond het leuk dat Celine steeds iets Franser klonk naarmate ze bozer werd.

'Het leek me een leuk project voor jou, iets om je werkterrein te vergroten. Naast alle romans. Vind je het erg?'

'Erg?' vroeg Elle. 'Nee, ik vind het geweldig. Ik ben dol op Dora Zoffany.'

'Dat zei Rory al. Hij vond dat je het moest doen.'

Dat zei Rory al. Hij wist het. Hij wist dat ze bijna geen ruimte voor boeken in haar flat in Ladbroke Grove had en dat ze hoog opgestapeld tegen de muur stonden, als middeleeuwse torens, gevaarlijk overhellend, en dat de ruimte op het ene kleine plankje voor alles van Dora Zoffany was, de oude Bookclub-hardbacks uit de jaren vijftig, klein en goedkoop, de steenrode of koninklijk blauwe stof gerafeld op de hoeken. Ze had haar boeken niet uitgepakt sinds ze naar Kilburn was verhuisd. Ze zou niet weten waarom. Het was eenvoudiger Georgette Heyer-boeken te blijven kopen.

'Rory?' vroeg ze na enige aarzeling. 'Nou, ik ben blij dat hij dat heeft gedaan. Het is heel vriendelijk van je om aan mij te denken.'

'Dat heeft niets met vriendelijkheid te maken,' zei Celine afgemeten. 'Ik wil je al een poosje een project geven, zodat ik meer met je kan praten.'

Elle keek naar haar. Ze vroeg zich af of Celine een vriend had of dat ze alleen woonde net als Elle. Niet in een flat zoals die van Elle, maar een wit glazen appartement zoals het Bookprint-gebouw, uitkijkend over de rivier, vol verse bloemen en moderne kunst. Een oudere vriend, een filosofiedocent van Sciences-Po. Was ze anders als ze Frans sprak, glinsterden haar ogen dan, straalden ze als ze glimlachte?

'Aha, daar is hij, de lift.' Celine hield op met tikken. 'Je wilt het dus doen? Ik zal je de informatie toesturen. Kijk naar de omslagen en praat met de art-afdeling, maak een afspraak met de agent. Het is niet Tobias Scott, maar zijn zoon. Hij heet Tom. Hij regelt dit voor zijn vader.'

'Tom? Ik ken Tom,' zei Elle opgelucht.

'Prima. Regel het wel goed. Ze zijn heel belangrijk voor ons, laat me weten als er iets is.'

Celine knikte kordaat en stapte de lift in. 'Ga je mee?'

Een van de ergste dingen van Bookprint was de kwelling van in de lift staan met je baas. Vijftien seconden kletspraat, Libby was er heel goed in. 'Morgen, Bill! Ik kwam Ian McEwan vanmorgen tegen in Warren Street, gek hè?' Terwijl Elle elke keer slechts naar de vloer kon staren en zich afvroeg hoe vijftien seconden uren konden duren en wilde dat de lift te pletter sloeg in de kelder en ze allemaal dood waren.

'Eh... nee, ik wacht op iemand,' zei Elle mysterieus. Ze was zich ervan bewust dat het vreemd klonk. Celine keek haar stomverbaasd aan. 'Nogmaals bedankt,' voegde Elle eraan toe, maar de deur was al dicht.

Ze wachtte een paar seconden om er zeker van te zijn dat ze weg was en drukte toen opnieuw op het knopje, ze kauwde op haar lip en dacht na. Er waren nog vijf minuten van haar lunchtijd over om *Frederica* uit te lezen en aan de eerste bladzijden van *De weerspannige weduwe* te beginnen en ze wilde geen tijd meer verdoen. Het was snikheet en er was niemand in de buurt, maar toen ze ging zitten verscheen Rory om de hoek en liep langs haar kantoor. Hij keek naar binnen en staarde, zijn ogen zochten de hare en dit keer keek Elle hem ook aan. Ze merkte dat haar hart luid klopte. Hij ging langzamer lopen en ze dacht dat hij wilde stoppen, maar dat deed hij niet, gelukkig niet, althans ze dacht dat ze het fijn vond, maar ze wist het niet zeker.

22

Die avond klom Elle vermoeid naar boven, ze duwde de deur open en veegde haar pijnlijke voorhoofd af. Het was snikheet. Ze liet haar tas op de grond vallen en zette de ramen open. De radio van de winkel op de hoek gooide er scherpe, schrille fragmenten popmuziek uit. Ze dronk een grote beker kraanwater, liet zich op de oude, gescheurde mosterdgele bank vallen en staarde voor zich uit.

Haar nieuwe flat was niet ontworpen voor de zomermaanden en omdat ze er pas sinds maart woonde, wist ze nog niet of hij dan wel geschikt was voor een echte winter. De eigenaar was toneelmanager op West End geweest en was na zijn pensioen naar Florida verhuisd. Het was goedkoop, dus ze kon het zich veroorloven, maar het was klein, vochtig en op de vierde verdieping, zonder lift. Het was meer dan twintig jaar geleden behangen en het hing er vol posters van kluchten uit de jaren zeventig en gesigneerde foto's van oude acteurs: rijen en rijen foto's van mensen zoals Liza Goddard, Paul Nicholas en Hannah Gordon, die warme boodschappen hadden opgeschreven voor Bill, haar huisbaas. Naast de koelkast, zodat ze hem elke ochtend en avond zag, hing haar lievelingsposter, een huiveringwekkende foto uit de jaren zeventig van een vrouw met een enorme bos blond haar. *Lieve Billy, in mijn hart voor altijd, je vriendin voor altijd, Jilly! PS onthoud zonnestralen en babybillen!* Dat had de lang vergeten Jilly eronder geschreven. Zonnestralen en babybillen, wat betekende dat? Lieve Billy!

Bill had de flat gemeubileerd verhuurd. Hij had gezegd dat ze de posters en foto's eraf mocht halen, maar ze hadden er tien jaar of langer gehangen en toen Elle het probeerde zaten er allemaal donkere plekken op de muren en ze wist niet wat ze er liever wilde ophangen, dus had ze ze teruggehangen, in de hoop dat de posters voor een huiselijker uitstraling zouden zorgen. Zelfs al was het andermans huis.

Haar vorige flat was ook gemeubileerd geweest, maar met bestek, borden en glazen. Hier was verder niets. Ze was al een hele tijd van plan om spullen bij de *pound shop* te kopen, zodat ze mensen kon uitnodigen, maar het kwam er nooit van. Sam had haar een mok gegeven toen ze uit de flat in Ladbroke Grove waren vertrokken met daarop de tekst 'beste huisgenoot ter wereld' en daaruit dronk Elle doorgaans, of het nu water of goedkope valpolicella van de Costcutter om de hoek was. Ze had een vaas waarin ze zo nu en dan bloemen zette, maar de geur als ze verrotten – en dat deden ze meestal opmerkelijk vlug – was sterker dan de kortstondige bevrediging van bloemen in haar flat, dus na een poosje nam ze gewoon de moeite niet meer. Het dikke groene hoogpolige tapijt en de dozen met boeken die ze nooit had uitgepakt overheersten toch in de kamer. Ze had twee kussens bij Cath Kidston gekocht, een met bloemen en het andere met stippen, en dat was alles wat ze de afgelopen vier maanden had gedaan om de flat huiselijker te maken.

Elle dronk nog een beetje water, het kloppen in haar hoofd was erger dan ooit. Ze wist wat ze vanavond moest doen – contact maken, iets doen. Karen, Matty of Hester opbellen om te kijken wat zij van plan waren, een afspraak maken om iets te gaan drinken. Sam sms'en – ze moest iets met haar afspreken, hoewel het de paar keer sinds maart dat ze dat hadden gedaan erg lastig was geweest. Of misschien moest ze wat boeken uitpakken, proberen het huiselijker te maken, ophouden te doen alsof deze flat slechts tijdelijke woonruimte was. Maar eerst moest ze Melissa bellen. Zaterdag zou het twee weken geleden zijn dat ze iets van haar had gehoord. Dat was nog nooit eerder voorgekomen.

Ze ging op haar rug liggen, pakte de telefoon en zag dat ze een sms'je had ontvangen.

Ik moet met je praten. We moeten iets bespreken. Ik beloof dat het geen list is. Bel me. X

Nee, dacht Elle, starend naar Rory's naam op het schermpje. Er was een aflevering van *Sex and the City* aan de gang op Channel 4 die ze om de een of andere reden steeds opnieuw zag, over hoe lang het duurt om iemand te vergeten. De helft van de tijd dat je met iemand samen bent geweest en dat was ongeveer tien maanden als je de periode meerekende dat ze hadden gekust en de spanning die ze hadden opgebouwd voordat ze met elkaar naar bed waren gegaan, wat betekende dat ze nog tot september of oktober had voordat ze zich niet meer zo rot zou voelen. Het probleem was alleen dat ze niet wist wat ze daarna moest doen. Ze klampte zich aan de ellende vast als aan een reddingsboei.

Elles duim weifelde boven zijn nummer. Misschien moest ze het doen. Misschien...

Nee. Nee. Elle wist dat ze in elk ander opzicht op dit moment erg sneu was, dus ze moest voet bij stuk houden. Ze haalde diep adem en belde Melissa opnieuw. Er werd niet opgenomen, dus stond ze vermoeid op en trippelde op blote voeten naar de open keuken. Ze staarde naar Jilly, haar zonnestralen en babybilletjes, en pakte de Pringles en een fles witte wijn uit de koelkast, in een poging het gevoel van eenzaamheid dat haar dreigde te overweldigen te verzachten. Ze wist niet wat ze zou moeten zonder een koel glas wijn om haar thuis te verwelkomen aan het einde van een lange dag, het gevoel van benevelde verdoofdheid na het eerste glas. Hoe was ze hier terechtgekomen? Het voelde niet goed. Het was niet goed, of wel?

De laatste tijd dacht Elle dat ze het antwoord kon horen: de afgelopen jaren had ze een vleugje plezier gehad, maar dit was hoe het zou worden.

Ze keek op haar horloge, nog iets meer dan een uur voordat *Big Brother* begon. Tot die tijd kon ze in *De weerspannige weduwe* lezen. Goed, ze had een plan.

Ze haalde het boek uit haar tas, samen met de folder over Dora Zoffany's fonds. Erbovenop lag de e-mail en het antwoord dat ze die middag van Tom Scott had ontvangen.

Het is een groot genoegen langs te komen. Ik kijk ernaar uit te zien wat je hebt gedaan en even bij te praten. Ik hoop dat je het naar je zin hebt bij Bookprint. Tot volgende week.
Groet, Tom

Tegen de tijd dat *Big Brother* begon had Elle al twee glazen wijn op en voelde ze zich een stuk beter. Haar hoofdpijn was na het tweede glas bijna helemaal verdwenen. Ze schonk er nog een in en wiste Rory's sms'je.

De hemel was doorvlochten met roze en algauw was de huiskamer voor de helft gehuld in licht en voor de andere helft in een donkere schaduw. Elle keek in de toenemende duisternis om zich heen naar de bijna lege fles wijn, de gebogen Pringles-doos en de oude posters die stil aan de muur hingen. Ze voelde zich niet verdrietig. Ze was… verdoofd. Het kwam bij haar op dat dit misschien wel was hoe het van nu af aan zou zijn en ergens was dat misschien maar beter ook, alleen wonen zonder ergernissen, niemand die je pijn deed.

23

'Deze omslagen zijn afschuwelijk,' zei Tom Scott bars, en hij ging rechtop staan. Hij sloeg zijn armen over elkaar. 'Ik begrijp niet wat je hiermee wilt. Probeer je de boeken aan lezers van klassieke Engelse fictie te verkopen? Of aan achtjarige meisjes die gek zijn op... Prinses Pony of hoe dat ook heet?'

Elle beet op haar lip. 'Nou,' zei ze. 'Ik vind ze prachtig en ze zijn speciaal op de fictiemarkt voor vrouwen afgestemd. Ik vind ze...'

'Maar ze zijn allemaal roze,' zei Tom, en er klopte een ader op zijn rechterslaap. Hij legde zijn jasje op tafel en staarde naar de beledigende omslagen op haar bureau. Elle stond achter hem. Ze was vergeten hoe lang hij was en hoe kortaf hij kon zijn. Waarom had ze gedacht dat dit een makkelijke afspraak zou zijn? Waarom? 'Waarom?' zei hij, en ze schrok op. 'Ik bedoel, waarom zijn ze in vredesnaam allemaal roze? Waarom? Ik zou ze zo nooit oppakken.'

'Nou het is een extreem drukke...' *Ik kan niet 'markt' zeggen, 'markt' heb ik al gezegd. En...* Een druppel zweet liep tussen Elles schouderbladen door, terwijl ze naar de omslagen keek en net deed alsof ze ze opnieuw in zich opnam. Eigenlijk vond ze ze zelf ook niet geweldig, maar wat kon ze eraan doen? In de twee minuten durende vergadering terwijl ze op de lift hadden staan wachten, was Celine vergeten te vertellen dat er al opdracht was gegeven voor de illustraties tegen de tijd dat Elle het project had overgenomen. Ze kreeg het gevoel dat iemand de verantwoordelijkheid op haar had afgeschoven.

'Het is heel belangrijk dat we het relevant houden,' zei Elle, en ze probeerde ergens inspiratie vandaan te halen, waarvandaan dan ook.

'Als we Dora weer in de boekwinkels willen verkopen, kan dat alleen in een nieuw jasje.' Even later zei ze: 'Ik weet zeker dat je snapt wat ik bedoel, dat hoef ik jou niet uit te leggen,' alsof ze het in principe met elkaar eens waren. Ze had dit de maand ervoor geleerd tijdens de cursus 'Hoe krijg je ja als antwoord: het manipuleren van auteurs, agenten en verwachtingen.' Bookprint had een obsessie voor cursussen en verbeteringen. Er ging geen week voorbij of ze werd uitgenodigd om te solliciteren op een uitwisselingsprogramma met New York of voor een cursus basisfinanciën of royaltysystemen.

'Ik weet niet waar je het over hebt,' zei Tom niet-begrijpend. 'Luister Elle, ik kan jullie niet dwingen de omslagen te veranderen als jullie allemaal denken dat ze juist zijn. Maar...' Met een verdrietig gebaar haalde hij zijn schouders op, en Elle vond het hartverscheurend. 'Ik vind ze echt niet mooi en ik denk ook niet dat mijn moeder ze mooi had gevonden. Meer niet.'

Ze vlocht haar vingers ineen, hulpeloos ten overstaan van zijn doorzichtigheid. 'Tja.'

'Kijk niet zo dramatisch.' Tom glimlachte. Ze had hem zelden zien glimlachen. Het stond hem goed, daardoor leken zijn donkere, meedogenloze ogen minder streng, zijn kaaklijn zachter. Hij schraapte zijn keel. 'Luister, waarom...'

Elles mobiel begon hard te rinkelen op haar bureau. Ze keek omlaag. 'O,' riep ze uit. 'Rhodes!'

'Neem maar op,' zei Tom gebarend. 'Let maar niet op mij.'

De telefoon stopte. 'Nee, laat maar, hij is al weg. Het was mijn broer. Ik probeer hem en zijn verloofde al een week of twee te pakken te krijgen. Van de aardbodem verdwenen, allebei.'

'Wanneer is de bruiloft?'

'In september, maar het vrijgezellenweekend is volgende week al en dat moet ik regelen. Het wordt zo'n vijfendertig graden in New York en Melissa, de verloofde van mijn broer, wil gaan winkelen en picknicken in Central Park, waar ik zelfs nog nooit ben geweest.'

'New York is fantastisch. Je zult het geweldig vinden.'

'Dat blijft iedereen maar zeggen,' zei Elle ongeduldig. 'Maar ik weet niet waar alles is en...' Haar stem stierf weg. Ze was zich bewust van het feit dat er geen reden was waarom Tom Scott geïnteresseerd zou zijn in het vrijgezellenweekend van de verloofde van haar broer.

'Ik moest vorige maand een vrijgezellenweekend organiseren,' zei hij. 'Mijn beste vriend van school. We zijn naar Berlijn geweest. Het was... afschuwelijk. We hebben zelfs een boete gekregen. Hij moest een zwart rubberen masker op en een bondagepak aan en toen hij het probeerde uit te trekken ketenden twee van zijn zogenaamde vrienden hem vast aan een lantaarnpaal en gooiden de sleutel in een rivier.' Hij schudde zijn hoofd. 'Misschien ben ik gewoon een bijzonder vreugdeloos type. Maar... nou... het was gewoon niet mijn ding.'

'Dat snap ik,' zei Elle, die op het punt stond alles eruit te gooien, maar toen ging Toms telefoon en zijn uitdrukking veranderde.

'Sorry. Vind je het vervelend...' Hij staarde naar zijn telefoon. 'Ik moet... even opnemen.' Vlug vroeg hij: 'Caitlin? Hoi. Nee. Ja. Ja. Nee. Ik zit in een vergadering.' Verontschuldigend haalde hij zijn schouders op naar Elle en hij draaide zijn rug naar haar toe. Zijn stem klonk laag, en hij sprak op een toon die ze nog nooit eerder van hem had gehoord. 'Ik kan nu niet praten. Het... Het spijt me. Nee, ik bel je straks. Doe niet zo raar.' Hij lachte. 'Nee! Tot straks!'

Hij zei gedag, stopte de telefoon terug in zijn zak en draaide zich om. 'Mobieltjes, hè? Vloek van deze tijd.' Hij glimlachte ongemakkelijk. 'Hoe hebben we het hiervoor toch altijd gered?'

'We hebben het op de een of andere manier overleefd,' zei Elle, denkend aan het feit dat ze graag zou leven zonder te sms'en en het verlangen haar telefoon om de paar minuten te checken om te kijken of hij al had ge-sms't, boos als hij dat had gedaan en in de war als hij het niet had gedaan. 'Ik ben blij dat ze er nog niet waren toen ik een tiener was. Wie is Caitlin? Je vriendin?'

Tom zei niets, en Elle gilde in stilte tegen zichzelf dat ze eens normaal moest doen. *Wat is er toch met je aan de hand?*

'O, zij? Caitlin? Dat?' Tom trok aan zijn oor. 'Nee, nee! Mijn god, nee. Ze is mijn... We werken samen. In de boekwinkel. Ze is geweldig.'

'Juist,' zei Elle.

'Ze is mijn vriendin niet. Echt niet,' zei Tom.

'Hé.' Elle stak haar handen in de lucht. 'Dat zijn mijn zaken niet.'

'Nou, het is nogal ingewikkeld,' zei Tom.

'Dat is het altijd,' zei Elle wijs. Weer viel er een ongemakkelijke stilte. 'Maar,' ging ze verder, 'met de boekwinkel gaat het dus goed? Je mist de uitgeefbusiness niet?'

'Nee, niet echt,' zei hij. 'Soms, misschien.' Hij glimlachte en keek weer naar de omslagen. 'Ik weet het niet, ik ben er nooit echt op mijn plek geweest, ik was een soort vleeseter bij een vegetarische club. Feestjes afgaan om met mensen te praten, weten wie wie is...' Hij haalde zijn handen door zijn kortgeknipte donkere haar. 'Jij vindt dat soort dingen allemaal leuk, zie je. Ik niet.'

Elle verstarde iets. Ze had het gevoel dat het heimelijk kritiek op haar was. 'Ik... Ik vind dat helemaal niet leuk,' zei ze. 'Ik hou van boeken, mensen goede boeken te lezen geven.' Ze besefte dat het waar was, dat dat echt zo was, en ze voelde dat ze begon te blozen. Zo eenvoudig was het dus, daar had ze nog nooit eerder bij stilgestaan. 'Toen we elkaar voor het eerst ontmoetten, tijdens die salesconferentie? Ik dacht dat jij zo was, niet ik. Je was daar echt heel onbeschoft tegen me.'

Tom fronste zijn wenkbrauwen. 'Ik? Jij was angstaanjagend, zo zelfverzekerd, een mejuffertje alles-onder-controle...'

Elle lachte, meer uit ongeloof dan dat ze het grappig vond. 'Wat? Je verwart me vast met iemand anders.' Ze herinnerde zich de ijzingwekkendheid van die avond nog goed, hoe ongemakkelijk ze zich had gevoeld, hoe hard ze haar best had gedaan om Tom en die verschrikkelijke Tony Rooney aan het praten te krijgen... hoe de avond was geëindigd... God, wat was dat lang geleden.

Precies op dat moment liep Rory langs en keek naar binnen. Een aantal keer toen Mary er niet was geweest, had hij zelfs geaarzeld, alsof hij naar binnen had willen komen. Elle vroeg zich soms af of hij alleen maar rondjes over de verdieping liep in de hoop haar tegen te komen of oogcontact met haar te maken. Ze wachtte tot hij een stap zette.

Hij zag Tom en zwaaide.

'Rory had dit eigenlijk moeten doen,' zei Tom. 'Maar toen e-mailde jij me. Ik snap het niet echt, hoewel ik er heel blij mee ben. Ik praat veel liever met jou dan met hem.'

'Misschien omdat hij weet dat je eigenlijk Ambrose heet?' flapte Elle eruit zonder er echt over na te denken.

Tom lachte. 'Nu moet ik hem wel vermoorden.' Ze staarde even de gang in en zijn ogen speurden haar gezicht af, alsof hij ergens een beslissing over nam. 'Elle, mag ik je wat vragen? Heb je zin om een keertje met me uit te gaan, ergens iets te gaan drinken?'

Elle was zo overrompeld dat ze de zin onmiddellijk opnieuw in haar hoofd moest afspelen om er zeker van te zijn dat ze het goed had gehoord. 'Uitgaan als in een afspraakje?'

'Nou,' zei Tom. 'Ja, een afspraakje.'

'O,' zei Elle, niet overtuigd. 'Eh... dank je. Maar nee, bedankt.' Ze schudde haar hoofd vastberaden. 'Maar het is erg aardig van je.'

'Ik vraag je niet uit om aardig te zijn,' zei Tom luchtig. 'Ik vraag je uit omdat ik je leuk vind.'

'Nou, het is aardig van je dat je me leuk vindt, is wat ik probeer te zeggen.'

'Ik vind je ook niet leuk om aardig te zijn,' zei hij.

Elle glimlachte. Ze vond dat ze zich specialer zou moeten voelen dan het geval was. Iemand vroeg haar zomaar uit het niets mee uit: dat soort dingen overkwamen haar niet. 'Luister, dat is... geweldig, maar ik ben er nog niet echt klaar voor om weer met iemand uit te gaan. Het spijt me.'

'Je bent er niet klaar voor?' Tom bestudeerde haar zorgvuldig. 'Ben je een fundamentele christen? Ga je niet uit met iemand zonder trouwring aan je vinger?'

'Mijn god, nee!' Elle lachte. 'Ik heb net een relatie achter de rug en dat is allemaal nogal moeizaam verlopen. Ik ben er nog niet helemaal klaar voor. Het spijt me.'

'Nee, het spijt mij,' zei Tom meteen. 'Dat wist ik natuurlijk niet. Wanneer?'

'Nou,' zei Elle zenuwachtig. 'December.' Hij knikte. 'Het gaat goed met me,' zei ze. 'Misschien, ja, misschien zou ik er wel overheen moeten zijn. Het is gewoon zo snel, meer niet.'

Ze wist niet zeker waarom ze hem afwees. Misschien omdat het allemaal zo openhartig was, klinisch bijna. Het voelde niet als het begin van iets. Tom zei niet: *Wat erg, je zou er nu wel overheen moeten zijn.* Hij knikte alleen, hield zijn kaken stevig op elkaar en zei: 'Nou, ik hoop dat het goed met je gaat. Het is niet makkelijk om over iemand heen te komen, het kan je leven gaan beheersen, dus laat dat niet gebeuren.' Hij keek weer naar de omslagen. 'Ik vind ze echt heel lelijk, maar zoals ik al zei, ik weet niet waar ik het over heb en ik weet zeker dat jij dat wel weet.' Hij pakte zijn jas op. 'Luister, als je een schouder nodig hebt om uit te huilen of zo, of als je toevallig een keer in Richmond bent, kom dan eens een kijkje nemen in de winkel. Hij is geweldig.'

'Veel MijnHart-boeken op voorraad, mag ik hopen?' Elle probeerde opgewekt te klinken.

'O, absoluut,' verzekerde hij haar met een glinstering in zijn ogen. Hij staarde over haar schouder en keek haar daarna indringend aan. 'We hebben ook een plank vol Georgette Heyers.'

Elle volgde zijn blik en zag het keurige stapeltje van drie Georgettes op haar bureau liggen. 'O.'

Hij knikte. 'Het was leuk je weer te zien. Dank je.' Hij legde zijn hand even op haar schouder en verdween.

Ze keek hem na, haar gedachten overwegend, en toen hij aan het einde van de lange gang was, pakte ze de printjes van de Dora Zoffany-omslagen op en gooide ze in de prullenbak. Hij had gelijk, en dat wist ze. Ze moest ze laten veranderen, linksom of rechtsom, en in een flits wist ze precies wat ze wilde. In de National Portrait Gallery had ze een prachtige tentoonstelling van zwart-witfoto's uit de jaren dertig gezien. Ze moest iets dergelijks zien te vinden, ze laten bijsnijden en er een fel citroenkleurig lettertype aan toevoegen. Hij had gelijk, de boeken van zijn moeder verdienden iets beters, iedereen trouwens. Terwijl ze hem nakeek, ging haar telefoon opnieuw, net toen Libby buiten adem in de deuropening verscheen.

'Het is gelukt!' zei ze. 'Ze hebben me gekozen voor de uitwisseling! Ik mag naar New York! Vier maanden, lieverd, niet te geloven, hè!'

Elle stak haar hand op. 'Dat is geweldig! Wacht even, het is Rhodes. Ik moet opnemen. Sorry, Libs.' Ze nam vlug op. 'Rhodes? Rhodes! Hoi! Hoe gaat het? Ik probeer Melissa en jou al dagen te pakken te krijgen! Is alles in orde?'

Er viel een stilte terwijl Libby vanuit de deuropening naar haar stond te kijken. Elles gezicht werd steeds bleker terwijl haar broer sprak en toen ze uiteindelijk ophing, wreef ze over haar wangen en boog zich voorover met haar hoofd op haar schoot.

'Nee toch,' fluisterde ze gesmoord. 'Dat kan toch niet.'

'Wat?' vroeg Libby. 'Wat is er gebeurd?'

Elle ging rechtop zitten en draaide rond, zodat ze Libby kon aankijken. 'Ze blazen de bruiloft af,' zei ze.

'Wat?'

'De bruiloft. Ik wist wel dat er iets aan de hand was. Rhodes zegt dat Melissa van gedachten is veranderd, ze wil toch in Amerika trouwen.'

'Maar waarom, ik bedoel... ze was toch een soort Bridezilla?' Libby keek de gang in en groette zachtjes iemand in de verte.

'Dat was ze, ja.' Elle schudde haar hoofd. 'Ik begrijp er niks van. Ik heb haar twee weken geleden nog gezien. Ze was er zo druk mee.' Ineens hoorde ze Melissa's stem voor de tapasbar weer. *Als al het andere ook niet perfect kan zijn, dan hoeft het van mij niet.* 'Ze was lichtelijk geobsedeerd, dat moet ik toegeven. Maar ik... Ik weet het niet. Ik dacht dat ik haar een beetje had leren kennen.' Plotseling bedacht ze iets. 'Mijn moeder kan niet komen als het in Amerika wordt gehouden.' Ze wilde dat Tom er nog was, ze wilde het hem vertellen. 'Ik neem aan dat het ergens wel te verwachten was.'

Libby klonk ietwat ongeduldig, alsof ze haar goede nieuws ergens anders wilde gaan vertellen. 'O, hoezo?'

'Nou gewoon, met mijn familie. Ik kon me de trouwfoto's al niet voorstellen,' zei Elle, en ze begreep het al wat beter.

Toen ze die avond laat thuiskwam, lag de uitleg op haar te wachten. Soort van. Er was een brief – ze kreeg nooit post, behalve rekeningen – in turquoise inkt. Ze maakte hem open, en haar smoezelige vingers lieten grijze vlekken achter op de witte envelop met het watermerk. Vermoeid sjokte ze naar boven, verlangend naar de coconachtige kamer, de bank, de tv en de fles wijn in de koelkast. Het was een voorgedrukt kaartje.

Wegens omstandigheden buiten onze invloed annuleren we de bruiloft van 29 september. We hopen dat u begrijpt hoezeer dit ons spijt, eveneens betreuren we de kosten die u mogelijk hebt gemaakt. We vinden het echt heel vervelend. We blijven van elkaar houden en blijven elkaar trouw en zullen in alle stilte op een later tijdstip in de echt treden. Nogmaals onze verontschuldigingen, Rhodes en Melissa.

Boven brandde het lampje van haar antwoordapparaat. Ze kreeg nooit een berichtje, met een bonkend hart speelde ze het af.

'U hebt twee nieuwe berichten. Eerste bericht.'

'Elle? Ik ben het. Luister. Geloof niet wat ze zeggen als ze bellen. Geloof, nee, geloof ze niet. Ze liegen.'

Er klonk gekraak en gefriemel.

'Luister naar me. Goed? Goed. Mama houdt van je... Ze houdt van je, Ellie. Dus bel me, bel me, tingelingeling.'

'Tweede bericht.'

'Elle? Met je vader. Hoop dat alles goed met je is... Eh... ja. Ik wilde even weten of... nou ja, omdat de bruiloft geannuleerd is, of je het geld voor de vlucht naar New York kunt terugvragen. Bel me alsjeblieft even. Ja. Bedankt, nou dag.'

Elle keek om zich heen op zoek naar haar wijnmok en liep naar de koelkast. Ze had in haar moeders stem de toon gehoord die ze vroeger ook altijd had aangeslagen en die betekende 'laat me met rust!' Ze wilde dat ze hen terug kon bellen, allemaal, en deze ene keer tegen hen allemaal hetzelfde kon zeggen.

24

Twee dagen later werd Elle wakker met een gigantische kater, met op de achtergrond de geluiden van Kilburn op een snikhete zaterdagochtend en de geur van de ranzige vetschuur aan de overkant.

Haar hoofd tolde. Haar mond smaakte naar de bodem van een vuilniszak. Ze lag met haar pijnlijke ogen halfopen. Iemand speelde 'Life Is a Roller Coaster' enorm hard en dichtbij.

Elle rolde zich om, en een golf van misselijkheid overspoelde haar. Het was heet, de kamer was erg klein en de paarse jaloezieën weerkaatsten een felle glinstering in de frambozenrode kamer. Ze opende een oog en deed het weer dicht. De muren leken op haar af te komen. Ze probeerde niet te kokhalzen.

Ik moet hier weg, dacht ze. Ze had de afgelopen twee avonden in haar eentje binnen gezeten. Ze wilde met iemand praten, maar iedereen was weg. Uiteindelijk probeerde ze Karen, hoewel ze wist dat ze met haar vriendje op vakantie in Griekenland was, en het was niet makkelijk om een gesprek met iemand te voeren op een mobiel in een restaurant terwijl ze mezze zat te eten. Het enige wat Elle wilde, was iemand om mee te kletsen. Dat was waarschijnlijk ook de reden waarom ze zoveel had gedronken, al was het niet de bedoeling geweest.

Elle stommelde met tegenzin uit bed, de gemene greep om haar hoofd werd strakker terwijl ze opstond. Ze liet de douche lopen tot hij stomend heet was, hoewel het buiten bijna even warm was. Ze was erachter gekomen dat een hete douche de beste remedie tegen een kater was. Dat en de mintscrub van de Body Shop. Onder de krakkemikkige douchekop, die wemelde van de kalkaanslag, schrobde ze haar haar, en ze deed haar best de scherpe smaak van zure wijn achter in haar keel niet te proeven. Ze zwoer dat ze vandaag niet zou drinken. Het probleem was alleen de open fles – hij stond er, was koud, en de afgelopen achtenveertig uur waren erg zwaar geweest.

Ze was de afgelopen twee dagen druk geweest met het afhandelen van telefoontjes van ziedende bruidsmeisjes, ijzige hoteliers en beurtelings in de verdediging schietende en woedende ouders. De vrouw bij Virgin lachte haar bijna uit toen Elle had gebeld om het geld terug te vragen van de geannuleerde vlucht naar New York.

'Mevrouw, zo is ons beleid niet,' had ze gezegd.

Toch vond Elle het ergens wel jammer dat ze niet naar New York zou gaan. Ze had er zo naar uitgekeken. Ze zou het Libby nooit vertellen, want het was duidelijk dat ze dacht dat haar werk haar niets meer kon schelen, maar stiekem was Elle best jaloers op haar en de uitwisseling met Bookprint US, hoewel ze natuurlijk blij voor Libby was. Libby was de laatste tijd zo gespannen, zo wanhopig om... iets, het tegenovergestelde van Elle, die tegenwoordig blij was om rustig mee te deinen, als een stuk drijfhout in een rivier. Misschien kwam het door de hitte.

Haar vader was woedend over de gecancelde vlucht en vond dat ze had moeten proberen hem te verzetten. 'Vierhonderdzestig pond heb ik uitgegeven aan je vlucht, Elle. Ik zeg niet dat ik het niet had moeten doen. Ik was blij dat ik kon helpen. Nou ja, het is gewoon zonde. Als ik eraan denk wat we hadden kunnen doen...'

Elle probeerde nooit wrok ten opzichte van Eliza, Jack en Alice te voelen, het nieuwe gezin van haar vader. Dat lag zo ver bij haar leven met haar vader vandaan, dat ze het gescheiden probeerde te houden. Maar er waren momenten zoals nu, dat ze het liefst tegen hem zou gillen: *Ik wilde dat je het nooit had aangeboden. Ik wilde dat je het geld verdorie had gebruikt voor de skivakantie van Alice of een nieuwe rotklarinet van Jack waarop hij één keer speelt en het dan opgeeft, zoals hij ook met de viool en die klerepiano heeft gedaan. Het is mijn schuld niet!*

'Ik weet het, pa,' zei ze, en ze beet op haar lip. 'Hé, zei je niet dat je zaterdag misschien een paar planken op zou komen hangen?'

'Ja, ja,' zei John ongeduldig, en zijn stem werd weer milder. 'Ja, dat is goed. Ik zal kijken wanneer ik kan. Dan kunnen we dit ook bespreken.' Hij wachtte even. 'Heb je je moeder al gesproken?'

Haar moeder zei niet te weten wat er aan de hand was.

'Ik heb het briefje ook gekregen. Te gek voor woorden. Ik heb geen idee waar ze het over hebben,' had ze gezegd, en ze had stomverbaasd geklonken toen Elle haar belde de avond dat ze het kaartje hadden gekregen. 'Ik heb haar nooit aardig gevonden. Altijd gedacht dat ze getikt was, maar tegen niemand vertellen, hoor.'

'Toen ze bij je logeerden, is er toen...' Elle dwaalde af.

'Is er toen wat?' Haar moeder klonk scherp. 'Ik heb niets gedaan. Ik vond het een leuk weekend. Ik ben de meeste tijd met Bryan en Anita weg geweest om de textielbusiness te bespreken. Het is heel druk op het moment. Je weet toch dat we in oktober naar India gaan.'

'O, ja, dat is ook zo,' zei Elle, en ze moest zich inspannen om bij de les te blijven en haar moeder niets te vragen als ze in zo'n bui was. 'Hoe loopt dat?'

'Goed, maar ik ben er erg druk mee. Dus ik heb ze niet veel gezien. Zaterdagavond hebben we wel een beetje een raar gesprek gehad, maar het was geen ruzie. Gewoon zoals dat zo vaak gaat onder het eten.'

'Waarover?' vroeg Elle.

'Weet je dat ik dat niet eens meer weet? Over Amerika misschien. Ze deed zo neerbuigend en vertelde me waarom Amerika zo geweldig was en dus heb ik alle feiten even voor haar op een rijtje gezet. Oeps, misschien vond ze dat niet leuk.' Mandana klonk onzeker. 'Elle, ik wil niet dat jij denkt dat ik iets... Dat zou ik nooit doen. Mijn hemel. Mijn hemel, ik heb haar vast geërgerd, maar ik weet niet waarmee.'

'Ik weet het niet, mam,' zei Elle, en ze besefte dat ze oprecht van streek klonk. Ze zag haar voor zich en ze kon er niet tegen, haar vingers ineenvlechtend zoals ze deed als Rhodes kwam en ze hem wanhopig probeerde te behagen, Melissa gunstig te stemmen, het juiste te doen, de moeder te zijn die iedereen wilde dat ze was. Ze duwde het geluid van haar moeders dronken stem op de voicemail uit haar hoofd. Het was vast iets eenmaligs geweest, daar was ze van overtuigd, misschien was ze niet eens dronken geweest. Elle was er nu eenmaal erg op gespitst. 'Maak je geen zorgen, mam. Ik weet zeker dat dat het niet was. Ik weet niet wat ze bedoelde.'

Toen ze zich aankleedde besloot ze zelfs alles uit haar hoofd te zetten. Laat Rhodes en Melissa hun eigen ding maar doen, ze had er genoeg van om voicemails in te spreken, e-mails te sturen en te proberen hen op te sporen. Laat haar vader maar tegen iemand anders door de telefoon tieren. Laat haar moeder maar rondhangen met die rot-Bryan en Anita en zichzelf helemaal ongans drinken. Ze had genoeg van ze.

Tien verkwikkende minuten later kwam Elle onder de douche vandaan en trok haar nieuwe lange zwarte linnen rok aan. Het kostte haar moeite de rits dicht te krijgen – hoe kon ze nu zijn aangekomen als ze de afgelopen dagen praktisch niets anders dan Pringles had gegeten? Ze combineerde het met haar pastelblauwe mouwloze shirtje met kanten randjes – hét succes van de uitverkoop bij Whistles – en zwarte slippers. Ze gooide een dun zwart vestje over haar zongebruinde schouders – ze had de laatste tijd veel in de zon gelegen op het keukendak van de flat. Het was gevaarlijk om erop te klimmen, maar zalig als je er eenmaal was. Je kon er als een kat uren in de zon liggen, koude rosé drinken en alle Georgette Heyers lezen die je maar wilde. Zo kon je een hele zomer verkwanselen.

Ze slingerde haar tas over haar schouder, stopte haar boek, portemonnee, walkman, telefoon en sleutels erin, zette haar zonnebril op en ging naar buiten.

Op de een of andere manier is het veel erger om alleen te zijn op een snikhete dag dan op een koude winteravond, als je je op de bank kunt opkrullen met een kruik en een glas rode wijn bij een gashaardje en gezellige tv-programma's. Als het dertig graden is zou je in een park moeten liggen met je vrienden of een vriendje, om lekker Pimm's te drinken en snacks van de Sainsbury's te eten. Elle liep over Kilburn High Road en voelde de olieachtige vieze warmte in de poriën van haar pas gescrubde huid dringen. Ze wilde dat ze frisse, schone lucht kon inademen. De straat was vol winkelend publiek, dat samendromde in de goedkope Primark en Peacocks, stond te lachen voor de pub en kinderen en boodschappentassen met zich meetrok. Iedereen was met iemand samen.

Ze kocht een blikje cola en liep naar het station. Zonder er echt over na te denken stapte ze in de trein die er net aankwam. Ze nam plaats in de snikhete met graffiti bedekte wagon die door de stad rolde en toen ze in Richmond was keek ze om zich heen en ze besefte dat ze niet wist waar ze heen ging. Misschien moest ze uitstappen en teruggaan. Nee. Ze stapte uit en keek op de kaart.

Vijf minuten later liep ze op een nonchalante manier en met een zichzelf opgelegde 'ik ben hier toevallig een dagje'-houding door de open deur van de koele, donkere winkel. Achter de kassa stond een jongeman met een donker kort koppie voorovergebogen een lijst af te vinken.

'Hoi,' zei Elle. 'Is Tom er ook?'

'Pardon?' De jongeman keek op, en Elle zag dat het een jonge vrouw was met een jongensachtig chic kort kapsel. Elle friemelde aan haar eigen slordige haar.

'O. Sorry. Ik vroeg me af waar Tom was. Ik ben, eh... een vriendin.'

Het meisje, dat heel knap was, droeg een gebloemd shirt, zag Elle nu. Hoe kon ze hebben gedacht dat ze een man was, een man met zulke slanke schouders en gouden oorringen in? Ze stopte twee vingers in haar mond en floot. 'Tom!' riep ze. 'Er is iemand voor je.' Elle keek haar onder de indruk aan. 'Goedkoper dan een intercom,' lichtte ze toe.

Tom verscheen in de deuropening achter de kassa. Hij had een potlood achter zijn oor en zijn mouwen opgerold. 'Elle!' riep hij uit, en hij liep naar haar toe. 'Wat een leuke verrassing. Wat brengt jou hier?' Hij kuste haar. Ze zag dat hij sproeten op zijn neus had en dat zijn gezicht iets verbrand was door de zon.

'Het is zo heet, dus ik dacht, ik trakteer mezelf eens op een dagje buiten Kilburn,' legde Elle uit, en ze vond het fijn dat dit zo normaal klonk, hoewel ze nu ze hier was het gevoel had dat ze een fout had gemaakt. 'Mijn kater wegwerken, even wandelen bij de rivier, gewoon.'

'Nou, ik ben blij dat je er bent,' zei hij.

Er viel een ongemakkelijke stilte. 'Zal ik gewoon maar even rondkijken?' zei Elle verlegen. 'Ik wilde de boekwinkel graag zien, ik heb een paar boeken nodig, mijn moeder is binnenkort jarig.' In februari. Ze schudde haar hoofd. 'Eh...'

'Prima,' zei Tom. Hij keek haar weer aan, maar met een vreemde blik in zijn ogen. 'Nou, dat is fantastisch. Heb je zin om daarna iets te gaan drinken? Ik ben vanmiddag vrij, mijn dienst zit erop. We zouden...' Hij aarzelde en keek steels achterom naar het meisje achter de toonbank. 'Nou ja, laat maar even weten als je klaar bent.'

Het meisje zei: 'Tom, als je wilt gaan, ga dan nu. Mervyn Thacker komt rond lunchtijd hierheen om over zijn presentatie te praten.'

Tom kromp zichtbaar ineen. 'Mijn god, dank je, Caitlin.' Hij wendde zich tot Elle. 'Zullen we gaan?'

'Graag,' zei Elle dankbaar. 'Bedankt,' zei ze tegen Caitlin.

'Elle, dit is Caitlin. Zij runt de winkel. Zij is de reden waarom we überhaupt geld verdienen.' Hij kneep Caitlin in haar schouder. 'Dag, C. Tot straks.'

Ze liepen naar buiten, en Elle keek nog een keer om naar Caitlin, gefascineerd door haar donkere amandelvormige ogen en haar lage hese stem. Ze keek hen na.

'Bij Bluebird zat een krankzinnige auteur die Mervyn Thacker heette,' zei Elle. 'Hij had een boek over de ware boodschappen van de Steen van Rosetta geschreven. Hij was gek. Hij bleef Joseph Mile maar bellen om te zeggen dat er runen op de piramiden zaten die de markeringen op het oppervlak van Mars weerspiegelden en hij vroeg zich af waarom er niemand naar hem luisterde.'

'Je slaat de spijker op zijn kop,' zei Tom. 'Hij woont in Richmond. Hij heeft een vervolg geschreven op het boek over de piramiden en wil dat zelf uitgeven. Hij wil de presentatie graag in Dora's houden.'

'Je hebt de boekwinkel Dora's genoemd.' Elle had het bord buiten gezien. 'Wat leuk.'

'Nou, mijn moeder hield enorm van lezen en het is een goede naam.' Hij glimlachte en maakte een cirkelvormige beweging met zijn hoofd alsof hij moe was. 'En de publiciteit is ook mooi meegenomen.'

'Je bent een echte verkoper,' zei Elle.

'Ik vind het geweldig, dat is het gekke,' zei Tom. 'Toen ik agent was vond ik het verschrikkelijk om mensen boeken aan te smeren waarvan ik niet helemaal zeker was. Zelfs als mijn klanten boeken schreven die ik leuk vond, dacht ik altijd dat ik het mis had en dat ze nooit een uitgever zouden vinden. Het is veel makkelijker als je boeken verkoopt. Er is niet zoveel druk. Ik heb dit boek gelezen, ik vind het goed, ik kan het met mijn hand op mijn hart aanbevelen, beloofd, geld terug als je het niet met me eens bent.' Hij hield zijn mond even en keek haar bevreemd aan. 'Elle, ik hoop niet dat je het erg vindt dat ik er wat van zeg, maar je ziet bijna groen. Gaat het wel?'

Elle kuchte en lachte. 'Ja, bedankt, het gaat wel. Ik heb gewoon iets nodig tegen mijn kater, meer niet. Misschien nog een drankje.'

'O nee,' zei Tom. 'Feestgevierd gisteravond?'

Elle schudde haar hoofd. 'Eh... zoiets.'

Hij grinnikte. 'Nou, vertel het me maar. Ik heb gisteravond thuis in mijn eentje een bord pasta gegeten. Maak me maar jaloers.'

'Eh... er is niks om jaloers op te zijn.'

'Vast.' Zijn ogen glinsterden. 'Je bent wezen stappen, wat heb je in hemelsnaam gedaan? Kom op.'

Bijna boos zei ze: 'Ik heb thuis in mijn eentje een fles wijn soldaat gemaakt, Tom. Dat is wat ik heb gedaan.'

'Tuurlijk,' zei Tom.

Elle ergerde zich en begon te blozen. Ze voegde eraan toe: 'Dat is ook deels de reden dat ik hierheen ben gekomen.'

'O ja? Hoezo?' Tom leidde haar door een zijstraatje.

'Nou, ik weet niet waarom, maar ik wilde het je vertellen, het is waarschijnlijk heel saai en...' Het klonk nu zo belachelijk. 'Al mijn vrienden zijn weg en ik dacht dat jij het wel zou snappen. Ik weet niet waarom, maar dat dacht ik. Na ons gesprekje over bruiloften.'

Ze kon zijn gezicht niet zien, hij keek voor zich uit. 'Wat is er gebeurd?'

'De bruiloft gaat niet door. De bruiloft van mijn broer dan,' voegde ze eraan toe.

Even keek hij wezenloos voor zich uit, maar toen leek er een lichtje te gaan branden. 'Diegene die je toen opbelde? Met die gekke Amerikaanse? Het gaat niet door? Dat meen je niet.'

Ze kwamen aan het einde van het schaduwrijke laantje, dat uitkwam bij de rivieroever, omzoomd met bomen, in de verte een veld en de prachtige witstenen Richmond Bridge. Boten en ferry's gleden langzaam door het water en op de oever zaten de mensen gezellig voor de pub met een glas Pimm's in hun hand te praten en te lachen. De geur van sigarettenrook, barbecue en groen gras hing in de lucht. Elle keek om zich heen en ademde diep in.

'O, wat is het hier mooi,' zei ze.

'Ik zal wat te drinken voor je halen en dan kun je me er alles over vertellen,' zei Tom. 'Waar heb je zin in?'

Elle haalde diep adem en zei tegen zichzelf dat ze beter sinaasappelsap kon nemen. 'Een Pimm's dan maar,' hoorde ze zichzelf zeggen. 'Het fruit zal me goeddoen.'

'Helemaal waar,' zei Tom. 'Ga ergens zitten. Ik ben zo terug.'

Er zwommen zwanen in de rivier, de hemel was blauw, alles wat ze zag was mooi en leuk en Tom had iets over zich waardoor Elle het gevoel had dat ze hem alles kon vertellen. Bij hun derde Pimm's zei ze: 'Ik ben hier trouwens niet heen gekomen omdat je me mee uit had gevraagd, hoor.'

Tom verslikte zich bijna in een stukje komkommer. 'Wauw,' zei hij proestend, en Elle gaf hem een glas van het een of ander aan. 'Dat is bier van iemand anders. Het gaat wel weer.' Hij hoestte opnieuw. 'Je bent een vreemd meisje, weet je dat?'

Elle staarde naar haar drankje in het plastic glas tussen haar vingers. Ze vroeg zich net als altijd af hoe hard ze erin kon knijpen voordat het zou barsten. 'Dat weet ik,' zei ze.

'Zo bedoel ik het niet,' zei Tom. 'Echt. Ik wilde dat ik het nooit had gevraagd. Het was veel te beladen, ik wilde gewoon iets met je gaan drinken. Ik vroeg je niet... uit of zo.'

'O, ja, dat weet ik,' zei Elle, en ze wendde haar gezicht af. 'Ik wilde gewoon even laten weten dat het geen probleem was.'

'Laten we het er niet meer over hebben,' zei Tom. 'Nogmaals, het spijt me.'

'Goed plan,' zei Elle opgelucht. Ze boog iets voorover. 'Het is fijn om alles duidelijk te hebben.'

Hij boog zich ook voorover. 'Mee eens.'

Er viel een stilte.

'Caitlin lijkt me erg aardig,' zei ze, en ze beet op haar lip.

'Eh... ja.'

Elle was vastbesloten om elk ongemakkelijk element van hun... gezamenlijke drankje, nam ze aan dat het was, weg te nemen. 'Je vindt haar leuk, niet?'

'Ja.' Tom keek naar de rivier. 'Ze is alleen wel een beetje gek en ik weet niet of ik daartegen kan.'

Elle zag dat de kronkelende ader op zijn slaap begon te kloppen en ze bedacht hoeveel jonger hij eruitzag als hij geen pak droeg.

'Er is dus iets gaande tussen jullie twee,' zei ze.

Zijn vrij harde gelaatstrekken ontspanden zich. 'Ze is... Ik ken haar al heel lang. We hebben... Nou, het klinkt allemaal een beetje stom, maar toen ik jou mee uit vroeg aan het begin van de zomer, hadden we een soort relatie.' Hij sloeg met zijn hand op zijn wang en schudde zijn hoofd even vlug. 'Haar ex-vriendje Jean-Claude hangt alleen nog steeds om haar heen. Ik bedoel, ze zijn uit elkaar, maar ze ziet hem nog wel.' Hij glimlachte, en ze zou hem het liefst even op zijn schouder kloppen; hij zag er zo jong uit, zo lief. Hij schudde zijn hoofd. 'Vergeet het maar, ik heb al te veel gezegd.'

'Het geeft niet,' zei Elle. 'Ga alsjeblieft door.'

'Ze lijkt het leuk te vinden, dat dramatische gedoe, de spelletjes. Ik...' Zijn blik was star, hij hield zijn kaken stijf op elkaar. 'Ik ben... Ik ben er nooit goed in geweest.' Hij glimlachte spottend. 'Dus ik weet zeker dat ik het op enig moment zal verpesten. Ik wilde dat ik meer wist.'

'Meer wist waarover?'

'Of de omstandigheden nou het probleem zijn of dat we gewoon niet bij elkaar passen. Of dat we gewoon een betere band hebben omdat we samenwerken.'

'Dat is niet zo,' zei Elle met haar hart in haar keel. 'Je brengt veel tijd met elkaar door, maar dat is niet echt, dat is werk.'

'Hoe weet je dat zo zeker?'

'Ik...' stamelde Elle.

'O,' zei hij verontschuldigend. 'Je hebt net met iemand gebroken. Vergeet het maar. Ik wilde dat iemand het wist, dat iemand me kon vertellen wat ik moet doen.'

'Ik zal het je vertellen. Ik zeg dat je voorzichtig moet zijn.' Elle slikte.

'Hoe weet je dat?'

Ze haalde diep adem. Ze voelde zich roekeloos en kon niet meer terug. 'Ik had een... Ik was samen met Rory.' Ze wist nog steeds niet hoe ze het moest noemen. 'Een affaire.' Het klonk zo nietszeggend. 'Ik had een affaire met Rory.'

'Jij en Rory?' zei hij fel.

Ze knikte.

'Echt?' Ze zaten ieder aan een hoek van een tafel met hun gezicht naar de rivier. Hij ging rechtop zitten, keek haar aan en schraapte zijn keel. 'Hoe lang? Elle, dat wist ik niet, ik...' Hij wreef weer over zijn hoofd. 'Jezus. Dat bedoelde je toen je zei dat je relatie was verbroken?'

'Het geeft niet.' Ze sloeg haar armen om zich heen. 'Niemand wist het. Nog steeds niet. Het heeft meer dan een jaar geduurd, aan en uit, maar het was daarvoor al begonnen. Op de avond dat ik jou heb ontmoet, eigenlijk.' Terwijl ze erover sprak voelde ze plotseling dat ze op het punt stond te gaan huilen.

'Wanneer zijn jullie uit elkaar gegaan?'

'Eh... net voor kerst.' Ze dronk haar glas leeg. 'Na dat gedoe met de verkoop.'

'Kwam het door de verkoop?'

Ze kneep haar ogen tot spleetjes. 'Soort van. Het was meer... nou, alles samen eigenlijk. Het gelieg tegen zijn moeder, tegen iedereen. Hij stond daar gewoon en zei dat we niet verkocht zouden worden en daarna heeft hij ons achter de rug van zijn moeder om allemaal bedrogen. Het is vreemd,' zei ze. 'Ik was zo verliefd op hem. Ik hou nog steeds van die Rory. Maar dan is er nog een heel andere persoon en die is hij ook en daardoor kan ik gewoon niet samen met hem zijn. Ik weet dat het gek klinkt.'

'Nee, dat is niet zo. Ik snap wat je bedoelt.' Tom staarde haar aan en zijn ogen zochten haar gezicht af. 'Het spijt me. O, Elle. Nou ja, hij moet er nu voor betalen, hij verdwijnt spoorloos in de mazen van Bookprint. Ik heb gehoord dat Bill op zoek is naar een manier om hem tegen het einde van het jaar te lozen. O, Elle,' zei hij opnieuw. 'Het is maar goed dat je van hem af bent.' Hij lachte; een kort, boosachtig geluid. 'Jemig, waarom vallen leuke meisjes zoals jij toch altijd voor rotzakken als Rory?'

'Je kent hem niet,' zei ze. 'Ik was niet blind voor zijn tekortkomingen, maar... hij heeft nog een andere kant.' Ze dacht aan zijn vriendelijke ogen, de manier waarop hij haar voeten kietelde, hoe veilig ze zich in zijn armen voelde met haar hoofd op zijn borstkas. Ze kon het niet uitleggen, tegen niemand. Ze kon zelfs nauwelijks geloven dat het was gebeurd.

Tom nam een slok van zijn drankje. 'Ben je nog steeds verliefd op hem?' vroeg hij ronduit.

'Nee.'

Hij trok een wenkbrauw op. 'Echt niet?'

'Ik weet het niet.' Elle wendde zich af en keek uit over het water. 'Misschien wel.'

'Ik wilde dat je dat niet had gezegd.'

'Hoe bedoel je?' vroeg ze, maar ze luisterde niet echt en dacht nog steeds aan Rory's gezicht, de dag ervoor, tijdens de vergadering, toen Bill hem een uitbrander had gegeven over het nieuwe Paris Donaldson-omslag. Tom keek nog steeds naar haar en toen ze dat besefte draaide ze zich weer naar hem toe. 'Sorry, waar waren we?'

Hij ging staan. 'Hé,' zei hij. 'Het maakt niet uit. Zullen we iets gaan eten? Het is bijna drie uur. Je hoeft toch nergens heen?'

'Nee,' zei ze. Ze stond op en schudde haar hoofd. 'Absoluut niet. Misschien neem ik er zelfs nog wel een.'

Hij lachte. 'Daarstraks zei je nog dat je nooit meer zou drinken.'

'Nou, ik ben van gedachten veranderd.'

25

Veel later die avond, onderweg naar het station, na een pizza en heel veel wijn op een schaduwrijke binnenplaats in de buurt van Richmond Green, besefte Elle plotseling iets.

'Het is heel raar, maar eigenlijk weet ik helemaal niets over jou,' zei ze.

Tom bleef staan. 'Hoe bedoel je? We zijn de hele dag samen geweest.'

'Ja, we hebben veel gedronken en gesproken over... Ik weet niet meer waarover we het hebben gehad,' zei ze. Haar ouders. Zijn ouders? Rory? Het werk? Boeken? Daar hadden ze het absoluut allemaal over gehad, maar ze kon zich niet meer herinneren wat ze hadden gezegd en waarom. Ze hadden gepraat en gelachen en de zon was ondergegaan en nu kon ze zich er niets meer van herinneren.

'Ik ben gek op zulke gesprekken,' zei Tom. 'Kost veel minder moeite. Uit Vicky, mijn ex, moest ik de woorden soms trekken. We hadden heel veel gemeen, maar we hadden gewoon niet dezelfde kijk op de wereld.' Hij bleef staan. 'Hé, dat is een goeie, die moet ik opschrijven.' Hij haalde zijn mobiel tevoorschijn.

'Ga je het echt opschrijven?'

'Yep,' zei Tom, en hij rommelde met zijn telefoon. 'Ik stuur een sms'je naar mezelf. O, dat gaat niet. Ik stuur hem naar jou, stuur jij hem dan terug naar mij?'

Ze keek hem aan en probeerde niet te lachen. 'Wauw.'

'Goed.' Tom stopte zijn telefoon weer weg, en die van haar zoemde in haar tas.

'Je bent een rare vogel, wist je dat,' zei ze. 'Meestal ben je heel normaal, maar soms komt je extreem vreemde kant naar boven. Misschien wel als je dronken bent.'

'Dat is goed om te weten,' zei hij effen. 'Jij ook, als ik zo vrij mag zijn.'

'Ik ben niet raar,' zei Elle defensief.

'Op een goede manier, bedoel ik. Dat zijn leuke mensen allemaal.' Hij slikte alsof hij zorgvuldig nadacht. Elle zag dat hij aangeschoten was. 'Jij hebt een goed uithoudingsvermogen. Zoals met die Georgette Heyer-boeken. Je leest ze allemaal en het wordt haast een obsessie. En weet je, je kunt beter een obsessie voor waardeloze liefdesromans hebben dan bijvoorbeeld voor hardcore porno of zo.'

Ze keek hem aan. 'Eh... dat klopt. En jij dan?'

'Ik?' Tom trok zijn neus op en stopte zijn handen in de zakken van zijn spijkerbroek, zachtjes heen en weer wiebelend op de stoep. 'Ik. Niets. Niets. Nou, ik was echt dol op Pulp. Vond ze echt heel goed. Nog steeds trouwens. Ik heb al hun platen en ik had een schrift waarin ik bijhield op welke plek in de hitlijst ze die week stonden.' Hij grinnikte, maar keek haar niet aan. 'Van de albums en de singles. Ik heb het nog steeds. Ook een tabel met wie bij wie hoorde. Plus elke plaat die Jarvis en Richard Hawley hebben gemaakt. Ik heb ze allemaal.'

'Nou,' zei Elle.

'Eens kijken, wat nog meer. Eh... Sherlock Holmes? Ik heb elk Sherlock Holmes-verhaal zo'n tien keer gelezen. Sommige zelfs vaker. Ik weet er alles van. Stel maar een vraag.'

'Ik geloof je zo ook wel.'

'Stel een vraag! Kom op!'

'Oké. Goed dan. Hoe heette *De hond van de Baskervilles?*'

Tom keek haar meewarig aan. 'Hij had geen naam.'

'Nog iets anders dan?' zei Elle. 'Een vreemde gewoonte?'

'Ik gooide altijd dingen in een prullenbak toen mijn moeder ziek was. Wel vijf, tien keer per dag. Als ik raak gooide, zou ze beter worden. Als ik miste, moest ik net zo lang gooien tot ik wel raak gooide.'

Elle knikte.

'Ze werd niet beter, dus het werkte niet. Ik heb het haar verteld en ze vond het een goed idee om alles te proberen. Ik weet niet of ik dat ook vond. Ik had andere dingen moeten doen, zodat ze trots op me was, geen stomme spelletjes spelen terwijl het zo slecht met haar ging.'

Ze wilde dat ze haar armen om hem heen kon slaan, hem kon knuffelen, maar ze was plotseling verlegen. 'Waar moet je heen?' vroeg ze even later. 'Ik weet niet eens waar je woont.'

'Het is maar tien minuten lopen. Eh...' Tom keek op zijn horloge. 'Wauw. Het is al laat. Misschien...'

'Ga niet naar Caitlin,' zei Elle, en meteen wilde ze dat ze dat niet had gedaan. Zijn gezicht bevroor en die oude, formele afstandelijke uitstraling die ze zo goed kende, kwam weer terug.

Hij liep door, maar stopte en draaide zich om. 'Waarom? Waarom wil je niet dat ik naar haar toe ga?'

'Ik denk dat ze je gebruikt. Om Jean-Claude jaloers te maken. Dat is alles.' Ze stootte hem aan. 'Hé, wat is er aan de hand?'

'Dat kan ik niet vertellen,' zei hij. 'Het klinkt te vreemd. Je zou het toch niet snappen.'

Hij keek haar met zijn donkere ogen enorm serieus aan. Elle was zenuwachtig, hij bewoog naar haar toe, en ze raakte in paniek. Hij ging haar toch niet... Of wel?

Tom legde een hand op haar schouder. 'Ik ben dronken, sorry,' zei hij. Hij leunde voorover en kuste haar. Elle voelde zijn lange vingers op haar schouders, zijn adem tegen haar mond. Hij rook kruidig, naar wijn en zweet. Zijn lippen op de hare waren hard, maar toch zacht; de stoppels op zijn kin schraapten over haar huid. Hij drukte zich vurig tegen haar aan, pakte haar vast en liet haar weer gaan, duwde haar bijna weg. Ze had haar handen op zijn armen en klampte zich even aan hem vast voordat ze losliet en zwaar ademend een stap naar achteren deed.

'Dat had ik niet moeten doen,' zei hij bruusk. 'Te veel gedronken. Sorry. Ik wilde...'

'Het geeft niet,' zei Elle.

Hij vloekte binnensmonds, en zij bestierf het; hij had er duidelijk spijt van.

Ze keken elkaar aan. 'Nou,' zei Tom. 'Dit is ongemakkelijk, vind je ook niet? Vergeef me. Ik wilde dat we het konden vergeten. Zomaar gebruik van je maken.'

Elle kon er niets aan doen dat ze moest lachen en ze legde een hand op haar borstkas, waar haar hart bonkte. 'Heus, het geeft niet,' zei ze. 'Ik ben een grote meid, Tom. Ik val heus niet flauw. We zijn toch vrienden?'

Ze stak haar hand uit en raakte voorzichtig de zijne aan. Hij haalde diep adem en keek naar haar, zijn ogen zochten haar gezicht in de donkere doorgang af.

'Toch?' vroeg ze.

Toen hij sprak, klonk hij weer luchtig. 'Als je deze gênante vertoning van mij kunt vergeten en het feit dat ik Sherlock Holmes-spulletjes verzamel, dan... ja.' Hij knikte. 'Dat zou fantastisch zijn.'

'Ik wil volgende week naar *The Royal Tenenbaums* in de bios. Heb je zin om mee te gaan?'

'Graag,' zei hij.

Ze keek op haar horloge. 'Ik kan maar beter gaan, straks mis ik de laatste trein nog.'

Ze liepen naast elkaar in stilte naar het station. Naast hen stonden de zwarte taxi's op de taxistandplaats te ronken en achter hen stopte een trein.

'Dag,' zei ze. 'Ik moet gaan. Bedankt voor alles, Tom, ik vond het erg gezellig.' Ze hield even stil en besefte dat ze het meende. Ze was haar eigen saaie persoontje zomaar een paar uur vergeten.

'Ja,' zei Tom. 'En Elle... zorg goed voor jezelf.'

Hij trok haar naar zich toe en legde zijn armen om haar heen. Elle leunde even tegen hem aan, genoot van zijn geur, de troost van iemand anders. Hij pakte haar stevig vast. Ze kon zijn vingers voelen, uitgespreid op haar rug. Plotseling had ze het gevoel dat ze moest huilen.

'Bedankt voor alles,' zei ze. Ze schraapte haar keel. 'En bedankt dat je zo aardig tegen me bent geweest, me voor Rory hebt gewaarschuwd en zo. En dat je me hebt gekust.'

'Jij ook bedankt dat je me voor Caitlin hebt gewaarschuwd. Ik kan ook niet meer praten,' zei hij bijna spottend. 'Maar... Ja. Tot gauw.' Hij lachte. Zij draaide zich om en liep naar de kaartjescontrole.

In de trein terug naar huis pakte Elle haar telefoon. Ze wilde Rory niet bellen, maar misschien zou ze hem een sms'je sturen. Ze ontgrendelde haar telefoon en zag dat ze een berichtje had, maar het was van Tom, dat was ze vergeten.

> We hadden veel gemeen, maar we hadden gewoon niet dezelfde kijk op de wereld.

Hoewel het na elven was, was het nog even heet en benauwd als overdag. Elle zat in de rammelende trein en staarde naar het schermpje, haar hoofd en hart bonsden.

26

Augustus hoort een rustige maand te zijn, dan is iedereen weg of gebruikt het feit dat iedereen weg is als excuus om niets te doen. Elle keek uit naar een paar weken in verdoofde toestand zonder trouwplannen om Georgette Heyer-boeken te lezen, lekker te zonnebaden, niet al te veel doen, tot er ineens een paar bommen ontploften.

De eerste – en tevens tweede – bom was Libby. Een paar weken na Elles dagje in Richmond stormde ze Elles kantoor binnen. Elle zat op een potlood te kauwen en zogenaamd een manuscript te redigeren, hoewel ze eigenlijk een e-mail van Tom beantwoordde. Hij had niet zoveel zin om naar *Moulin Rouge* te gaan en zij probeerde hem over te halen, zonder al te veel succes.

> Oké. Zullen we eerst naar die Japanse tent op Kingly Street, dan kun jij alle sake drinken die je maar wilt en aangenaam dronken zijn tegen de tijd dat we naar MR gaan?
> En trouwens, de nieuwe schetsen voor de boeken van je moeder zijn binnengekomen en ik vind het een enorme verbetering. Veel beter dan die roze striptekeningen. Kan ik ze...

Elle zat op haar potlood te kauwen omdat Tom en zij na die eerste keer nog een keer pizza waren gaan eten en samen wat hadden gedronken en elkaar regelmatig e-mailden en sms'ten. Nu ze vrienden waren leek het vreemd om werk ter sprake te brengen in een verder gekscherend e-mailtje. Het gaf haar een ongemakkelijk gevoel, ze wist niet waarom.

'Kun je even mee naar buiten komen?' vroeg Libby dramatisch.

Elle keek op haar horloge. Ze had geen zin om haar leestijd in *Devil's Cub* te onderbreken. Het was duidelijk dat Vidal op het punt stond te beseffen dat hij verliefd was op Mary Challoner, hoewel zij hem in het hoofdstuk daarvoor had neergeschoten – maar ze zag Libby's gezicht en stond op.

'Natuurlijk, wat is er gebeurd?'

Libby maakte een ritsgebaar over haar lippen en knikte naar Mary. Ze gingen naar buiten, de stoffige straat op. Libby pakte een sigaret en stak hem op. Er liepen twee Italiaanse goths luid kletsend langs, maar verder was het plein verlaten. Iedereen was weg.

'Is alles in orde?' vroeg Elle.

'Ik mag niet naar New York,' antwoordde Libby, en ze inhaleerde de rook.

'Wat?' vroeg Elle verbaasd. 'Waarom niet?'

'Nou... er is iets wat ik je niet heb verteld.' Libby inhaleerde weer en ze rilde van afschuw, als een toneelactrice uit de jaren dertig die in haar boudoir met een ondermaats boeket bloemen wordt geconfronteerd. Elle wachtte geduldig.

'Als ik het vertel, mag je het aan niemand doorvertellen. Echt aan niemand.'

'Natuurlijk niet,' zei Elle.

'Het is Bill.'

'Wie?' vroeg Elle dom.

'Bill Lewis? Onze baas?' zei Libby woedend. 'Het hoofd van onze divisie?'

'O, die. Wat is er met hem?'

'We hebben een affaire.' Ze voegde eraan toe: 'Het is serieus.'

Elle liet haar veiligheidspasje op de grond vallen. 'Wat zeg je? Maar hij is getrouwd!' riep ze uit, en ze raapte het op. 'Hij heeft kinderen!'

Libby keek Elle aan alsof ze haar zojuist had neergeschoten. 'O, dank je. Alsof ik dat niet wist. Je begrijpt het niet. Het is serieus. Hij gaat bij haar weg. Binnenkort.'

'Wat?' Elle was zo verbaasd dat ze nauwelijks wist wat ze moest zeggen. 'Echt?'

'O mijn god, had ik het je maar niet verteld,' zei Libby woedend.

'Ik wist dat je me zou veroordelen.' Haar ogen waren rood. 'Mijn god, Elle. Alsof jij niet hetzelfde hebt gedaan.'

'Dat was anders,' zei Elle, maar ze had er meteen spijt van.

'Het was niet anders.'

'Hij was niet getrouwd!' riep Elle uit. 'Hij had geen kinderen! Geen baby!'

'Juist.' Libby blies een wolk rook uit en siste boosaardig: 'Tuurlijk. Het was prima. Jij hebt zeker niemand pijn gedaan? Jij hebt, eh... bijvoorbeeld geen baan gekregen, terwijl iedereen met jarenlange ervaring op straat stond?'

Elle slikte en wenste voor de zoveelste keer dat ze Libby nooit over Rory had verteld. Ze bedacht nu dat ze had geprobeerd Libby terug te krijgen, zoals een echtgenote nieuwe lingerie koopt om haar vreemdgaande echtgenoot te verleiden. Maar hun vriendschap was veranderd. Ze wist niet sinds wanneer, maar ze besefte plots dat de verandering werd gekenmerkt door Libby's reactie toen ze haar over Rory had verteld. Een geamuseerde, bijna verveelde afstandelijkheid, alsof ze wilde zeggen: *Jij bent niet degene die ervandoor gaat met de directeur, Elle. Jij bent degene op de achtergrond. Wacht maar af. Ik wel.* Misschien was dat niet eerlijk. Elle herinnerde zich Toms donkere, sympathieke gezicht toen ze het hem had verteld, zijn boosheid ten behoeve van haar, en ze wendde zich weer tot Libby, bijtend op haar lip.

'Goed,' zei ze. 'Luister, Libby...'

Libby schudde haar hoofd en fluisterde: 'Mijn god, het spijt me zo.' Ze trok Elle naar zich toe en knuffelde haar. 'Dat was erg onaardig. Het is niet waar. Ik ben een trut. Ik ben een trut, ik haat mezelf, het is gewoon niet...'

Ze begon te huilen, en Elle knuffelde haar ook, hoewel ze moest proberen niet te niezen van alle sigarettenrook die haar neus in walmde. Libby snikte hardop, en Elle keek instinctief om zich heen om er zeker van te zijn dat er niemand keek. 'Sssj,' zei ze.

'Ik wil niet stil zijn,' jammerde Libby, en ze gorgelde achter in haar keel. 'Soms denk ik dat ik hem haat,' voegde ze eraan toe, en zachtjes, alsof ze het tegen zichzelf had: 'Hoe ben ik hierin verzeild geraakt? Hoe?'

Elle voelde een vlaag van sympathie voor haar. Ze had Libby nog nooit zo van streek gezien, nergens over. Ze was meedogenloos met mannen; ze waren nooit goed genoeg, juist genoeg, belangrijk genoeg. Bovendien had ze altijd iets met mannen met macht gehad, mannen die op feestjes werden herkend. Vroeger hadden ze er grapjes over gemaakt, toen ze nog secretaresses waren en tegenover elkaar hadden zitten giechelen. *O, Libby. Ik hield zoveel van je.* 'Hoe lang al?' vroeg Elle, en ze klopte haar op haar schouder.

'Achttien maanden.' Elle probeerde niet verbaasd te kijken. 'Al heel lang eigenlijk, en o, je zult het wel niet begrijpen, maar het is fantastisch. We zijn verliefd, echt verliefd, en het is gewoon zo moeilijk...'

Het klonk zo bekend. 'Dus, wat is er gebeurd?' vroeg Elle, en ze kneep in haar schouders. 'Waarom mag je niet naar New York?'

'Celine is erachter gekomen.'

'Hoe? Wie heeft het haar verteld?'

Libby liet haar tanden zien. 'Ik weet het niet. Als ik er ooit achter kom vermoord ik hem. Ik moest net bij haar komen.'

'Wauw. Wat eng.'

'Ze was echt eng. Ze zegt dat Bill me heeft voorgesteld voor het uitwisselingsprogramma vanwege onze...' Ze aarzelde. '... relatie en ik zei van niet, dat het niet zo was, want als we zoveel mogelijk bij elkaar willen zijn, waarom zou hij dat dan doen? Hoe dan ook, ze zegt dat ik hier moet blijven, dat ik niet kan gaan omdat het niet via de juiste kanalen is gegaan.' Libby gromde en liet haar kleine witte tandjes zien. 'Ze is zo'n trut. Ik kan haar... Ik kan haar wel wurgen. "De juiste kanalen". Wat bedoelt ze daar verdorie mee? Ik ben de beste! Dat weet iedereen. Ik zou moeten gaan.'

Elle knikte. 'Celine is gek op de juiste kanalen. In dat opzicht kon ze de chiquere Franse dochter van Elspeth wel zijn.'

Libby lachte voor het eerst en ze veegde haar neus af met de rug van haar hand. 'Je hebt gelijk. Alleen was Elspeth niet zo vol van zichzelf en marcheerde ze niet rond in minuscule Agnès B-pakjes in maatje 34, wat een trut. Elspeth, waar zou ze nu zijn? En Felicity? Ik mis haar.' Ze glimlachte. 'Tjee, Bluebird. Het lijkt eeuwen geleden, vind je ook niet? Dat we elkaar schunnige stukjes uit Abigail Barrow-boeken voorlazen.'

Elle gaf haar een papieren servetje van Pret dat ze nog in haar zak had, en Libby snoot luidruchtig haar neus. 'Hij zegt dat hij bij haar weg gaat,' zei Libby. 'Ik weet niet of ik hem nog geloof. Maar nu Celine erachter is gekomen, zegt hij dat het meer tijd nodig heeft, dat we voorzichtiger moeten zijn...'

Elle knikte meelevend.

Libby's stem was zacht. 'En hij zegt... Ik weet dat het moeilijk voor hem is... maar voor mij is het ook moeilijk. En ze zijn niet gelukkig, dat weet ik. Ik heb alleen het gevoel dat mijn leven in de wacht staat. New York had een soort van fris begin moeten zijn. Een kans voor hem om mij te missen.' Ze keek Elle vurig aan. 'Hij had me wel moeten missen en dan had hij beseft dat hij niet zonder me kon. Hij zou naar me toe gekomen zijn om bij me te logeren. Het zou de eerste keer zijn geweest dat we echt samen zouden zijn... En die trut heeft daar een stokje voor gestoken. Ik kan haar wel vermoorden.'

Elle voelde zich zo verdrietig, hoewel ze wist dat het hypocriet was. Ze besefte opnieuw dat dit precies was wat er met Rory en haar was gebeurd; ze had haar leven in de wacht gezet en dat was nog steeds zo.

We hadden heel veel gemeen, maar we hadden gewoon niet dezelfde kijk op de wereld.

Libby nam een trekje van haar sigaret. 'Zo graag wilde ik nu ook weer niet,' zei ze niet bepaald overtuigend. 'Maar die manier waarop ze het zei: "Sjij bient niet geschiekt vur diet programmaaa",' haalde Libby uit met een overdreven accent. 'Op zo'n nare manier, alsof ik onrein ben en in New York alle Amerikaanse werkzaamheden met mijn valse maniertjes zou bevuilen. Laat ze het heen en weer krijgen. Het is maar beter zo. Yep.' Ze gooide de sigaret op de stoep en trapte hem uit met het Topshop-flatje dat ze vorige week samen hadden gekocht.

'Zo is het maar net,' zei Elle.

'Juist,' herstelde Libby zich. Ze rechtte haar schouders. 'Zoals ik al zei, het is waarschijnlijk maar goed ook. Nu kunnen Bill en ik uitvogelen wat er tussen ons is.' Ze gaf Elle een kus op haar wang. 'Bedankt, Elle. Je bent een goede vriendin.'

Elle bedacht ineens iets. 'Libs... is die plek weer vrij? Voor New York?'

'Hoezo, wil jij gaan?' Libby glimlachte. Het klonk niet echt aanstellerig, maar het was een soort halve glimlach.

'Eh... ja,' zei Elle, die het tot op dat moment nog nooit serieus had overwogen. 'Zou je het erg vinden?'

'Natuurlijk niet!' zei Libby, maar Elle geloofde haar niet helemaal. Het was waarschijnlijk een stom idee. Hoe dan ook, dit was toch niet het juiste moment om het te vragen. Ze knikte en omhelsde haar.

'Wauw, Libby. Wat een... Mijn hemel.'

'Heb je een hekel aan me?' vroeg Libby voorzichtig. 'Ik heb een hekel aan mezelf. Ik... O, het is allemaal zo verschrikkelijk. En volgende week word ik achtentwintig...' Ze snoof, en de tranen sprongen in haar ogen. 'Ik voel me zo oud, mijn god, zo oud.'

Elle verborg een glimlach. Ze wilde niet dat Libby dacht dat ze haar uitlachte. 'Je bent niet oud,' zei ze. 'Doe niet zo gek.'

'Ga je volgende week iets met me drinken? Beloof je het? Ik was van plan iets in de Crown te doen, maar Bill vond het geen goed idee, nou, ik wel. Ik wil Bill en Celine, echt iedereen, laten zien wie ik ben. "Vertel het hun, Julian, hun allemaal, dat ik niet verdoemd ben om het te tolereren. Jaar na jaar..."'

'"... vol mistroost en enorme wanhoop",' maakte Elle de zin voor haar af. 'Nee, dat is niet het beste stukje. Dat is: "En visioenen komen op, veranderen en doen mij sterven van verlangen. Verlangen naar niets wat ik kende in mijn rijpere jaren..."'

Libby viel haar bij en sloeg haar handen voor haar borstkas ineen. '"Toen vreugde gek werd van angst, bij het tellen van toekomstige tranen",' galmde ze.

'O, Emily!' zei Libby, en ze leunde tegen de muur. 'Mijn lievelings-Brontë, mijn grote favoriet. Die was ik helemaal vergeten. Weet je dat mijn moeder uit Haworth komt,' mijmerde ze. 'Ik vraag me wel eens af of haar over-over-over-overgrootvader...'

'... Emily en Charlotte bij de pastorie heeft zien spelen,' maakte Elle haar zin af. 'Ja, ik weet het.'

'Of...'

'... stiekem tabak met Bramwell heeft gepruimd,' ratelde Elle. 'maar toch geef ik de voorkeur aan Charlotte, weet je. Zij was niet zo intens. En die arme Anne dan?'

'Je weet dat die arme Anne me niets kan schelen,' zei Libby met een snik. 'Bedankt, Elle.' Ze legde een arm om haar heen en slaakte een diepe trillende zucht. 'Ik voel me al veel beter.'

Elle streelde haar haar en herinnerde zich hoezeer ze Libby had gemist, hoeveel ze ooit van haar had gehouden.

'Het komt goed,' zei ze. 'Arme meid. Ik weet dat het nu voelt alsof het niet zo is, maar op een dag komt alles weer goed. Hij is gewoon niet de juiste man voor jou.'

'Dat is hij wel,' zei Libby zwakjes. 'Echt.'

'Oké, oké,' zei Elle zachtjes. 'Misschien wel, maar ik durf te wedden dat er nog iemand anders rondloopt die even geweldig is. Laat je niet kleinkrijgen, Libs.'

'Wie dan?' vroeg Libby.

'Dat weet ik niet, maar hij loopt ergens rond. Je gaat niet in de uitgeefwereld werken om geschikte mannen te ontmoeten.' Even moest ze aan Tom denken, zouden hij en Libby bij elkaar passen? Kon ze hen als een stelletje zien? Ze schudde haar hoofd en wilde dat ze zo'n type was dat mensen zorgeloos kon koppelen tijdens een met wijn overgoten dinertje uit het River Café Kookboek met de Buena Vista Social Club op de achtergrond en verwierp de gedachte.

'Jakkes.' Libby liet haar schouders hangen. 'Ik haat het dat ik zo geobsedeerd ben,' zei ze, en ze klonk weer normaal. 'Weet je dat mijn scriptie over elizabethaanse vrouwen ging die eisten dat ze zelf een man mochten kiezen. Heel irritant, want eigenlijk gaat het nog net zo. Met wie zullen we zelf eindigen?'

'Het is helemaal niet hetzelfde,' zei Elle geschokt. 'Helemaal niet.'

'Ergens wel. Het is een wedstrijd en alle anderen staan op het veld en ik sta op de verkeerde plek met de verkeerde schoenen aan.'

Ze keek zo verdrietig, en opnieuw zei Elle: 'Dat is onzin. Hij loopt ergens rond, ik beloof het je.'

'Hoe kun je dat weten?'

'Dat weet ik niet,' zei Elle vastberaden. 'Ik vertel mezelf graag dat het zo is. En als het niet zo is, dan zijn er altijd nog andere dingen dan rondhangen en je leven verpesten met op hem wachten.' Misschien begon ze het zelf te geloven. 'Veel meer.'

27

'Waar zijn al die posters voor?' vroeg Elles vader. 'Die zijn toch niet van... jou, of wel?'

Hij keek zijn dochter achterdochtig aan, alsof ze een dertigjarige carrière in theatermanagement voor hem had achtergehouden.

'Nee, pa,' zei Elle geduldig. 'Die zijn van Billy, mijn huisbaas.'

'Wat afschuwelijk,' zei John.

'O.' Ze vielen Elle eigenlijk meestal niet meer op. 'Nou, we zouden er een paar weg kunnen halen waar de planken moeten komen. Zolang ik ze netjes opberg kon het Billy niet schelen wat ik ermee deed.'

'Heb je geen leuke posters van boeken die je wilt ophangen?' vroeg haar vader, en hij rolde zijn mouwen op. Elle keek gebiologeerd naar hem terwijl hij de vijf centimeter brede manchetten zorgvuldig omvouwde tot ze netjes boven zijn ellebogen zaten.

'Eh... nee,' zei ze. Ze keek in de zwoele hitte om zich heen naar de puinhoop in de kleine kamer. Wat stonden ze op deze late zondagochtend ongemakkelijk samen in de volle kamer. Er was zelden iemand bij haar geweest. Met twee mensen kon je je kont bijna niet keren. Het was rommelig, de *Evening Standard* van de afgelopen drie dagen lag er, er stonden twee vuile glazen en er lag een lege chipsverpakking, een manuscript op de grond, een *Heat* en een *Hello!* en – jemig, een bruin klokhuis, hoe had ze dat gemist?

Maar dit was wat gescheiden vaders deden voor hun alleenstaande dochters: ze kwamen naar Londen om planken op te hangen in hun flatje en vervolgens nuttigden ze een ongemakkelijke lunch. Ze zag het allemaal door haar vaders ogen en schaamde zich. Hij woonde in het land van Colefax and Fowler met een AGA in de kelderkeuken van zijn elegante Georgiaanse herenhuis in Brighton en een zwarte labrador. Toen Alice en Jack, haar halfzusje en halfbroertje, zeven en vijf waren, nog maar een paar jaar geleden, was Elle met kerst bij haar vader geweest en op eerste kerstdag waren ze naar de kerk geweest. Alice en Jack hadden grijze wollen jasjes gedragen met grijze fluwelen kragen, net als prins William en prins Harry. Elle wist niet waarom, maar op de een of andere manier stonden die jasjes symbool voor haar vaders nieuwe leven.

'Misschien koop ik wel iets nieuws als de planken er hangen,' zei ze, en ze probeerde te klinken alsof dit deel uitmaakte van een nauwkeurig gepland decoratieplan. 'Hoewel, als ik die functie in New York krijg, moet het even wachten.'

'Ja, New York,' zei haar vader. 'Wat is dat precies?'

'Ik weet het niet,' zei Elle. 'Het meisje dat had moeten gaan, mijn vriendin Libby?' zei ze, maar hij zou zich haar vast niet herinneren. 'Nou, zij moest zich, eh... terugtrekken.' Ze aarzelde; ze was er nog steeds niet zeker van of Libby het wel goed vond dat zij solliciteerde. 'Ik wilde het eigenlijk niet doen, maar we kregen een e-mail waarin stond dat ze op zoek moesten naar iemand anders, dat degene uit de Verenigde Staten die naar ons komt haar flat al heeft verhuurd en een vlucht heeft geboekt, en ik heb de juiste positie. Ik heb gisteren met mijn baas gesproken en gistermiddag een kort sollicitatiegesprek gehad. Het gaat allemaal heel snel.'

'En wat moet je daar gaan doen?'

'Ik zou vier maanden naar het zusterbedrijf gaan en alles observeren wat zij doen, mijn horizon een beetje verbreden. Ik weet het niet.' Elle haalde haar schouders op en probeerde niet al te nonchalant te klinken. 'Gewoon voor de verandering. Een andere stad leren kennen.'

John keek twijfelend naar de planken die hij bij Robert Dyas had gehaald. 'Nou, laten we maar beginnen. Kun je deze vasthouden? Denk je dat je hem krijgt?'

'Geen idee, maar ik doe mijn best.'

Elle probeerde luchtig te klinken, maar eigenlijk was het uitwisselingsprogramma het enige waaraan ze nog kon denken. Toen ze vrijdag bij Celine op kantoor had gezeten met haar handen ingetogen in haar schoot en had geprobeerd te bedenken wat ze zelf zou willen horen, had ze beseft dat ze er graag heen wilde. Ze wilde het in ieder geval proberen. Dit weekend was bijna ondraaglijk geweest, in haar eentje opgesloten in de hitte, zonder iets te doen. Ze had Tom vrijdag ge-sms't, maar hij was met Caitlin op stap geweest. Ze had hem de dag ervoor nog gezien en ze wist dat de kans klein was dat hij kon, maar hij was de enige die het zou begrijpen – of was hij de enige die ze graag wilde sms'en? Het was trouwens belachelijk, ze had deze kuil zelf gegraven. Ze had *Devil's Cub* uitgelezen en ze wist niet waarom, maar plotseling had ze totaal geen zin meer gehad in Georgette Heyer. Alsof ze te veel chocolade op had.

Terwijl ze keek hoe haar vader de muur met een waterpas markeerde trok Elle een grimas.

'Hoe gaat het met Rhodes?' vroeg ze. 'Heb je hem nog gesproken?'

'Gisteren toevallig,' zei haar vader. 'Ik wilde je nog iets vertellen. Tijdens de lunch eigenlijk. Ze zijn gisteren getrouwd.'

Elles mond viel open van verbazing. 'Ze zijn getrouwd?' herhaalde ze. 'Waar?'

'Ze zijn een paar weken in New York. In het stadhuis. Er waren slechts een paar getuigen, haar zus en haar vader, en daarna hebben ze geluncht. Ze wilden het stilhouden en hebben me gevraagd het jou te vertellen.'

Elle deed haar mond dicht en weer open. 'Ze zijn getrouwd,' zei ze na een poosje. 'Zomaar.'

'Ja. Ze hadden het gevoel dat dat het beste was, een vlugge, stille ceremonie, maar ze wilden dat ik het jou zou vertellen. En, eh... zou jij het aan je moeder willen vertellen?'

Elle keek hem aan. 'Waarom doen ze dat zelf niet?'

Haar vader keerde zijn rug naar de muur. 'Ik dacht dat jij dat het beste kon doen,' zei hij kil.

'Kunnen ze haar zelf niet bellen?'

Haar vaders kaak stond gespannen. Hij had er een hekel aan als zijn voorstellen niet werden opgevolgd. 'Zoals ik al zei, ze zitten in New York en... Melissa is nog steeds erg van slag. Ik ga boren.' Hij duwde het boortje stevig in het gips. Elle keek naar zijn rug en schudde haar hoofd vol ongeloof. *Jij staat te boren en Rhodes en Melissa zijn getrouwd en niemand heeft het mijn moeder verteld.* Er klonk een plof toen er een stukje muur op de grond viel. 'O, sh... chips,' zei hij. 'Kijk nou.'

Ze stonden allebei naar het vierkante stukje gips op de groene vloerbedekking te kijken. 'Het geef niet,' zei Elle.

'Het geeft wel,' zei John. Hij tikte voorzichtig met de boor tegen zijn handpalm. Hij keek naar de muur, uit het raam en weer naar de vloer. 'Ik moet een kleiner boortje gebruiken. Dat is het. Kun je mij...'

'Pa,' zei Elle. 'Ik word hier doodnerveus van. Heb ik iets verkeerd gedaan? Of mam?'

Haar vader draaide zich om. 'Ik denk niet dat het aan mij is om dat te vertellen. Het enige wat ik zeggen kan, is dat ze het gevoel hadden dat Mandana hen in een onhoudbare positie had geplaatst na alle moeite die ze zich hadden getroost om de bruiloft voor haar naar Engeland te verhuizen en wat ze hadden gedaan om haar erbij te betrekken.' Hij draaide zich weer om en boorde een keurig gaatje in de muur. 'Ik moet zeggen dat ik het met hen eens ben,' zei hij, en zijn toon joeg haar de stuipen op het lijf. 'Ik vraag me eerlijk gezegd af of ze straks nog wel iemand over heeft.'

'Maar wat heeft ze dan gedaan?'

'Laat me dit alsjeblieft eerst even afmaken, Eleanor.'

Ze nam hem mee naar een pub annex restaurant en onderweg spraken ze beleefd met elkaar. 'Dus Alice heeft fluitles? Wat enig.' Nadat hij het menu dat met krijt op een bord stond had bestudeerd, wendde Elle zich tot hem. 'Het is leuk je te zien, pap,' zei ze impulsief. 'Het is...' Ze wilde niet zeurderig klinken. 'Sorry, het is erg lang geleden.'

'Ja, dat is mijn schuld,' zei hij. 'Ik denk altijd maar dat het goed met je gaat, omdat dat altijd zo is geweest.'

Elle wist niet hoe ze hierop moest reageren. Rhodes en zij hadden er nooit over geklaagd dat ze John niet zagen; net als de meeste kinderen van gescheiden ouders hadden ze na enige tijd gewoon geaccepteerd dat het zo was. Natuurlijk dacht hij dat het goed met haar ging, hij wist niet beter.

Ze keek naar hem – naar zijn serieuze gezicht, de nette grijs wordende lok, het gestreken overhemd – hij droeg een echt overhemd, zelfs op een zondag in augustus om bij zijn dochter te gaan klussen, hoe correct kon je zijn? Elle vroeg zich voor de tigste keer af hoe hij en haar moeder ooit iets met elkaar gemeen hadden gehad.

'Hoe was ze vroeger?' vroeg ze ineens. Ze wilde de draad van het gesprek weer oppakken. 'Toen je haar voor het eerst ontmoette. Mam bedoel ik.' Haar vaders kaken verkrampten, hij keek omhoog naar het menubord en concentreerde zich. 'Het spijt me,' fluisterde Elle. 'Waarschijnlijk had ik dat beter niet kunnen vragen, het is ook al zo lang geleden, maar...'

Ik ben nu eenmaal voor de helft van jou en voor de helft van haar. Dat is eng. Zal ik ook eindigen zoals zij? Of zoals jij?

'Ze was heel anders toen, je moeder,' zei John ineens. 'Nee,' verbeterde hij zichzelf. 'Dat is niet helemaal juist. Op vele manieren was ze hetzelfde. Alleen zorgelozer. Ze droeg een sjaal om haar hoofd en had van dat dikke haar. Nadat ze jullie kreeg is ze nooit meer dezelfde geworden. Erg dun.'

Elle staarde hem aan. John schonk nog wat wijn in. 'Ik hoef hierna niet meer,' zei hij. 'Ik moet nog rijden. Ze was heel gezellig. Ik was een erg bezadigde, saaie gozer uit Chorleywood, zat bij de padvinders, deed een studie medicijnen en had geen cent te makken. En zij, nou, zij walste kleurrijk mijn leven binnen. Als een kleurexplosie. Ze droeg van die lange gebloemde jurken of van die gekke opbollende blouses, alsof ze een shakespeareaanse actrice was, en van die sjaals om haar hoofd. Ze had haar eigen megafoon. Kun je je dat voorstellen?' Zijn kraaienpootjes rimpelden, en hij glimlachte. 'Je moeder met een megafoon, wat een verschrikkelijke combinatie. En ze was levendig, gepassioneerd, ze geloofde in dingen. Door haar ging ik in dingen geloven. Ze werd zo boos op de wereld...'

'Waarop dan?' vroeg Elle

Zijn ogen schoten open, alsof hij haar was vergeten. 'O, ze was tegen de atoombom, de tory's, Margaret Thatcher, de Anti-Nazi League. Als er een goed doel was, deed zij mee. We waren zo verliefd. Ik weet dat het cliché klinkt, maar het was waar. We waren stapelgek op elkaar. Enorm. We gingen samenwonen. Dat was in die tijd niet gepast, maar we konden niet zonder elkaar.' Hij zei het gewoonweg en knikte. 'Mijn moeder vond dat we moesten wachten, maar ik wilde niet wachten. En toen... was ze zwanger. Alles ging heel snel. We waren erg blij, het was goed nieuws, je broer,' zei hij.

'En toen kwam jij.' John stak zijn hand uit en raakte Elles kin aan. 'Mijn kleine meisje was je toen, en toen, nou...'

Hij legde zijn kin in zijn hand en keek op. Het gerinkel van glazen, het slaan van de buitendeur en de vage stank van gassen van de High Road herinnerden Elle eraan waar ze was. Ze bleef stil zitten en hield haar adem in, in de hoop de betovering niet te verbreken en dat hij door bleef praten.

'En toen leerde ik haar echt kennen,' zei hij. 'Het drinken, het liegen, de zelfzuchtigheid, het kinderachtige gedrag. Ze gaf mij de schuld van haar zwangerschap, terwijl zij had gezegd dat ze de pil slikte, dus hoe kon het mijn schuld zijn? Ze gaf mij de schuld als de geiser stukging en als ze niet de baan kreeg die ze wilde, dat ze weer zwanger werd, als mensen niet aardig tegen haar waren. Het was altijd... altijd de schuld van iemand anders.' Hij ging rechtop zitten en greep de tafel vast. 'Maar dat was niet zo. Het was haar schuld. Die van haar of van de drank. Die rotdrank.'

'Mosterd?' vroeg de serveerster opgewekt, en ze sprong tussen hen in. John schrok. 'Nee,' zei hij. 'Eh... nee,' herhaalde hij, knipperend met zijn ogen alsof hij zich weer herinnerde waar hij was, met wie, en wat hij had gezegd.

'Nee, voor mij niet, dank je,' zei Elle vlug, en ze keek weer naar haar vader. 'Pap...'

'Let maar niet op mij,' zei John, en zijn gezicht was grauw. 'Het is al zo lang geleden. Alles gebeurde zo snel. En we zouden het nooit anders hebben gewild, want we hebben jullie, dus wat heeft het voor zin om erover te klagen?'

Heel veel zin, wilde Elle zeggen. Ze kauwde op de zijkant van haar vinger. Als ze een paar jaar hadden gewacht, hadden ze andere kinderen gehad. Misschien wel een aardige, rustige jongen en een slim, beter meisje. Dan hadden ze niet uit elkaar hoeven gaan. Haar moeder zou niet zo verdrietig zijn en haar vader niet zo voorzichtig, zo stijf. Alles zou anders zijn geweest als zij niet waren geboren. Alles.

'Mam is het misschien niet met je eens,' zei Elle. 'Soms denk ik dat ze wilde dat alles anders was gegaan.' Ze zei het voorzichtig. 'Het leven is, nou, zwaar voor haar geweest.'

Tot haar verbazing legde haar vader zijn hand op de hare, een zeer onkarakteristiek gebaar. 'Vergeet haar, Ellie. Je maakt je te veel zorgen om haar, dat heb je altijd gedaan. Soms vraag ik me af... Nou... Soms ben ik bang dat je dingen mist. Niet dat het mijn zaken zijn.' Er parelden kleine zweetdruppeltjes op zijn voorhoofd terwijl hij sprak. 'Maar ik vind New York goed klinken. En als ze je de baan aanbieden, vind ik dat je hem moet nemen. Waarom?' Hij stak zijn hand op om haar vraag tegen te houden. 'Ik denk dat de verandering je goed zou doen.'

Elle bestudeerde zijn gezicht nauwkeurig. 'Volgens mij vindt mam het een stom idee,' zei ze.

John kneep in haar hand. 'Je moeder is egoïstisch,' zei hij droevig. 'Dat is ze, Elle. Ze heeft problemen, dat weet ik, maar vaak is ze gewoon niet erg aardig.' Zijn woorden waren zo eenvoudig. 'Het spijt me dat ik het zeg, maar volgens mij gebruikt ze je en jij ziet het niet.'

'Ze is momenteel met heel veel dingen bezig,' zei Elle. 'Daarom hoefde ze jouw alimentatie ook niet meer, weet je nog?' Ze wilde dat hij haar geloofde. 'Alles gaat goed met Bryan en het textielbedrijfje. Anita en zij hebben een heleboel plannen...' Ze haatte het als haar vader zo onaardig over haar moeder deed. 'Zij is degene die te druk is om mij te zien, pa, echt.'

Hij glimlachte. 'Ik geloof niet alles wat ze zegt, dat heb ik wel geleerd.'

'Hoe weet je dat nou? Je spreekt haar nooit,' zei Elle verhit.

Allebei hielden ze hun mond.

'Wil je weten waarom ze de bruiloft hebben geannuleerd?' vroeg John. Hij stak zijn kin iets in de lucht, als een generaal op de ochtend van de eindstrijd.

Elle hield haar adem in, beet op haar lip en knikte. 'Ja,' zei ze zachtjes.

Haar vader zei op monotone toon: 'Ze zijn een weekendje bij haar wezen logeren. Ze was vergeten dat ze zouden komen. Ze kregen ruzie. Toen heeft ze met haar sleutels hun auto bekrast. Ze is eromheen gerend en heeft krassen in de lak gemaakt. Toen moest ze overgeven en heeft ze tegen hen gezegd dat ze moesten vertrekken. Gezegd dat ze hen nooit meer wilde zien. Echt, de dingen die ze heeft gezegd...' Hij schudde zijn hoofd. 'Tegen haar eigen zoon. Ik kan het niet geloven.'

Het was heel vreemd om haar vader dit te horen vertellen, tegen haar. Elle ademde in en kneep haar ogen dicht. 'Zeiden ze... Was ze dronken?'

John wreef over zijn gezicht, zijn vingers dicht tegen elkaar aan gedrukt, een keurig, furieus gebaar. 'Zij zei van niet. Ik denk van wel. Ze wisten het niet zeker, hebben haar niet zien drinken. Ze kon het altijd erg goed verbergen.'

Ik denk van wel... 'Je was er toch niet bij, je kunt het niet weten.' Elle stak haar hand in een defensief gebaar op. 'Misschien hebben ze wel heel erge ruzie gehad en heeft zij... Nou, misschien klinkt het erger dan het is. Rhodes en Melissa hebben ook niet veel moeite voor haar gedaan, pa.'

Haar vaders lippen vormden een strakke lijn. 'Elle...'

'Ze drinkt niet, pa, dat doet ze al heel lang niet meer. Al een paar jaar niet meer.'

'Ik geloof het niet,' zei John. 'Ze heeft dit al eerder gedaan, te vaak.'

'Maar zelfs als ze dat had gedaan, is dat dan echt een reden voor de manier waarop zij zich hebben gedragen?' Elle sprak expres zachtjes en kalm. 'Alles annuleren, alle anderen in het ongewisse laten, stilletjes in New York trouwen. Alleen maar om haar te treiteren?'

'Ze probeerden niet te treiteren. Ik heb Melissa gesproken. Zij wilde dat alles perfect was en dat kan ik wel waarderen.'

'Ik denk niet dat dat de manier is om ermee om te gaan. Ze blijft onze moeder.' Elle haalde diep adem. 'Luister, pap, ik zie mam vaker dan jullie. Minstens een, twee keer per maand.' Ze voelde dat ze rood werd. 'In het verleden dronk ze te veel, ze heeft een tijdje gehad dat ze zichzelf wilde vergeten. Ze was lang ongelukkig.' Ze hield haar mond en keek hem aan. 'Ik weet dat jij niemand pijn wilde doen, maar zij ook niet. Ik zeg alleen maar dat één misstap niet het einde van de wereld is. Ze heeft niemand vermoord. Ze vindt Melissa moeilijk om mee te praten en Rhodes intimiderend. Ik hoor hoe hij tegen haar praat.' Ze sloeg de rest van haar glas wijn achterover en schonk er nog een in, zich bewust van de ironie van dat gebaar. 'Weet je, pa, hij praat tegen haar zoals jij altijd deed. Alsof ze waardeloos is, een stuk vuil.'

Ze voelde dat ze trilde en nam nog een slok.

John keek haar aan. Ze keek terug en was oprecht benieuwd naar zijn antwoord. Ze had dit soort dingen nog nooit eerder met haar vader besproken. Ook had ze hem nog nooit met zijn rug tegen de muur zien staan. Het was alsof hij altijd aan het werk was geweest, of in de tuin, of op de een of andere manier geïrriteerd, en toen was hij ineens vertrokken.

Hij schraapte zijn keel. 'Goed dan. Misschien heb je gelijk,' zei hij. Alsof ze hem had verteld dat het morgen misschien zou gaan regenen. Hij trok met zijn vinger een streep over de houten tafel. 'Maar als je het mij vraagt, als het je wordt aangeboden, dan denk ik dat je naar New York moet gaan. Laat je moeder achter je.' Hij zweeg even. 'Ik denk trouwens dat je je achter dit alles verstopt. Dit is niet zoals ik had verwacht dat jij terecht zou komen. Ik denk dat je je leven vergooit. Dat is alles.'

Ze haatte de beslistheid van zijn toon, alsof hij over de verslagen vijand heen gebogen stond, knikkend naar zijn overwinning. Elle zat op haar handen en vroeg zich af hoe ze alle dingen tegen hem moest zeggen die ze nog wilde zeggen, maar toen keek hij op zijn horloge. 'Zullen we nog een kop koffie nemen en dan moet ik gaan, ik heb geen zin om de A23 te moeten trotseren als hij op zijn ergst is.' Dat was het, haar tijd met hem was voorbij.

28

'Ik kan gewoon niet geloven dat je *The Godfather* nog nooit hebt gezien,' zei Tom terwijl ze door South Bank liepen. Hij nam een slokje bier uit een flesje en ademde de avondlucht in. Het was donker, een van de eerste kille augustusavonden, een klein teken dat de zomer ten einde liep. 'Zullen we naar Gabriel's Wharf gaan? Er zit daar een goede pizzatent, vlak bij de rivier.'

'Super,' zei Elle. 'Ik vond hem fantastisch.'

'Wat vond je het leukste stukje?'

'Ikke wil niet datte mij broer uit die wc kommet met alleen zijn pik in zijn hand,' zei Elle op haar beste gangstertoontje.

'Wacht maar tot je *The Godfather Part II* ziet,' zei Tom. 'Die is nog beter. We moeten de video een keer huren, hij is best lang, misschien is het beter dat een keer op een middag te doen.'

'Klinkt goed.'

'Hoe is je gesprek met Celine eigenlijk gegaan?' vroeg Tom. Hij legde zijn hand onder haar elleboog en leidde haar weg van een tegemoetkomende rolschaatser. 'Wanneer heb ik jou ook alweer gezien, donderdag toch? Het gesprek was toch vrijdag?'

'Ja, het ging wel. Ik weet het niet. Het is...' Elle aarzelde. 'Ik weet nooit zeker of ze weet waar ze het over heeft. Ze vraagt me naar boeken die ik heb gelezen en als ik haar er dan over vertel, is het duidelijk dat ze er nog nooit van heeft gehoord. Ik bedoel, ze kent *Witte Tanden* en *Harry Potter*, maar dat is het. Dus hoe kan ze weten of ik het goede antwoord heb gegeven?'

'Ik weet zeker dat je het goed hebt gedaan,' zei Tom. 'Bovendien praat je graag over boeken. Het maakt niet uit of zij ze kent of niet, het gaat erom dat je overtuigend klinkt en ik weet zeker dat dat zo was.'

'Bereid Bookprint UK te vertegenwoordigen en haar handen thuis te houden!' zei Elle. Ze haalde haar schouders op. 'O, ik weet niet eens of ik wel zin heb om te gaan. Ik... Nou ja, we zullen wel zien.'

'Als je gaat, ga dan wel om de juiste reden. Celine... Nou, volgens mij spoort ze niet helemaal. Maar ga niet om ergens van weg te rennen.'

Elle bleef onder een paar bomen staan. 'Hoe bedoel je?'

'Niets,' zei Tom.

'Ik vind wegrennen een heel goede reden om te gaan,' zei Elle. Ze keek omhoog en staarde naar de met sterren bezaaide hemel. 'Alles achter me te laten... zou geweldig zijn.'

'Maar het is er nog steeds als je terugkomt,' zei Tom. 'Als je het niet regelt.'

Elle zei: 'Mijn familie zal nooit veranderen. Mijn baan zal nooit beter worden. Mijn liefdesleven zal niet verbeteren. Libby zal me altijd op de kast blijven jagen. Ik heb het gevoel dat ik... afstomp en in oktober word ik achtentwintig. Het gaat niet goed zo. Ik bedoel, ik ben oud, maar zo oud nu ook weer niet.'

'Oud! Je bent nog maar een broekie, Elle.' Tom gooide het flesje in een prullenbak. 'Kom op, schiet op. Ik heb honger.'

Hij was in een rare bui die avond. Elle wist niet waarom. Hij glimlachte en lachte en hij was even goed gezelschap als altijd, maar ze had het gevoel dat hij afstandelijk deed. Ze zaten buiten in de zwoele augustusavond, een briesje vanaf de brede zwarte Theems ritselde door hun servetjes, Elles rok en haar haren.

'Is alles goed met je?' vroeg ze hem. 'Je bent zo stil.'

Tom stopte een groot stuk pizza in zijn mond zodat hij niet hoefde te antwoorden. Hij knikte. 'Mmmhmm,' zei hij.

'Goed. Nou, je weet wel. Als er iets is waarover je wilt praten, kameraad...'

'Kameraad?' Hij zei het woord alsof hij het nog nooit eerder had gehoord. 'Goed, kameraad.' Hij keek op en sloeg zijn ogen weer neer.

Elle voelde zich roekeloos. 'We zijn toch kameraden?' Ze wist niet waarom ze het zei. Ze wilde even dwarsliggen.

'Natuurlijk zijn we dat.' Met zijn blik zocht hij haar gezicht af. Hij zag er moe uit, vond ze. De zomer sleepte zich voort en was lang, droog en veel te warm. Ze wilde dat het herfst werd. 'Je bent... We zijn, eh... deze zomer, de afgelopen weken, ja, zijn we goede vrienden geworden.' Hij schudde zijn hoofd, deed zijn ogen dicht en slikte.

'Is dat alles wat je vindt dat we zijn?' vroeg Elle.

'En jij dan?' vroeg hij meteen. 'Wat vind jij?' Ze hield haar adem in. Hij keek alsof hij op het punt stond iets te zeggen, maar stopte. 'Ik ben echt heel moe, sorry. Ik heb een zwaar weekend achter de rug.'

'Gaat alles goed tussen jou en Caitlin?' vroeg Elle, en ze probeerde rustig te blijven.

'Nee, niet echt. We zijn uit elkaar.'

'O.' Elle legde haar vork neer. 'Mijn hemel, Tom. Het spijt me.'

'Het is beter zo, echt.'

'Sinds wanneer?'

'Zaterdag. Het was wederzijds.'

'Echt?'

Tom zuchtte. Hij had zijn bril sinds de bioscoop nog steeds op, zette hem af en wreef over zijn neus. Zijn kaak was gespannen. 'Nou, we beseften dat we het uit moesten maken, we willen allebei andere dingen. En ik heb deze zomer eens goed nagedacht.'

Ze kon de spanning tussen hen voelen. Het leek haar in de koude avondlucht te verwarmen. Elle schraapte haar keel en zei luchtig: 'Is dit gewoon een beleefde manier om te zeggen dat je haar hebt gedumpt?'

Tom proestte het uit van het lachen. 'Ik doe niet aan zwartmakerij, Eleanor.'

'Is het definitief?'

Tom keek haar recht aan. 'Ja, dat is het. Ja.'

Ze waren allebei stil. Zijn telefoon begon op de tafel te trillen, en ze schrokken op.

'Verdorie, dat is ze,' zei hij. 'Ze had gezegd dat ze me misschien wilde spreken. Mag ik...'

'Natuurlijk,' zei Elle. 'Ga je gang.'

Hij raakte haar arm even aan. 'Ik zal het kort houden, dat beloof ik. En ik moet je iets vertellen als ik terugkom.'

Hij stond op en liep naar buiten het hoefijzervormige plein op met daaromheen de lichtjes van de andere restaurants. Elle keek naar hem, benend over het beton. Haar hart kromp ineen voor hem en ze probeerde uit te vogelen waarom. Hij was een bijzondere mengeling van onafhankelijkheid en kwetsbaarheid en opeens was alles helder. Hij was niet zoals de andere jongens uit de uitgeefwereld. Jeremy die zo glad was als maar kon, Rory die jongensachtig en charmant was en Bill was agressief en ballerig; ze waren allemaal op hun eigen manier manipulatief. Tom was gewoon niet zo. Daarom, besefte ze, vond ze hem ook zo leuk.

Na een paar minuten was hij nog steeds niet terug. Elle zuchtte. Ze dacht dat het nog wel even kon duren. Twee weken daarvoor waren ze in Chelsea iets wezen drinken, in een kleine pub aan een rustig straatje naar de rivier. Caitlin was als uit het niets binnengekomen en had net gedaan of het toeval was, hoewel dat duidelijk niet zo was.

Elle pakte de *Private Eye* die uit Toms jaszak op de grond was gevallen. Ze grinnikte om de pas veroordeelde Jeffrey Archer op de voorkant, onderweg naar de gevangenis. Ze sloeg het tijdschrift open en bladerde naar haar favoriete column, *Boeken en boekenmensen*, maar haar blik werd onmiddellijk omlaag getrokken, in een flits, en ze wist dat ze op het punt stond 'iets' te zien nog voordat ze het had gelezen. Terwijl ze het las viel haar mond open van verbazing en pas toen ze haar glas met een klap hoorde stukvallen, besefte ze dat haar wijnglas uit haar hand op de grond was gerold. Tom kwam met grote passen op haar af en deed zijn telefoon in zijn zak, maar toen hij haar uitdrukking zag bleef hij staan. De serveerster naast haar veegde het glas op. Elle deed een paar scherfjes in een smerig servet.

Ze keek hem aan, haar ogen vol tranen.

'Je had het zeker al gezien.'

Tom keek omlaag en trok wit weg.

Iedereen die de voortslepende gebeurtenissen rond de laatste onafhankelijke uitgeverij, Bluebird Books, heeft gevolgd, was zeer verbaasd toen Rory Sassoon, de zoon van de voormalige eigenaresse Felicity Sassoon zichzelf overtrof, zelfs volgens zijn eigen gluiperige maatstaf. Viespeuk Sassoon nam haar afgelopen december te grazen, door zich voor ££££ te verkopen aan het zielloze Bookprint, dat wordt gerund door de Gazelle, oftewel Celine Bertrand, de werkbij van het Franse megabedrijf BarQue. Men zou zich kunnen afvragen, gezien het volledige gebrek aan talent van de viespeuk, waarom hij tot duizelingwekkende hoogte is gepromoveerd, tot vicepresident van de vage BBE-divisie. Volgens geruchten was hij gedurende de maanden voor de verkoop echter meer dan een collega van de Gazelle. Voeg daarbij zijn twee jaar durende affaire met een junior personeelslid en het wordt duidelijk waarom hij geen tijd heeft om te werken. De huidige directeur van BBE, Bill 'grijpgrage handjes' Lewis, is blijkbaar ook niet al te blij, vooral niet sinds hij om de oren is geslagen met zijn eigen 'aanpak' van een andere junior redacteur. Rory is daarover uit de school geklapt tegen zijn bazin en het lijkt erop dat de junior wraak heeft genomen door over zijn praktijken te vertellen aan wie het maar horen wil! Een heftig gebeuren!

'Wist je het?' vroeg Elle. Gebroken glas kraakte onder haar voeten. 'Ja, zeker?'

Hij knikte. 'Dat ze een affaire hadden? Ja, het spijt me.'

'Dus Rory heeft Celine over Libby en Bill verteld,' zei ze. 'Maar wie heeft ze over Rory en mij verteld?' Ze prikte in de krant. 'Zeggen ze dat het Libby was?'

'Het doet er niet echt toe, Elle,' zei Tom. Hij pakte haar hand. 'Zij heeft het waarschijnlijk aan iemand verteld en diegene heeft het weer aan iemand anders verteld... Je weet hoe het gaat in de uitgeefwereld, een en al stom geroddel. Ik denk dat iedereen het nu wel weet.'

Ze was nog steeds geschokt. Rory en Celine. Hoe kon ze dat niet eerder hebben gezien? Ze was zo dom. Maar dit hele gedoe: het idee dat je iets was waar mensen achter kwamen in een tijdschrift, een naamloos geil wijf. Het was... bizar. Het was afschuwelijk.

'Maar hij heeft me nog ge-sms't,' zei ze. 'Een paar weken geleden nog. Hij heeft me nog ge-sms't. Ik dacht...' Haar handen vielen slap langs haar zij. 'Het doet er niet meer toe.'

Tom zat stilletjes naast haar. 'Zullen we nog iets gaan drinken?'

De bioscoop, het eten, hun gesprek, het leek allemaal een andere avond, voordat Caitlin belde en dit gebeurde. Ze knipperde met haar ogen, probeerde zichzelf terug te voeren. 'Nee, dank je,' zei ze. 'Het spijt me, Tom.'

Hij legde zijn hand op de hare. 'Niemand zal het zich volgende week om deze tijd nog herinneren. Je naam staat er niet in.'

Ze trok haar hand weg en stond op. 'Daar gaat het niet om,' zei ze.

'Ik zal het me herinneren. Het is allemaal zo... smerig. Alles. Het gaat helemaal niet over werk. Het gaat erover wie het met wie doet.'

'Erom,' zei Tom vriendelijk, en hij probeerde haar een glimlach te ontlokken. Ze liep weg, en hij volgde haar.

'Het spijt me dat deze avond is verpest,' zei ze. 'Zullen we dit weekend iets gaan doen? Om even bij te praten?'

Hij stond met zijn gezicht naar haar toe terwijl de wind van de rivier om hen heen striemde. 'Graag,' zei hij.

29

'Waarom heb je het mij verdorie niet verteld?'

Elle stond in de deuropening van Rory's kantoor. Hij keek op, de paniek stond in zijn ogen te lezen. Hij stond op en deed de deur dicht. Annabel Hamilton, die gehaast door de gang liep, keek bevreemd.

'Je had het me moeten vertellen.' Elle bewoog zijn richting op en schudde haar hoofd.

Rory zuchtte. 'Elle, dat heb ik de afgelopen maand ook geprobeerd.'

'Dan heb je niet erg goed je best gedaan.' Elle wilde het liefst hysterisch gaan lachen, eens even flink doordraaien. De glazen wand met een honkbalknuppel kapot rammen, om vervolgens dat achterlijke T-shirt van de salesconferentie om zijn nek te binden en hem te wurgen. Ze balde haar handen tot vuisten, ze had zo haar best gedaan alles binnen te houden en nu ze hem sprak wilde ze alleen nog maar boos worden.

'Dat heb ik gedaan!' zei Rory hard. Hij sloeg met zijn handen op zijn bureau. Papieren vlogen alle kanten op en zeilden zachtjes omlaag op de groene tapijttegels. 'Ik heb je zo vaak ge-sms't om te zeggen dat ik je moest spreken, je wilde zien! Je reageerde niet!'

Elle schudde haar hoofd. Ze was zo boos: vooral op zichzelf omdat ze had gedacht dat ze misschien weer verliefd op hem was.

'Ga zitten,' zei Rory. 'Laten we erover praten. Ik probeerde je uit te leggen...'

Ze zwaaide haar telefoon voor zijn gezicht heen en weer. 'Ik moet steeds aan je denken,' las ze hardop, haar stem druipend van verachting. 'Ik mis je. Kunnen we alsjeblieft iets afspreken?' Ze keek hem aan. 'Niets met werk te maken? Dit was minder dan twee maanden geleden, rotzak. Wil jij me vertellen dat je haar toen nog niet neukte?'

'Het is maar een paar keer gebeurd,' siste Rory. 'En nooit toen wij nog samen waren, dat hebben ze helemaal mis.'

'Je liegt,' riep ze. 'Verdorie, je liegt. 'Je hebt me bedrogen...'

Hij stond op en pakte haar polsen. 'Niet waar. Ik zweer je dat ik dat niet heb gedaan. Het was Kerstmis, oudejaarsavond... Echt, het was niets. Niets!'

'Kerstmis?' Elles stem trilde. 'Dus je hebt een paar dagen gewacht nadat wij uit elkaar waren. Bedankt. Hoe attent van je. Ik neem aan dat ik je dankbaar moet zijn, helemaal omdat je iedereen hebt genaaid, jij laffe, achterlijke...'

'Elle, praat wat zachter.' Hij bewoog zijn handen op en neer. 'Een of andere lamzak heeft zijn mond voorbijgepraat en iedereen weet het. Ze is woedend. Ik had je niet moeten sms'en. Is het zo goed?' Hij gebaarde dat ze dichterbij moest komen en probeerde haar als een leeuwentemmer op haar gemak te stellen. 'Maar... ik miste je. Ik dacht dat ik het je moest vertellen en toen begon ik over ons na te denken en... ik dacht... Ik mis onze tijd samen. Het was leuk. Ik heb het verkeerd gedaan. Ik had je niet moeten laten gaan.'

'Ik ben degene die het heeft uitgemaakt!' riep Elle. 'Ik heb het uitgemaakt! Je hebt mijn hart volledig gebroken, Rory, en je behandelt me alsof het er niet toe doet! Nou, voor mij wel, voor mij wel!'

Rory keek naar iets achter haar, en zijn mond viel open van verbazing. Elle draaide zich om en zag Bill Lewis langslopen, die geërgerd en nieuwsgierig naar hen staarde. Het kon haar niet schelen. Ze gooide de deur open.

'Dat was het dan,' zei Rory. 'Alsof ik nog niet genoeg problemen had. Wat een klotezooi.' Hij liet zijn hoofd in zijn handen zakken. 'Celine vermoordt me. Ze zei al dat ze niet zeker wist of het wel wat zou worden. Wat moet ik nu?'

Elle gaapte hem aan. 'Ik weet het niet,' zei ze. 'Is er niet iemand anders met wie je naar bed kunt om je baan te behouden? Ik weet het niet. Misschien kun je Bill vragen of hij mee uit eten gaat?'

Het gaf haar op een vreemde manier een bevrijdend gevoel om haar schepen zo achter zich te verbranden. Ze vonden haar allemaal tweederangs, afwezig, niet veel soeps, nou, laat ze nu maar denken dat ze gek was geworden. Nu wisten ze de waarheid in ieder geval, de reden waarom ze deze baan had gekregen.

'Ik weet niet hoe dit allemaal is gebeurd. Het is een grote vergissing,' zei hij zachtjes. Hij haalde zijn handen door zijn haar en klampte zich aan zijn schedel vast. De vertrouwdheid van dat gebaar brak haar hart bijna. Alle dingen waaraan ze had geprobeerd niet te denken klopten hard in haar gedachten. Had Celine samen met hem op de grote grijze zachte bank in zijn flat gezeten, kijkend naar de heen en weer zwiepende bloesem op het plein? Had ze de moedervlek op zijn buik gezien, die glimlachte als hij rechtop ging zitten? Natuurlijk had ze die gezien. Wat bespraken ze, hoe waren ze samen? Elle hield haar handen over haar oren, hem onbewust nadoend, in een poging de stemmen in haar hoofd buiten te sluiten.

'Ik kan hier niet tegen...' Ze keek om zich heen. 'Ik... Ik kan dit niet. Ik denk dat ik gek word.'

Rory's gezicht stond somber. 'O, Elle,' zei hij. 'Het spijt me, ik heb er een grote puinhoop van gemaakt. Ik had het mis. Helemaal mis.'

Ze zei niets, maar schudde haar hoofd, haar lippen stijf op elkaar. Ze wilde dat ze hem kon vasthouden, nog één keer, om zich te herinneren hoe het was, voordat ze weer afscheid moest nemen.

Toen zei hij: 'Maar Elle, ik meen het serieus. Je moet het aan niemand vertellen.' Zijn uitdrukking was dringend, zijn stem zacht. 'Over ons, bedoel ik. Ik probeer het met Celine nog te redden. Dus...'

Elle kon er niet meer naar luisteren. 'Rot op, Rory. Rot op.'

Ze liep weg en gooide de balsahouten deur hard achter zich dicht, waardoor het kantoorframe rammelde.

'Elle, kun jij het omslag opzoeken van...' zei Annabel Hamilton, die gehaast op haar af kwam en net deed alsof ze niet de hele tijd buiten had staan luisteren.

'Niet nu, Annabel.' Elle stak haar hand op en beende de andere kant op. 'Ik ben druk.'

Ze duwde de deur van Celines kantoor open en gaf er een klopje op.

'Eh...' zei Celine, en ze keek geërgerd op, maar toen ze zag dat het Elle was, glimlachte ze breeduit. 'Dit is een beetje vreemd, maar Elle...'

'Je wist van Rory en mij, of niet?' vroeg Elle. Ze stond voor Celines bureau met haar handen in haar zij.

'Ja, ja, dat klopt.' Celine deinsde niet terug, noch ontweek ze Elles harde blik. Ze knikte en klopte op haar bureau om Elle te gebaren dat ze moest gaan zitten. Deze beheerste houding bracht Elle een beetje in verwarring. Ze voelde zich gesterkt door haar gerechtvaardigde boosheid en had verwacht dat Celine voor haar zou kruipen. 'Deze hele business is erg irritant.'

Ze sprak het uit als 'biesniss,' en Elle spitste haar oren omdat ze het niet goed verstond.

'Hoe dan ook, het is op dit moment niet belangrijk. Ik heb net een reactie uit Amerika ontvangen. Ze willen je de baan graag geven.'

Elle lachte kort. Ze was echt witheet. Ze was blij dat ze geen pistool had. Het was alsof ze naar zichzelf stond te kijken, zo met haar handen op haar heupen. 'Wat heb je tegen hen gezegd zodat ik hem kreeg? Heb je gezegd dat je me hier weg wilde hebben?'

'Ik heb hun duidelijk gemaakt dat jij de beste kandidaat bent. Om vele redenen.' Celine glimlachte bedeesd en trok aan haar oorlelletje.

'Ik ga niet, niet op deze manier,' zei Elle vastberaden. Celine lachte. Ze wipte haar haar over haar schouder, stond op en liep naar het grote raam met uitzicht over de daken van Soho.

'Beste dame, je hebt geluk dat ik je deze kans überhaupt geef. Ik probeer je niet uit de weg te ruimen. Dit is juist een risico voor mij.' Ze maakte een afwijzend gebaar. 'Ze kennen je daar niet en dit kan ze niets schelen, het enige wat zij belangrijk vinden is of je goed bent. Het is een schone lei voor je.' Ze trommelde met haar vingers op haar zachtroze lippen. 'Hmm. Ik denk dat je talent hebt, je ziet het alleen zelf niet. Die nieuwe omslagen voor Dora Zoffany, die zijn veel beter. Je had gelijk.' Elle zag dat de goedgekeurde omslagen op de boekenplank achter Celine stonden, een selectie om te laten zien wat Bookprint zoal deed. Ze glimlachte spottend. 'Daarom heb ik jou uitgekozen. Jij hebt niets verkeerd gedaan. Libby wel. Rory heeft het mij misschien ingefluisterd, maar we weten allebei dat hij vaak niet de hele waarheid vertelt. Toch?'

Elle knikte. 'Ja,' zei ze.

Een hint van, wat was het eigenlijk, een lach, flitste over Celines gezicht. 'Dus ik zou willen dat je inzag dat ik je probeer te helpen.'

Haar kleine tandjes glinsterden, en ze wendde zich weer tot Elle. 'Zie je echt niet in dat ik dat probeer?'

Elle liet haar schouders hangen. 'Ja,' zei ze. 'Ja, dat zie ik wel.'

'Dus,' zei Celine, 'zal ik Caryn bellen om haar te laten weten dat je de functie aanvaardt? Is dat goed?'

Ze waren allebei stil, en Elle keek op en stak haar kin in de lucht. 'Ja, graag.'

Om zes uur gingen ze allemaal naar de pub voor Libby's verjaardag. Libby had de hele week reclame voor zichzelf gemaakt, mailtjes rondgestuurd en mensen opgezocht in hun cocons om hen praktisch te smeken om te komen. Met de verschijning van het artikel in *Private Eye* waren alle ogen op haar gericht, maar net als altijd floreerde Libby onder druk. De opkomst in de Crown, een kleine pub achter Carnaby Street, was indrukwekkend, gezien het feit dat het augustus was en de helft van het personeel op vakantie was.

Elle was niet van plan geweest te gaan. Ze was woedend op Libby, ervan overtuigd dat ze iedereen over haar affaire met Rory had verteld uit wraak op Rory, die tegen Celine zijn mond voorbij had gepraat over Bill en haar. Maar tegen het einde van de dag nam de behoefte aan een drankje het over, bovendien besefte ze ineens dat er zoveel was wat haar de afgelopen zomer niet had kunnen boeien, dat ook deze stinkende roddels haar niet meer interesseerden. Als ze naar New York zou gaan, en dat was het geval, waarom zou ze dan niet nog meer schepen achter zich verbranden voordat ze ging? Ze was vroeg en ging op de stoel naast Libby zitten.

'Hoi, schat,' zei Libby, haar glimlach misschien iets te groot, hoewel ze wallen onder haar ogen had en haar normale veerkrachtigheid ver te zoeken was. 'Gaat het? Je ziet eruit alsof je een zware dag achter de rug hebt.'

'Nee hoor,' zei Elle. 'Eigenlijk was het een geweldige dag.'

Meer zei ze niet, maar ze gaf de stomverbaasde Libby een zoen en overhandigde haar een verjaardagskaart en bleef vervolgens drankjes bestellen. Drie wodka lime met sodawater en nog was het niet genoeg om het ergste weg te nemen. Rond acht uur nam ze een groot glas wijn en pas toen leek alles relaxter, grappig bijna. Het was grappig als je er goed over nadacht. Grappig op een belachelijke manier.

Libby die met Bill neukte… Bill getrouwd. Elle die Rory neukte, Rory die Celine neukte… Elle die helemaal niemand neukte. Ze keek om zich heen. Het deed er allemaal niet meer toe.

Ik voel helemaal niets voor deze mensen, dacht ze. Ze sloeg het glas wijn achterover.

'Jij tikt ze aardig weg vanavond,' zei Bill Lewis. 'Je verdriet aan het verdrinken?'

Elle gaf geen antwoord, hoewel het een van de weinige keren was dat hij haar direct aansprak. *Ik haat je,* zei ze binnensmonds.

'Vroeger bij Bluebird viel Elle na één drankje al achterover,' zei Libby. 'Nu kan ze ons allemaal onder tafel drinken. Je bent echt vooruitgegaan.'

Vooruit. De stapel flessen thuis die elke week groter werd, die ze in de prullenbak gooide in plaats van in de glasbak omdat ze zich schaamde voor de hoeveelheid die ze dronk. Er was tegenwoordig een fles voor nodig om een waarneembaar verschil te voelen.

'Je hebt een zware tijd achter de rug,' zei Bill. 'Maar…' Hij zweeg en keek de drukke tafel rond, die volledig stil was gevallen. 'Ik had gehoord dat je een goede smaak hebt, Elle. Wat ik vandaag heb gehoord, bewijst echter het tegendeel. Echt.'

O, ik haat je, Bill. Jij bent de baas, je zou je met de cijfers moeten bemoeien of thuis bij je gezin moeten zitten. Niet in een pub met een groep jongelui van in de twintig en je machobabbels, idioot. Woede borrelde in haar op maar ze herinnerde zichzelf aan New York. Ze ging naar New York. Ze kreeg een kans. Ze had alles verpest, maar ze kreeg een tweede kans.

Elle stond op en liep de pub uit. Ze zei niets, zwaaide niet, maar liep gewoon weg. Ze liep met een geheven hoofd de warme zomeravond in, langs de groepjes mensen voor de verschillende pubs en door de achterafstraatjes van Marylebone. Thuisgekomen sprong ze onder de douche om alle alcohol van haar lichaam te spoelen, de dag van zich af te scrubben. *Ik zal niemand missen,* dacht ze. *Helemaal niemand.*

Alleen Tom. Toen ze in haar topje en korte broek op bed zat besefte ze dat hij de enige in Londen was die ze zou missen. Ze telde op haar vingers de dingen die ze die zomer samen hadden gedaan. Het was maar een maand of zo, maar het voelde langer. Ze hadden *The Royal Tenenbaums* en *The Godfather* gezien. Ze hadden pizza, sushi, tapas en Thais gegeten. Ze waren naar die afschuwelijke bar in

Wardour Street geweest, de Lardbroke Arms, en die tent waar je margarita's kon drinken in St. Anne's Court. Ze was naar zijn boekwinkel in Richmond geweest om hem op te halen, een paar keer zelfs. En dan was er nog de avond dat Caitlin halverwege was komen opdagen en Tom had geprobeerd haar af te schudden en hij achteraf tegen Elle had gezegd: 'Het spijt me zo, ik wilde met jou uit, niet met haar.'

De gedachte aan zijn zachte stem die milder werd, zijn grijze ogen die haar recht aankeken, de lichte greep om haar arm... Elle glimlachte en ging in het donker van de kleine warme kamer op haar rug liggen. Ze zouden elkaar zaterdag weer zien. Ja. Die gedachte verwarmde haar. Ze zou Londen, haar familie, Bookprint of wat dan ook niet gaan missen, maar hem wel.

30

'Wat wil je dan gaan doen?'

Tom rekte zich uit. 'Niets. Ik hoef niet terug naar de winkel. Ik heb Benji gevraagd een paar uur langer te blijven.' Hij ging op zijn rug in het gras liggen. 'We kunnen doen wat we willen. Waar heb jij zin in?'

Elle keek om zich heen. Ze waren in Petersham Fields. De Theems stroomde rustig voor hen langs en lag vol kleine ferrybootjes die voor tien pence heen en weer voeren, plezierboten en jachten. Het was een prachtige zaterdag, maar het beste gedeelte van de zomer was voorbij. De bomen in Marble Hill Park aan de overkant van de rivier hadden een bleke, vergankelijke kleur groen. Er stond geen wind. Alles leek stil, op de rand van verandering te zweven.

'Ik zou nog wel een drankje lusten, denk ik.' Ze keek naar haar lege plastic glas. 'Zullen we nog een fles halen?'

Tom mompelde instemmend en beschermde zijn ogen met zijn armen tegen de zon. 'Ik hoef even niets. Zal ik nog een glas voor je halen?'

'Ja, dank je.' Elle rolde zich om en pakte haar portemonnee. 'Werkt Caitlin vandaag niet? Is alles weer goed tussen jullie?'

'Ik weet het niet. Ze is boos.'

'O,' zei Elle. 'Het is wel vreemd, eerst wilde ze niets van je weten, en toen juist weer wel.' Ze wist dat hij er niet graag over praatte, maar ze vond Cailtin enorm intrigerend. 'De rollen zijn omgedraaid. We dachten altijd dat zij het uit zou maken.' *We. We dachten altijd.* Ze bloosde.

Tom schudde zijn hoofd. 'Het was andersom. Hoe dan ook, alles is nu goed. Tussen ons is het goed. Het is voorbij.' Hij ging staan. 'Zullen we teruglopen naar Richmond?'

Ze liepen over het jaagpad langs de botenhuizen, de pier en de massa's mensen die op de rivieroever lagen.

Elle schraapte haar keel. 'Eh... ik moet je iets vertellen. Het is goed nieuws.'

'Hé. Wat dan?' Hij draaide zich naar haar toe.

'Ik ga naar New York.' Ze knikte. 'Ze hebben me de baan aangeboden... en ik heb ja gezegd. Ik ga in oktober.' Ze wilde dat ze niet zo zenuwachtig was. 'Gisteren heb ik Caryn uit New York gesproken en ze leek erg aardig.'

'O, omdat ik niets hoorde dacht ik dat je de baan niet had gekregen.' Tom bleef doorlopen.

'Het spijt me, ik had het je gisteren willen vertellen...'

Hij onderbrak haar. 'Het geeft niet.' Hij keek op zijn horloge. 'Ik heb best een zware week achter de rug.'

'Hoezo, wat is er gebeurd?'

Tom rammelde met zijn sleutels in zijn broekzak. 'O, het is waarschijnlijk niets. Het is niets.' Hij keek weer op zijn horloge. 'Je gaat dus echt naar New York. Waarom?'

'Hoe bedoel je waarom?'

'Waarom ga je? Ik begrijp het niet, echt niet.'

Elle moest haar best doen om hem bij te houden, ze begreep niet waarom hij zo reageerde. 'Waarom zou ik niet gaan?' Ze staarde naar zijn gezicht en liep bijna tegen een bankje. 'Het wordt fantastisch en ik heb heel veel mazzel. Ik heb de verandering nodig.'

'Juist,' zei Tom cryptisch. 'Loop je hier dan geen dingen mis als je gaat?'

'Het is maar voor vier maanden!' zei Elle, en ze probeerde op een natuurlijke manier te lachen, hoewel ze het gevoel had dat ze stijf van de zenuwen stond. 'Ik verhuis niet voor de rest van mijn leven naar Siberië. Wauw! Ik dacht...' Ze schudde haar hoofd, verbaasd omdat ze zich zo opwond. 'Ik dacht dat je blij voor me zou zijn. Toen we het er een tijdje geleden over hadden, was je wel blij voor me.'

'Het is anders nu,' zei hij boos. 'Dat zou ik zijn als ik dacht dat je om de juiste redenen ging, maar dat denk ik niet.' Ze stonden op een smal pad in een groen veld. Mensen haastten zich langs hen heen.

'Waarom verdorie niet?' vroeg ze. 'Tom, wat is er aan de hand? Gaat het wel?'

Tom haalde zijn schouders op, schraapte zijn keel en krabde zich op zijn hoofd. 'Nou, ik, eh... ik denk niet dat je Rory en de rest uit je leven bant door weg te lopen naar een identiek bedrijf, alleen wat verder weg.'

'Dit heeft niets met Rory te maken,' zei ze. 'Echt niet.'

'Weet je het zeker?'

'Ik weet het verdomme hartstikke zeker. En ik ren niet weg!' Elle begreep niet waar hij op doelde. 'Ik heb me de afgelopen zes maanden schuilgehouden, daar moet een einde aan komen! Het is veel moeilijker om ergens anders te beginnen. Ik moet mezelf bewijzen, ze wilden Libby, niet mij... Ik moet ze laten zien dat ik goed ben in wat ik doe.'

Hij was even stil. 'Je bent goed in wat je doet.'

'Ja, maar jij bent mijn vriend,' zei Elle, en ze probeerde geduldig te klinken. 'Natuurlijk zeg je dat.'

'Ik wil dat je hier blijft.'

'Waarom?' vroeg Elle. 'Waarom, Tom?'

'Snap je werkelijk niet waarom ik wil dat je blijft?'

Ze wist wat ze wilde denken, maar daarop kon ze niet vertrouwen, ze had het al zo vaak bij het verkeerde eind gehad. Ze staarde hem aan. In de koelte van de bomen achter hen klonk het vrolijke geroep van een kind. Roeiriemen plonsden in het kalme water.

Tom stond met zijn rug naar de zon, en zij keek hem met half dichtgeknepen ogen aan. Hij trok haar een beetje opzij zodat haar gezicht de glinstering van de zon niet meer opving. 'Luister,' zei hij. 'Ik wil je iets vertellen. Sterker nog, ik moet het je vertellen, maar ik wil het ook. Ik...'

'Tom! Tom! Hoi! Hier ben ik!' riep iemand.

Hij keek Elle nog een laatste keer aan. 'Het spijt me. Ik heb haar gezegd dat ik hier zou zijn. Ik had het haar niet moeten vertellen.'

'Wat?' vroeg Elle. Ze keek achter hem. Caitlin marcheerde op hen af, haar glanzende zwarte haar zat in de war door de wind. Ze droeg een cargobroek, laag op haar slanke heupen, en een gestippeld chiffon bloesje. Ze zag er beeldschoon uit. Elle haalde haar handen door haar half uitgegroeide haar en keek omlaag naar haar bezwete spijkerbroek en de rol die zij als wijnvet had bestempeld.

'Caitlin,' zei Tom, en hij liep naar haar toe. 'Ik zei...'

Caitlin stak haar hand op naar Elle. 'Hoi,' zei ze. Ze was dunner en bleker dan voorheen, maar Elle was vergeten hoe prachtig ze was: de donkere expressieve ogen, het hartvormige gezicht. Ze probeerde niet naar haar te kijken. 'Kan ik je alsjeblieft, alsjeblieft even spreken?'

'Nee, Caitlin,' zei Tom zachtjes. 'Dit is niet het juiste moment. Je moet kunnen...'

'Tom, alsjeblieft...' Ze pakte hem steviger vast. 'Ik moet je spreken!'

'Zal ik straks even langskomen?'

Caitlin haalde diep adem. 'Ik moet, eh... ik moet je echt spreken.'

'Nee,' zei Tom. 'We gaan...' Hij draaide zich om en wees naar Elle.

'Ik had het mis. Het is van jou.' Caitlin knikte. Ze glimlachte tevreden, hoewel ze verre van blij leek.

Tom deed een stap naar achteren.

'De baby is van jou, niet van Jean-Claude.'

Er viel een stilte, die alleen werd verbroken door het geluid van de rivier en de kinderen die ver achter hen liepen te roepen. Tom knikte, de kleur trok weg uit zijn gezicht. 'Weet je het zeker?'

'Wauw, wat een reactie,' zei Caitlin, en ze likte nerveus over haar dunne lippen.

'Caitlin, je weet dat ik het zo niet bedoel.' Hij stak zijn armen naar haar uit, maar zij schudde haar hoofd.

'Welke baby?' vroeg Elle. Hoewel ze het antwoord al wist, dacht ze dat ze het misschien verkeerd had begrepen.

'Ik ben zwanger,' zei Caitlin. Ze trok onzeker aan een plukje haar. 'Maandag achter gekomen, maar eh... nou, ik dacht dat het van Jean-Claude was. Ik heb gistermiddag een echo gehad en ik had de datum verkeerd. Hij was toen weg, we waren op dat moment niet samen. Dus is het van Tom.' Het klonk alsof ze feiten van een lijst oplas, maar haar gezicht was bleek, ze beet op haar lip en staarde hem aan, wachtend op zijn reactie. 'Ja, eh... het is van Tom. Ik heb hem maandag verteld dat ik zwanger was, maar ik wist niet zeker of het van hem was. Dus dat vertel, eh... vertel ik hem nu.'

Elle had zich nooit echt afgevraagd wat ze eigenlijk precies van Tom vond. Dat deed ze pas toen hij zijn arm om Caitlins schouders sloeg en zachtjes zei: 'Dat is geweldig. Echt geweldig.' Caitlin leunde tegen hem aan, de spanning vloeide uit haar gestreste lichaam weg.

'O,' zei ze. 'Dank je.'

Elle deed een stap naar achteren. 'Gefeliciteerd,' zei ze tegen Caitlin. 'Dat is geweldig. Ik moet mijn vriendin Karen nog bellen over vanavond. Waarom praten jullie samen niet even.'

Ze liep weg en ging op het gras zitten. Ze hield haar telefoon tegen haar oor en deed alsof ze iemand opbelde en ze glimlachte omdat ze ergens had gelezen dat de dingen beter leken als je glimlachte. Hoe dan ook, het ging haar niets aan, het was iets tussen hen twee. Ze staarde naar het water tot er zachtjes op haar schouder werd getikt en ze sprong op.

'Zullen we gaan?' vroeg hij. 'Caitlin is naar huis.'

Ze liepen in stilte naar Richmond en bij de brug in de buurt van de pub waar ze die eerste dag samen hadden gezeten, zei hij: 'Ik kan niet alle dingen tegen je zeggen die ik wil. Ik hoop dat je dat begrijpt. Ik moet hier het beste van zien te maken. Het wordt vast fantastisch. Het is mijn fout. Ik geloofde haar toen ze zei dat ze aan de pil was, maar dat doet er nu niet meer toe.'

'Tom, ik ben...' Ze wist ook niet meer wat ze moest zeggen. 'Gaan jullie samenwonen? Als ouders?'

Hij huiverde even geïrriteerd. 'Ik weet het niet, dat hebben we nog niet besproken, Elle. Ik, eh... ik moet nog even aan het idee wennen. Maar ik wil doen wat juist is voor haar en de baby.'

Baby, het waren maar vier letters, maar zo'n groot woord. Een baby. Tom zou vader worden, Tom en Caitlin ouders. Ze had het allemaal weer bij het verkeerde eind gehad, wat dat dan ook was. *Hij is Rory niet*, zei een stemmetje in haar hoofd. *Hij is anders*. En dit waren haar zaken niet langer.

'Het spijt me,' zei Elle. 'Ik was gewoon... Het is nogal wat, vind je niet?'

'Jazeker. Dank je. Alles, alles gaat nu veranderen.' Hij sloeg met de zijkant van zijn hand tegen zijn hoofd. 'Jezus, jezus christus...' Hij keek wezenloos om zich heen, alsof hij niet wist wie ze was, waar hij was, en heel even dacht ze dat hij gewoon weg zou lopen. 'Maar goed, jij gaat weg,' zei hij na een stilte. 'Dat is fantastisch voor je.'

Het klonk niet aardig. Alsof zij ervandoor ging om ergens in een veld bloemen te plukken en hem in een kolenmijn achterliet. 'Nou... ja. Ik hoop... Denk je dat je een keertje naar New York kunt komen?'

'Dat denk ik niet,' zei Tom. 'Zoals ik al zei, de zomer is voorbij.'

Ze keek hem verward aan. 'Ik begrijp het niet.'

'Jij vertrekt, daar kan ik niets aan veranderen en dat moet ik ook niet doen.' Hij haalde vermoeid zijn schouders op. 'Het maakt niet uit wat ik denk.'

Elle balde haar handen langs haar zij tot vuisten. 'Het zijn maar vier maanden, Tom. Ik weet dat het vreemd moet zijn, ik kan me niet voorstellen hoe je je voelt. Maar het zijn twee verschillende dingen, het feit dat ik wegga en jij vader wordt.'

'Ik probeer je niet hier te houden,' zei hij met zijn kaken op elkaar. 'Doe wat je wilt.'

'Ik wil gaan,' zei Elle. 'Ik moet, alles is...' Ze liet haar schouders hangen. 'Kunnen we niet nog even wat gaan drinken? Jemig, Tom, jij bent er erger aan toe dan ik.'

'Nu we het er toch over hebben,' begon hij, 'kan ik het net zo goed meteen zeggen. Je drinkt te veel. Besef je dat wel?'

Elle krabde aan haar armen en sloeg ze over elkaar. Ze schudde haar hoofd, beet op haar tong, en zei toen: 'Wauw, wat ben jij soms een zak, wist je dat?'

'Dat weet ik,' zei hij. 'Ik ben verachtelijk. Ik ben een lafaard op alle andere terreinen, maar iemand moet het je vertellen voordat je vertrekt en ik neem aan dat ik dat ben. Je drinkt meer dan iedereen die ik ken. Elke keer als ik je zie, drink je meer dan ik en je wilt altijd meer. Merk je dat zelf wel? Afgelopen maandag heb je in je eentje bijna een hele fles wijn leeggedronken. Ik heb maar een half glas gehad. Je vroeg het niet eens, je bleef je eigen glas maar bijvullen. Doe je dat altijd?'

Iets slijmerigs, duivels en gemeens ontpopte zich in Elle. Ze voelde het en het gaf haar kracht. 'Heb je me ooit dronken gezien?' Elle draaide zich op haar hielen om. 'Heb je mij ooit wanhopig op zoek naar drank gezien? Nee, dat heb je niet, omdat... omdat ik niet te veel drink en wauw, Tom, je bent echt een zak. Ik weet dat het een schok moet zijn dat Caitlin hiermee komt opdagen, maar je hoeft er niet in mee te gaan, het is niet jouw probleem als je echt niet wilt dat…'

'Ik ren niet weg van mijn problemen en ontwijk het onderwerp niet,' onderbrak hij haar. Zijn stem klonk kil, maar hij keek haar niet aan.

'Waarom doe je zo?' Ze staarde hem aan, haar ogen stonden vol tranen, die ze weg knipperde. Ze zou niet gaan huilen. 'Ik heb geen drankprobleem! Ik drink graag, maar wie niet?'

'Ik denk dat je er afhankelijk van bent,' zei Tom.

'Wat een onzin,' zei ze. 'Luister, Tom, ik ga, want dit was een rotmiddag en jij hebt tijd nodig om… Het doet er niet toe. Ik zie je wel weer.'

'Ga maar naar huis dan.' Tom knarsetandde, alsof het pijnlijk was om te praten. 'Ga naar huis als je geen probleem hebt en drink vanavond niet meer. Dat is vast niet moeilijk als je toch geen probleem hebt.'

Ze staarde hem aan. 'Ik begrijp jou echt niet,' zei ze. 'Ik dacht dat jij anders was. Ik dacht dat je niet zoals… Rory was. Ik dacht dat we vrienden waren.'

'Dingen veranderen,' zei hij. Even hield hij haar blik heel intens vast. 'Dat is waarom ik dit nu zeg. Volgens mij vind je me toch niet meer zo leuk, dus dan kan ik net zo goed alle schepen achter me verbranden.'

'Dag, Tom,' zei Elle. Ze draaide zich om en liep de trap op naar het station, de rivier en de zonneschijn achter zich latend. Herinneringen schoten door haar vermoeide hoofd. Ze dacht aan haar moeders gelige boze gezicht, aan de kots die ze vaker had moeten opdweilen dan ze zich kon herinneren, aan de keer dat ze zo enorm dronken was dat ze haar man in zijn gezicht sloeg en hij woedend terug had geslagen en ze elkaar waren blijven slaan. De keer dat ze de auto achteruit tegen het hek van de Dundy's had gezet en Elle haar had opgehaald, waarna ze drie kwartier op de bus hadden staan wachten en haar moeders hoofd heen en weer had geslingerd terwijl ze fluisterde: 'Het spijt me, Elle, ik ben zo stom. Zo stom.'

Jij weet niet hoe een drankprobleem eruitziet, Tom Scott, zei ze tegen zichzelf toen ze boven was. Ze had hem zelfs geen gedag gezegd, hem niet omhelsd, hem niet verteld hoeveel de afgelopen weken voor haar hadden betekend en hoezeer ze hem zou gaan missen, dat ze dacht dat ze misschien... Nee. Ze schudde haar hoofd, draaide zich om en keek nog een keer naar de rivier waar ze deze zomer zo gelukkig was geweest. Het was voorbij. Misschien had hij gelijk. De zomer was bijna ten einde. De herfst kwam eraan, dat wist ze, en alles zou gaan veranderen.

Hoe kon ze ooit een fort als New York te lijf gaan? Dat wilde ze niet eens. Ze wilde hier slechts blijven tot ze er deel van uitmaakte, zo'n gesoigneerde, stijlvolle vrouw was, en ze realiseerde zich ergens dat ook dit een fantasie was.

– Rona Jaffe, *Van alles het beste*

31

Mei 2004

'Ik heb hier gereserveerd omdat ik weet dat je een hekel aan uptown hebt,' zei Mike, en hij schudde het servet op zijn schoot uit. 'Er is een wachtlijst van twee weken voor een tafeltje. Vind je het niet leuk?'

'Natuurlijk wel,' zei Elle. Ze controleerde het bandje van haar lichtroze hemdjurk. 'Het is hier heel leuk, Mike, echt. Alleen een beetje, eh... volwassen. Je kent me.'

Mike zwaaide naar iemand achter haar. 'Ik ken je niet, nee.' Mike nam alles graag letterlijk. 'Ik ken je nu drie maanden en ik heb nog steeds niet het gevoel dat ik je begrijp.' Er werden twee glazen champagne op hun tafel gezet. 'Daarom wilde ik je vanavond iets vragen,' zei hij, en hij hief zijn glas op. 'Zou je exclusief met mij willen gaan?'

Elle schudde haar haar over haar schouders en voelde het langs de huid van haar zongebruinde rug strijken. De ramen aan de straatkant stonden open en er dreef een warm meibriesje door het restaurant. Dit was New York op zijn best, de reden waarom ze hier zo graag was, waarom ze nooit meer weg wilde.

Deze meimaand leek de stad in haar ogen helemaal perfect. Mike en zij zouden vanaf Soho teruglopen door de warme straten naar haar appartement in Perry Street, even wat drinken in haar lievelingsbar op West 4th... Misschien zou ze hem zelfs wel vragen of hij bleef slapen, ze hadden pas een paar keer gevreeën sinds ze samen waren. Mike was een echte heer, wat Elle teleurstellend vond want hij was fantastisch in bed.

Marc daarentegen was helemaal geen heer. Misschien moest ze hem bellen als Mike niet zou blijven. Elle schudde haar hoofd. Het zou echt heel erg klinken als ze dat hardop zou zeggen. Het was verkeerd om je buurman voor seks te bellen, vooral als hij bi was en op hetzelfde kantoor werkte als jij. Maar sinds ze het Amerikaanse datingleven had ontdekt – eigenlijk kwam het erop neer dat je uitging met wie je wilde en je hoefde alleen maar een gesprek met elkaar te hebben om te bepalen of je exclusief met elkaar ging. Elle twijfelde, ze had geen zin om dat op te geven. Ze was laat aan het daten geslagen en ze vond het fijn dat ze er hier goed in was. Ze was hier in veel dingen goed.

Ze hief haar glas op en nam een slok om tijd te winnen. 'Exclusief? Eh... wauw.' Mike keek haar ernstig aan. 'Luister, Mike,' zei Elle omdat ze wist dat ze hem een antwoord verschuldigd was. 'Ik heb geen zin om met honderden mannen uit te gaan, dat is het niet, maar ik ben gewoon niet erg goed met relaties. Een etiket op dingen plakken vind ik eng.'

'Je bent bijna dertig,' zei Mike.

Elle wachtte tot hij hierop door zou gaan: *Je bent bijna dertig, word toch eens volwassen. Je bent bijna dertig, je bent echt heel oud, anderen gaan al trouwen.* Maar hij zei niets. 'Eh... dat weet ik,' antwoordde ze, omdat ze niet goed wist wat ze moest zeggen. 'Maar... kunnen we het niet houden zoals het is?' Hij keek haar vragend aan. 'Als het goed is, dan is het toch goed?' Amerikanen waren heel precies, en dat was een van de dingen die ze zo prettig aan hen vond, maar dit was de keerzijde van het verhaal. Zij waren gek op etiketten, Elle niet.

Mike zuchtte. 'Natuurlijk, dat is goed,' zei hij hoewel het niet zo klonk. Hij keek op zijn horloge. 'Laten we iets bestellen.' Meteen kwam er een ober aan. Dit was nog iets wat Elle zo geweldig aan New York vond. In Londen werkte niemand gewoon als ober in een restaurant, zo leek het. Ze wilden je allemaal graag laten weten dat ze psychologie studeerden of acteur waren en een baan zochten, alsof ober zijn beneden hun stand was. Daar werd Elle met haar pas verworven enthousiasme voor werkethiek stapelgek van. Elle knipperde met haar ogen, bestudeerde het menu en dacht eraan dat ze haar moeder moest bellen als ze thuis was. Het moest, maar het was moeilijk je dingen te herinneren die je moest doen als het warm was, met de lichtjes van The Village die haar riepen en de laatste bloesem aan de bomen.

Toen ze hadden besteld leunde Mike voorover en pakte haar hand. 'Sorry dat ik zo aandrong,' zei hij. 'Misschien heel irritant van me, maar ik zou graag wat meer tijd met je doorbrengen.'

Elle nam zijn gezicht in zich op, zijn lieve, serieuze gezicht, en kneep met haar handen in die van hem. 'Ik ook met jou,' zei ze. 'Het is mijn proleem. Ik wil jou graag een uitweg geven. Als ik weer in Engeland ben ontmoet je misschien een sexy Park Avenue-prinsesje en heb je geen zin meer om met mij downtown te gaan. Ik bedoel maar.'

'Echt niet,' zei Mike. 'Ik heb ze allemaal ontmoet en ze zijn afschuwelijk. Ik zal je missen.'

'Ken je eigenlijk echt iemand die Bitsy heet?' vroeg Elle. 'Ik dacht dat mensen die Bitsy heetten alleen in romans van F. Scott Fitzgerald voorkwamen.'

Mikes lieve glimlach veranderde in een grijns. 'Elle, ze is vierentachtig. Volgens mij telt dat niet. Trouwens, jij kent toch iemand die Libby heet, dat is toch hetzelfde?'

'Die trut? Dat is heel wat anders en je weet dat je haar naam niet mag noemen.' Ze grinnikte vrolijk, want ze vond het leuk als hij een beetje pit toonde, haar op de hak nam. Dat was wat ze hier het meeste miste. Op haar één maand oude BlackBerry begon een rood lampje te flikkeren en haar blik flitste er onmiddellijk heen. 'O,' begon ze, maar ze hield zich in. 'Laat maar,' zei ze. 'Ik kijk straks wel.'

Mike schudde zijn hoofd en zei: 'Wauw. Ze krijgen daar wel een volle werkdag van jou, zeg. Je maakt mij ten schande.'

Mike was hedgefondsmanager. Elle had er nog nooit van gehoord toen ze hem in februari tijdens een boekpresentatie voor een boek over het economische wonder van Wall Street had ontmoet. Hij had met de auteur op Yale gezeten en was de enige van de Brooks Brothers-*American Psycho*-corpsballentypes die zich had losgemaakt van de groep. Hij had zich aan Elle en haar baas Caryn voorgesteld, die in een hoek over het laatste drama met hun belangrijkste auteur, Elizabeth Forsyte, hadden staan praten, en gevraagd: 'Mag ik bij jullie komen staan, dames?' Caryn had hem vlug in zich opgenomen, de rest van haar martini achterovergeslagen en gezegd: 'Hé, prins op het witte paard. Je bent net op tijd. Ik moet gaan.'

Omdat ze meer Queens dan een Park Avenue-prinses was had ze een zwaar New Yorks accent.

En Mike had op zijn milde, beleefde manier van doen een stap naar achteren gedaan. 'Wat jammer. Mag ik je naar een taxi brengen?'

'Nee, dank je,' had Caryn geantwoord, en ze had hem argwanend bekeken. 'Ik denk dat het me wel lukt om van hier naar de stoep te komen. Weet je wat, ik zal roepen als ik hulp nodig heb.'

Hij had geglimlacht en geknikt en toen al had Elle hem leuk gevonden omdat hij zo beleefd was, maar toch niet pompeus. Nou, misschien een beetje pompeus, maar zijn hart zat op de goede plek.

Mike had een appartement in Upper East Side met uitzicht over Central Park. In een zijstraat, dat wel, hij was Brooke Astor niet, maar je kon het park wel zien. In een ver verleden had zijn vader iets met walvissenjacht gedaan. Elle kwam er maar niet achter of dat nu juist goed of slecht was; ze wilde hem nog steeds een keer googelen om het uit te zoeken, want dat was wat je tegenwoordig deed, je googelde alles waarover je meer informatie wilde: het nieuwe restaurant, die auteur die plotseling uit het niets een bestseller had en die je eigenlijk moest kennen, de stukjes Americana die je niet begreep en de bron van het enorme vermogen van je date. Het resultaat van het enorme vermogen van Mike was dat zijn familie een huis had in de Hamptons, een skichalet in Telluride, een eiland langs de scherenkust van Stockholm, en bovendien had Mike zo'n baan die hem alleen maar nog rijker zou maken. Hij was slim, werkte hard en hij verdiende het om het goed te doen. Elle vond het vreemd, die kalme, wetenschappelijke manier waarop de Nordstroms geld vergaarden, omdat ze zelf nooit veel had gehad, zelfs nu niet. Ze nam aan dat alles op een dag naar Mike, zijn vrouw en hun toekomstige peloton kleine Nordstroms zou gaan. Het was interessant dat niemand ooit ook maar vaag had gedacht dat zij dat wel eens zou kunnen zijn. Getrouwd met een miljonair, net als een MijnHart-heldin.

Ze glimlachte naar hem. 'Ik kijk er straks wel naar. Ik verwacht een bericht van een auteur.'

'Check je mail nu maar,' zei Mike geduldig. 'Het geeft niet.'

'Sorry. Dank je. Ik ben zo klaar,' zei Elle. Ze opende haar berichten. Het was inderdaad de e-mail waarop ze had gehoopt, die van Elizabeth Forsyte.

Lieve Elle,
Hartelijk dank voor de zorg en aandacht die je aan het juiste omslag moet hebben besteed. The Lord of Misrule is een heel bijzonder verhaal voor mij, een verhaal dat mijn lezers hopelijk veel plezier zal brengen. Ik heb me erg veel zorgen gemaakt over de kant die het omslag op ging, maar nu jij zo hoffelijk bent geweest – die Britse charme weer – en het hartje boven mijn naam hebt verwijderd, heb ik geen enkele aarzeling meer om te zeggen dat deze versie ter perse kan gaan. Moge God ons in sneltreinvaart naar de #1 op de bestsellerlijst voeren!
Je vriendin,
Elizabeth Forsyte

PS: Ook Euphemia en Brunswick danken je hartelijk voor het vrijgeven van hun verhaal aan de wereld.

Elle knipperde met haar ogen: alle e-mails van Elizabeth Forsyte waren geschreven in een piepklein kalligrafisch lettertype op een felroze achtergrond versierd met Georgiaanse pilaren en andere architectonische tekeningen. Ze hadden zo'n hoge resolutie dat de computer van de mensen bij Bookprint US die ze ontvingen regelmatig crashten, maar niemand zou dat ooit tegen haar durven zeggen. Niemand zei nee tegen Elizabeth Forsyte. Als je 600.000 hardbacks verkocht en twee keer zoveel paperbacks, kon je kinderporno of dierenmishandelingsfilmpjes via internet aan je uitgevers verspreiden en dan nog zouden ze het onderwerp uiterst voorzichtig ter sprake brengen.

'Wat is er aan de hand?'

'Niets, geweldig nieuws,' zei Elle. Vlug stuurde ze de e-mail door naar Caryn en Sidney, de algemeen directeur.

We hebben een 'go', schreef ze. *We kunnen morgen gaan drukken.*

'Klaar. Ik beloof het.' Elle deed haar Blackberry in haar tas en leunde achterover in haar stoel. Mike zuchtte.

'Wat een vrouw,' zei Mike. 'Soms denk ik dat als ze tegen je zou zeggen, eet vijftien rauwe eieren en neem de achtbaan op Coney Island, je het ook zou doen.'

'Dat klopt,' zei Elle eenvoudigweg. 'Je weet hoe het gaat. Het zijn zaken, en zij is mijn grootste klant. Ik zou hier niet meer zijn als zij er niet was geweest.'

'Ze mag blij zijn dat jij voor haar werkt,' zei Mike loyaal.

Elle schudde haar hoofd. 'Nee, zo zit het niet. Zonder haar zou ik in Londen zitten.'

'Dat is natuurlijk onzin,' zei Mike, en hij glimlachte. 'Gekke meid.'

Ze deed haar ogen even dicht, buiten trilden de blaadjes licht in het briesje. Ze wist dat ze het hem nooit aan zijn verstand zou kunnen brengen. De ober kwam terug met een groene salade voor haar en soep voor hem. 'Proost,' zei Elle, en de blijdschap overviel haar. Ze kon niet wachten om morgen weer aan het werk te gaan en het met Caryn te bespreken, te horen of Sidney tevreden was. 'Hoera, wat een geweldige avond.'

'Veel plezier in Engeland,' zei Mike, en hij klonk met zijn glas tegen het hare. 'Blijf niet en kom snel weer terug.'

'Geloof mij, dat doe ik ook,' zei ze hartstochtelijk, en ze nam nog een slokje champagne. 'Het is erin en eruit. Boem, tets. Bruiloftsdiner, bruiloft, nachtje bij mijn moeder en vliegtuig terug. Geen omzwervingen, niets. Ik ben terug voordat je me kunt missen.'

Mike knikte tevreden, en Elle besefte dat dit gesprek misleidend kon klinken. Maar het kon haar niet schelen. Twee dagen geleden had het ernaar uitgezien dat Elizabeth Forsyte hen niet met dat omslag zou laten publiceren en nu was alles geregeld en konden er een half miljoen exemplaren worden gedrukt en waren ze weer veilig, althans tot de volgende crisis. Toch zou een klein, heel klein gedeelte van haar het liefst willen schreeuwen: *Het was niet meer dan een heel klein roze hartje, mens, doe toch eens normaal, besef je wel hoeveel tijd en moeite dit heeft gekost?* Een ander gedeelte wist dat ze bijna alles aan Elizabeth Forsyte te danken had en dat allemaal dankzij de broche van oma Nappers.

Als Elle had geweten wat een onschuldige opmerking op het damestoilet drie jaar geleden in november teweeg had kunnen brengen, zou ze heel verbaasd zijn geweest.

Het was haar geluksdag geweest, dat wist ze nu. Ze had de mollige dame met moerbeikleurig haar bij de wastafels een complimentje gegeven over haar broche – een klein gouden figuurtje met een bosje blauwe en rode bloemen in haar hand – en de dame had zich met een lach op haar gezicht omgedraaid.

'Vind je hem mooi?'

Elle was erop doorgegaan.

'Wat een prachtig accent heb je, liefje. Deze broche was van mijn oma. Wat aardig van je. Ik ben Elizabeth Forsyte.'

Elle had haar een hand gegeven en verlegen gezegd hoezeer ze had genoten van *Ladies Dance*, waar miljoenen exemplaren van waren verkocht.

Ze had om verschillende redenen geluk: Elle had er echt van genoten. Elizabeth Forsyte kon schrijven en wist hoe ze een verhaal moest vertellen. Het was niet de zoveelste Regency-roman, maar een ouderwets familieverhaal met veel seks en intriges en de formule van een lekker dik strandboek plus een smaakvol omslag zodat de literaire kringen het op vakantie ook konden verslinden. Het boek was goed genoeg om er bijna een miljoen paperbacks van te verkopen en het was een voorloper van een massa imitaties.

Ten tweede, hoewel Elle dat niet had geweten, waren Elizabeth Forsyte en haar agent er die dag voor een crisisoverleg. Ze hadden iedereen op Jane Street net verteld dat ze met haar volgende boek naar Viking of Pocket zouden gaan, zo slecht was de publicatie van *Ladies Dance* geregeld.

Ten derde was Elle al twee maanden in New York. Ze was in oktober, een maand na 11 september, gearriveerd. De *Stars and Stripes* hingen overal, Fifth Avenue was één grote vlaggenzee. Er kwam nog rook van Ground Zero, het hing in de lucht downtown. Zij verbleef in Brooklyn in het leegstaande appartement van een vriendin van Karen; elke avond aan het begin van die herfst renden er kleine jongetjes door de tuin verkleed als Superman of Spider-Man. Een vrouw bij haar in het gebouw was haar dochter kwijtgeraakt in de South Tower. Ze werkte er niet eens, maar had er een vergadering gehad. 's Ochtends en 's avonds hoorde Elle de mensen door de gang naar mevrouw Bilefsky's appartement stampen: vrienden, buren, verslaggevers. De conciërge van het gebouw bracht haar soep, hoewel de avonden nog ver na Halloween warm waren.

Bij Bookprint US kwam ze bij Jane Street Press terecht, de imprint waar Daria, met wie ze werd uitgewisseld, werkte. Maar iedereen was nog in een soort van shock en moest moeite doen om zelf samen met familie en vrienden overeind te blijven. Daria voelde zich ellendig in Londen en dacht erover terug te komen, elke dag veranderde ze van mening, dus wist Elle nooit of ze er de volgende week nog zou zijn. De mensen hadden haar niet warmer kunnen onthalen, maar niemand wist waarom ze er was. Zelf had ze ook geen idee. Ze gaven haar een paar paranormale erotische romans te redigeren, ze deed een project over omslagontwerpen in Engeland versus Amerika, maar alle opgekropte energie en goede bedoelingen waarmee ze was gearriveerd en die ze heel graag wilde gebruiken kwamen niet van pas.

Ze liep uren rond, door Midtown tijdens haar lunchpauze, door Brooklyn in het weekend. Ze begroef zich in New Yorkse carrièremeisjesboeken: *De groep*, *Van alles het beste*, *Vrouw zoekt man* en zelfs *Valley of the Dolls*. Tegen december keek ze echt uit naar februari, dan zouden haar vier maanden erop zitten en kon ze terug, hoewel ze geen idee had waarheen. Ze wilde niet terug. Ze vond het geweldig om hier te zijn, ze vond alles aan New York fantastisch. Maar het werd niks en ze wist niet hoe ze de dingen op een positieve manier kon veranderen en misschien was het ook niet goed om het te proberen.

Maar toen op een ochtend had Elle achter haar bureau met een paar manuscripten zitten schuiven toen Caryn op haar af was komen stormen. Ervan overtuigd dat ze achter haar aan zat voor een exemplaar van het omslag dat ze nog niet had gearchiveerd, vluchtte Elle lafhartig naar het toilet en zodra de deur dicht was had ze gebloosd van schaamte omdat ze zich zo belachelijk gedroeg. Misschien was het opluchting geweest waardoor ze buiten adem tegen de deur had geleund en verontschuldigend naar de dame had gekeken die haar lippenstift voor de spiegel stond bij te werken, misschien was het wel haar verlangen om tegen iemand te praten, tegen wie dan ook.

'Wat een mooie broche,' had ze gezegd.

De dame had haar lippenstift neergelegd, zich omgedraaid en gelachen. Ja, op de een of andere manier had ze het lef gehad om een gesprek met Elizabeth Forsyte aan te gaan en gebaseerd op dat gesprek van vijf minuten had Elizabeth Forsyte besloten dat zij en niemand anders de redacteur was met de Engelse charme en de kennis om *The Marriage Game* door de gevoelige drachttijd te begeleiden en zo was het gegaan.

Ofschoon Elizabeth Forsyte egoïstisch, veeleisend en passief-agressief was, was ze op haar manier ook een genie en ze had iets in Elle gezien en dat zou Elle nooit vergeten. Haar werkvisum was op magische wijze verlengd; haar salaris was verhoogd. Plotseling namen agenten telefoontjes van haar aan; in de ochtend in de enorme glazen liften knikten collega's haar toe boven hun skinny lattes; toen ze een boek moest presenteren tijdens de angstaanjagende aankoopvergadering had Sidney Levantine, de algemeen directeur, over zijn halve brilletje gekeken en tegen haar gezegd: 'Aha, juffrouw Eleanor Bee. Wat fijn u hier te zien.' En toen *The Marriage Game* die zomer op nummer één terechtkwam, alle hardbackrecords verbrak en Elizabeth Forsyte een paginagrote advertentie in *Publishers Weekly* zette om 'haar vrienden bij Jane Street Press' te bedanken was Elles baan bij Jane Street verzekerd.

Elle veranderde ook. Ze was bijna helemaal gestopt met drinken en hoewel ze de herinnering aan die opgeblazen, eenzame maanden in Londen heel ver had weggeduwd, herinnerde ze zichzelf eraan als ze overwoog een fles wijn te kopen. Het was heel makkelijk om zich die eindeloze eenzame avonden in de flat in Kilburn te herinneren, de muren die op haar af kwamen, de alcohol in haar poriën, de keren dat ze met een kater op kantoor kwam en de pogingen het te verbergen. Tom had het gezien, had het haar verteld... maar dat was in een ander leven, in een andere tijd geweest en ze had een tweede kans gekregen.

Bovendien zou dat hier niet getolereerd worden. Ze wist niet hoe dicht in de buurt van het omslagpunt ze was gekomen en ze wilde het ook niet weten. Ze wist niet eens zeker of er wel een omslagpunt was, alleen dat ze was weggelopen van iets wat haar de donkere afgrond in had getrokken. Ze moest deze tijd benutten om te veranderen en dat deed ze ook en het was makkelijker dan ze had gedacht. Ze liep overal heen en dronk bijna niet meer, behalve af en toe een cocktail. Ze was zesenhalve kilo afgevallen zonder er iets voor te doen. Pas toen ze de foto op haar oude Bookprint-beveiligingspasje had gezien had ze beseft hoe zwaar ze eigenlijk was geworden. Wijn-en-Pringle-kilo's noemde ze het en ze was echt meer dan blij dat ze het kwijt was.

Net als iedereen ging ze elke week voor een manicure in de Koreaanse zaak vlak naast de metro; in haar panty's zaten geen gaten meer en ze had geïnvesteerd in een kleine, chique garderobe van Banana Republic. Ze liet haar rommelige kapsel uitgroeien en in lange glanzende lokken net over haar schouders knippen, lichtbruin met stroopkleurige highlights. Na een jaar huurde ze een klein appartementje in West Village, zo klein dat ze er niet binnen kon zijn, maar naar haar werk of uit eten moest. Bovendien moest ze haar spullen goed organiseren, anders nam de chaos het over. Maar het was prima, het was klein maar licht en warm, koel in de zomer, met planken voor haar boeken, en bovendien vond ze het tegenwoordig prettig om de boel aan kant te hebben.

En aangezien ze het gevoel had dat haar een reddingslijn was toegeworpen, werkte ze. Het was bijna een religie. Ze las alles, bleef tot laat op kantoor en liet nooit een e-mail onbeantwoord. Elke avond als ze het kantoor verliet was ze weer alleen in de stad, maar ze vond het er geweldig, ze wilde er nooit meer weg. Ze had het gevoel dat New York ook van haar hield, zelfs de man bij de metro die de korstjes van zijn elleboog krabde en opat en zelfs de stinkende blinde vrouw met pluizig haar die haar elke keer vertelde dat ze Britten haatte. Zelfs als haar airco het begaf en ze stikte van de hitte, zelfs als het verkeer weer afschuwelijk druk was en haar collega's heel eng deden... Ze hoefde alleen haar gympen maar aan te trekken en terug naar huis te wandelen terwijl de paarse zonsondergang op elke hoek tussen de zwartglanzende torens door flitste en de stoepen volstroomden met mensen die praatten, aten en lachten. Terug naar The Village met het gevoel dat alles zo slecht nog niet was. Gewoon omdat het zo was.

Ze kon zich haar leven in Londen nauwelijks nog herinneren, ze herkende het meisje niet dat ze daar was geweest. Hier, voelde ze, was ze degene die ze altijd had willen zijn.

32

'Dus je brengt ook wat tijd door met je moeder als je dáár bent,' zei Mike.

'Ja,' antwoordde Elle. 'De bruiloft wordt gehouden in een weelderig landhuis in Sussex, dat is bij haar in de buurt. In Sanditon Hall. Het is grappig want daar hadden Rhodes en Melissa eigenlijk zullen trouwen.'

'Vind je het raar?'

'Wat, teruggaan naar Engeland?'

Ze liepen over Bleecker Street, langs de zoveelste opzichtige tattooshop; een louche, maar populaire bar. 'Alles, denk ik.'

Ze had hem veel verteld, maar niet alles. Elle keek naar een jongen met een leren pet op zijn hoofd die zijn been rond een lantaarnpaal wond. 'Ik neem aan van wel. Ik kijk er niet heel erg naar uit.'

'Heb je haar nog gesproken, hoe heet ze ook alweer? Melissa? Sinds jullie vorige maand iets zijn gaan drinken?'

'Nee,' zei Elle, 'maar ik moet haar nog wel spreken.'

'Ze klinkt verschrikkelijk. Ik vond het niet leuk zoals ze tegen je deed.'

'O, ik weet het niet,' zei Elle. Ze had geen zin om over hen te praten, het zou de hele avond verpesten. Ze kwamen bij het goede stuk van Bleecker met Marc Jacobs en de Magnolia Bakery in de verte. De mensen zaten op de stoep te eten, er klonk zacht gelach van een tafeltje in de buurt en Elle draaide zich om en zag twee meisjes van ongeveer haar leeftijd met lang golvend blond haar, in skinny jeans, die behoedzaam uit wijnglazen zaten te drinken. Ze waren erg mooi, een belachelijk tafereel van schoonheid, en ze staarde ernaar. 'Eh... kan ik iets voor je meebrengen uit Londen?' Ze wist niet waarom ze dat vroeg – wat kon ze meenemen dat hier niet te krijgen was? Een koekjestrommel met een foto van een soldaat met een berenmuts, een sneeuwbol van de St Paul's Cathedral?

'Nee, dank je, Elle.' Hij glimlachte en pakte haar hand. Ze hield hem stevig vast. 'Ga je daar naar kantoor?'

'Misschien moet het, maar liever niet. Ik heb een vergadering met een auteur ergens in de stad en verder hoef ik niets te doen. Gelukkig maar. Het is best sneu, maar ik heb echt geen zin – ik vind het niet prettig erheen te gaan, ik was niet zo...' Haar stem stierf weg, omdat ze besefte dat ze niet wist wat ze moest zeggen.

'Sneu? Hoe bedoel je sneu?' vroeg Mike, en ze vermoedde dat hij gewoon de stilte wilde verbreken. Ze strekte zich uit en kuste hem.

'Nou ja, het is belachelijk en dom en dat is wat ik ben, dus vergeet het maar.' Elle streek met haar duim over zijn handpalm. Ze waren bij de hoek met Perry Street. 'Ga je met me mee naar huis?'

'Misschien wel,' zei hij. Hij legde zijn hand in haar nek, trok haar naar zich toe en kuste haar licht op haar lippen, zodat ze zijn zachte kin kon voelen en zijn lichte, citroenachtige geur kon ruiken, schoon, kalm en geruststellend.

In Perry Street zaten de mensen op hun stoepjes te kletsen en bier te drinken. De bomen met jonge blaadjes bogen over de weg heen naar elkaar toe. Marcy, die naast haar woonde, zat met haar vriend Steven en een paar anderen op de stoep. 'Hé, Elle! Goede reis,' riep Marcy. 'Laat je niet gek maken door je familie.'

Elle en Marcy hadden de week ervoor samen een paar cocktails gedronken – Elle vergat altijd dat zelfs de meest matige, triatlonrennende New Yorker twee Manhattans weg kon klokken alsof het ginger-ale was. Cocktails waren een snelle en effectieve manier om dronken te worden. Als je dat wilde. Het was goed in de hand te houden, twee was genoeg als je alles zo af en toe wilde vergeten. Veel directer dan het ene glas ranzige wijn na het andere in een smerige pub samen met andere forenzen in goedkope Next-pakken.

Elle vond het prettig dat ze niet meer tegen drank kon, maar alles wat ze zich herinnerde van de avond met Marcy was dat ze op de bar van de cocktailtent had geslagen en had geroepen: 'Rotbroer!

Rotmoeder! Melissa is een gemene heks!' terwijl Marcy hardop had geapplaudisseerd.

Nu grinnikte Elle naar haar, en ze grimaste iets omdat ze zichzelf tijdens dat avondje behoorlijk had laten gaan. 'Ik bel je als ik terug ben,' zei ze. Ze vond het fijn dat te zeggen. Ze zou terugkomen. Het was maar voor een paar dagen. Ze konden haar niet dwingen te blijven, hoewel ze daar soms wel van droomde. Ze haastte zich de treden op met Mike.

Marc hing in de hal rond alsof hij wist dat ze eraan kwam. Hij checkte ogenschijnlijk zijn post, maar toen Elle de deur opendeed, stopte hij die in zijn zak, trok een wenkbrauw op en zei: 'Hé, Brits meisje. Wanneer vertrek je?'

'Morgenavond, met de nachtvlucht,' zei Elle.

'Eh-huh?' zei Marc op de lichtelijk gemene, lichtelijk nichterige manier die Elle bijna onweerstaanbaar vond. Ze staarden elkaar aan, stonden even als bevroren, maar toen knalde de voordeur open en kwam Mike, die zijn schoenveter had vastgeknoopt, achter haar aan naar binnen.

'Hé, Mike, leuk je te zien,' zei Marc. Dat was nog iets wat Elle zo leuk vond aan New Yorkers. Ze herinnerden zich de namen van mensen en ze waren beleefd. Bovendien waren ze dol op grammatica en maakten ze nooit domme taalfouten.

Ze gaven elkaar een hand, en er viel een ongemakkelijke stilte.

'Nou, goede reis,' zei Marc. 'Tot ziens, jongens...' Hij glimlachte ondeugend naar Elle en duwde zijn roze onderlip iets omlaag in een klein pruillipje. Ze keek hem geamuseerd aan en net als altijd ietwat hitsig, hoe raar het ook was. 'Ik wil alles horen als je terug bent. *Oi lahve...*'

'Niet het accent nadoen,' onderbrak Elle hem wanhopig.

'... *ah lahverlee Briddish cuhntree wodding,*' eindigde Marc zijn zin.

'Ik zei niet doen.'

'Oké, oké. Laat die trut van een schoonzus van je je niet ontmoedigen,' zei hij. 'Laat dat gratenpakhuis uit Connecticut de klere krijgen! Oké?'

'Eigenlijk komt ze van Upstate...' begon Elle, maar Marc stak zijn hand op.

'Verpest het moment niet, schat. Wees cool. Onthoud dat je Kate

Spade-schoenen hebt met een bijpassende tas en vertel dat aan iedereen die het horen wil.'

'Dat ga ik echt niet aan iedereen vertellen!' protesteerde Elle. 'Hou je kop.'

Mike duwde Elle richting de voordeur. 'Welterusten, Marc,' zei hij vastberaden, en Elle wierp over haar schouder nog een laatste blik op haar buurman.

'Tot morgen,' zei ze.

Hij knipperde lui met zijn ogen en vormde met zijn lippen de woorden *ik wil je*, terwijl Mike voor haar uit naar binnen ging.

Mike liep naar het kleine keukentje terwijl Elle op het bed in de studio ging zitten, haar hakken uittrok en over haar voeten wreef. Ze legde haar oorbellen op het nachtkastje en de airco in het raam kraakte lawaaiig. Ze keek naar Mike, die tegen het aanrecht geleund stond.

Hij wreef in zijn ogen en zag er een beetje moe uit. 'Ik vraag me af of die vent niet een beetje te veel van het goede is, als je niet in een goede bui bent. Wil je ook water?'

'Hij is oké,' zei ze, en een beeld van Marc en haar, terwijl ze op datzelfde aanrecht nog maar twee weken daarvoor de liefde hadden bedreven, flitste door haar gedachten. Zijn spijkerbroek op zijn enkels, zijn stevige, biscuitkleurige dijbenen die tegen de hare duwden zodat ze haar benen verder uit elkaar kon doen en hij dieper in haar kon dringen. Elle sprong van het bed af, knipperde met haar ogen en liep naar de kast. Ze pakte twee glazen. 'Luister, Mike, nog even over dat exclusief-gebeuren...'

'Het geeft niet.' Mike haalde zijn handen door zijn korte donkerblonde haar. 'Laten we het voor vanavond maar vergeten.'

'Ik vind je leuk,' zei ze. 'Heel leuk.'

Hij glimlachte vriendelijk, en ze wilde dat ze niet wenste dat hij iemand anders was.

'Iets anders,' zei hij. 'Wat heeft Melissa eigenlijk tegen je gezegd dat zo afschuwelijk was? Daar hebben we het nooit echt over gehad.'

Elle wendde zich van hem af. 'Niets. Vergeet het maar.'

33

Ze hadden afgesproken iets in het Algonquin te gaan drinken. Het was maart. Elle was laat omdat een telefonische vergadering met iemand in LA was uitgelopen. Toen ze was gearriveerd had Melissa al een martini op.

Sinds de afgeblazen bruiloft had Elle Melissa en Rhodes drie keer gezien. Eens per jaar met kerst. De eerste keer bij haar vader in Brighton. Elle had ertegen opgezien door wat ze misschien zouden zeggen en wat zij zou doen. Toen ze arriveerde, zo herinnerde ze zich nog goed, hadden ze er allebei heel resoluut uitgezien. Rhodes was steviger en groter dan ooit, de agressieve, gecontroleerde energie leek uit hem te barsten en zijn handen hingen als gebalde vuisten langs zijn zij. Melissa was pezig, evenwichtig, minzaam, altijd beleefd, had nooit iets te melden, in ieder geval niet aan hen.

Uiteindelijk was het prima gegaan, zoals altijd in dergelijke situaties, want Elle had geen rekening gehouden met het nieuws waarover ze geen controle had. Het was geweldig. Melissa was zwanger. 'Het perfecte kerstcadeautje!' had Eliza, Elles stiefmoeder, uitgeroepen – maar het gaf iedereen ook een goed excuus om niet te praten over de geannuleerde bruiloft, de daaropvolgende geheime bruiloft, wat er was gezegd en over degene die niet aanwezig was geweest. De olifant in de kamer genaamd Mandana.

Toen haar nichtje was geboren, had Elle haar een speelgoedolifantje van Barney's gestuurd en achteraf had ze het zich herinnerd en zich afgevraagd of dit nog een onbewuste link was geweest. Maar Rhodes en Melissa waren van een flat in Battersea naar Primrose Hill verhuisd zonder het Elle te vertellen en het olifantje was nooit aangekomen.

Het tweede jaar had ze hen bij haar moeder gezien en had ze kleine Lauren voor het eerst ontmoet. Ze waren met de lunch gekomen, iedereen had kalkoen gegeten en met de baby getut. Het was heel leuk geweest om haar nichtje te zien, dat net zulke krullen als haar vader had en dat Elle op Mandana vond lijken. Ze vertrokken meteen na de lunch, waren heel beleefd, maar het was duidelijk dat ze niet konden wachten om te vertrekken, om Elle en haar moeder gezellig hangend voor de tv met cranberrysap en kerstcake achter te laten.

Het derde jaar had Elle hen weer in Brighton gezien, Lauren was toen achttien maanden geweest. Ze kon al lopen en 'appel' en 'proost' zeggen en ze was schattig. Ze hadden rondom de grote eiken tafel in de ruime kelder gezeten en net gedaan alsof ze een hechte, gezellige familie waren, hoewel Elle achteraf had beseft dat ze zowel met Rhodes als met Melissa geen gesprek van meer dan vijftien seconden had gevoerd. Zij woonden in Londen en zij in New York, en ze miste hen niet want ze kende hen tegenwoordig nauwelijks nog, ook haar broer niet. Ze wilde dat het anders was.

'Het is leuk je te zien,' had Elle beneden in de Algonquin-bar tegen Melissa gezegd, stampend met haar voeten tegen de kou. 'Hoe gaat het met Lauren, heb je haar meegenomen? Heeft ze het boek *Eloise* gekregen? Waarom ben je hier?' Te veel vragen. Haar stem klonk hoog en nerveus.

'Ik ben bij vrienden op bezoek en ik heb een paar afspraken,' had Melissa gezegd terwijl ze de rest van haar drankje opdronk. 'Het kan zijn dat we terug hierheen verhuizen. We denken er op het moment over na. Lauren is bij haar tante. Ik zal haar de groeten doen.'

Het was druk in de bar, ze kon de verschillende gesprekken om zich heen horen zoemen. 'Ik ben haar tante,' zei Elle.

'Natuurlijk. Ik bedoel haar andere tante. Mijn zus.'

Melissa was beeldschoon, dat vergat Elle altijd. Ze wierp nog een blik op haar. 'Juist,' zei Elle. 'Dat is geweldig, kan ik misschien...'

Melissa onderbrak haar. 'Elle, ik heb tot acht uur de tijd. Ik wilde je even spreken om iets aan je te vragen. Want...' Ze zat te wiebelen. 'We willen graag weten hoe lang je van plan bent in New York te blijven,' zei ze, en ze zwaaide met haar vinger naar de ober, die meteen naar haar toe kwam. Ze wierp een vragende blik op Elle. 'Wat wil jij? Een martini?' Elle knikte sloom. 'Twee martini's alsjeblieft, die van jou met een twist? Geweldig. En nog wat olijven. Dank je.'

Ze wendde zich tot Elle. 'Het gaat om je moeder. Ze heeft hulp nodig. We willen graag weten wanneer je terugkomt.'

'Mijn moeder? Met haar gaat alles goed. Ik heb haar gisteren nog gesproken. Ze... Ze stond op het punt met Bryan uit te gaan.' Elle probeerde Melissa af te leiden van het onderwerp. 'Hé, waar willen jullie gaan wonen als jullie hierheen verhuizen?'

Melissa zei kil: 'Elle, ik ben hier niet om over de verhuizing te praten. Ik ben hier omdat ik je dit recht in je gezicht moet zeggen. Dit is niet langer iets wat je kunt negeren.'

'Waar heb je het over?'

'Och, kom op. Je weet dat ik onze eerste bruiloft vanwege je moeder heb gecanceld.'

'Dat heb ik gehoord, maar je hebt me nooit verteld waarom,' zei Elle, en ze moest op haar tong bijten om niet nog meer te zeggen. Ze kon een rode mist van woede in zich voelen opborrelen. Ze herinnerde zich haar moeders stem aan de telefoon de vorige avond toen ze had verteld dat ze iets met Melissa zou gaan drinken. 'Wat leuk voor je,' had Mandana op zeer sarcastische toon gezegd. 'Wat zul jij een lol hebben. Vraag haar of ze je wil waarschuwen voordat ze glimlacht. Ik durf te zweren dat ze haar tanden weer heeft laten bleken. Ze heeft me laatst bijna verblind.'

Elle probeerde niet te glimlachen bij die herinnering.

Melissa zei: 'De reden dat ik het heb gecanceld was dat ik wilde dat alles perfect zou zijn en dat kon niet, dus wilde ik er niet mee doorgaan. Dat weet je.'

'Melissa, jullie hebben mij een week voor het vrijgezellenfeestje een kaartje gestuurd en dat is alles wat ik van jullie heb gehoord. Mijn vader heeft me verteld dat jullie ruzie met mijn moeder hadden gehad...' Elle beefde van woede. 'Mijn hemel, dit gaat niet om mij.' Ze keek op, plotseling wanhopig verlangend naar een drankje. 'Ik begreep het gewoon niet. Je was er zo druk mee, elk detail moest perfect zijn. Het was een enorm dure bedoening en twee maanden van tevoren hoor ik niets meer en dan zeggen jullie alles af. Het leek gewoon niet – ik heb het nooit begrepen – we wisten niet...'

Elle was energiek begonnen, maar ineens was ze doodmoe. Ze liet zich tegen de rugleuning zakken.

Melissa prikte met een cocktailprikkertje in een servet en zei: 'Ik kan niet zeggen dat ik er geen spijt van heb gehad, want dat heb ik wel.'

'Echt?'

'Ja, natuurlijk. Maar ik kon er na dat weekend niet mee doorgaan, ik zou constant bang zijn geweest dat ze zich zo zou gedragen. Ik heb nooit...' Ze prikte nu nog boosaardiger en stak zelfs in de houten tafel eronder. 'Ik had nog nooit iemand zo gezien. Zelfs mijn vader niet toen het heel slecht met hem ging. Ze was net Mr. Hyde. Zo... Zo boos. Tegen mij, maar vooral tegen Rhodes.' Melissa keek op naar de pianist, niet naar Elle. 'Weet je dat ik denk dat ze soms in de war is en Rhodes en je vader door elkaar haalt?'

Elle dacht dat ze een grapje maakte, maar één blik op Melissa en ze wist dat het niet zo was.

'Ze zien er hetzelfde uit. Ze kijkt naar hem, ziet je vader, geeft hem de schuld, het is heel raar. Ik kon het niet verdragen haar dat weer te zien doen, niet op mijn bruiloft.' Ze glimlachte zwakjes. 'Je weet het, ik ben een perfectionist. Ik wilde het hebben zoals ik het wilde. Dat was alles waaraan ik kon denken, ik kreeg nachtmerries over wat ze zou kunnen doen.'

Melissa pauzeerde even.

'Ik wilde haar zelfs niet zien, aanraken of erbij hebben.'

Elle ging verzitten. Ze besefte dat ze haar tas en telefoon nog steeds in haar handen geklemd had. Ze legde ze op de grond. 'Melissa, het spijt me. Ik...'

Melissa's toon werd hard. 'Rhodes en ik willen dit niet met je bespreken, maar we moeten wel, ik heb tegen hem gezegd dat je het ons moet vertellen. Wanneer ben je van plan terug te komen?'

'Niet in de nabije toekomst,' zei Elle, en ze hoopte dat ze kalm klonk. 'Waarom wil je dat weten?'

'We denken niet dat het alleen onze taak is om de hele tijd op je moeder te letten.'

'Hoezo?' zei Elle. 'Doe het dan niet.'

'Het gaat slechter met haar.'

'Slechter? Helemaal niet,' zei Elle. 'Het gaat juist heel goed.'

'Elle, in godsnaam. Ze drinkt weer. Dat moet je hebben gemerkt.'

Elle probeerde niet te zuchten. 'Ik...'

Melissa gooide haar handen in de lucht. 'Kom op. Ze is alcoholist, Elle. Jij bent degene voor wie ze het het meest verborgen houdt en daar gaat ze aan onderdoor.' Elle schudde haar hoofd. 'Kom op! Ze moet behandeld worden. Ze moet in therapie, ze moet cold turkey van de drank af. Ze is er afhankelijk van.'

De drankjes werden neergezet. Elle nam een slok en voelde de koude, dikke, heldere alcohol door haar keel glijden en ze vond het verschrikkelijk dat het zo goed voelde. Ze deed haar ogen even dicht en ordende haar gedachten. Ze probeerde niet te letten op de schijnheiligheid van hun wodka martini's terwijl ze Mandana veroordeelden. 'Melissa, ze drinkt niet echt meer.'

Melissa snoof, een gebaar dat het midden hield tussen boosheid en ongeloof. 'Jij bent... Wauw, je leeft echt in een fantasiewereld,' zei ze. 'Natuurlijk drinkt ze wel.'

'Melissa,' zei Elle. 'Zij en ik hebben het er vaak over. Ik heb vorig jaar zomer een week met haar doorgebracht toen ze hier op bezoek was. Ik weet dat ze het moeilijk heeft gehad en dat ze een paar keer is teruggevallen, maar ik meen het. Ze drinkt niet meer.'

'Ze is haar rijbewijs afgelopen zomer kwijtgeraakt,' zei Melissa. Elle liet het cocktailprikkertje vallen en haar mond zakte open van verbazing. 'Kom op, Elle, wist je dat niet?'

Elle knipperde met haar ogen. 'Ze... Nee, dat wist ik niet.' Ze herinnerde zich vaag dat Mandana haar met kerst niet had kunnen ophalen, maar Elle had er geen aandacht aan geschonken, Mandana veranderde constant van gedachten.

'Ze heeft een botsing veroorzaakt de dag nadat ze van jou terug is gekomen. Ze liegt tegen je, Elle en daar is ze erg goed in geworden. Kom op! Jij bent degene voor wie ze alles wil verbergen. Dat wij het weten kan haar niets meer schelen.'

Elle negeerde dit. 'Heeft ze iets gedaan, iets gezegd? Ze kan echt heel gemeen zijn en het spijt me als ze jou verdriet heeft gedaan.'

Melissa kneep haar ogen tot spleetjes. 'Je weet niet waar je het over hebt. Je rent weg voor de waarheid, Elle.'

Je weet niet waar je het over hebt? Elle begon bijna te lachen. 'Luister,' zei ze. Ze legde haar hand op tafel. 'Ik ben niet naar New York gegaan om bij haar uit de buurt te zijn. Heus, Melissa. Ze is vorig jaar een week bij me geweest en er was helemaal niets aan de hand. Ze is met Anita een bedrijfje begonnen, ze heeft Bryan, haar werk in de bibliotheek, als ik met haar praat lijkt het prima met haar te gaan. Ik wil graag geloven dat ze de waarheid spreekt.' Ze haalde diep adem. 'En dat doe ik ook.'

'Ik heb die Bryan nog nooit ontmoet, jij wel? En weet je hoe ze die botsing heeft veroorzaakt? Weet je wat ze had gedaan?' vroeg Melissa dringend. Haar wangen waren rood van de opwinding. 'Ze was zo dronken dat ze probeerde naar je vaders huis te rijden. Ze heeft een botsing gehad op een of andere snelweg. De politie belde ons en toen we bij haar thuis kwamen lagen daar drie lege flessen wodka. Ze heeft onophoudelijk gedronken nadat ze uit New York was teruggekomen. Zo is ze haar rijbewijs kwijtgeraakt, Elle.'

'Maar...'

Elle dacht terug aan de laatste avond dat ze bij haar moeder was geweest, bijna een jaar geleden. Een paar maanden nadat ze voorgoed naar New York was verhuisd, had ze een immigratieadvocaat ingehuurd om naar Mandana's zaak te kijken en hij had drie soortgelijke zaken gevonden waarbij een visum was verstrekt, onder een aantal voorwaarden, en daaraan bleek Mandana te voldoen. Grappig dat Elle zich drie jaar daarvoor nooit had kunnen voorstellen dat ze zoiets doortastends zou doen. Ze waren in het park naar *Henry V* van Shakespeare wezen kijken en hadden in Upper West Side in een piepklein restaurantje gedineerd waar Mandana altijd naar terug had gewild sinds ze er in 1969 had gegeten toen ze op weg naar San Francisco was geweest. Ze hadden onophoudelijk gelachen om het bohemien stel naast hen bij het toneelstuk, dat zo overduidelijk de belangrijkste regels mee had gezegd. Mandana had goed in haar vel gezeten, ze was uitbundig en vrolijk geweest en had gebloosd van het lachen en de warmte omdat ze het zo leuk hadden. Elle kon haar naast zich horen ademen in het kleine tweepersoonsbed en ze had die nacht naar haar liggen luisteren, naar haar vredige uitdrukking gekeken, en ze had het gevoel gehad dat het echt goed met haar moeder ging.

En vierentwintig uur later – echt? Elles linkeroog begon te kloppen, als tromroffel in haar hoofd.

'Wil je weten wat ze deed toen we haar vertelden dat we zwanger van Lauren waren?'

Elle haalde haar schouders op en hield ze daar, gespannen, haar handen ineengeklemd alsof ze zichzelf voor een volgende klap wilde behoeden.

Melissa streek met een hand over haar voorhoofd en haar blonde pony bleef aan een kant overeind staan. 'We gingen naar haar toe, het weekend voor kerst, om haar het goede nieuws te vertellen en weet je wat ze deed?'

'Nee,' zei Elle met een klein stemmetje.

'Ze was dronken toen we aankwamen.' Melissa blies lang uit en deed haar ogen dicht. 'Ze zei dat ze medelijden had met elk kind dat in onze familie werd geboren. Ze zei dat ze nooit foto's van de bruiloft had gezien en dat het wat haar betrof een onecht kind zou zijn. En het kon haar niet schelen. Dat zei ze ook. Toen gaf ze over. Ze geeft continu over, daarom is ze zoveel afgevallen. Ze is ziek, Elle. Ze spuugde en wreef alles...' Melissa sloeg haar handen voor haar gezicht. 'Nee, het was echt heel goor.'

'Wat deed ze?' Elle was bang dat ze zelf ook zou moeten overgeven.

'Het doet er niet toe. Zo is het genoeg. Ze was net... Ik weet het niet! Mijn hemel, net Quasimodo? Een aap, een monster, ze denderde door de keuken en sloeg van alles stuk, haar handen waren overal en ze was, jemig, ze was zo gemeen. Zo gemeen, alsof ze continu dacht, wat is het ergste wat ik nu kan zeggen? En nu?' Melissa hield haar mond, haar gezicht was rood en haar ogen waren vochtig. 'Ik was zwanger van haar eerste kleinkind. Dit is je moeder. Zo is ze. Alleen denk jij op de een of andere manier dat het jouw probleem niet is.' Melissa ademde uit, haar neusvleugels wijd opengesperd. 'Maar het is jouw probleem wel. Ik ben niet verantwoordelijk voor haar.' Ze keek omlaag en controleerde haar telefoon en horloge. Ze dronk het glas leeg. 'We hebben ons best gedaan, maar Rhodes is het eerlijk gezegd spuugzat en ze heeft hulp nodig.' Ze pauzeerde weer. 'Het is een misleidende ziekte. Ze wil dat jij gelukkig bent en daarom verbergt ze het voor jou en dat wordt haar dood nog. De arts in het ziekenhuis heeft ons na de botsing verteld dat haar lever eraan is, maar ze heeft zichzelf ontslagen voordat er nog meer onderzoeken konden worden gedaan. Het gaat nu wel, maar wie weet hoe lang ze dit volhoudt.' Ze ademde langzaam uit, fluitend tussen haar lippen. 'Zoals ik al zei, je moet met haar praten. Het is nu jouw beurt. Het gaat steeds slechter met haar. Er moet iemand ingrijpen.'

'Juist...' zei Elle. Ineens hoorde ze vreemd genoeg haar vaders stem weer, tijdens die lunch zo lang geleden in de hitte, de dag dat hij de planken voor haar had opgehangen. 'Ik denk dat je naar New York moet gaan. Je moet je moeder achter je laten'. Dat had ze gedaan. Ze had gedaan wat hij had gezegd. Ze had het voor zichzelf gedaan en het was juist geweest. Alleen...

'Jouw beurt,' zei Melissa. 'Je moet het zelf weten. Als je er bent, zul je zien wat ik bedoel, Elle. Jullie Britten, jullie ontkennen alles en weigeren een etiket te plakken op iets wat een ziekte is.'

Je klinkt net als een Woody Allen-film, had Elle gedacht. *Ontkenning, etiketten.* In plaats daarvan zei ze: 'Bedankt,' omdat dat het enige was wat in haar opkwam. *Bedankt dat je me hebt verteld dat het nu mijn probleem is en niet meer dat van jou.*

Na een ongemakkelijk afscheid was Elle naar huis gegaan, vanaf de metro door de ijskoude sneeuwbrij, en ze had lange tijd op de rand van haar bed gezeten. Ze wist niet wat ze moest doen, ze voelde zich zo alleen. Ze kon Mandana niet opbellen en haar vragen of ze dronk, hoe het met haar ging; ze zou het niet zeggen. Elle kende haar moeder goed genoeg om te weten hoe misleidend ze was; wat dat betreft was ze het wel met Melissa eens. Ze wist dat als ze gewoon op de stoep zou verschijnen haar moeder zou dichtklappen. Uiteindelijk beantwoordde ze de uitnodiging die haar al twee dagen vanaf haar nachtkastje verwijtend aanstaarde en had ze een ticket geboekt. Ze wilde niet terug voor de bruiloft. Maar ze moest terug om een kijkje bij haar moeder te nemen. Om het met haar eigen ogen te zien.

34

'Dus, Elle,' zei Caryn, haar baas, terwijl ze op en neer door Elles kantoortje liep, haar ogen fonkelend van de opwinding en bellen blazend met haar kauwgom. 'Wat gebeurt er op een Engelse bruiloft? Houdt Hugh Grant een speech? Dragen de gasten van die stomme hoedjes? Doen ze mime?'

'Mime?' Elle lachte. 'Caryn, weet je überhaupt wel wat dat is?'

'Mime?' Caryn sprak het heel raar uit. Haar Britse accent was nog erger dan dat van Marc en erger dan dat van Dick Van Dyke. Hoewel ze aan het hoofd van een grote divisie van de uitgeverij stond met vele bestsellerauteurs, was Caryn Queens en dat zou ze altijd blijven. Soms vond Elle dat ze er een beetje te trots op was. Elle had niet de behoefte als ze iemand net had ontmoet te vertellen dat ze uit een dorpje in de buurt van Gatwick kwam, terwijl Caryn meteen zei: 'Ik kom uit Queens,' alsof het onbeschoft zou zijn om een vreemde deze informatie te onthouden. 'Mijn god, ik heb nooit geweten dat ze uit Queens kwam, ik wilde dat ze me dat had verteld,' had Paul de rechtenmanager eens in een bar gezegd en Elle was bijna van haar stoel gevallen van het lachen, maar deels was ze ook geschokt. In de uitgeefwereld in New York gedroeg je je als een professional, je kraakte je baas niet af en nam hem of haar niet op de hak, je ging niet naar de pub om in een dronken bui tekeer te gaan en je sliep zeker niet met je collega's.

'Mime. Een stomme Britse gewoonte,' zei Caryn, en ze sloeg haar kleine gespierde armen over elkaar en glimlachte haar blinkend witte tanden bloot. 'Ik weet het niet, heb ik gelijk?'

'Ja,' zei Elle. 'Helemaal.' Ze dacht aan de mimespelen waar ze altijd heen waren gegaan toen ze nog klein was, het jaar dat Rhodes uit het publiek werd gehaald om door Lionel Blair uit een kanon te worden geschoten, hoe bang ze toen was geweest dat ze hem echt weg zouden schieten en hoe haar moeder haar had moeten uitleggen dat het een truc was, gewoon voor de lol.

'Ben jij bruidsmeisje?'

'Nee, nee,' zei Elle. 'Gezien de omstandigheden...' Haar stem stierf weg.

'Gelukkig. Ik vind het al stom dat je zelfs maar gaat,' zei Caryn. Elle wist niet of dit een kleine poging was om haar te laten merken dat het haar iets kon schelen, of dat ze het zei omdat Elle tijdens haar afwezigheid de herfstpresentatie zou missen en Sydney Caryn nogal op de huid zat op het moment. 'Maar is het net zo'n gek evenement als hier? Zoals Judy's bruiloft vorig jaar? Blauw geverfde duiven en bruidsjonkers die op zangles moesten om "When Doves Cry" a capella te leren zingen terwijl zij naar het altaar schreed? Kom op.' Caryn sloeg zich op haar dijen. 'Niets kan zo gruwelijk zijn als dat.'

Elle lachte. 'Nee, zoiets wordt het niet. Er zijn minder bruidsmeisjes.' Ze was aan het begin van de maand met Mike naar een bruiloft in New Hampshire geweest en daar waren acht bruidsmeisjes geweest, identiek kapsel en jurk, even lang en slank, met acht identieke bruidsjonkers aan hun arm. Er was een weddingplanner geweest met een radiootje in haar oor, een echte swingband, en op elke tafel hadden voor de mannen manchetknopen met de initialen van de bruid en bruidegom gelegen en voor de dames met edelstenen versierde slippers van Melissa Odabash voor als je hakken pijn gingen doen. Het was een soort militaire operatie geweest.

Caryn keek op haar horloge. 'Oké. Hoe laat vlieg je?'

'Halftien, maar dat komt goed. Als ik hier klaar ben ga ik rechtstreeks naar het vliegveld.'

'Geweldig.' Caryn legde haar hand tegen de deur. 'Heb je Molly Goodwin nog gesproken?'

'Zeker, en ik heb tegen haar gezegd dat ik langs zou komen om het nieuwe contract te bespreken zodra ik terug ben.'

'En Magnolia?'

'Zij komt volgende maand vanuit Georgia hierheen.'

Caryn schudde haar hoofd. 'Waar maak ik me eigenlijk zorgen om? Je bent de beste, Elle. Weer zulk goed werk met Elizabeth Forsyte gedaan. Het wordt heel belangrijk voor je, dat boek.'

Een van de dingen die Elle in Caryn bewonderde was dat ze hoewel ze een enorme workaholic was, behoorde tot het 'neem iemand in dienst die jouw baan wil'-managementtype. Ze vond het prettig dat de mensen die voor haar werkten beter waren dan zij. Elle had beseft hoeveel geluk ze met haar nieuwe baas gehad had toen Bill Lewis, de ex van Libby en directeur van de BBE-divisie, tijdens een van zijn reizen naar Amerika was langsgekomen. Niet alleen was ze eraan herinnerd hoe weinig ze hem als persoon mocht, ze zag hoe zelfverheerlijkend hij was – tijdens vergaderingen streek hij met de eer voor boeken waarvan Elle wist dat andere redacteuren ze hadden gekocht – hoe pretentieus en alleen betrokken bij zijn eigen zaak. Net zoals hij Libby had behandeld.

Libby... Elle huiverde. Sinds ze haar vlucht naar Engeland had geboekt, had Elle vaak aan Libby gedacht en ze vroeg zich af hoe het met haar ging. In zekere zin had ze alles aan haar te danken, zonder Libby en haar intriges was ze nooit in New York geëindigd. Terwijl ze naar Caryn zwaaide en achter haar bureau ging zitten, dacht Elle ineens aan de week dat Lady Di was gestorven, al wist ze niet waarom. En die in rode wijn gedrenkte avond in de Dome in Hampstead, waar ze croque-monsieurs hadden gegeten en hadden gegild hoeveel ze hielden van kunst, literatuur, het leven en jongens en het leven – o, wat gênant. Ze was om twee uur thuisgekomen en Sam had haar wakker gemaakt met het verschrikkelijke nieuws. Sam – waar zou die nu zijn? De begrafenis, die ze met Sam in hun oude flat hadden gekeken, Sam en zij snikkend en Libby die met haar ogen had gerold. Kleine dingen, zoals Libby's blauwe zomerjurkje en het kroontje van madeliefjes dat ze de middag na de begrafenis had gemaakt terwijl ze in Hyde Park in het gras hadden gelegen en over de liefde hadden gesproken.

Het was nog geen zeven jaar geleden, maar het voelde als een mensenleven. Elle moest heel diep graven naar de herinneringen aan dat meisje. Het meisje dat zelfs Rory nog niet had gekust. Ook aan hem had ze de afgelopen weken vaak gedacht, naarmate de reis dichterbij kwam. Ze wilde niet vergeten hoeveel ze van hem had gehouden, hoe belangrijk dat voor haar was geweest: ze had het gevoel dat het verwerpen van die herinnering verraad aan haar jongere zelf zou zijn.

Een jaar geleden waren ze in New York samen wat wezen drinken en het was heel vreemd geweest om iemand te zien die je kende en voor wie je zo'n obsessie had gehad, zijn lichte, vriendelijke stem weer te horen. Zijn haar was hetzelfde, chaotisch en slap, zijn kleding was een nieuwe versie van hoe die altijd was geweest – ingetogen, een charmante Britse stedeling – zo niet de lijntjes rond zijn ogen, de lichte matheid op zijn gezicht, de wanhoop waarmee hij had gezegd: 'Je hebt het zo goed voor elkaar, ik wilde dat ik het recept had. Je bent zo anders, je ziet er zo anders uit.'

Terwijl ze de bar in de Soho Grand hadden verlaten – omdat hij natuurlijk net als Bill in het Soho Grand had gelogeerd – had Elle geweten dat hij gelijk had. Ze was anders. Ze vond het prettig het te horen, want ze wilde die gedachte net vaak genoeg oproepen om zichzelf eraan te herinneren dat ze degene die ze vroeger was geweest nooit meer wilde zijn.

Om halfzeven zette Elle de computer uit en haalde haar koffer tevoorschijn. Ze controleerde of haar jurk, paspoort, BlackBerry, glimmende nieuwe blauwe iPod en geld er nog in zaten, deed de deur achter zich dicht en wierp nog een laatste blik op het bordje op de deur.

ELEANOR BEE
SENIOR REDACTEUR
JANE STREET PRESS

Ze rolde de koffer door de brede glazen gangen en keek nog even om naar Midtown en Central Park. Het was een prachtige avond, erg licht. Ze viste haar zonnebril uit haar handtas.

'O, dag, Elle!' zei Jennifer, de redactieassistente, glimlachend terwijl Elle langsliep. 'Goede reis en laat me weten of je nog iets nodig hebt als je daar bent!'

'Doe ik,' zei Elle. 'Bedankt, Jen.' Ze stak haar hand ten afscheid op.

'Hé, laat mij maar,' zei Stuart Forgan, de senior vicepresident, toen Elle bij de lift aankwam en hij zag dat ze met haar tas, koffer, jas en pasje stond te hannesen. 'Op weg naar het gezellige Engeland?'

'Zeker weten,' zei Elle in haar beste, maar nog altijd verschrikkelijke Amerikaanse accent.

Stuart glimlachte en duwde zijn ronde brilletje verder op zijn neus. 'Ga je nog naar Bookprint?' vroeg hij terwijl hij gebaarde dat ze hem voor moest gaan, de lift in. 'Ik wilde eigenlijk wachten tot je terug was, maar dit kan geen toeval zijn.'

'O?' zei Elle, en ze probeerde alert en geïnteresseerd te kijken terwijl ze tegelijkertijd in haar handtas graaide op zoek naar haar paspoort en ticket. Ze herinnerde zich wat een hekel ze aan ontmoetingen in de lift had gehad. Nu vond ze het wel leuk. 'Wat kan ik voor je doen?'

'Nou, misschien kun je proberen Gray Logan ter sprake te brengen als je daar toch bent. Hoewel ze weten dat hij een *New York Times*-bestseller is, doen ze niets met hem. Hij zegt dat hij in Engeland niet langer door ons wil worden uitgegeven en dat kan onze kansen op een volgende deal beïnvloeden. Sidney zei dat het moest worden geregeld.' Hij deed zijn armen over elkaar en keek haar over zijn bril aan. 'Ik vroeg me af of het misschien een oplossing zou kunnen zijn om jou erbij te hebben.'

Elle hield haar adem in. Gray Logan was een gigant in de New Yorkse literaire wereld, winnaar van de Pulitzerprijs, hoogleraar aan de universiteit van Columbia, geliefd bij elke recensent, boekverkoper en boekkoper in Manhattan. 'En Owen dan?'

Stuart drukte op het knopje van de begane grond en de deuren gingen dicht. 'Owen gaat volgende maand met pensioen, zonder groot afscheid, zijn vrouw is ziek en hij heeft geen zin in veel drukte. Dus Elle, ik wilde vragen of jij Grays redacteur zou willen worden. Je zou ook de contactpersoon voor Engeland kunnen zijn, hoewel je in Amerika bent. Jij zou efficiënter zaken met Bookprint UK kunnen doen en ervoor kunnen zorgen dat ze het niet weer verpesten. We mogen Gray Logan niet kwijtraken. Wat vind je ervan?'

'Ik heb nog nooit eerder de redactie voor iemand als hij gedaan,' zei Elle. 'Hij is, eh... literair?' Ze waren op de vierentwintigste verdieping. Van die eerste roetsj van de lift kreeg Elles hart altijd een schok. Ze slikte. 'Alleen is mijn vriendin Libby degene die in Engeland alles voor hem regelt.'

'Goed, het is dus vreemd voor je,' zei Stuart. 'Het spijt me, waarschijnlijk is dit een ongepaste vraag als je net op het punt staat op een vliegtuig te stappen. Denk erover na. We bespreken het wel als je terug bent.'

'Het geeft niet,' zei Elle. 'Ik doe het.'

'Weet je zeker dat je het niet vervelend vindt? Je vriendin, wordt dat niet ongemakkelijk?'

De liftdeuren gingen open. Libby's gezicht en de madeliefjes in haar haar verdwenen naar de achtergrond terwijl de glazen lobby verscheen en de gele taxi's op Broadway voor hen heen en weer flitsten. 'Ik ga deels terug om haar te zien,' zei Elle na een kleine pauze. Ze knarsetandde. 'Weet je, ze vindt het vast niet erg.'

35

'He that is in a towne in May loseth his spring.' Elle herinnerde zich dat lang vergeten George Herbert-citaat van haar eindexamen weer terwijl ze in haar gehuurde Polo over de smalle lanen reed. Ze had in de buurt van Dover Street met Heather Dougall geluncht, schrijfster van gezellige misdaadromans over een oude dame en haar kat (in Engeland raakten ze ze aan de straatstenen niet kwijt, maar in Amerika gingen ze als zoete broodjes over de toonbank) en geluisterd naar haar litanie van klachten over Bookprint UK. Na de lunch was ze via Mayfair over Old Bond Street naar Selfridges gelopen, kijkend naar de dure tassen, sieraden en rijke dames en heren in hun chique auto's – dit was het Londen waarvan de Amerikanen dachten dat het bestond, het Londen van *Mary Poppins* en *Upstairs, Downstairs*. Ze vond het best leuk, maar het stond heel ver bij haar eigen ervaringen vandaan. Heel even kon ze ervan genieten als een toerist, in plaats van erin op te gaan.

Terwijl ze in de auto stapte, de radio op Capital zette en de zon door de dikke witte wolken scheen, stond ze zichzelf toe weer even verliefd op Londen te worden, een klein beetje maar. Ze reed de stad uit over Fulham Road, kijkend naar de kakkineuze jongens met hun haarlokken, die over de brede stoepen slenterden, en de knappe blonde meisjes met hun grote handtassen die pijnlijk van hun smalle polsen hingen. Het nummer van Maroon 5 was afgelopen en toen kwam 'Toxic'... Elle glimlachte, dit was zo slecht nog niet. Het zou wel goed komen.

Ze was van plan om later die avond naar haar moeder te gaan, na het oefendiner in het hotel. Het oefendiner was een stomme Amerikaanse traditie en ze begreep niet waarom ze de avond voor de bruiloft allemaal voor een diner samen moesten komen als ze precies hetzelfde zo'n achttien uur later nog eens zouden doen. Dit was Engeland, de bruid en bruidegom waren Engels, het was geen bruiloft in Ohio waarvoor iedereen honderden kilometers moest reizen.

Ze schudde de gedachten van zich af, maar ze kon er niets aan doen dat ze zich ongerust voelde terwijl ze Londen uit snelde. Ze was teruggekomen om iets te begraven, wraak te nemen met het goede leven dat ze nu leidde. De spookbeelden uit haar jeugd te ruste te leggen.

Ze verliet de hoofdweg en reed het platteland op, dat schuimde van het fluitenkruid en de vroege kamperfoelie, waar houtduiven luidkeels roekoeden in de bomen en de hagen fris van het nieuwe groen waren. Elle voelde een nostalgie die alleen een Engelse lente kon veroorzaken. Ze dacht aan de boeken die dat gevoel opriepen: *Cassandra en het kasteel*, *De Forsyte sage* en *De wind in de wilgen*. Ze was ooit met haar moeder met de trein naar Marlow geweest, waar ze langs de brede Theems hadden gelopen, turend naar de drukte aan de rivieroever. In Manhattan waren geen padden of otters. Ze had daar trouwens toch bijna geen tijd om iets te lezen wat geen manuscript was.

Sanditon Hall stond slecht aangegeven, een landweg kwam uit op een smalle weg en Elle miste de afslag en moest terug, waardoor het tegen achten was toen ze aankwam. Terwijl ze over de lange grindlaan reed, lichtelijk duizelig van vermoeidheid, speurde ze de horizon af op zoek naar het hotel. Ze zag de paardenkastanjes in bloei staan en de zwarte ijzeren hekken om de bomen in het park die roestig waren geworden. Haar hart ging als een gek tekeer.

'Kom op,' zei ze hardop, maar zachtjes. 'Je bent er nu. Waarom ben je zo nerveus? Het ligt allemaal in het verleden. Zo eng is het nu ook weer niet.'

Elle stapte uit, trok haar haren uit de kraag van haar vest en schudde met haar hoofd zodat ze om haar gezicht vielen. Uit haar tas pakte ze een lipgloss die ze wilde opdoen, maar iets hield haar tegen. Waarom maakte het wat uit, waarom maakte dit überhaupt nog wat uit? Ze was tot hier gekomen zonder achterom te kijken of weg te rennen, dit kon er ook nog wel bij, ook zonder lipgloss. Elle liep de treden naar het Georgiaanse landhuis op, die warm waren van de zon, naar de ronde zwart-witte vestibule, een beetje met het gevoel alsof dit haar eerste werkdag was. 'Ik ben hier voor het bruiloftsdiner,' zei ze tegen de behulpzame man achter de receptie.

'Natuurlijk,' zei hij, en met zijn hand gebaarde hij naar rechts. 'Het diner voor familie en vrienden vindt plaats in de oranjerie, mevrouw. Als u zo vriendelijk zou willen zijn mij te volgen...'

Hij pakte haar tas en liep met haar naar het einde van de gang, waar een bordje stond.

Bruiloft Yates/Sassoon

Diner voor familie en vrienden

'Familie of vriendin?' vroeg de beleefde receptionist om een praatje te maken. Binnen was het geroezemoes van de gesprekken te horen.

'Ik ben...' zei Elle. Ze moest er even over nadenken. 'Een vriendin?'

'Nou, iedereen is daarbinnen,' zei hij. 'Kan ik u nog ergens mee van dienst zijn?'

'Nee, dank u.' Elle keek hem na terwijl hij wegliep en duwde de deur open. Haar wangen gloeiden en haar oren suisden, dit was onwerkelijk, maar toch deed ze het. Op de grijze verf bleef een vochtige afdruk achter waar haar zwetende hand hem open had gedrukt.

'O, mijn god, je bent er!' Een meisje maakte zichzelf los van het groepje mensen dat het dichtst bij de deur stond en haastte zich vlug naar Elle in een volumineuze wolk van chiffon. 'Elle, ik kan niet geloven dat je er bent.'

'Hoi, Libby,' zei Elle, en ze omhelsde haar vriendin.

'Je bent er echt, ik ben zo blij dat je bent gekomen.' Libby keek haar indringend aan en pakte haar polsen. 'Bedankt. Dank je. Het betekent heel veel voor me. Schat, kijk. Elle is terug.'

Een man aan de andere kant van de zaal draaide zich om. 'Elle,' zei hij.

'Hoi, Rory,' antwoordde Elle.

Hij kwam naar hen toe, maar bleef een stukje bij hen vandaan staan. 'Elle, liefje. Bedankt dat je bent gekomen.'

Libby keek naar haar, misschien net iets te aandachtig, en Elle wilde dat ze haar niet zo op de nek zat. Ze hoopte ten zeerste dat ze niet bloosde. Ze moest zich cool gedragen. Niet alleen voor zichzelf, maar ook voor hen.

'Het is geweldig om hier te zijn,' zei ze.

Libby hield Rory's hand in de hare, boven de opbollende blauwe chiffon jurk. Elle keek er verbaasd naar. Ze vond het rot, maar het was wel zo. Libby was dikker geworden en de beste manier om dat te verbergen was onder lagen golvende stof. Elle berispte zichzelf omdat ze zo onaardig deed maar veranderde van gedachten. *Kom op zeg*, hoorde ze het stemmetje in haar hoofd zeggen, een stemmetje dat ze tegenwoordig niet meer zo vaak hoorde. *Je bent op de bruiloft van Rory en Libby. Je mag best onaardig zijn, een beetje maar.*

36

Ja, ze was er. Het was normaal, ze gedroeg zich normaal, ze stonden te praten. De deuren naar de hel waren niet opengezwaaid om Rory en Libby mee te zuigen naar het gesmolten hart van de aarde. Elle had maanden tegen deze dag opgezien, sinds ze van hun verloving had gehoord. Het had haar enorm verbaasd dat ze haar hadden uitgenodigd, maar waarom ook niet? Ze was iemand uit de uitgeefwereld met wie Libby het langst bevriend was en wie wist er nu helemaal van Rory en haar? Het had net zo goed niet gebeurd kunnen zijn.

Elle had natuurlijk geweten dat ze samen waren, iets langer dan een jaar nu. Ze wist niet hoe het was gebeurd, dat ging haar ook niets aan en eigenlijk wilde ze het helemaal niet weten. Ze was zelfs iets met hen wezen drinken toen ze in oktober samen in New York waren geweest. Ze hadden Manhattans gedronken in The Campbell Apartment en Libby had haar behandeld alsof ze een pop was: 'Wat heb jij een succes! Wat zit je haar beeldig en wat een mooie jurk! Je werkt vast heel hard!' Als om te compenseren dat ze Rory had gestolen. Ze had hem natuurlijk niet gestolen, maar zo had Libby zich wel gedragen.

Ze waren het perfecte uitgeefstel: het klopte als je hen samen zag. Ze deden niets anders dan roddelen: wie er met wie naar bed ging; waarom auteur X weg was bij redacteur Y of agent Z; wie er miljoenen voor een boek had betaald dat was geflopt; of wat A tegen B had gezegd op de boekpresentatie van C. Het was duidelijk dat ze waren vergeten dat ze elkaars relaties ooit hadden verraden – misschien compenseerde het iets, dat Rory tegen zijn baas over Libby's affaire had gekletst en Libby *Private Eye* over die van Rory had ingelicht? Elle was vergeten hoe het er daar aan toeging en ze miste het niet. Ze vond het vermoeiend, net als het feit dat Rory twee keer bij hen wegliep, een keer om naar de wc te gaan en een keer om een telefoontje aan te nemen over een boek dat hij probeerde te kopen, terwijl Libby geen stap verzette, alsof ze het risico niet kon nemen hen twee alleen te laten.

Ja, het was vermoeiend, net als de manier waarop Libby over hun relatie sprak, alsof het een levende entiteit was, een mascotte: 'Ik moet zeggen,' had ze meisjesachtig giechelend gezegd – *Libby*, degene die een bloedhekel aan ordinaire romantiek had gehad, die tegen Elle had gezegd dat Rory gek was en haar gebruikte! – 'dat veel mensen in de uitgeefwereld echt heel blij zijn dat we een relatie hebben, dat is zo fijn om te horen.' Bovenal vond Elle Rory's wezenloze blik en zijn bedeesde manier van doen vermoeiend, alsof hij de volle kracht van zijn verwoestende persoonlijkheid niet op haar los wilde laten voor het geval ze in huilen zou uitbarsten, haar kleren van zich af zou rukken en zou roepen: 'Neem me! Ik hou nog steeds van je, Rory!'

In de met houten panelen betimmerde bar, waar een geruststellende ouderwetse New Yorkse sfeer hing, met het Grand Central Station en de bedrijvige stroom mensen eronder, had ze zich veilig gevoeld in de wetenschap dat ze zich op eigen terrein bevond. Ze had zich zelfs levendiger dan ooit gevoeld, als de heldinnen in de New Yorkse boeken waar ze zo gek op was. Ze had zo gebruist van iets, dat ze een taxi terug naar Perry Street had genomen, op Marcs deur had geklopt en hem nadat hij had opengedaan een biertje had gegeven en had gevraagd: 'Mag ik binnenkomen?'

'Natuurlijk,' had hij gezegd met die langzame gemene glimlach op zijn gezicht, en ze was tot de volgende ochtend gebleven. Toen ze op haar blote voeten en in een shirt over de oude parketvloer terug naar haar appartement was gelopen, met de herfstochtendzon die op het honingkleurige hout scheen, had ze met een glimlach gedacht: *Yes, dit is het leven dat ik moet leiden. Laat ze maar lekker met hun saaie uitgeefroddels, die eindeloze relaties, in wijn gedrenkte avonden, hun snobisme en kortzichtigheid.*

Maar nu was alles anders, ze was niet op eigen terrein. Ze was in Sanditon Hall, waar Rhodes had zullen trouwen, in de tijd dat Libby nog een bloedhekel aan bruiloften en een affaire met Bill had gehad. In de tussenliggende jaren was ze wel op een aantal dingen teruggekomen, dat was duidelijk.

'Nou, ik ben blij dat je er bent,' zei Libby. 'Het betekent heel veel voor me. Ik kan niet geloven dat je van zo ver bent gekomen.'

'O,' begon Elle, maar ze hield verder haar mond.

Ik moest bij mijn moeder langs en had een excuus nodig. Zo gaat het tegenwoordig tussen haar en mij. Dus dit is helemaal perfect!

'Ik wilde graag komen,' zei ze, en ze deed haar best oprecht te klinken.

'Je ziet er fantastisch uit. Fantastisch! Vind je ook niet, Rory?'

'Je ziet eruit alsof je op het punt staat de wereld te veroveren, Elle,' zei Rory. 'Als een jonge Tina Brown of een oude Michelle Williams.'

'O, hou toch je kop,' zei Libby, en ze gaf hem een duw. Dat was voor het eerst dat Elle het Lancashire-accent in haar stem hoorde. 'Ga maar kijken of je moeder er al is. Er zijn heel veel mensen die je kent, Elle,' zei ze, en ze draaide zich om. 'Veel mensen uit de uitgeefwereld. We zeiden tegen de redacteur van *Bookseller* al dat we hem een foto van de bruiloft zouden sturen! Het was maar een grapje, maar zou het niet leuk zijn? Een Wie is Wie in de boekenbranche van 2004?'

Mijn god. 'Absoluut,' zei Elle, en ze keek met een mengeling van verlegenheid en afgrijzen om zich heen om te zien of ze iemand herkende.

Libby deed echter ineens een stapje achteruit en legde haar hand op haar buik, waardoor Elle besefte waarom ze zo dik was geworden, de reden voor het volumineuze chiffon en de overhaaste bruiloft.

'Ben je zwanger?' vroeg ze, en ze hoopte dat ze het bij het verkeerde eind had, dat er geen afgezaagd soapachtig scenario zou volgen.

'Ja,' zei Libby eenvoudigweg. 'Bijna zes maanden.'

'O, Libs,' zei Elle. 'Waarom heb je niets gezegd?'

Libby begon te blozen. Ze stak haar kin in de lucht met die merkwaardige mengeling van trots en onbeholpenheid. 'Het spijt me vreselijk. Ik dacht dat je waarschijnlijk... Misschien dacht je soms dat het... dat jij...'

Plotseling leken ze daar alleen te staan. Elle legde haar hand op haar vriendins arm en het viel haar op hoe wit haar Engelse huidje was. 'Zo heb ik het nooit gevoeld,' zei ze. 'Daarom is het ook nooit iets geworden tussen... Rory en mij.'

Libby knikte, haar wangen gloeiden. 'Mmm.' Ze glimlachte en ademde uit. 'Dank je.'

'Nee,' zei Elle met een glimlach, en ze keek haar recht aan. Rory en zij hadden allebei groene ogen, besefte ze. 'Libs, het is fantastisch, ik ben heel blij voor jullie.'

'Grappig hè, hoe alles is gelopen,' zei Libby. 'De rollen zijn omgedraaid. Jij, dit... Nou, met jou gaat het zo goed. Ik trouw met Rory en Felicity wordt mijn schoonmoeder. Stel je toch eens voor.'

Elle onderdrukte een pijnlijke glimlach. Alle uren die ze wakker had gelegen omdat ze zich druk had gemaakt over wat er zou gebeuren als de geweldige Felicity erachter zou komen dat ze een affaire met haar zoon had... Felicity. Ze was net een farao, iemand uit een ander tijdperk. 'Waar is ze?'

'Ze, eh... ze komt morgen pas,' zei Rory, die er net weer aankwam. Hij keek Libby zenuwachtig aan. 'Ze slaapt vannacht bij mijn neef Harold.'

'Wat?' vroeg Libby fel.

'Ze heeft eerder vandaag naar het hotel gebeld en een boodschap achtergelaten. Haar auto vertoonde kuren en het was beter als ze bij Harold bleef en morgen met hem mee zou rijden.'

'Waarom kon ze je mobiel niet bellen?' vroeg Libby streng.

'Schat, zo is mijn moeder nu eenmaal,' zei Rory droog en overdreven mat. 'Ze gelooft niet in mobiele telefoons.'

'Ze vond ze een modegril voor jonge mensen, vergeet dat niet,' zei Elle, hoewel ze best een beetje medelijden met Libby had: bruiloften waren sowieso een nachtmerrie om te organiseren en het laatste waarop je zat te wachten was dat een naast familielid niet kwam opdagen. Elle vroeg zich af of de journalist van *Bookseller* het zou merken en de vaste paparazzo haar komst de volgende dag zou noteren en ze onderdrukte een glimlach.

'Goed dan, het is tijd om...' Libby klapte opgefokt in haar handen. 'Hallo, allemaal! We gaan eten! Die kant op!'

Haar stem, ongebruikelijk schril, sneed dwars door alle gesprekken en iedereen viel stil. 'Kom op!' zei Libby, en ze pakte Elle bij haar arm. 'Aan tafel, iedereen!'

Terwijl ze erheen liepen hoorde Elle haar zeggen: 'Nou moet ik verdorie de tafelschikking weer helemaal omgooien. Er mogen geen auteurs van mij aan je moeders tafel zitten. Ik wil de kans niet lopen dat ze een hoop onzin over me uitkraamt.' Haar vingers knepen hard in Elles arm. 'Je bent zo gespierd,' zei ze bewonderend. 'Je lijkt wel iemand anders.'

'Eh... dank je?' zei Elle zachtjes, maar Libby had zich al omgedraaid om de andere gasten te begroeten.

37

Tegen de tijd dat Elle in de auto zat op weg naar haar moeder had ze moeite haar ogen open te houden. Tijdens de vlucht had ze niet geslapen en nu moest ze nog naar huis, naar haar moeder.

De vermoeidheid spoelde over haar heen. De landweggetjes vanaf Sanditon Hall waren smal en zaten vol sporen. Zo vreemd om in het donker door zo'n afgelegen gebied te rijden. Af en toe vingen konijnenogen de lichten op de weg voor haar op. De geur van vers gemaaid gras en bloesem waaide naar binnen door het raampje dat ze wijd open had gezet, terwijl ze vierentwintig uur daarvoor nog met Stuart Forgan in de glazen lift had gestaan en ze hadden besproken of zij het erg vond een van Libby's auteurs over te nemen.

Ze was harder geworden, ongeïnteresseerder. Dat viel haar op nu ze terug was. Ze moest ook wel, om in een nieuw land in haar eentje te overleven. Ze had een dikkere huid moeten kweken, nieuwe regels moeten leren, een andere manier om zich te gedragen. Ze had het enige wat haar in New York onderscheidde – haar Britsheid – gebruikt. Ze had haar Engelse accent gebruikt om Elizabeth Forsyte op het toilet te betoveren, het gebruikt om anders te zijn, zodat ze een USP had. Op een regenachtige middag had Marc haar gedwongen naar *Gypsy* op dvd te kijken en haar constant belachelijk gemaakt, terwijl ze onder het dekbed hadden gelegen. 'Je hebt een trucje nodig,' had hij gezongen terwijl hij in haar tepels kneep, zijn handen haar overal betastten en zij het uitkraaide van plezier. 'Je bent net Mama Rose, jij vieze meid. Niets houdt jou tegen als je iets voor elkaar wilt krijgen.' Ze had gegild van genot, maar nu wist ze dat het klopte. In

Londen had ze altijd gedacht dat ze een van de vele middelmatige meisjes was, niet de slimste en zeker niet de mooiste. Eigenlijk stelde ze niet zoveel voor. In New York was haar Britsheid haar trucje en haar modus operandi, daar werkte ze zo hard als een paard, zodat niemand iets van haar kon afpakken.

Zoals altijd rond deze tijd, aan het einde van haar werkdag in New York, liep Elle in gedachten alle gebeurtenissen en haar to-do-lijstje door. Ze moest Caryn bellen om haar Heather Dougalls klachten over de UK door te geven, ze moest Jennifer bellen om haar Elizabeth Forsyte te laten faxen dat ze goed was aangekomen. Elizabeth wist graag wat Elle aan het doen was en ze was gek op faxen en Elle wist niet zeker of haar BlackBerry zou werken in de binnenlanden van Sussex, dus leek het haar aardig om haar te laten weten dat ze contact hielden. Ze moest een manier bedenken om de Gray Logan-kwestie te benaderen – ze wist niet eens zeker of ze wel zijn redacteur wilde zijn. Zijn boeken waren erg literair, ze had hem een keer ontmoet en hij was heel vriendelijk, aardig en best knap, hoewel hij tegen de vijftig liep. Misschien moest ze... Ze tuurde in het donker voor zich uit tot er een bord met *Shawcross 2 m, Torbridge 4 m* opdoemde en ze sloeg rechts af.

'Kom op, Elle,' zei ze, en ze knipperde een paar keer met haar ogen. 'Je bent er bijna, bijna...' Ze pauzeerde even. Thuis? Het was haar thuis niet meer.

Elle parkeerde en liep over het pad naar de woning van haar moeder. Er hing een kilte in de lucht. De dauw streek als een grijze mist op het gazon neer. Het licht in de keuken was nog aan. Ze klopte en deed de deur open.

Door de woonkamer zag ze haar moeder onder de gele gloed van een gloeilamp aan de keukentafel zitten. Haar hoofd hing voorover. 'Hoi, mam!' riep Elle vrolijk. Bij het geluid van Elles stem stond Mandana langzaam op en draaide zich om. Er stond een lege wijnfles voor haar, die ze omgooide, en de moed zakte Elle in de schoenen. *Nee toch, alsjeblieft niet, nee.*

'Schat, je bent terug!' Haar moeder hees zichzelf omhoog en kwam naar haar toe, wrijvend in haar ogen. 'Het spijt me. Ik heb een glas rode wijn gedronken, erg stout van me, en ik moet aan tafel in slaap zijn gevallen. Schandalig!'

Ze omhelsde Elle, haar armen hielden haar stevig vast, en Elle voelde hoe ze zich tegen haar aan trok. Heel even gaf ze zich aan het gezellige moment over. Toen deed Mandana een stap naar achteren, en Elle zag meteen dat er rode wijn in haar mondhoeken zat en dat ze wazig keek. Haar haar was dun, was het dunner dan voorheen? Ze kon zich Melissa's stijve, harde stem in het Algonquin nog goed herinneren, elke zin van dat gesprek stond in haar geheugen gegrift, ze kon er niets aan doen. *Het gaat steeds slechter met haar. Er moet iemand ingrijpen.*

Elle knipperde met haar ogen. 'Heb je die hele fles leeggedronken?'

De fles rolde krakend en ronddraaiend over tafel.

'Natuurlijk niet, wat een belediging,' bulderde Mandana. Ze sloeg met haar handen op haar dijen en stapte opzij om de fles te redden. 'Nee, Bryan en Anita zijn geweest. We hebben in de tuin gegeten. Ik wilde ze aan je voorstellen, maar je bent zo laat.'

'Ik ben niet laat...'

'Voor hen wel. Ik heb gekookt en toen zijn ze weer weggegaan. Je hoeft hier niet op te komen dagen en...' Ze stopte. 'Oeps, vergeten,' zei ze, en ze wreef met haar hand over haar voorhoofd. 'Misschien heb ik toch wat te veel gehad, sorry schat. Jezus, je lijkt Melissa wel.'

Haar huid was valer, of niet? Of was ze altijd zo wasbleek en gelig van kleur geweest? Elle staarde haar aan, zette haar tas op de grond en liep naar de keuken.

'Sorry,' zei ze. Ze wierp een blik op de gootsteen. Die lag in ieder geval vol; er konden drie, acht – wel tien mensen hebben gegeten.

Mandana trok een grimas. 'Eh... heb je zin in een kop thee? Of koffie? Hmmm... Eens even kijken.' Ze keek om zich heen. 'Ik neem muntthee als ik die heb...'

De rest van de keuken was heel smerig. Elles hoofd gonsde van vermoeidheid als een zacht zoemende cimbaal, terwijl Mandana op de achtergrond kletste. 'Je herinnert je Anita toch nog wel? Nou, zij gaat in september terug naar Rajasthan en ik ga misschien met haar mee. Hoe vind je dat? Ik heb nog geen kans gehad om met haar mee te gaan. Ik ben in eenenzeventig in India geweest, het jaar nadat ik uit San Francisco was teruggekomen, en het was er geweldig, weet je, we sliepen in van die tenten. Anita denkt dat we er daarvan misschien ook wel een paar kunnen meenemen...'

'Sorry, mam,' zei Elle, 'mag ik je even onderbreken, vind je het erg als ik even een telefoontje pleeg?'

'Eh... nu?' Haar moeder staarde haar aan. 'Het is al elf uur!'

'Niet in Amerika, daar is het pas zes uur.' Elle bewoog haar handen ongeduldig heen en weer.

'Maar ik heb nog niet eens gehoord hoe je vlucht was of het diner en hoe het met Libby was? Schat...'

'Heel even maar, mam. Dan kan ik me concentreren.' Ze gaf haar moeder een kus op haar voorhoofd.

Ze liep naar de gang en pakte haar BlackBerry uit haar tas, haar verbinding met de buitenwereld. De verbinding kwam tot stand, de e-mails rolden haar inbox binnen. Er was ook een sms'je van Mike:

> Hoi Elle, hopelijk ben je veilig geland. Mis je nu al. Fijne trip. Tot volgende week, lieveling. Mike x

Wat zou Mike van haar moeder vinden als hij haar ooit zou ontmoeten? De gedachte aan Mike en haar moeder die aandelenkoersen of Rajasthani tenten bespraken was heel bizar. Ze was hier nog geen twaalf uur en Mike zelf leek al volledig bizar. Ze scrolde door haar e-mails.

> Hoi Elle,
> Misschien vreemd na zo'n lange tijd, maar ik vroeg me af of je morgen ook naar de bruiloft gaat? Om de een of andere reden ben ik uitgenodigd. Libby vertelde me dat je misschien zou komen. Kan ik je een lift aanbieden? Ik ga liever niet in mijn eentje en ik hoop eigenlijk dat jij daar ook geen zin in hebt. Geen probleem om je bij je moeder op te halen, als L gelijk heeft en je daar logeert. Mijn mobiele nummer staat hieronder.
> Ik hoop dat alles goed met je gaat en zou het leuk vinden je te zien.
> Tom

Elle staarde een tijdje naar het schermpje, bijtend op haar lip. Toen belde ze Jennifers directe lijn en terwijl ze wachtte tot het gesprek tot stand kwam keek ze vanuit de gang naar de koude, rommelige keuken, waar haar moeder langzaam in de kleine cirkel van geel licht heen en weer bewoog. Ze schuifelde, pakte iets op, zette het terug en stond behoedzaam midden in de kamer. Elle kon haar ogen niet van haar af houden. Toen Jennifer aan de lijn kwam, nam Elle een paar dingen met haar door en daarna typte ze vlug een antwoord aan Tom.

Ja, graag. Fijn. Torbridge Farm Barn, bij Shawcross,
E Sussex.
Leuk je weer te zien,

schreef ze, maar ze deletete de laatste regel.

Tot morgen. E

'Sorry, mam,' zei ze terwijl ze de keuken weer in liep. Ze ging zitten. 'Ik moest even een paar dingen checken bij mijn assistente.'

'Geen probleem, hoor, bezig bijtje,' zei haar moeder. Ze glimlachte. 'Wil je iets hebben, schat, of ben je heel moe?'

Ze ging naast Elle zitten en streek het haar van haar voorhoofd. 'Je bent zo'n mooie meid,' mompelde ze. 'Zo volwassen.'

Mandana's nagels waren ook geel; vervormd door de richeltjes, gespleten en afgebeten. Waarom had ze dit met kerst niet gezien? Omdat ze haar met kerst nauwelijks had gezien, besefte Elle nu. Ze haalde haar moeders hand van haar gezicht en hield hem in haar schoot.

'Gaat het wel met je, mam?' vroeg ze. 'Je ziet er niet zo goed uit.'

Mandana kneep in haar dochters hand. 'Ik ben de laatste tijd niet zo lekker,' zei ze, en ze klonk oprecht. 'Ik ben flink verkouden geweest, het was een verschrikkelijke lente, het wordt nu pas lekker weer.'

'O,' zei Elle, en ze haalde diep adem. Ze had haar kop lang genoeg in het zand gestoken. *Nu. Zeg het nu.*

Ze zei: 'Drink je weer, ik bedoel echt drinken?' Mandana wilde haar hand wegtrekken, maar Elle bleef hem vasthouden. 'Mam, ik val je niet aan,' zei ze, terwijl ze vanbinnen gilde. *Ja, ja, dat doe ik wel, waarom doe je dit? Waarom zie je niet wat je jezelf aandoet?*

'Laat me even een kop thee zetten.' Mandana wilde gaan staan, maar Elle bewoog niet en haar moeder liet zich met tegenzin terugvallen.

'Ik weet dat je er moeite mee hebt gehad en er zijn dingen die je kunt doen om hulp te krijgen.' Elle legde haar andere hand in haar moeders schoot, ze knipperde driftig met haar ogen en slikte. Ze pakte de blaadjes die ze op tafel had gelegd. 'Er is een kliniek, niet ver hiervandaan, weet je, en je huisarts heeft daar al vaker mensen naar doorverwezen. Ik heb ze al gebeld. Kijk, dit is de informatie. Ik heb het uitgeprint voordat ik hierheen kwam.' Ze schoof het stapeltje papier over tafel. Ze werden bij elkaar gehouden door een grote roze plastic paperclip; totaal ongepast. 'Als ze je niet doorverwijzen, kunnen we het zelf betalen, pap heeft gezegd dat hij me wel geld wilde lenen.' Mandana deinsde terug. 'Mam, wees niet bang, ik heb gezegd dat het voor een verbouwing was,' zei Elle. 'Hij ziet het verschil toch niet. We hoeven maandag alleen maar even naar de huisarts te gaan. Ik heb een afspraak voor tien uur gemaakt. Meer hoeven we niet te doen. Je hoeft haar alleen maar te zeggen dat je hulp nodig hebt, de rest is makkelijk.' Ze wist dat dit een leugen was, maar het moest waar klinken. Elle haalde diep adem. 'En ik ga met je mee. Ik doe alles wat je wilt. Ik wil hierheen verhuizen, bij je komen wonen, je helpen beter te worden.' Mandana schudde haar hoofd zwakjes. 'Ik heb erover nagedacht, ik zeg mijn baan op en kom terug. Dat zou ik zo doen.'

Mandana draaide haar handen uit de greep. 'Nee,' zei ze. 'Dat nooit.'

'Of ik kan elke maand een paar weken hierheen komen om te checken of je je er wel aan houdt, mam. Ik hou van je, mam.' Ze schraapte haar keel. 'Ik wil dat je beter wordt en ik ben bang dat jij denkt dat het geen zin heeft om het te proberen, maar dat is wel zo, echt.'

Het was heel stil in de keuken, buiten was ook niets te horen, op een uil na, die in de verte oehoede. Elle zei niets meer. Ze keek Mandana alleen maar aan, haar bruine ogen keken in die van haar moeder, die doodsbang was voor wat er zou volgen.

'Het is te zwaar,' zei Mandana na een lange stilte. 'Je begrijpt het niet, Elle.'

'Dat weet ik,' zei Elle.

Mandana keek naar de grond. 'Ik wil jou er niet bij betrekken,' zei ze na een poosje. Haar stem was zo zacht dat Elle haar nauwelijks kon horen. 'Ik ben zo trots op je. Ik denk steeds dat ik weer op het goede pad kom als ik alles regel, weet je, dat ik het dan niet meer nodig heb. Ik vind het niet leuk om... om deze persoon te zijn.'

'Maar mam, dit duurt al vijfentwintig jaar.' Elle kon er niet tegen om naar haar moeders dunne lichaam, haar papierachtige handen en gebarsten lippen te kijken. 'Ik... Je drinkt jezelf op deze manier nog dood.'

'Wie heeft ook alweer gezegd "het leven zou veel makkelijker voor sommige mensen zijn als het niet zo belangrijk was"?' vroeg Mandana met een glimlachje. 'Ik voel me net zo. Het is zwaar en het wordt steeds zwaarder.'

'Ik weet dat het...' begon Elle.

'Nee, dat weet je niet.' Mandana klopte zachtjes op haar hand. 'Schat, je hebt geen idee. Soms is het voor mij dagen achter elkaar zo zwart als de nacht. Daarom doe ik het, denk ik... Ik wil Rhodes of je vader...' Ze wendde zich af. '... of jou niet tot last zijn. Ik heb altijd het gevoel gehad dat jij het ergste ervan hebt meegekregen toen je nog jong was en ik heb mezelf beloofd dat je er nooit meer iets van zou zien.'

Ze zaten daar samen en verroerden zich niet. Vriendelijk zei Elle: 'Ik ga niet weg voordat je zegt dat je er wat aan gaat doen.' Ze hield haar adem in, omdat ze niet zeker wist hoe Mandana zou reageren. De ogen van Elle vulden zich met tranen; ze knipperde ze weg, ze wilde niet dat haar moeder haar zag huilen.

Maar Mandana zag het wel. Ze fronste, haar vermoeide bruine ogen versomberden en ze knikte en mompelde iets binnensmonds. Ze pakte Elles hand weer en zei: 'Oké, ik zal erover nadenken.'

'Mam...'

'Goed dan, maandag gaan we naar de dokter,' zei Mandana zachtjes. Ze klonk verslagen.

'Weet je het zeker?' Het was misschien onrealistisch, maar Elle wilde dat ze het zelf wilde, niet dat ze zich in een hoek gedrukt voelde.

'Ja,' zei Mandana wezenloos. 'Ik weet het zeker.'

'Mam, het komt allemaal goed, echt,' zei Elle. Ze probeerde blij te zijn, maar dat was niet het geval. Het was koud in de schuur, en ze huiverde.

'Laten we gaan slapen,' zei Mandana terwijl ze opstond en wegliep. Ze maakte een klein gebroken geluid in haar keel. 'Misschien komt het allemaal wel goed, net als je zegt.'

Plotseling kuste ze haar dochter. Ze pakte haar schouder met een magere hand stevig vast. 'Dank je, schat,' zei ze en weg was ze.

38

Toen Elle de volgende ochtend wakker werd, wist ze even niet waar ze was. Haar 'oude kamer', zoals haar moeder het noemde, was niet echt haar kamer, niet zoals haar slaapkamer in Willow Cottage was geweest. Ze lag in bed naar de bakstenen muren te staren en naar de bekende geluiden te luisteren toen ze de stapel oude Georgette Heyers zag liggen die ze hier had gedumpt nadat ze was verhuisd, en langzaam kwam alles weer terug. Ze was in Engeland. Bij haar moeder. Ze had met haar moeder gepraat. Vandaag zouden Libby en Rory gaan trouwen. Haar moeder liep in de keuken te rommelen en keek op toen Elle binnenkwam.

'Hallo,' riep ze. 'Hallo, hallo, ik ben de krant al wezen halen, het is een prachtige dag. Heb je zin in koffie?'

'Graag,' zei Elle met een glimlach. Ze had het gevoel dat ze zo snel mogelijk hun gesprek moest aanhalen. 'Voel je je goed vandaag?' vroeg ze, en ze ging zitten. 'Ik hoop dat ik gisteravond niet te streng ben geweest.'

'O,' zei Mandana. 'Nee, helemaal niet.' Ze klonk formeel. 'Nee, dat zit wel goed. Dank je, het geeft niet,' zei ze ineens met veel energie. 'Ik stond op het punt aan het ontbijt te beginnen. Heb je zin in pannenkoeken?

Pannenkoeken waren altijd Mandana's traktatie op zaterdag geweest, dan mochten Rhodes en Elle er zoveel stroop op doen als ze wilden en stond er van alles op tafel: veel suiker, citroen en bacon. Elle had het record nog altijd in handen, achttien pannenkoeken, hoewel dat niet makkelijk was geweest, ze was er zo ziek van geworden dat ze de twee maanden daarna van hun vader geen pannenkoeken meer hadden mogen eten. Elle kon zich Mandana nog zo goed voor zich halen, dansend door de keuken op de Radio 2-klanken van de jaren zestig, in de blauw-wit gestreepte schort en de wijde gebloemde rok die ze altijd droeg zwierend om haar heen, terwijl ze de pannenkoeken behendig omdraaide met de speciale spatel en zong terwijl Elle en Rhodes met open mond vol bewondering naar haar keken.

'Pannenkoeken...' Elle had niet echt honger, maar toch knikte ze enthousiast. 'Lekker!'

'Goed,' zei Mandana. 'Geweldig! Laat me even...' Ze deed de koelkast open. 'Ik heb eieren... O, nee.' Ze tuurde naar binnen. 'Is dat... Nee, dat is het niet.' Ze draaide zich om. 'Ik moet even een paar dingen gaan halen, dus...'

Elle stak haar hand op. 'Nee, laat maar als je ervoor naar de winkel moet, ik wilde...'

'Nee!' zei haar moeder. 'Het geeft niet.'

Elle zei: 'Echt, mam, het hoeft niet. Ik heb niet echt honger, ik wilde alleen maar beleefd zijn.' Het was niet aardig om dat te zeggen. 'Ik neem wel cornflakes... wat je hebt.'

'Maak je geen zorgen,' zei Mandana met het accent waarmee ze Elle altijd irriteerde als ze naar *Neighbours* keek. 'Geen zorgen, Charlene.'

Elle grinnikte, keek om zich heen en stond op. 'Ik zet wel even koffie.'

'Hoe laat moet je weg?'

'Nou, ze trouwen om twaalf uur. Mijn vriend Tom komt me om elf uur ophalen, als dat goed is.'

'Tom, hè?' zei Mandana. 'Olala, wie is Tom?' Ze heupwiegde heen en weer.

'O, mam, alsjeblieft,' zei Elle bits. 'Een vriend van toen ik nog bij Bookprint UK werkte. De zoon van Dora Zoffany, ik heb je wel eens over hem verteld.' Haar moeder keek volkomen wezenloos. 'We hadden allebei geen zin om alleen te gaan, dus gaan we samen. Als je dat goedvindt althans.'

De telefoon ging weer. 'Het lijkt hier Piccadilly Circus wel!' zei Mandana tevreden. 'Hallo!'

Elle zette de fluitketel op. 'Hoi, Bryan. Ja, ik vond het heel leuk je te zien, schat. Natuurlijk mag je straks langskomen. Prima. Nee, wat gebeurt er? Hé Bryan, wat is er? De verbinding wordt verbroken...'

Ze hing teleurgesteld op. 'Hij is weg.'

'Dus Bryan komt straks hierheen?' Hoewel ze nooit zeker wist wat zijn rol nou precies was, wist Elle dat hij bestond, maar niet meer dan dat. Ze had hem een keer ontmoet op het dorpsfeest een paar jaar geleden: hij was een bebaarde, gilet-dragende motorrijder die gek op pubquizzen en Captain Beefhart was en een hekel aan steden had.

'Ja, hopelijk na de lunch, dat denk ik althans,' zei Mandana. 'Wat een geweldige dag ligt er voor me, hè? Jij bent er, het weer is fantastisch en het is weekend... Super.' Ze zuchtte en strekte haar armen lui uit boven haar hoofd. 'Blij dat ik leef, zoals ze zeggen.'

Elle glimlachte. 'Ik ook.'

Elle ontbeet met een iets te zachte appel en een paar haverkoeken en stond daarna heel lang onder de douche. Toen ze haar make-up opdeed voor het crèmekleurige spiegeltje versierd met verkleurde Hello Kitty-stickers draaide ze zich naar het raam en haar oog viel op een foto, een van de foto's die scheef aan de muur hingen. Het was een eenvoudig wissellijstje met een foto van Rhodes en haar, de kerst nadat ze was afgestudeerd, in 1996. Ze hadden hun armen om elkaar heen – wat op zich al ongebruikelijk was. Rhodes had een lok en zag er gespierd uit in een pak met stropdas. Elle was... Ze zag er niet uit, besefte ze, starend naar de foto. Dat korte haar, die donkerrode lipstick en spookachtige witte poeder, echt afschuwelijk! Dat lelijke zijden vest van Kookaï – wat was er met Kookaï gebeurd en waarom had ze zo'n obsessie voor vesten gehad? Ze draaide zich om en keek in de spiegel.

Vorige maand, op de eerste echte lentedag, had ze flink met geld gesmeten en koraalkleurige pumps en een bijpassende handtas van Kate Spade gekocht. Het was het grootste bedrag dat ze ooit in één keer had uitgegeven. Toen ze haar creditcard aan het winkelmeisje met de dauwachtige huid in de Kate Spade-winkel had overhandigd, had ze tegen zichzelf gezegd dat ze het verdiend had. Weer terug in haar appartement bedacht ze dat er maar heel weinig dingen waren waaraan ze geld uitgaf. Ze was eigenlijk alleen maar geïnteresseerd in haar werk. Vluchten naar Engeland waren haar meest extravagante uitgave, naast kleren, de kapper en uit eten gaan. De laatste keer dat ze in Engeland was geweest, was ze bij Karen en haar kersverse echtgenoot Graham op visite geweest, die net in een tweekamerappartement met tuin in Belsize Park waren getrokken. Karen had haar verteld dat het £ 500.000 had gekost, een bedrag zo groot dat Elle het nauwelijks kon bevatten. Het stond zo ver van haar af, een appartement kopen, zich ergens permanent vestigen. Ze was gek op de eenvoud van haar leven. Zo had ze er controle over.

'Elle!' riep haar moeder. 'Hij is er. Tom is er!'

Elle stapte in haar indigoblauwe linnen jurk, pakte haar geliefde Kate Spade-schoenen en -handtas en ging naar beneden. Tom stond in de keuken met zijn handen in zijn zakken met haar moeder te praten. Hij draaide zich om toen ze binnenkwam en keek haar verbijsterd aan.

'Eh... wauw. Wauw! Elle, ben jij dat?'

Elle lachte. 'Hallo! Natuurlijk!'

'Ik meen het,' zei hij. 'Wat is er met jou gebeurd? Je ziet er echt fantastisch uit!'

Hij omhelsde haar en zij omhelsde hem, zich herinnerend hoe slank hij was. Hij keek naar haar, zijn grijze ogen lachten.

'Jij ziet er nog precies hetzelfde uit,' zei ze. 'En het is geweldig om je te zien.'

'Nou, jij niet,' zei Tom. 'Je ziet er zo... chic uit. Je lijkt wel iemand uit een tijdschrift.' Elle sloeg haar ogen neer, als een bescheiden bruidje. 'Vindt u ook niet, mevrouw Bee!'

Hij wendde zich tot Elles moeder en Elle kromp ineen, want ze had eens tegen een vrouw in het postkantoor geschreeuwd: 'Ik ben verdorie geen mevrouw Bee meer, het is juffrouw. Juffrouw en nu zeg ik het niet meer!'

'Noem me maar Mandana,' was echter alles wat Elles moeder met een glimlach zei. 'Hebben jullie nog tijd om iets te drinken?'

Tom keek op zijn horloge. 'Nou...'

'Ik denk het niet,' onderbrak Elle hem. 'We hebben...'

'Niet even vlug een kopje koffie?' zei Mandana. 'Ik heb het net gezet.'

Tom keek van de een naar de ander. 'Eh... een half kopje zou fantastisch zijn. Een bruiloft duurt lang, vooral als je de bruid en bruidegom niet echt goed kent.'

'Ik begrijp eerlijk gezegd ook niet waarom je bent uitgenodigd,' zei Elle. 'Dat bedoel ik niet rot. Ook niet waarom ik ben uitgenodigd trouwens.'

'Mijn ouders waren bevriend met Felicity, ik neem aan dat het daar iets mee te maken heeft. Wie zal het zeggen. Ik denk ook dat het iets is van: laat iedereen uit de uitgeefwereld samenkomen om getuige te zijn van ons blijde uitgeefhuwelijk.' Tom zette een blij stemmetje op en klapte in zijn handen. Elle moest lachen. Hij zag er echt nog precies hetzelfde uit, zei ze tegen zichzelf, alleen ouder. Hij had lijntjes rond zijn ogen, die er voorheen niet hadden gezeten, maar toch was hij op de een of andere manier anders, hij was vader geworden. Daar moest ze zichzelf steeds aan herinneren. Het liefst zou ze alleen maar naar hem staren, hem goed in zich opnemen. Hij stond hier, in haar moeders keuken, en zat met hen te praten alsof er niets was gebeurd. Tom.

'De laatste keer dat ik ze zag,' zei hij, 'heb ik Rory verteld dat hij een zak was en Libby gevraagd waarom ze dat afschuwelijke Byronboek had uitgegeven.' Elle rolde instemmend met haar ogen, en Tom wendde zich tot Mandana. 'Het boek is vorig jaar uitgekomen, een fantasiegedicht over Byron die naar Kreta was gegaan in plaats van dat hij in Missolonghi was gestorven. Volledig zonder interpunctie. Byron heeft een hanenkam en houdt van punk. Hij noemt zichzelf Georgy. Hij zingt nummers van de Sex Pistols terwijl hij *Corsair* schrijft.'

Mandana lachte. 'Dat klinkt niet als iets voor mij.' Ze gaf Tom een kop koffie, die hij dankbaar aanpakte.

'Dat vermoedde ik al. Eigenlijk was het een boel pretentieuze onzin. Naar mijn bescheiden mening dan, maar het was wel heel controversieel. Hij heeft veel publiciteit gekregen.'

'Dat klinkt inderdaad als Libby,' zei Mandana.

'Mam!' zei Elle. 'Dat is niet aardig.'

'Niet aardig,' deed Mandana haar na, en haar ogen flitsten heen en weer. 'Ze is gewoon een verwaand juffie, altijd geweest. Ze deed zo minachtend over mijn baan, dat zal ik nooit vergeten.'

'Wat doet u?' vroeg Tom.

'Ik ben bibliothecaresse en dat is tegenwoordig een afschuwelijk vak. Niemand bekommert zich nog om ons, we zijn dinosaurussen.

Er lopen zoveel idioten rond. Zo stom. We moeten de hele dag met van die rotzakken werken...' Ze opende haar mond wijder, alsof ze op het punt stond als een kind te gaan schreeuwen, maar ze deed hem abrupt weer dicht. 'Hoe dan ook, ik vind er niet meer veel aan. Vroeger las ik de kinderen drie keer per week voor, na school, maar dat is gestopt.'

'O, nee, mam. Echt?'

'Ja,' zei Mandana, en haar gezicht betrok. 'Er kwamen niet voldoende kinderen meer. Ze blijven liever thuis computeren. En ik was *Assepoester* ook zat. Ik heb het zo vaak voorgelezen dat ik ervan zou kunnen gillen.'

Tom keek vlug naar haar en toen naar Elle, maar hij zei niets. Elle zette haar kopje neer en keek op haar horloge. 'We moeten gaan,' zei ze. 'Is dat goed, Tom?'

Hij nam een slok uit zijn kopje en duwde zichzelf weg van het aanrecht. 'Zeker. Bedankt voor de koffie, Mandana. Leuk u te ontmoeten.'

'Insgelijks, Tom. Je mag altijd langskomen!' zei Mandana, en ze gaf hem een van haar scheve glimlachjes, haar ogen straalden en ze klemde zijn hand in haar sterke greep. Elle keek naar haar, opgelucht en trots. Haar haar werd toch niet echt dunner? Dat had ze zich vast ingebeeld, misschien alles wel. Er zat nog best leven in dat oude besje. Elle pakte haar tas op en tikte haar moeder op haar arm.

'Ik weet niet hoe laat ik terug ben, mam, maar vast niet laat. De bruid is zes maanden zwanger, dus ik kan me niet voorstellen dat het nachtwerk wordt.'

'Maak je over mij maar geen zorgen. Dat hoeft echt niet.'

'Zeker weten?' vroeg Elle zachtjes. 'Bel me als je denkt... als je iets nodig hebt.'

'Het komt allemaal goed, Elle, schat.' Mandana gaf haar een kus en glimlachte weer. 'Zoals ik al zei, ik wil niet dat je over me inzit.'

'Elle? We moeten gaan.' Toms stem riep haar met een schok terug naar het heden, en ze maakte haar blik los van haar moeder. 'Wat is er aan de hand?'

'Niets.'

'Je kijkt alsof er een hond over je graf is gelopen.'

Die uitdrukking had ze al in geen jaren gehoord. 'Kom, we moeten gaan. Dag, mam. Fijne dag.'

'Bedankt, Elle,' zei Mandana kalm. Ze pakte de *Guardian*. 'Misschien ga ik wel een poosje in de tuin zitten.'

Mandana liep met hen mee naar buiten. Zij stapten in Toms auto, en Mandana zwaaide hen uit. Elle keek naar haar via de achteruitkijkspiegel. Ze stond enthousiast te zwaaien toen zij de hoek om gingen en weg was ze.

'Ik moet zeggen dat je moeder niet is zoals ik me had voorgesteld,' zei Tom, 'van wat ik van jou had gehoord. Misschien heel gek, maar ze lijkt helemaal niet op jou.'

Elle draaide zich naar hem toe. 'Bedankt,' zei ze. 'Dat is fijn om te horen.'

'Vooral nu,' zei Tom. 'Je bent... Nou, ik zou je haast niet hebben herkend.'

'Wat bedoel je daar nu weer mee?' vroeg Elle behoedzaam.

'Jemig, wat ben jij achterdochtig, zeg. Ben je zo in New York? Is dat waarom mensen me vragen of ik Eleanor Bee ken, de meest sexy redacteur van New York? Ik bedoelde alleen maar,' ging hij verder terwijl Elle snoof, 'dat je anders lijkt. Op een goede manier. Weet je. Zo... stralend.'

'Zo Amerikaans,' zei ze in haar beste Amerikaanse accent, hopend dat het hem niet zou opvallen hoe slecht dat was. 'Ik laat mijn haar elke week doen en ik heb sinds 2001geen haar meer op mijn benen.'

'Blij dat te horen,' zei Tom. 'Haar op je benen. Jemig, wat goor. Jakkes. Wie heeft dat nu nog?'

Ze rolden voort over een zonnig landweggetje, waarschijnlijk een van de weggetjes die gisteravond zo donker en moeilijk hadden geleken, maar nu was alles anders. Elles hart zwol. 'Het is fantastisch je te zien,' zei ze. 'Bedankt dat je me wilde komen halen.'

'Nee, jij bedankt dat je mee wilde,' zei hij. 'Het spijt me dat ik geen contact meer met je heb opgenomen. Ik voelde me rot over hoe alles tussen ons is gegaan.'

Ze draaide zich naar hem toe en streek een lok haar uit haar ogen. 'Ik ook, ik snap het eigenlijk nog steeds niet.'

Het leek zo lang geleden, nu kon ze het wel zeggen. Ze zou hem niet vertellen hoe verward ze was geweest door wat er was gebeurd, hoe vaak ze hem tijdens die eerste eenzame maanden in New York had willen bellen om hem dingen te vertellen. Ze vertelde hem niet dat Libby geen moment had geaarzeld haar te vertellen dat hij weer terug was bij Caitlin, dat ze een dochter hadden en samenwoonden. Ze had hem zelfs een paar keer gegoogeld, maar ze had niets anders gevonden dan een paar *Bookseller*-artikelen over zijn winkel en hem, maar verder niets, en dat gaf haar op de een of andere manier het gevoel dat ze nog verder van hem verwijderd was. Hij had een nieuw leven, een dochter, een relatie. Ze had geweten dat het zou gebeuren en ze had natuurlijk geen recht het tegen te houden. Toen was alles ineens veranderd, haar leven was beter geworden, ze had minder contact met Libby en ze had niet meer gevraagd hoe het met hem ging, te trots om contact met hem op te nemen. Maar ze had nog wel aan hem gedacht.

'Dat was allemaal mijn schuld,' zei Tom. 'Elle, ik moet je mijn verontschuldigingen aanbieden. Het was een moeilijke zomer.' Hij slikte en schraapte zijn keel. 'Maar ik heb jou echt heel slecht behandeld, ik heb dingen gezegd die ik niet had moeten zeggen en ik wil dat je het begrijpt,' zei hij. 'Ik bedoelde het niet zo, ik was boos.'

Elle sloeg haar armen dichter om zich heen en schudde haar hoofd. 'Het doet er niet meer toe. Hoe gaat het met je dochtertje? Hoe oud is ze nu, twee?'

'Ja, dat klopt. Ze is geweldig. Het beste wat me ooit is overkomen. Weet je, die zomer, toen ik het net had gehoord, wist ik niet wat ik nu weet. Dat heb ik op jou afgereageerd en dat spijt me...'

Ze wilde niet dat hij wist hoe verdrietig ze was geweest. Het was nu trouwens toch allemaal verleden tijd, dus wat had het voor zin? Hij had een dochter en hij was samen met Caitlin. 'Hoe gaat het met Caitlin?'

'We hebben een goede relatie,' zei Tom. Plots moest hij uitwijken voor een vrachtauto die in tegenovergestelde richting over de weg denderde. 'Sorry,' zei hij. 'Eh... Caitlin. Ze heeft een paar geweldige systemen geïmplementeerd en we hebben nog een winkel gekocht, in Kensington. Misschien kopen we er nog wel een als er een pand vrijkomt op een locatie waarop ik mijn oog heb laten vallen. Zij heeft alles gedaan. Zij had de juiste achtergrond, de juiste opleiding. Ik zou eerlijk gezegd niet weten hoe ik het zonder haar allemaal had moeten doen.' Hij keek haar vlug even aan. 'En de Dora Trust heeft de derde awardceremonie. Er loopt een programma op tien meisjesscholen in de stad waar ik heel trots op ben. Over het algemeen gaat het dus goed. Nou ja, het leven verloopt niet altijd zoals je verwacht en dan besef je...' Zijn stem stierf weg.

Ze spoorde hem aan. 'Dan besef je wat?'

'Ik wilde zeggen dat het maar beter is. Hoe dan ook.' Hij schudde zijn hoofd, en zijn gezicht veranderde weer in het strakke masker dat ze zo goed kende, zijn blik gefixeerd op de weg. Er viel een ongemakkelijke stilte.

Elle veranderde van onderwerp. 'Zijn er nog nieuwtjes uit de uitgeefwereld waarvan ik op de hoogte zou moeten zijn, heb ik iets gemist? Vertel ze me alsjeblieft. Je weet wat voor soort bruiloft dit is. Ik moet helemaal bij zijn, anders word ik buitengesloten, als een amish die uit haar gemeente is verstoten.'

Tom lachte. 'Dat zal wel meevallen. Nou, alles draait tegenwoordig om *Richard and Judy*.'

'Wie?'

Hij staarde haar aan. 'Je weet toch wel wie Richard en Judy zijn. Van de *Bookclub*?'

'O... zij. Dat. Sorry.' Elle knikte. 'Jawel, maar wij hebben Oprah, die is veel bekender.'

'Dat snap ik,' zei Tom.

'Wat nog meer?'

'Eh... ik weet het niet. Heb je *De Da Vinci Code* gelezen? Leuk boek. Of de nieuwe van David Sedaris, die heb ik net uit, echt hilarisch.'

'Ik heb tegenwoordig geen tijd meer om boeken te lezen, niet voor mijn plezier.'

'Huh? Vroeger las je twee boeken per week.'

'Nou, de dingen veranderen. Ik lees verschrikkelijke manuscripten en kijk naar omslagen in plaats van boeken te lezen.' Ze schraapte haar keel. 'Wat nog meer?'

'Bill Lewis is ontslagen, maar dat wist je waarschijnlijk al.'

'Ja,' zei Elle. 'Ik vind het niet heel erg, eerlijk gezegd. Hij was een slechte baas en hij heeft zich verschrikkelijk tegen Libby gedragen.'

Tom wierp een blik op haar. 'Ja, dat heb ik gehoord. Hij heeft een andere baan. Het laatste wat ik heb gehoord is dat zijn vrouw hem eruit heeft getrapt. Arme kerel.'

'Ja,' zei Elle, denkend aan Libby's betraande gezicht omdat hij haar zo slecht had behandeld. 'Hij heeft zijn eigen graf gegraven.'

'Wauw, wat ben jij hard,' zei Tom. 'Ik maak maar een grapje!' zei hij, terwijl zij zich omdraaide en hem aankeek. 'Maak je geen zorgen om Libby, Elle. Ze heeft het allemaal prima voor elkaar, dat zul je zo wel zien.'

Hij nam nog een afslag. Het viel Elle voor het eerst op wat een kalme chauffeur hij was. Ze had wel eens bij Rory in de auto gezeten, als ze in het weekend stiekem ergens heen waren gegaan, en het was altijd doffe ellende, overal verkreukelde kaarten, gevloek en getier, een soort Italiaanse opera. Ze glimlachte bij de gedachte, voor het eerst werd ze weer gegrepen door een liefhebbend gevoel voor Rory. *Goed,* zei ze tegen zichzelf. *Het is zijn trouwdag. Het is juist dat je goed over hem denkt.*

'Je bent een zeer geruststellend persoon om mee in de auto te zitten,' zei ze tegen hem.

'Jij ook,' zei Tom. Even was het stil. 'Het is echt geweldig je weer te zien, Elle,' zei hij even later. 'Ik vind het erg moedig van je dat je terug bent gekomen en ik ben blij dat je het hebt gedaan.'

Ze voelde zich niet moedig, ze had het koud en ze had een afstandelijk en laatdunkend gevoel over zich en ze kon er niets aan doen. 'Dank je,' zei ze na een korte stilte. 'Erg aardig van je. Ik hoop alleen... o, het klinkt verschrikkelijk om te zeggen... dat het het waard is, voor iemand anders zijn dag. Dus laten we maar hopen dat het niet gaat regenen,' eindigde ze niet bepaald overtuigend.

'Het zal het waard zijn, ik beloof het je,' zei Tom. 'Het zal in ieder geval overdadig zijn, van wat ik heb gehoord. Rory is zo'n krent, hij heeft nog nooit een cent uitgegeven van het geld dat Bookprint heeft opgeleverd. Blijkbaar is Libby het aan het verbrassen en hij is woedend.' Tom parkeerde op een rustig weggetje, en ze stapten uit. 'Wat prachtig,' zei Elle starend naar de kerk, de glooiende heuvels op de achtergrond en de laatste bloesem aan de bomen. Ze vroeg zich af wat Libby aan het doen was, waar ze was.

Tom huiverde. 'Ik krijg de kriebels van bruiloften,' zei hij terwijl ze naar de kerk liepen. 'Ik ben altijd bang dat Grace Poole tevoorschijn springt en alles platbrandt. Geeft me het gevoel dat ik in de val zit.'

'Wat ben jij romantisch,' zei ze. 'Grace Poole heeft de kerk niet platgebrand. Ze was helemaal niet in de kerk, het was haar broer, en noem me maar één keer dat het wel is gebeurd.'

'Nog nooit, waarschijnlijk. Ik wilde...' Hij haalde zijn schouders op. 'Ik hou van de gedachte om voor altijd samen met iemand te zijn, met diegene getrouwd te zijn, maar dit alles... Ik bedoel, ze zijn waarschijnlijk nog nooit eerder in deze kerk geweest. Het is allemaal zo nep.'

'Och, kom op,' zei Elle. Ze bleven even staan, ingelijst in het portaal. 'Ik zie het als een leuk dagje uit, zoals in een miniserie op de Amerikaanse tv. Engelse plattelandsbruiloft, grote witte jurk, chique mensen, tenten, je kent het wel.' Ze legde een hand op zijn schouder en trok het bandje over haar hiel.

'Kom op dan,' zei hij. 'Charles? Ben je klaar om de vijand tegemoet te treden?'

'Geen *Four Weddings*-citaten alsjeblieft,' zei Elle. 'Ik ben zover.'

Het duurde ongeveer dertig seconden voordat het grappig werd. Een van de ceremoniemeesters – een lange vent met krullen die Tom kende – zei met enige verbazing: 'Hallo, Scott. Wat doe jij hier verdorie? Bruid of bruidegom?' voordat hij hun de liturgie en een foldertje overhandigde.

Graag zouden wij uw aanwezigheid op de bruiloft van Libby en Rory vastleggen!
Laat in het fotohokje in de oranjerie van Sanditon Hall een foto maken!
Wij willen graag een blijvende herinnering aan u in uw feestkleren

Groet,
Libby en Rory

'Bruid, alsjeblieft,' zei Elle terwijl ze een foldertje aanpakte en op haar tong beet terwijl de ceremoniemeester hen naar hun stoelen begeleidde. 'Wauw, wat een geweldig idee.'

Tom legde zijn hand tegen Elles schouderblad en duwde haar voorzichtig richting de noordelijke zijbeuk. Ze ontspande zich onder zijn hand, blij dat ze niet alleen was. 'Hier,' zei hij, en hij deed een stap naar achteren om haar erdoor te laten en ze ging zitten, opgelucht dat ze nog niemand had herkend. De kerk was niet groot, een prachtig oud Saksisch gebouw, dat al vol zat. Overal stonden felgroene bloemstukken met enorme roze gerbera's. Elle en Tom bogen zich over de liturgie.

Na een poosje zei Tom: 'Gaat u alstublieft staan voor de Touwgeloften? Wat zijn dat?' Hij keek op het voorblad. 'Touwgeloften... Jeetje. Kijk hier eens! Het huwelijk van Rory Sassoon en Lizzy Yates? *Lizzy*? Heeft iemand dit wel gecontroleerd?'

'Ssst,' fluisterde Elle.

'Nou ja, ze is redacteur,' zei Tom. 'Dan mag je toch verwachten dat ze het naleest. Wauw. Touwgeloften,' zei hij opnieuw, en Elle moest op haar lip bijten om niet in lachen uit te barsten.

Aan de kant van de bruid herkende ze een paar oude schoolvriendinnen van Libby; ze keken haar wezenloos aan en Elle besefte dat ze haar misschien met lang haar niet herkenden. Allemaal droegen ze het bekende bruiloftstenue: pakje van LK Bennett of een jurkje van Hobbs of Whistles en de mannen in jacquet. Een paar anderen kwamen haar vaag bekend voor: er was een jongen, Noel, met wie ze in een dronken bui had gezoend. Was dat op Libby's verjaardag geweest? Elle draaide zich weer om en keek recht in de ogen van Rory.

Hij keek om zich heen en maakte grappen met zijn getuige, die zij niet herkende. Het was typisch dat ze zo lang verliefd op hem was geweest, maar zijn beste vriend nog nooit had ontmoet. Hij ving haar blik en glimlachte, hij ontblootte zijn tanden en deed net of hij bang was. Ze glimlachte en stak haar duim in de lucht.

Het was zo raar om hier te zijn. Een gast op zijn bruiloft. Hiervan had ze zelf alleen mogen dromen als extraatje op haar verjaardag of na een afschuwelijke dag op kantoor. Zij, die nooit van bruiloften had gehouden, had zich deze fantasie toegestaan. Haar huwelijk met Rory. Een mooi kerkje in Sussex versierd met slingers van lentebloemen. Felicity in de rij achter hen, uitgedost in groene zijde. Rijen vol oude Sassoon-familieleden en zij schreed door de kerk in roomkleurige zijde op de klanken van *The Arrival of the Queen of Sheba*, met alleen oog voor hem... Rory, lichtelijk verfomfaaid, ietwat bang, haar liefde, haar enige liefde.

Maar zo was het niet gelopen. Ze wist dat het zo goed was als ze naar hem keek, eigenlijk was ze blij voor hem, blij voor Libby. Maar ongewild voelde ze toch een tikje medeleven voor het meisje dat ze was geweest, dat zoveel van hem had gehouden. Ergens droomde ze nog steeds en hoopte ze dat die dag ooit zou komen.

Toen ze om zich heen keek viel het haar op dat als ze een grote bruiloft had gewild, dit was waarvan ze had gedroomd. Ze kon er niets aan doen dat ze het lichtelijk vermakelijk vond dat Libby ook dat had ingepikt. Niet alleen de man, maar het graafschap, het jaargetijde, de locatie... Nou ja. Elle haalde haar schouders op. Het was tijd om de witte jurk achter zich te laten. Langzaam ademde ze uit.

Zachtjes vroeg Tom: 'Gaat het?'

'Tuurlijk,' zei ze vrolijk. 'Echt.'

Op dat moment werd Händel op het kleine orgel ingezet en ging iedereen staan om de bruid te verwelkomen. Elle keerde zich om naar de westelijke deur met een glimlach op haar gezicht, voor haar oude vriendin, maar ook voor het verleden.

39

Achteraf wilde Elle dat iemand haar van tevoren had verteld hoe krankzinnig deze bruiloft zou zijn. Ze zou er niet zo tegen hebben opgezien als ze had geweten dat er een kleine verbaasde stilte zou vallen toen de dominee Libby 'Lizzy' noemde en 'touwgeloften' zei. Of dat de grommende buldog van de familie Yates was gedwongen een gigantische wijnrode strik te dragen, of dat ze vijftig minuten voor de kerk hadden staan wachten terwijl Libby steeds schriller aanwijzingen gilde en Rory steeds meer terneergeslagen ging kijken.

Of als ze hadden geweten van het wankele fotohokje in Sanditon Hall, de cocktails met boekenthema tijdens de receptie, de zes – zes! – bruidsmeisjes, van wie Elle er maar drie herkende, allemaal in matching wijnrood, een afschuwelijke kleur voor zowel blondines als brunettes, met Regency-achtige strohoeden die ze allemaal op moesten voor de foto's buiten, inclusief het verplichte iets-dikker-dan-alle-anderen bruidsmeisje, dat waarschijnlijk heel aantrekkelijk was in een leuke spijkerbroek en een shirt van Topshop, maar gehuld in een lange mouwloze Pronuptia-jurk van ruwe zijde nog het meest weg had van een huiverende varkenskarbonade: blubberig vet en vlekkerig paars.

Terwijl ze de oranjerie in werden geloodst, kregen Tom en zij een *Grote Verwachtingen* aangereikt (cranberrysap, sinaasappelsap en champagne).

'Proost,' zei Elle vrolijk. Ze klonk met haar glas tegen het zijne. 'Op het gelukkige paar en de gelukkige buldog.'

'O, ja, Spot,' zei Tom. Hij deed een stapje dichterbij en zei zachtjes: 'Ik neem terug dat ik niet gek ben op bruiloften. Dit is misschien wel het meest hilarische feest waar ik ooit ben geweest. Ik denk echt dat Libby helemaal is doorgedraaid. Heb je de lobby gezien? Daar liggen stapels Bookprint-boeken in de vorm van een hart.'

'Hé, jongens. Hallo,' klonk Rory's stem. 'Hé, jij! Hoi!' Hij werkte zich met zijn ellebogen door de menigte, naar de plek waar Libby bij de deur stond, aan het begin van de ontvangstrij.

'O, jemig,' zei Elle. 'Ik haat ontvangstrijen. Ze geven me...'

'O, ik herinner me net iets. Sorry, ik ben zo weer terug,' onderbrak Tom haar, en hij verdween. Na een paar minuten in de rij besefte Elle dat hij niet terug zou komen.

'Verdorie,' zei ze mompelend. 'Verdorie.'

'Ik vroeg me al af wie daar als een bootwerker stond te schelden. Hé daar, dame,' zei een stem achter haar, en ze voelde een hand op haar schouder.

'Jeremy!' zei Elle blij. 'Hé!' Ze kuste hem. 'Hoe gaat het?'

'Goed, goed. Jij ziet er geweldig uit.' Ze bloosde. Jeremy was helemaal niet veranderd: zongebruind, glinsterende witte tanden, stralende blauwe ogen. 'We horen geweldige dingen over je vanuit Amerika. We zijn trots op je.'

'Ha, tuurlijk,' zei Elle.

'Echt waar,' zei Jeremy. 'Ik vond *Diary by Design* echt geweldig en we hopen dat Richard en Judy het volgend jaar uitkiezen. We gaan er hoe dan ook scheepsladingen van verkopen. Dankzij jou halen we ons budget.' Terwijl ze langzaam naar het begin van de rij bewogen, siste Jeremy in haar oor: 'Heb je dat afschuwelijke *Byron in Knossos* gelezen? Een special van Libby, een hype, maar zonder inhoud. Er zijn zo'n drie stuks van verkocht en we hebben er een fortuin voor betaald. Hallo!' zei hij, en hij wendde zich vrolijk tot de ontvangstrij. 'Ja, ik ben Jeremy, ik werk al jaren met Libby en Rory samen. U bent vast mevrouw Yates! Hallo! Leuk u te ontmoeten en wat hebt u een geweldige hoed op.'

'Gefeliciteerd!' zei Elle toen ze bij de bruid en bruidegom was. 'Je ziet er echt prachtig uit,' zei ze tegen Libby. 'Jij ook, Rory,' voegde ze er met een glimlach aan toe.

'Bedankt, Elle,' zei Rory. 'Hartstikke bedankt.'

'Nou, Elle,' zei Libby op gedempte maar prima verstaanbare toon. 'Eén ding weet ik zeker!' Haar stem klonk veel te hard. 'Als jij mijn bruidsmeisje was geweest, dan zou je die typefouten niet hebben gemist, dat is zeker! Die verdraaide Annabel.' Haar gezicht was rood en haar lippen waren verwrongen in een vreemde grijns. Elle moest al haar acteertalent aanwenden, dat ze sinds de uitvoering van *De hopeloze heks* op school in 1988 niet meer had gebruikt.

'Welke typefouten?' vroeg ze. 'Wat heb je een mooie jurk aan,' voegde ze eraan toe terwijl Libby haar mond weer opendeed. 'Echt prachtig.'

'Bedankt,' zei Libby. Ze kneep haar ogen tot spleetjes, een oude Libby-gewoonte die Elle zich met een schok herinnerde. Het betekende dat ze in haar hoofd een lijstje afging. 'Ik hoop dat je je plek aan tafel leuk vindt. Nogmaals bedankt dat je bent gekomen,' zei ze met een stem die veel milder klonk dan even daarvoor. 'Ik ben echt woedend op Annabel voor die fouten, ik bedoel, iedereen lacht erom.'

'Ik beloof je dat niemand het zich zal herinneren,' zei Elle. Ze kneep in haar hand en zag dit als haar seintje om door te lopen. 'Tot straks.' Ze kuste haar opnieuw en trok haar naar zich toe. Libby's opzwellende buik drukte tegen de hare.

'Jammer van die typefouten in de liturgie, hè Eleanor?' klonk een diepe stem. 'Ik weet zeker dat jij ze niet gemist zou hebben!'

'Hallo, Felicity,' zei Elle. Ze kon haar niet zoenen, dat zou vreemd zijn, dus in plaats daarvan schudde ze haar hand. Haar kersverse schoondochter wierp haar een blozende en geërgerde blik toe en Elle voelde plotseling een opwelling van medeleven voor haar.

'Eleanor Bee,' zei Felicity, bulderend. 'Hallo, lieverd.'

'Het is heel leuk u weer te zien,' zei Elle ineens verlegen. Nadat ze al die jaren aan haar had gedacht was het overweldigend ineens oog in oog met Felicity te staan. Ze was gehuld in ruwe felblauwe zijde en zag er nog precies hetzelfde uit, al was haar haar wat grijzer. Ze knikte kordaat en trok haar strenge zwarte wenkbrauwen op.

'Ja, ook leuk om jou weer te zien. Ik ben Catherine de Bourgh, zoals je misschien wel hebt gehoord.'

'Nee,' zei Elle, en ze schudde haar hoofd. *Hemeltjelief*, dacht ze. *Ze is gek geworden.*

'Maar goed, we spreken elkaar straks nog wel.' Ze wendde zich tot Jeremy en zei: 'En wie hebben we hier? Goedemiddag, Jeremy,' zei ze met een grote glimlach en ze bonjourde Elle met een knikje weg.

Dat was het einde van de rij en Elle was alleen. Ze keek om zich heen, maar zag Tom niet; ze zag helemaal niemand die ze kende. Ze wipte van haar ene op haar andere been en toen er een kelner in het zicht verscheen, goot ze vlug de rest van haar *Grote Verwachtingen* naar binnen.

'Wat heb je nog meer?' vroeg ze.

'Nou, dit is een *Dierenboerderij*,' zei de kelner terwijl hij het dienblad met één hand vasthield en met zijn andere hand naar het drankje wees.

'Wat zit erin?'

'Munt, wodka en nog iets,' zei hij somber.

'Prima,' zei Elle, en ze nam het glas aan. 'Dank je.'

Er klonk gezucht naast haar, en ze draaide zich om. 'O,' zei ze. 'Hoi Annabel, goed gedaan.'

'Hoi, Elle, hoe gaat het?' vroeg Annabel met een glas champagne stevig in haar hand geklemd. 'Ik ben zo kwaad,' voegde ze eraan toe alsof ze Elle gisteren nog gezien had en niet bijna drie jaar geleden. 'Libby heeft echt heel onaardig tegen me gedaan over de liturgie en het is niet eens mijn schuld.'

'Mijn hemel,' zei Elle vriendelijk. 'Nou, je hebt het haar in ieder geval verteld. Wij moesten erom lachen, als dat een troost is.'

'Om welke?'

'O...' zei Elle. 'Nou, touwgeloften in plaats van trouwgeloften was erg grappig.'

'Wat?' riep Annabel uit. 'Die was me nog niet eens opgevallen. Mijn god, dit is echt een ramp. Libby zegt nooit meer iets tegen me. Ik haat mezelf.'

'Dat moet je niet zeggen,' zei Elle, en het kostte haar moeite niet in lachen uit te barsten. 'Het is een geweldige dag en iedereen vermaakt zich opperbest. Ze is gewoon een beetje gespannen, het is ook lastig.'

'Nou ja, hoe gaat het met jou?' zei Annabel zuchtend, waardoor haar varkensneusje wijd open ging staan en haar bovenlip trilde. 'Je doet het daar echt geweldig, iedereen zegt steeds maar dat je het hele bedrijf praktisch runt. Echt fantastisch voor je.' Uit haar mond klonk het als kritiek. 'Het is hier nu echt heel zwaar, de uitgeefbusiness in Engeland is veel zwaarder door de...' Ze zweeg even. 'Je weet wel, omdat de markt heel ingewikkeld is en de kortingen zo hoog zijn.'

Elle dacht aan de hoofdtafel in een van de grootste boekwinkels van Manhattan, de Barnes & Nobles op Union Square, waar regelmatig de meest onbekende literaire boeken tentoongesteld lagen zodat je die als eerste zag. Ze dacht aan de leuke paragraafjes achter in haar favoriete hardbacks. Een stukje over het gebruikte lettertype, de geschiedenis van de lettersoort waarin het boek was geprint en waarom dat werd gebruikt. In Amerika was het papier voor paperbacks in de looprichting gesneden, zodat het boek op een vloeiende, zijdeachtige manier openviel en niet rechtop bleef staan en omrolde. Deze dingen, de zorg en aandacht, herinnerden haar eraan waarom ze zo van boeken hield.

Ze keek op haar horloge en tot haar verbazing was het al bijna drie uur. Als ze in New York was geweest, zou het tien uur 's ochtends zijn. Ze zou al op zijn, misschien op weg naar Marcy en Steven voor een brunch in Lucky Strike of ergens in The Village. Misschien zou ze bij Mike zijn en naderhand door Soho lopen, waar ze bij Anthropologie een shirt zou kopen en een paar leuke nieuwe mokken bij de servieswinkel in Thompson Street. Ze zou haar nagels bij New Model Nails op Bleecker laten doen terwijl Mike boodschappen deed en dan zouden ze in de rij gaan staan voor de lunch bij de Spotted Pig en door Chelsea wandelen, verder uptown konden ze niet voordat zij het zat werd en in een taxi stapte. De maand ervoor waren ze vanaf haar huis helemaal naar de Upper West Side gelopen door Central Park, naar Mikes flat op East 77th. Ze had Mike gesmeekt om een pauze in de Sheep Meadow, maar ze moest doorzetten tot ze er waren. En 's avonds naar Happy Endings, haar nieuwe lievelingsbar in East Village, zo geheten omdat het voorheen een massage-instituut was, of misschien naar de film...

'Elle?' Annabel stond haar aan te staren. 'Heb je wel gehoord wat ik zei?'

Elle kwam met een schok terug naar het heden en keek om zich heen naar de elegante Georgiaanse zaal vol beleefde mensen gehuld

in pastelkleuren en de zon die door de ramen naar binnen scheen.
'O,' zei ze. De zware geur van lelies en parfum overspoelde haar neusvleugels. 'Sorry, ik was heel ver weg. Jetlag. Zijn er nog meer bruidsmeisjestaken die je moet vervullen?'

'Ik moet nog speechen en daar zie ik heel erg tegen op. Want Libby is woedend op me en dat vind ik helemaal niet leuk.' Annabel trok de strakke wijnrode zijden jurk kronkelend omhoog en om zich heen. 'Deze jurk zit echt niet lekker.' Ze keek Elle beschuldigend aan, alsof zij hier persoonlijk verantwoordelijk voor was. 'Ik ben trouwens dol op Elizabeth Forsyte. Dat wilde ik je graag laten weten.'

'Bedankt,' zei Elle. 'Ik zal het doorgeven.'

'Ze is echt geweldig.'

'O, dank je. Ze heeft niet echt een redacteur in Engeland, want ze heeft mij, maar... ik zal het haar laten weten.'

Annabel keek haar aan met een soort van minachting. 'Zo bedoelde ik het helemaal niet. Jemig, ik zei alleen maar dat ik haar leuk vond.'

Elle begon tot op haar hoofdhuid te blozen. Ze leek niet meer te begrijpen wat haar landgenoten bedoelden. Ze snapte Toms sarcasme niet meer, ze begreep niet dat Annabel gewoon aardig wilde zijn. 'Sorry,' zei ze. 'Ik begrijp de Engelsen tegenwoordig niet meer zo goed.'

'Juist,' zei Annabel, die duidelijk dacht dat ze weer onbeschoft deed. 'Nou, ik zie je straks nog wel,' zei ze, en ze stampvoette naar de andere bruidsmeisjes, die samen in een hoek champagne zaten te drinken en er allemaal doodsbang uitzagen. Elle bleef alleen met de gedachte dat iedereen hetzelfde was gebleven, maar dat zij was veranderd. Iemand schraapte zijn keel dicht bij haar; ze draaide zich dankbaar om. 'Hallo,' zei een vreemde man naast haar. Ze staarde hem aan: hij droeg een zwart pak en zwarte handschoenen. 'Welke kaart, juffrouw, of kan ik beter mevrouw zeggen, is de hartenkoningin? Weet u dat?'

Hij schoof een spel kaarten in een halvemaanvormige waaier en duwde ze onder haar neus. 'O,' zei Elle, en ze keek hem afwezig aan. 'Ik weet het niet. Het spijt me.'

Ze draaide zich om, zoekend naar Tom, maar toen werd de gong voor het diner geluid en een grote, gespierde man in een soort lakeiendracht zei met een afschuwelijke bulderende stem: 'Edelachtbaren, dames en heren. Het bruiloftsmaal zal in de balzaal worden opgediend. Raadpleeg de tafelschikking om erachter te komen waar u zit en wie u bent.' Hij eindigde met een uithaal, en de mensen keken hem verward aan. De bruidsmeisjes giechelden van opwinding in het bruidsmeisjeshoekje.

'Doe normaal,' zei Elle binnensmonds. Het ver doorgevoerde thema begon haar op de zenuwen te werken. Iemand tikte haar op haar schouder.

'Ik ben Frank Churchill,' zei Tom, en hij prikte met zijn duim in de tafelschikking. 'Ik vraag me af wie jij bent.'

40

Mary Bennet, zij was Mary Bennet, die lelijke, opgeblazen, saaie, betweterige zus. Terwijl Elle aan tafel ging zitten – *Trots en vooroordeel* – brieste ze van woede. Er waren zelfs twee tafels genaamd *Trots en vooroordeel*, omdat er niet genoeg Jane Austen-romans voorhanden waren. De hoofdtafel heette *Trots en vooroordeel* I, er stonden grote naamborden, die waren beschreven in een hellend handschrift en Libby bestempelden als Lizzy Bennet (misschien was die typefout dan toch geen typefout?), Rory als Mr. Darcy, Felicity als Lady Catherine de Bourgh – dus daar had ze het over gehad – en de verlegen ouders van Libby als Mr. en Mrs. Bennet. Elle zat aan de tweederangs *Trots en vooroordeel* tafel, met Maria Lucas en de familie Collins. Ze besefte nu pas dat Libby's jurk in Regency-stijl was omdat dit een themabruiloft was en niet alleen om haar buik te verhullen, of je dat nu leuk vond of niet. Bij iedere plek lag een vel papier en een rekwisiet. Op het papier stond een citaat over het personage uit de Jane Austenroman, prachtig gedrukt, het kon zo ingelijst worden. Het rekwisiet was in Elles geval een klein antiek brilletje ter grootte van een duim.

'Kun je mij vertellen waarom dit is?' siste ze tegen de man naast hun tafel, die wachtte tot hij mocht gaan zitten. 'Wie ben jij?'

'Geen idee,' zei hij ongelukkig. 'Ik ben Amy's vriend...' Hij wees naar het dikke bruidsmeisje aan de hoofdtafel. 'Ik heet Joe, maar hier ben ik iemand genaamd Mr. Hurst, ik weet niet eens wat dat betekent.'

'Hij zit in *Trots en vooroordeel*. Hij slaapt veel, dus je hoeft je geen zorgen te maken,' zei Elle terwijl ze het oogmasker voorhield om het hem te laten zien. 'Dit kan nog goed van pas komen.'

'Jezus, wat een stom gedoe,' siste Joe. 'Ik heb hier zo'n hekel aan. Waarom kunnen we niet gewoon wat eten en drinken en dan weer terug naar huis?'

'Daar ben ik het helemaal mee eens,' zei Elle vol sympathie. 'Ik. Ben. Het. Met. Je. Eens.'

'Hallo, hallo,' zei een stem achter hen. 'Joehoe, ik zit naast jou.'

Weer draaide ze zich om. 'O, Jeremy. Jij bent het.'

'Klink niet zo blij om me te zien,' zei Jeremy.

'Sorry,' zei Elle. 'Dit is Joe. Ze deed een stap naar achteren. 'Joe, dit is Jeremy. Hij heeft met het gelukkige stel samengewerkt.' *Het gelukkige stel. Ze zijn getrouwd. Libby is met Rory getrouwd. Jeremy plakt een snorretje op omdat we op een bruiloft zijn met een Jane Austen-thema.* 'Mr. Wickham?' raadde ze.

'O ja,' zei Jeremy wolfachtig.

'Wie is dat?' vroeg Joe. 'Ik ben een idioot, ik ken ze geen van allen.'

'De slechterik,' zei Elle. 'En voel je er maar niet rot onder. Het is opschepperij en echt heel duf. En belachelijk.'

'Ze is gewoon jaloers omdat ze het idee voor haar bruiloft hebben gestolen,' zei Tom terwijl hij tevreden over zijn bakkebaarden streek en naast Jeremy ging zitten. 'Hoi, Jeremy, leuk je weer te ontmoeten.' Hij wendde zich tot een meisje aan zijn andere kant, een vriendin van Libby van vroeger. Elle vermoedde dat ze Jane Fairfax was, vanwege het feit dat ze naast Frank Churchill zat en een miniatuurpianootje had gekregen.

'Hoi, ik ben Tom, aangenaam kennis te maken,' zei hij. Hij keek op haar naambordje. 'Hoi, Maya.'

'Ik heb zo'n klerehekel aan Jane Austen,' zei Maya knarsetandend. 'Dit is echt ongelofelijk.'

Terwijl ze net deed alsof ze iets in haar tas zocht, keek Elle heimelijk naar Toms profiel. Hij zat beleefd met Jane Fairfax te babbelen en glimlachte terwijl hij water inschonk. Zijn haar krulde iets achter zijn oren en in zijn nek. Hij was zo anders dan de kille, afstandelijke man die hij was geweest toen ze hem voor het eerst had ontmoet. Hij was tegenwoordig veel relaxter, vrolijker, meer zichzelf, nam ze aan. Maar hij had wel nog steeds iets over zich waarmee hij haar – en alle anderen? – op armlengte hield. Ze wilde dat ze wist wat het was.

De lakei verscheen weer.

'Hef alstublieft uw glas op... de heer en mevrouw Sassoon!'

Iedereen klapte en juichte en Libby en Rory stonden op en maakten een buiging. Libby zwaaide even en glimlachte naar hen. Elle klapte beleefd, maar bij de rest van de tafel – de meest humeurige mensen in de zaal, dat was duidelijk – kon er nauwelijks een applausje vanaf. Maya hield haar ene arm met de andere hand vast en stond erbij als een chagrijnige tiener. Jeremy controleerde zijn telefoon en klapte maar half. En naast haar snoof Joe: 'Wie denkt ze wel niet dat ze is, de koningin van Engeland?'

Tom trok een wenkbrauw op en glimlachte naar Elle. Zij glimlachte terug, allebei wetend wat de ander dacht. Zij kauwde op haar vinger en probeerde niet te lachen.

'Gaat u zitten,' zei de ceremoniemeester, 'voordat het bruiloftsmaal wordt opgediend zal mevrouw Sassoon een gedicht voorlezen dat ze zelf heeft geschreven.'

'Meer champagne,' zei Jeremy gehaast terwijl hij onder tafel reikte en twee flessen tevoorschijn haalde.

41

'... iets anders wat zo geweldig is aan Libby, is dat ze echt om mensen geeft,' reciteerde Annabel terwijl ze de blaadjes van haar speech verkreukelde en er luid gekraak door de microfoon klonk. 'Toen ik in de put zat, is ze echt een fantastische vriendin voor me geweest. Ze is echt heel bijzonder en daarom zullen Rory en zij het samen ook zo goed krijgen.'

Een beleefd applaus golfde langzaam door de bedompte balzaal. Annabel likte aan haar lippen, slikte en bladerde naar de volgende pagina van de speech. Ze boog zich voorover en nam een slokje water.

Vanuit hun positie in de hoek achterin, waar ze hun nek moesten uitsteken om iets te kunnen zien, wendde Joe – die intussen praktisch Elles beste vriend was – zich tot Elle en fluisterde: 'Wat is er met haar aan de hand? Is ze soms verliefd op de bruid?'

'Ja,' zei Jeremy rustig. 'Ze is verkikkerd op d'r, ze loopt als een schoothondje achter haar aan.'

'Het is een geweldige dag voor hen en voor ons om er deel van uit te mogen maken,' ging Annabel verder terwijl ze de speech omklemde. 'Het is ook een fantastische dag voor het boekenwezen om twee mensen met zo'n passie voor boeken te zien trouwen en hun liefde voor elkaar en boeken verenigd, eh...' Ze aarzelde. '... te zien.'

'Genade,' fluisterde Jeremy. Hij porde Elle in haar zij. 'Moet je Felicity's gezicht eens zien.'

Felicity zat kaarsrecht en doodstil op haar stoel, een kant van haar lip omhoog gekruld.

'Degenen die mee zijn geweest met het historische vrijgezellenweekend in Newcastle...' Annabel pauzeerde even. Ze sloeg een hand voor haar mond en giechelde als een geisha. '... hebben geheimhouding gezworen! We zullen niets over de teddybeer zeggen!' Alle andere bruidsmeisjes, op Amy na, lachten uitgelaten. Elle knarsetandde en het viel haar op dat Felicity hetzelfde deed. 'Het enige wat ik kan zeggen is: *Hammertime!!*' Ze hield haar hand voor haar mond tot het zenuwachtige hysterische gegiechel bedaarde. De gasten wachtten, de meesten met een stalen gezicht.

Annabel keek omlaag naar de rest van haar speech. 'Hoe dan ook, Libby, ik ben echt heel blij voor jullie en het spijt me zeer. Van die fouten in de liturgie,' zei ze vlug. 'Op het gelukkige paar, Libby en Rory, proost!'

'Ik ga naar buiten voor een sigaret,' zei Jeremy. Hij ging staan terwijl de andere gasten aan tafel klapten en Annabel zich naast een onbewogen Libby liet vallen. 'Ga je mee?' Hij gebaarde met zijn hoofd naar de open deur, op nog geen meter van waar ze zaten. Elle keek zenuwachtig om zich heen. Zou iemand het merken?

Bij de hoofdtafel ging Rory staan, en hij tikte zachtjes op de microfoon. 'Hallo?' zei hij.

'Ja, hoor,' zei Elle, en ze stond op. Ze ving Toms blik. Hij keek haar vragend aan en ze aarzelde even.

'Zoals de traditie het wil,' begon Rory, 'wil ik graag beginnen met te zeggen dat mijn vrouw en ik...'

'Laten we gaan,' zei ze, en Jeremy en zij slopen weg.

Buiten gaf Jeremy Elle een sigaret, en Elle, die slechts heel af en toe rookte – dit was een prima moment – pakte hem dankbaar aan, zich er nog steeds van bewust dat dit best stout was.

'Alsjeblieft,' zei Jeremy leunend tegen de muur. Hij stak Elles sigaret aan...

'Dank je.' Elle inhaleerde diep. Rory's stem, die werd versterkt door de microfoon, kraakte in de stilte van de warme middag.

'De eerste keer dat ik Libby heb ontmoet... nou, die herinner ik me eerlijk gezegd niet meer,' zei hij, en er klonk gelach en applaus. 'Het geweldige liefdesverhaal van Rory en Libby is dat we begonnen als vrienden. We werkten een paar jaar samen, hoewel ik moet toegeven dat ik haar altijd zeer aantrekkelijk heb gevonden. Maar ik was gewoon een te grote schijterd om er iets mee te doen. Ik had het gevoel, en dat was ook zo, dat ze te goed voor me was.' Er viel een stilte. 'Ik weet zeker dat velen van jullie het met mij eens zullen zijn.'

Elle staarde voor zich uit naar de heldergroene eikenbomen langs de rand van het park. Ze kneep haar ogen samen in de zon en beet op haar lip. Het inhaleren van de rook deed haar hoofd suizen. Ze besefte dat ze een beetje dronken was. Ze kon er niet meer zo goed tegen als vroeger.

'Ik weet van jullie twee,' zei Jeremy.

'O,' zei Elle.

'Ik weet dat het lang geleden is, maar het moet wel vreemd voor je zijn,' zei hij, en Elle merkte dat hij ook aangeschoten was.

'Ik ben blij voor ze,' zei Elle zachtjes. 'Alleen...' De tranen sprongen in haar ogen. 'Het is vreemd om sommige dingen te horen. Ik was... Ik hield echt van hem. Een belangrijk deel van mijn leven was het, maar hij en Libby passen perfect bij elkaar,' eindigde ze.

'Dat kun je wel zeggen,' zei Jeremy, en hij lachte spottend.

'Het is alleen vreemd om te gast op hun bruiloft te zijn. Als je er zo lang van hebt gedroomd, zelfs al was je toen iemand anders en al was het jaren geleden... Het klinkt zo stom. Ik was stom.'

'Nee hoor, helemaal niet,' zei Jeremy, en hij tikte zijn as op de gladde tegels. 'Je was in die tijd zeer beminnelijk, Elle.'

'Helemaal niet,' zei Elle. 'Maar bedankt.'

'Echt wel,' zei Jeremy. 'Mij liet je ook niet onberoerd met dat korte haar, die lange benen, je hoofd in de wolken en altijd met die zorgelijke blik op je gezicht. En je werd echt heel makkelijk boos. Zo schattig.'

'Ik liet jou niet onberoerd?' Elle grinnikte, en ze wilde dat haar jongere zelf hier was om dit te horen.

'Ja,' zei Jeremy. 'Ongeveer een week lang.' Hij knikte ernstig.

'Een hele week?' zei Elle. 'Dat is best lang voor jouw doen.'

'Ik weet het. Ik heb er zelfs over nagedacht er iets mee te doen toen we naar Bookprint gingen, maar tegen die tijd was je zo stil en deed je zo raar. Dat klopt dan ook wel, neem ik aan, en toen was je ineens verdwenen. Poef!' Hij stak zijn armen in de lucht, en de as dwarrelde over hem heen. 'Verdorie,' zei hij.

Rory's stem zweefde de pauze in die daarop volgde.

'Zij heeft van mij de man gemaakt die ik wilde zijn... degene die ik dacht te moeten worden...'

Elle schudde haar hoofd en probeerde Rory's stem buiten te sluiten. Ze drukte haar sigaret uit en voelde zich een beetje misselijk. 'Jeremy, ik was zo verliefd op je, dat wil je niet weten. Wij allemaal. Als je me op mijn schouder had getikt en me had gevraagd...' Haar stem dwaalde af. 'Nou ja, ik weet niet wat, maar ik zou het hebben gedaan.'

Jeremy trok zijn wenkbrauw op. 'Interessant,' zei hij lijzig. 'En Tom en jij dan? Is er tussen jullie iets gebeurd?'

Elle was overrompeld.

'Nou, wat is er tussen jullie twee? Jullie komen hier als dikke vrienden heen.'

'Helemaal niets, echt niet,' zei Elle. Ze schudde haar hoofd.

'Ik dacht dat hij samen met dat sexy Caitlin-meisje en hun baby woonde. Ik heb ze vorig jaar nog samen afgezet na een evenement in zijn boekwinkel.'

'Wat?' Elle krabde in haar nek en probeerde nonchalant te kijken. 'O, ja.' *Tom had toch gezegd dat ze samenwoonden, of niet?*

'Ja,' zei Jeremy. 'Ik herinner het me nog omdat het een vreemd adres was. Yorkshire Road, Richmond. Er is ook een Richmond in Yorkshire. Erg verwarrend.' Hij knikte, zijn hoofd hing bijna naar beneden.

'O,' zei Elle. 'Dat wist ik niet.' Ze haalde haar schouders machteloos op en probeerde niet bezorgd te kijken. 'Wat een goeie. Echt raar. Yorkshire Road, Richmond!' zei ze met neutrale stem.

'We moeten terug naar binnen,' zei Jeremy. Hij gaf haar een klopje op haar schouder. 'Je bent geweldig.'

Ze staarde hem aan. 'Jemig, je doet me aan iemand denken, maar ik weet niet aan wie.'

'Jose Mourinho, volgens sommige mensen,' zei Jeremy prompt, en hij probeerde bescheiden te kijken.

'Wie?'

Hij keek haar met afschuw aan. 'Mijn god, gemeen Amerikaans kreng. Ga terug naar New York. Jose Mourinho? Niemand minder dan de geweldigste voetbalcoach die we ooit hebben gehad.'

'Wie wij?'

'Jemig.' Jeremy drukte zijn sigaret uit. 'Hij is eindelijk klaar, je kunt weer naar binnen.' Hij duwde haar naar de deur, en Elle volgde hem dankbaar, zich realiserend wat hij had gedaan.

Toen ze de zaal weer in kwamen, zaten de mensen net te klappen en zij glipten bijna onopgemerkt hun stoelen weer in. Elle kneep even in Jeremy's schouder. Ze keek op en zag dat Toms blik strak op haar was gericht.

'Oké?' vroeg hij zachtjes.

'Tuurlijk,' fluisterde ze terug, geërgerd vanwege zijn ongerustheid en haar kinderachtige houding omdat ze zich aan hem ergerde. Ze was echt geen hysterische ex-vriendin op een bruiloft, ze had alles onder controle. Hij had Caitlin en hun dochter in een leuke flat in Richmond en met haar – met haar was alles goed. Hij knikte en wendde zich af.

42

Na het eten begon de disco. Elle zocht Tom, maar kon hem nergens vinden. Het was al na negenen, maar het had net zo goed drie uur 's ochtends kunnen zijn, ze was elke vorm van tijdsbesef kwijt. Haar glas werd steeds weer bijgevuld. Op een bepaald moment begonnen Jeremy en zij te dansen, en ze danste door de pijn van haar prachtige koraalkleurige Kate Spade-hakken heen. Toen werd 'Beautiful' gedraaid en in een razend tempo kwamen er zo'n tien stelletjes de dansvloer op, alsof ze hadden staan wachten op een langzaam nummer. Jeremy hield zijn armen uit, en Elle liep naar hem toe.

'Kom hier,' zei Jeremy, en ze wiegde met hem mee, in de wetenschap dat ze dronken was – ze had nog nooit op een langzaam nummer gedanst, tenzij je de afscheidsdisco van de lagere school meerekende, maar toen was ze tien geweest en had ze met Imran op 'Careless Whisper' gedanst.

'Het is leuk je te zien, Jeremy,' zei ze in zijn nek. 'Je bent zo aardig, altijd geweest.'

'Jij ook, Elle,' zei Jeremy. 'Schoonheid.'

Zijn handen lagen in haar taille, en hij bewoog ze richting haar achterste. Zij deed hetzelfde en zo dansten ze even, alsmaar ronddraaiend. Elle werd een beetje duizelig en ze was zich bewust van de gemene blikken als ze te dicht in de buurt van de andere stelletjes kwamen. Ze klopte Jeremy op zijn rug.

'Ik ga even wat te drinken halen,' zei ze. 'Ik zie je zo weer.'

'Tuurlijk,' zei Jeremy. Hij stak zijn arm uit, pakte Annabel Hamilton en begon met haar te dansen.

Elle liep de dansvloer af en hield haar haar omhoog om de koele lucht in haar nek te voelen en zo stond ze bij de bar. De zon was al bijna onder, en de zaal werd overspoeld met bloedoranje licht. Toen ze het glas wijn aanpakte, zei de barman: 'U moet wel betalen. Vier pond vijftig.'

'O,' zei Elle gegeneerd. 'Mijn tasje ligt daar, wacht even, ik heb geen...'

'Laat mij maar, liefje,' zei Felicity achter haar. 'Hier,' zei ze, en ze gaf de barman een briefje van vijf. Haar sierlijk bezette diamanten oorbellen glinsterden in de zon.

'Dank u,' zei Elle. Ze knipperde met haar ogen in een poging nuchter te worden en bedacht dat ze dat extra glas beter niet kon nemen. 'Dat is heel... aardig van u.'

'Hoe lang blijf je hier, Elle?' vroeg Felicity, die het wisselgeld aanpakte en het in haar tasje liet vallen.

'Tot dinsdagochtend vroeg.' Ze herinnerde zich de belofte die ze haar moeder had gedaan. De doktersafspraak was op maandag. 'Hoop ik.'

'Zou je tijd hebben om maandagavond iets met me te gaan drinken?' vroeg Felicity. 'Er is iets wat ik met je wil bespreken.'

'Met mij?' zei Elle, en ze probeerde niet al te verbaasd te klinken. 'Eh... graag, maar ik weet nog niet zeker wanneer ik in de stad ben.'

Felicity nam haar op en tuitte haar lippen alsof ze iets afwoog. Ze zei: 'Posy en ik zijn samen een nieuwe uitgeverij begonnen, wist je dat?'

'Nee,' zei Elle, schuddend met haar hoofd, en ze werd al weer nuchter. 'Jemig, nee. Wanneer?'

'Het gaat Aphra Books heten,' zei Felicity. 'Naar de eerste professionele vrouwelijke schrijver, Aphra Benn. We gaan een paar boeken van interessante mensen uitgeven.' Ze klemde haar kaken op elkaar, keek om zich heen en leunde naar haar toe. 'In feite,' zei ze, 'wilde ik je vragen ons team te komen versterken. Ziezo. Wat vind je ervan?' Ze keek Elle indringend aan.

'Ik?' zei Elle. Ze keek om zich heen om er zeker van te zijn dat Felicity het niet tegen iemand achter haar had.

'Ja,' zei Felicity met een houding alsof ze haar een grote eer bewees. 'Ja, jij. Ik weet dat het een gok is, maar zowel Posy als ik zijn van mening dat het succesvol kan worden. Je moet natuurlijk wel langskomen voor een sollicitatiegesprek.'

Elle bewoog zich ongemakkelijk heen en weer. 'Ik ben heel gelukkig in Amerika,' zei ze, omdat ze niet wilde zeggen: *Ben je nou helemaal gek geworden, weet je niet hoe goed ik het daar doe? Denk je echt dat ik dat allemaal achterlaat om voor Bluebird 2 te gaan werken?* 'Het klinkt geweldig wat jullie doen, maar ik ben niet in de positie om terug te verhuizen.'

Verbaasd hield Felicity even haar mond. Toen schraapte ze haar keel. 'Ben je daar echt gelukkig?' vroeg ze. 'Je leek me altijd zo'n typisch Londens meisje dat hier graag woont, gek op de business en de mensen is, op alles eigenlijk. Ik moet altijd aan jou denken als ik van die meisjes in de ondergrondse zie in een kort rokje met een tas met een manuscript over hun schouder die vrolijk zitten te lachen. Je bent nu zo anders. Zo evenwichtig, volwassen. Dit...' Ze zwaaide haar hand op en neer in Elles richting. '... allemaal.'

Elle wilde dat ze niet zoveel had gedronken. Ze voelde een warme blos opkomen en ze probeerde zich te concentreren. 'Ik ben echt heel tevreden met de manier waarop alles zich heeft ontwikkeld. Het was goed voor mij om naar Amerika te gaan.' Ze klonk alsof ze iets citeerde, een gedicht dat ze uit haar hoofd had geleerd.

'Maar ben je daar echt gelukkig?' vroeg Felicity opnieuw.

'U hebt geen idee hoeveel gelukkiger ik daar ben,' zei Elle. 'Ik zou nooit meer terug willen. Het spijt me.' Waarom was het plotseling zo warm? Ze moest naar buiten voor een beetje frisse lucht. 'Trouwens, ik vind het heel leuk u weer gezien te hebben. Maar ik moet...' Ze gebaarde. 'Op zoek naar iemand. Sorry, nogmaals bedankt voor het drankje.'

'Natuurlijk.' Felicity knikte. 'Misschien verander je wel van gedachten. Laat je het me dan weten, Elle?'

Elle wilde lachen, dit was belachelijk, wie dacht Felicity dat ze was, de goede fee? 'Dank u.'

Ze baande zich een weg door de bar en de openslaande deuren naar het terras en ademde daar diep in, zonder precies te weten waarom ze zo van haar stuk gebracht was. *Felicity is een dinosaurus*, zei ze tegen zichzelf, denkend aan haar niet knipperende donkere ogen, de zware parfum, het bedrijf en de ringen aan de hand die het wisselgeld zo trefzeker in het tasje had laten vallen. *Ze doet het alleen maar omdat ze niet genoeg mensen heeft om de baas over te spelen. Maak je geen zorgen.*

Elle keek omhoog naar de volle maan, die laag boven de bomen hing, hij was enorm groot en geel. Daar achter de velden en lanen richting de maan, bevond haar moeder zich. Elle stond in de relatieve stilte wat te drinken en vroeg zich af hoe het met haar ging. Ze had gezegd dat ze misschien zou gaan tuinieren, dat Bryan langs zou komen en dat ze haar kleren zou gaan uitzoeken. In de plotselinge stilte besefte ze dat er iets niet klopte. Was het Bryan? Het tuinieren? Een vlaag van bezorgdheid schoot door haar lichaam en ze rolde met haar ogen, lachend om zichzelf. Ze kon Mandana's spottende lachje horen, alsof ze naast haar stond. *Wees toch niet zo'n tobber.* Er waren honderden avonden dat Elle niet in de buurt was en zich geen zorgen om haar moeder maakte. Het was het toppunt van zelfobsessie om het wel te doen als ze maar een paar kilometer bij haar vandaan was. Maar toch, ze wilde dat ze thuis was, op dit moment, en met haar zat te kletsen in de warme avondlucht en ze niet hier was, warm, dronken en...

Ze draaide zich om en ging op zoek naar haar tasje. Misschien was het trouwens wel tijd om te gaan.

'Dames en heren,' riep Rory. Hij stond op de dansvloer met de microfoon in zijn hand. 'We gaan zo weg, dus als iedereen naar de ingang zou willen komen voor het gooien van het boeket!' Hij keek Elle aan. 'Vooral de alleenstaande dames!'

Elle keek wanhopig om zich heen, zoals een konijn in de koplampen van een aankomende auto. Ze overwoog zichzelf plat tegen de muur te drukken en als een krab richting de oprijlaan te bewegen zoals Tom Cruise in *Mission Impossible*. Misschien kon ze het proberen. Iemand stapte door de deuren heen, en ze schrok op.

'Ik ben het maar,' zei Tom. Hij ademde zwaar. 'Ik was op zoek naar je. Ik dacht dat ik je misschien van het boeketgooien moest redden.'

'Mijn god,' zei Elle. 'Ik hoef niet gered te worden.' Ze wist dat het lomp klonk. 'Dit is geen MijnHart-roman, hoor.'

Rory liep langs hen heen. 'Gaan jullie mee, jongens? Elle, je moet dat boeket vangen!' Hij knikte. 'Libby wil je heel graag nog even zien.'

'Wauw,' zei Elle, en plotseling was ze het allemaal zat.

'Touwgelofte,' zei Tom, maar Elle lachte niet. De gasten marcheerden langs haar heen en ook Jeremy kwam langs, met zijn hand op Annabels achterste en zijn arm over haar borsten, en dit ontstemde haar helemaal.

'Waarom zag ik niet hoe hij was?' Ze dronk haar glas in één teug leeg. 'Mannen. Jullie zijn er zo goed in. Jullie zijn allemaal hetzelfde! Jullie lijken anders, maar toch zijn jullie hetzelfde.' Ze schudde haar hoofd en ze voelde het bloed erheen stromen en daar werd ze duizelig van. 'Ik snap het gewoon niet. Ik dacht dat ik het na al die jaren wel snapte en ik weet niet hoe ik zo stom heb kunnen zijn. Engelse mannen zijn het ergst. Dat was ik vergeten! Al die jaren en ik was het vergeten!' Ze knikte hevig alsof ze het met zichzelf eens was. 'Schijnbaar charmant, jullie doen net alsof jullie goede manieren hebben en klinken als Hugh Grant, maar eigenlijk zijn jullie zwakke, belachelijke, leugenachtige...'

'Hé, ho eens even, zo zijn we niet allemaal,' zei Tom.

'Dat zijn jullie verdorie wel, Tom!' riep Elle uit. 'Rory is net als Max, mijn vriendje van de universiteit en Bill en Fred en Jeremy en... jullie allemaal!'

'Jij bent degene die de hele dag met Jeremy heeft geflirt, Elle. Het is of het een of het ander.'

'Dat heeft er niets mee te maken.'

'Echt niet?' zei Tom nors. 'Ik denk van wel.'

Elle ging verder, het was alsof er een lichtje in haar hoofd was uitgegaan. 'Ik kan niet geloven dat ik het nog nooit eerder heb gezien. Je zegt iets, maar bedoelt iets heel anders, en dan krijgen vrouwen altijd te horen dat ze zo inconsistent zijn! Als ik in New York een date heb, is het gewoon een date. We hoeven niet stomdronken te worden om te zoenen en als het niet leuk is, dan zien we elkaar gewoon niet meer.' Ze dacht aan Mike, die coole, aardige Mike met zijn Brooks Brothers-blazer en zijn directe, rustige manier van doen. Ze had al uren niet meer aan hem gedacht. 'Zo gaat het daar gewoon... Goed.'

'Juist,' zei Tom. Hij bleef staan en keek haar aan. Toen zei hij: 'Namens mijn soort, sorry.' Hij deed een stap naar achteren. 'Nou, ik ga naar binnen.'

'Prima,' zei Elle. Ze wist niet waarom ze zo kwaad op hem was, maar ze moest het toch op iemand afreageren. 'Ik ga trouwens zo, denk ik.'

'Juist,' zei Tom weer. 'Dan zie ik je nog wel, Elle.'

'Ja.' Ze sloeg haar armen over elkaar.

Hij draaide zich om en wilde weglopen, maar hij keek om en zei: 'Nee. Weet je? Je hebt je vandaag zo vreemd gedragen. Ik begrijp het niet. Is het New York?' Hij deed een stap naar voren, zodat hij maar een halve meter bij haar vandaan stond, en fluisterde: 'Ik weet dat dit een moeilijke dag voor je is, maar je bent zo anders. Zo... ik weet het niet, moeilijk om mee te praten...'

'Wat?' siste Elle hem toe. Een stel draaide zich om en keek naar hen. 'Ik bedoel, dat is een goeie uit jouw mond, jij bent de meest sociaal gehandicapte persoon die ik ken. Hoe durf je dat tegen mij te zeggen?'

'Hoe ik dat durf?' Tom was haar gevolgd, naar het donkere terras om de hoek. De maan scheen grijsachtig paars op de flagstones, maar het park achter hen was donker en het lawaai van de bruiloft, aan de andere kant van de villa, was allesbehalve onhoorbaar. 'Ik... Ik ben je vriend. Dat was ik althans.'

'Wij zijn geen vrienden,' zei Elle, en woedend schudde ze haar hoofd. 'We zijn verdorie geen vrienden. We hebben een poos geleden een zomer lang wat tijd met elkaar doorgebracht totdat jij... totdat jij me duidelijk maakte dat het voorbij was. Dat maakt ons nog geen vrienden, Tom. Integendeel. Je hebt geen idee hoeveel...'

... pijn je me hebt gedaan. Haar stem stierf weg.

'Je hebt gelijk,' zei Tom met een vreemd lachje om zijn mond. Zijn haar was inktzwart in het maanlicht, zijn gezicht donker, en hij torende boven haar uit, zelfs nu ze hakken droeg. 'Ooit aanbad ik je, Elle, omdat je aanbiddelijk was. Maar je... je bent veranderd.'

'Ik moest wel veranderen,' riep ze. 'Je begrijpt er niets van!' Ze stond te trillen, ze was bang dat ze van woede flauw zou vallen. 'Jij was degene die me vertelde wat een verschrikkelijk mens ik was! Dat ik te veel dronk en hoe stom het van me was om zo op te gaan in Rory! Jij bent degene die de hele zomer een spelletje met me heeft gespeeld en is vertrokken om een gelukkig gezinnetje met zijn exvriendin te stichten! Ik moest een beter iemand worden, het hardst werken, het best georganiseerd zijn. Ik kan niet teruggaan naar de persoon die ik was. Degene die ik nu ben... Ik ben... De mensen vinden me geweldig.'

'Doe toch eens normaal,' zei Tom ongeduldig. 'Je verwart succes met van belang zijn. Je hebt het misschien goed gedaan, maar dat betekent nog niet dat we allemaal je hielen moeten likken als je de kamer binnen komt. Als dat alles is wat je interesseert, dan ja, dan heb je gelijk, misschien moest je wel veranderen.'

Een traan rolde over Elles wang. 'Ik had niet moeten komen.' Ze verlangde ernaar thuis te zijn met een kracht die haar bijna velde. De kilometers land en oceaan die haar scheidden van Perry Street, van haar geliefde New York, van haar kantoor met SENIOR REDACTEUR, JANE STREET PRESS op de deur die ze dicht kon doen, waar ze zich kon begraven met een manuscript, om alles netjes en duidelijk te maken, waar ze de mensen in het manuscript kon laten doen wat ze wilde, alles had zoals zij het prettig vond.

Toen leunde Tom voorover en kuste haar, uit het niets. Ze haalde vlug adem, verbaasd, en ze maakte een klein geluidje in haar keel.

'Misschien heb ik het mis,' zei hij. Hij pakte haar hand en kuste haar opnieuw. 'Misschien moest je wel komen, Elle, ik ben echt, ik sta hier nu voor je. Ik heb een vraag en je weet niet welke. Je kunt geen potlood pakken om hem af te vinken.'

Haar lippen tintelden nog na van zijn kus. 'Wat dan?' vroeg Elle terwijl ze naar achteren leunde zodat ze zijn gezicht kon zien.

'Kom mee naar mijn kamer, Elle. Laten we deze afschuwelijke bruiloft vergeten. Toegeven dat we verslagen zijn, kom met me mee.'

'Nee,' zei ze, en ze pakte zijn pols. 'Heb je niet gehoord wat ik net zei? Tom, dat is een heel slecht idee.'

'Nee hoor,' zei hij. Ze kon zijn ademhaling horen, zwaar en vlug. Hij kuste haar opnieuw. 'Het is maar een nacht, Elle, je gaat al snel weer terug. Ga je met me mee?'

Er was een reden dat ze het niet zou moeten doen, dat wist ze. 'Ik heb tegen mijn moeder gezegd...'

'Je moeder zei tegen je dat je je om haar geen zorgen hoefde te maken en dat je plezier moest maken. Ik heb het zelf gehoord.' Haar handen lagen nog op zijn polsen, hij greep haar elleboog. 'Laat dit niet zo zijn als de laatste keer. Ik heb het verpest de dag dat je wegging. Ik wilde het je toen vertellen, maar...' Hij hield zijn mond. 'Laten we het daar maar niet meer over hebben. Ga je met me mee?'

Ze wist bijna zeker dat het een heel slecht plan was, maar het kon haar niets schelen. 'Goed dan,' zei ze plotseling vrijpostig. Ze deed een stap naar rechts, en hij volgde haar. 'Laat me je gezicht zien. Ik kan je gezicht niet zien.'

Tom lachte zachtjes en deed een stap naar links. Ze keek hem even aan en kuste hem, ze wilde hem meer dan wat dan ook, wilde dit. Haar ogen glinsterden in het donker; haar hart bonsde, bloed en adrenaline ruisten door haar heen. Hij smaakte zoet, naar wijn en iets anders, en hij rook heel lichtjes naar zweet. Hij trok haar tegen zich aan, wild bijna, en pakte haar hand.

'Ga met me mee,' zei hij.

43

Ze ontsnapten door de donkere, verlaten gangen van het hotel. Tom hield Elles hand vast onder het lopen en het leek uren te duren. Het voelde vreemd, ze hadden elkaars hand nog nooit vastgehouden. Ze stapten in de lift en ze duwde zich tegen hem aan en ging met haar tong over zijn lippen. Hij verstijfde verbaasd, maar drukte zich toen ook tegen haar aan en hield haar hoofd in zijn handen. Ze hield ervan om in een lift te kussen, het voelde slecht, ondeugend, roekeloos. Ze was soms graag roekeloos.

Elle had in New York verschillende onenightstands gehad. De eerste keer was ze in een bar met een jongen blijven praten nadat Megan, een vriendin van Jane Street, was vertrokken en ze was uiteindelijk met hem mee naar huis gegaan. Hij heette Ryan; een leuke jongen met slap haar; even slap als al het andere, helaas. Maar de ervaring op zich had ze heel spannend gevonden. Het had alleen met iemand anders moeten zijn. Tegenwoordig ging Elle meestal voor jongens met een glinstering in hun ogen, die zei: *Ik wil wat jij wilt en laten we dit niet ingewikkelder maken dan het is.* Ze nam hen mee naar haar appartement – er lag altijd een pakje condooms in haar nachtkastje – en de volgende dag zette ze hen eruit, ze wist wat ze deed, en ze hoefden zich nergens anders op te concentreren dan op... seks. Seks, seks, seks. Ze was niet zo'n sneu vadsig typje dat rosé dronk tot ze omviel in een gore, stinkende flat. Ze had alles onder controle, ze was slank, drukbezet en verantwoordelijk voor haar eigen doen en laten.

Toen ze op de tweede verdieping uitstapten herinnerde Elle zich

Yorkshire Road en de flat met Caitlin en bijna stopte ze om terug te gaan, maar ze vermande zich. *Het is zijn probleem als hij met iemand naar bed wil, maar dat eigenlijk niet zou moeten doen,* zei ze tegen zichzelf. *Het is maar voor een nachtje, dat is duidelijk. Het is seks, meer niet.* Ze hoorde gejuich. 'Zijn zij dat?'

'Weet ik niet,' zei Tom, en hij trok haar aan haar hand mee. 'Kom op.'

Ze bleef staan en keek uit het raam. In de voortuin stonden de bruidegom en zijn zwangere bruid, ze stapten in een grijze Bentley onder het gejuich van de gasten. Libby gooide het boeket in de lucht in een explosie van cameraflitsen en confetti. Annabel sprong hoog op om het te vangen, het portier sloeg dicht en weg waren ze.

'Elle.' Tom vouwde zijn vingers om haar bovenarm en wreef met zijn duim over de zachte huid aan de binnenkant. 'Ga je mee?'

Ja,' zei ze, en ze haastten zich door de gang, hun voetstappen gedempt door het tapijt. Tom rommelde met het sleutelkaartje en duwde de dunne deur zo hard open dat hij tegen de muur sloeg. Hij deed hem dicht, duwde haar ertegenaan en kuste haar opnieuw. Gek van verlangen drukte ze zich ook tegen hem aan. Hij was lang en slank, dat wist ze; maar ze had niet geweten dat zijn spieren zo hard en pezig waren. Hij sloeg zijn sterke gladde armen om haar heen en fluisterde dingen in haar oor terwijl zijn handen haar rok over haar heupen omhoog schoven, waardoor ze zich hunkerend tegen hem aan drukte, haar hoofd achterover gooide en hem nog steviger vasthield.

'Weet je zeker dat je dit wilt?' vroeg Tom.

'Zeker?' Elle ontwaakte uit haar roes. Ze staarde hem wezenloos aan, haar verwarde haar viel over haar schouders. 'Natuurlijk weet ik dat zeker, Tom.'

Hij trok haar met een glimlach op bed, en ze keken elkaar zittend op hun knieën aan. Hij ritste haar jurk los en bleef haar kussen terwijl zij zijn overhemd probeerde los te krijgen, maar haar vingers knoeiden met de kleine harde knoopjes en hij trok het over zijn hoofd, op hetzelfde moment dat zij haar jurk uittrok. Ze droeg een koffiekleurige beha en bijpassend slipje, ook die trok ze uit, en terwijl hij vooroverboog om haar blote borsten te kussen keek hij op naar haar en glimlachte zijn lieve glimlach. Zijn penis prikte tegen haar knie; ze pakte hem vast en liefkoosde hem, hard.

'Je bent prachtig,' zei hij. 'Je bent zo mooi.'

Hij streelde haar, betastte haar tussen haar benen en ging achteroverliggen terwijl zij op hem klom. Hij bleef haar strelen, zijn andere hand liefkoosde haar tepels, hij likte haar en mompelde vieze dingen in haar oor. Elle kon de warmte over zich heen voelen kolken, het bloed stroomde razendsnel door haar aderen. Ze nam zijn penis in haar hand en hij gaf haar een condoom, dat ze er samen omheen deden.

'Kom in me,' zei ze bijna wild van verlangen.

Tom schoof opzij, en zij zakte langzaam over hem heen. Zijn handen lagen op haar heupen. Ze deed haar ogen dicht en plotseling kwam hij hard omhoog van het bed, zodat haar ogen verbaasd openvlogen. Hij was groot, ze kon hem voelen, hoe nat ze ook was.

'Ik kan het niet geloven,' zei hij door zijn op elkaar geklemde tanden heen. 'Elle... Elle...'

Ze keek naar hem, ontnuchterd. Tom Scott. Ze was bijna vergeten hoe goed ze hem kende en nu kende ze hem bijna niet meer. Zijn ogen keken haar aan, zijn handen lagen op haar borsten, zijn prachtige lange, gespierde lichaam... Tom Scott zat in haar, drukte zich tegen haar aan, raakte haar aan en zij... Hij pakte haar handen terwijl ze omhoogging en zich weer terug liet vallen, hem diep in zich voelend. Het momentum was voor haar voorbij, voor altijd. Het was geen onenightstandfantasie, wild en gevaarlijk. Het was Tom, hij was echt, ze kende hem, hij was met iemand anders, zij woonde heel ver weg en Mike was er ook nog... Ze wilde dat ze opnieuw konden beginnen, maar dat was te beangstigend, ze kon nu niet meer terug. Ze wreef hard tegen hem aan en algauw kwam hij klaar, luid en laag grommend, zijn handen op haar heupen, haar vasthoudend alsof hij wel moest, alsof hij verdronk.

Elle vond het moeilijk om met iemand anders in bed te slapen; dat was altijd zo geweest. Ze werd een paar keer wakker terwijl Tom naast haar zachtjes lag te snurken en viel weer terug in haar droom, waarin ze de bruiloft achterstevoren opnieuw beleefde, de kussen van Tom, het gesprek met Rory, het drankje dat ze aan de bar met Felicity had gedronken, het dansen. Vlak na zonsopgang viel ze in een diepe slaap en ze werd wakker door het geluid van de badkamerdeur die dichtging. Ze lag in bed en staarde naar het plafond.

Haar hoofd klopte, en ze had een zure smaak in haar mond. Door een spleet tussen de zware gestreepte gordijnen prikte de zon de kamer in. Ze kon de vogels horen zingen, leidingen horen tikken, en ergens hoorde ze een gesprek... Waar kwam dat vandaan?

De deur ging open, en Tom kwam de kamer binnen. Hij krabde op zijn hoofd. Elle deed haar ogen dicht, en hij klom weer bij haar in bed, nog altijd naakt, en sloeg een arm om haar heen. Ze draaide zich om zodat ze met haar rug naar hem toe lag en hij trok haar tegen zich aan. Ze kon zijn adem in haar nek voelen. Zijn huid was warm, maar zij had het koud.

'Ben je wakker?' vroeg Tom zachtjes.

'Mmm,' zei Elle. 'Niet echt.'

Hij wiegde tegen haar aan, en ze kon zijn erectie voelen. 'Goedemorgen,' zei hij. 'Hoe voel je je?'

'Niet geweldig.' Elle vond dit prettig, ze kon tegen hem praten zonder hem aan te kijken, want dat zou heel gênant zijn. Ze drukte zich nog iets steviger tegen hem aan en voelde zijn borstkas tegen haar ruggengraat.

'Kan ik iets voor je doen?' vroeg Tom. Ze gaf geen antwoord en hij zei: 'Het is bijna negen uur. Als je...'

Elle zat meteen rechtop. 'Mijn god. Ik heb mijn moeder niet laten weten dat ik niet thuis zou komen,' zei ze. Misselijkheid overspoelde haar; haar hoofd begon gevaarlijk te draaien.

Toms ogen flitsten over haar borsten. 'Sms haar even,' zei hij. 'Zeg dat je over een uurtje thuis bent, dan kunnen we eerst even ontbijten.'

'Ik kan niet...' Elle repte zich uit bed.

'Kom op,' zei hij. 'Je zult je na een ontbijtje en een douche veel beter voelen.'

Dat klonk verstandig, alsof ze het weer bespraken en niet hoe ze weg moesten komen na een dronken neukpartijtje waarvan ze niet meer zo goed wist hoe ze erin verzeild waren geraakt. 'Goed,' zei ze. Ze belde haar moeder op haar mobiel, maar ze nam niet op, dus belde ze naar huis, haar vingers toetsten het nummer zo snel ze kon.

'Goedemorgen,' zei een oude man.

'Hallo?' zei Elle. 'Ik ben op zoek naar mijn moeder, is ze er?'

'Moeder?' zei de stem. 'Mijn vrouw is een paar jaar geleden overleden, ben ik bang.'

'O.' Elle sloeg haar hand voor haar mond, omdat ze snapte wat ze had gedaan. 'Meneer Franklin, het spijt me,' zei ze. 'U spreekt met Eleanor, de dochter van Mandana. Ik heb ons oude nummer gedraaid.'

'Aha!' zei meneer Franklin langzaam. 'Ik vroeg me al af wie je was. Je hebt jullie oude telefoonnummer dus onthouden? Wat gek. Ik zou zweren dat ik je moeder vanmorgen nog heb gezien, hier voor het huis. Ze stond naar binnen te kijken.' Elle glimlachte. Mandana had een hekel aan de zalmkleurige rozen die de familie Franklin voor Willow Cottage had gezet. 'Zo ordinair, net als Margo in *The Good Life*', zei ze altijd als ze toevallig langs hun oude huis kwamen. 'Ik weet zeker dat zij het was,' zei meneer Franklin. 'Gaat het wel goed met haar?'

'Eh... ja hoor. Alles in orde. Sorry dat ik u heb gestoord.'

Ze zei gedag en hing op. 'Mijn moeder is vanmorgen al op pad geweest.'

'Geweldig,' zei Tom geruststellend. 'Dan heb je nog even.'

Ze draaide zich om en keek hem aan, zich er ineens van bewust dat ze nog steeds naakt was. 'Eh... ja... dank je,' zei ze.

Ze stuurde Mandana vlug een sms'je. 'Kom terug in bed,' zei Tom, en hij sloeg het dekbed terug. 'Even nog.'

'Eh... goed dan.' Elle kroop naast hem.

Hij nam haar in zijn armen maar haar schouder deed pijn zo tegen hem aan gedrukt, het was benauwd en ongemakkelijk, hoewel ze er niets van zei. Ze lagen daar, samen knipperend met hun ogen, kijkend naar de gedetailleerde kroonlijsten. Elle voelde zich plotseling rusteloos en haar geest was alert en wakker. Ze begon zich bepaalde dingen te herinneren. Caitlin. Zijn dochter. Wat deed hij hier? Maar als ze het zou vragen, zouden zij 'iets' zijn en ze ging dinsdag al weer terug... Het was niets, dat kon niet, ze bleef nog maar twee dagen... Ze leunde tegen hem aan en rook zijn droge, warme huid, ze wilde dat ze weer tegen hem aan in slaap kon vallen, in een mislukte poging zich te ontspannen. Even later streelde Tom zachtjes over haar arm.

'Hé.' Hij kuste haar in haar nek. 'Heb je zin in een ontbijtje?'

Terwijl Elle douchte, bestelde Tom roomservice en een taxi voor haar en samen aten ze spek met eieren, gehuld in donzige ochtendjassen en zittend bij het raam met uitzicht over het park. Het was een prachtige dag in mei, de lucht was strakblauw. Elle kon niets door haar keel krijgen, ze had gedacht dat ze honger had, maar haar kater veranderde steeds, dus tegen de tijd dat het ontbijt arriveerde waren de eieren in haar ogen een weerzinwekkende smurrie en het spek ranzig en vet. Ze kauwde op een stukje toast en probeerde niet naar Tom te staren. Af en toe hoorden ze stemmen in de gang die de stilte in de kamer verbraken terwijl ze probeerden een beleefd gesprek te voeren: over het weer in New York in mei, hoe oud Sanditon Hall was en wat de beste route voor Tom terug naar Londen was. Het was vreemd. *Het was een onenightstand, maak je niet druk, op dinsdag ben je weer terug en je ziet hem waarschijnlijk nooit meer.*

Toen er werd gebeld dat de taxi er was, was ze opgelucht. 'Ik kan maar beter gaan,' zei ze terwijl ze ging staan en haar kleren aantrok. Hij keek naar haar.

'Het was leuk gisteravond,' zei hij. 'Je was fantastisch.'

'O, oké, bedankt,' zei Elle. 'Jij, eh... jij ook.'

'Bedankt,' zei Tom. Hij ging verder met zijn eieren. Ze kon hem wel slaan vanwege zijn eetlust.

'Ik maak een ongemakkelijk moment alleen maar langer,' zei Tom. 'Alleen maar om het zo lang mogelijk te rekken, vergroot ik de ongemakkelijkheid.'

Elle stopte haar BlackBerry in haar tas en trok haar schoenen aan. 'Klus geklaard,' zei ze glimlachend. 'Het spijt me dat ik zo snel weg moet...'

'Het geeft niet.' Tom stond op. 'Luister, is alles nu goed tussen ons?'

'Eh... ja hoor,' zei Elle. Ze hield haar mond even, in een hand had ze een schoen. 'Ja,' zei ze wat rustiger. 'Alles is goed.'

'Ik mail je,' zei hij. Hij slikte en krabde aan zijn kin, die ruw en donker van de stoppels was. Ze bedacht hoe sexy hij eruitzag en dat hij zich daar totaal niet bewust van was. 'Elle, het was geweldig, misschien kunnen we...'

'Ik moet nu echt gaan,' zei ze. 'Het spijt me, Tom. Ik moet terug naar mijn moeder, dat snap je toch wel? En jij moet terug naar...' voegde ze er terloops aan toe. 'In Yorkshire Road woonde je toch?'

Hij knikte, hoewel hij lichtelijk verbaasd keek. 'Yorkshire Road, Richmond? Klopt, wat heb jij een goed geheugen.' Hij pakte haar hand. 'Maak je geen zorgen. Ik spreek je gauw weer, goed? Ooit in ieder geval. Dit is... Nou, toch ben ik blij. Goede reis.'

'Jij ook, eh... ja, bedankt,' zei ze, niet in staat uit te spreken wat ze voelde, en ze deed de deur dicht. Het laatste beeld van hem was dat hij daar stond in de donzige witte ochtendjas met zwarte stoppels op zijn kin en een bezorgde blik in zijn donkere ogen.

44

De taxichauffeur kwam uit de buurt en kende de weggetjes goed, dus hoewel hij hard reed voor haar gevoelige hoofd, ging het wel snel en de rit over de wegen vol witte bloesem, vol van leven, was bijna aangenaam.

Toen ze bij de schuur was en de chauffeur had betaald, keek ze naar het oude gebouw, de zon verwarmde de stenen. Er stond een raam open; de geraniums in de potten bij de deur zagen er fleurig en verwelkomend uit.

Maar toen hoorde Elle iets, een schommelend, wiegend geluid vermengd met iets wat druppelde. Ze spitste haar oren en liep naar de voordeur. Er kwam geen reactie toen ze klopte, steeds weer opnieuw. Ze checkte haar sms'jes, maar haar moeder had niet gereageerd dus liep ze naar het keukenraam en tuurde naar binnen.

De oude platenspeler stond aan, maar de plaat was afgelopen en bleef maar rondjes draaien. De kraan stond halfopen, en het water druppelde met veel lawaai in de gootsteen. Mandana zat bijna net zoals de vorige keer aan de keukentafel, alleen lag er van alles op tafel, het was rood en oranje en het stonk, het stonk enorm, en toen Elle door het raam naar haar riep, reageerde ze niet.

Toen Elle haar jurk eindelijk over haar heupen had getrokken en door het raam klom en haar moeder heen en weer schudde, die kletsnat was van de wijn, het bloed en het braaksel, reageerde ze nog steeds niet en ook bewoog ze niet, helemaal niet. Pas toen de ambulance kwam en ze de flessen weghaalden, zag ze het grote vel papier op tafel liggen, met daarop slechts twee woorden in een sierlijk schuin handschrift:

Sorry Ellie

45

Zelfs wanneer ze al heel oud was, zou Elle zich de dagen nadat ze Mandana had gevonden nog tot in het kleinste detail kunnen herinneren. De rit naar het ziekenhuis elke ochtend die routine leek te worden, alsof ze aan een nieuwe baan was begonnen en haar leven vanaf dat moment zo zou zijn. Het was een prachtige rit, over het platteland. Dat was een van de redenen waarom ze echt niet meer terug naar huis kon. In gedachten zou ze het begin van de zomer altijd met die tijd associëren. Het fluitenkruid tussen de hagen, de vroeg bloeiende kamperfoelie, de zware geur van wilde knoflook overal. Vervolgens parkeerde ze in de enorme, lege parkeergarage en ging naar binnen via de grote portiek van het gebouw uit de jaren tachtig. Het was opgetrokken uit nepmarmer, en ze had zich altijd afgevraagd waarom het er stond. Om mensen gerust te stellen? *Wij hebben een marmeren portiek. Het komt goed, je moeder/echtgenoot/kind zal niet doodgaan.* Ze kon haar voeten horen piepen op de rubberen vloer, zag de gigantische metalen liften, de manier waarop vrouwen hun handtas tegen hun zij gedrukt hielden en omlaag keken, naar de grond. Dan haar moeders kamer, met nog een vrouw, die na twee dagen vertrok, en Elle wist niet waarheen.

Mandana lag op haar rug, haar hoofd iets achterover. Ze zou dat echt heel erg hebben gevonden, wist Elle. Haar moeder sliep op drie kussens, rechtop bijna, dat had ze altijd gedaan. Ze zat graag in bed te lezen, naar de radio te luisteren, in zichzelf te praten of tegen wie er ook maar was. Niet plat, alsof ze al een lijk op een brancard was. Elle had een verpleegster gevraagd of ze een paar kussens onder haar hoofd wilde leggen, maar ze had nee gezegd. Mandana's gezicht was geel, haar haar zat tegen haar voorhoofd en nek geplakt en het was vet en slap. Haar handen lagen altijd in dezelfde positie, haar linkerhand was tot een vuist gebald op haar wijsvinger na en haar rechterarm kwam onder de rand van de schone witte lakens vandaan. Haar rechterarm was zo goed als onbruikbaar; ze zeiden dat de alcohol de bloedsomloop door de jaren heen bijna volledig had afgekneld. Dat had ze ook verborgen gehouden, ze gebruikte haar linkerarm, vroeg anderen om een pot open te draaien, en ze hield haar rechterhand altijd in haar zak, op haar heup. Elle had het gezien, maar nu was het te laat.

Op een dag was Elle binnengekomen en was haar wijsvinger opgekruld, net als de andere. 'Ze heeft bewogen,' zei Elle tegen de arts. 'Haar vinger zat eerst niet zo, maar zo.' Ze deed het voor.

Maar ze hadden niet naar haar geluisterd, omdat het niet uitmaakte, en dat probeerden ze haar te laten inzien; niets deed er nog toe.

Op de twaalfde dag werd haar ademhaling onregelmatiger en haar pols zwakker. Rhodes was langsgekomen en hij had samen met Elle in het café gezeten, vlak bij de marmeren portiek, toen ze Elle terug hadden geroepen, maar het was al te laat, ze was weggegleden.

Elle was blij dat Rhodes er was. Toen ging hij terug naar huis, naar Melissa en Lauren, en Elle ging terug naar de schuur. Het was nog licht, hoewel het al na negenen was. Ze belde een paar mensen, haar vader, Bryan, Mandana's baas in de bibliotheek, haar beste vriendin van school, maar eigenlijk waren er niet zoveel mensen om te informeren. Ze sprak met Caryn en vertelde haar wat er was gebeurd. Caryn vroeg wanneer ze terug zou komen. Dat zou Elle nooit vergeten, hoewel ze dol op Caryn was en haar heel veel verschuldigd was. Ze zou zich altijd herinneren dat zij belde om te vertellen dat haar moeder zojuist was gestorven en Caryn had gezegd: 'Wanneer denk je weer terug op kantoor te zijn? Ik heb namelijk vandaag Elizabeth Forsyte gesproken en die vroeg het.'

Toen Elle had opgehangen, had ze om zich heen gekeken in de grote, eenzame schuur en naar de blauwgrijze schemering buiten en ze was naar de keuken gelopen, had een paar vuilniszakken gepakt en was naar boven gegaan om op te ruimen. Wat moest ze anders doen? Gaan zitten huilen? Dat had ze geprobeerd maar de tranen wilden niet komen. Het was beter om iets te doen, ze moest iets doen. Ze kon daar niet gewoon stil blijven zitten. Ze zou erover na gaan denken en dat kon ze niet. Dus ging ze rap en systematisch door het huis en sorteerde alles in stapels – houden, liefdadigheidsinstelling, afval – en vervolgens ging ze nogmaals door de 'houden'-stapel en splitste die op in notaris, Rhodes, ik, verkopen. Twee dagen later was ze klaar en was er niets meer wat ze nog kon doen. Tegen half juni was ze weer terug in New York, op een dag na een maand nadat ze was vertrokken. De BEA (BookExpo America) begon net en drie dagen lang ging ze naar het enorme, anonieme Jacob Javits Center aan de rand van de stad en liep ze langs de stands vol roddelende uitgevers die elkaar begroetten. *Sorry Ellie, Sorry Ellie, Sorry Ellie.* Drie dagen daar en ook dat begon na een tijdje als routine te voelen, dus zei ze tegen zichzelf gedurende de lange, hete, zweterige nachten in haar piepkleine appartementje dat ze de ene routine gewoon had vervangen door de volgende en dat was de beste manier om te functioneren.

Pas later kwam ze erachter dat rouwen niets met het verstand te maken heeft.

Op de laatste klokslag om middernacht verdwenen de koets en de paarden, de koetsier en de lakeien. Assepoester bevond zich in haar oude grijze jurk en op haar houten klompen op een donkere verlaten weg.

– Vera Southgate, *Well-Loved Tales: Cinderella*

46

September 2008

'O, trouwens.' Elle schonk zichzelf nog een kop koffie in. 'Ik moet volgende maand naar Londen voor een Building Bridges-conferentie. Ik denk erover om bij Rhodes, Melissa en Lauren en op kantoor langs te gaan.'

Gray deed het nieuwskatern van *The Times* omlaag en keek haar aan. 'Wanneer?'

'Dat weet ik nog niet precies.' Elle trok haar BlackBerry naar zich toe. 'Het is... O ja. Het is vanaf maandag de twintigste tot woensdag. Ik vlieg zondag en kom woensdagmiddag of -avond weer terug, denk ik.'

'Zijn je vluchten al geboekt?'

De zon stroomde door de enorme open ramen naar binnen, het was wederom een perfecte septemberdag. Met haar ogen knipperend dacht ze erover na. 'Ja, sorry schat. We hadden het een poos geleden al gehoord, maar ik dacht eigenlijk dat het niet door zou gaan. Het klinkt mij een beetje belachelijk in de oren om naar Engeland te vliegen om daar in een slecht verlichte zaal over het verbeteren van de marges te praten als de wereld zich in financieel opzicht in een vrije val en chaos bevindt, maar zo zie je maar weer.'

'Ik zal je missen,' zei Gray. Hij pakte haar hand en kuste hem, zijn platte duim met de afgekloven nagel liefkoosde de diamant die pas een paar maanden om haar vinger zat; het voelde nog steeds vreemd, te groot voor Elle. Ze bleef er steeds mee achter dingen haken, haar kleding, haar haar. Ze was ermee langs Sydneys wang geschraapt op zijn verlate pensioenfeestje en had bijna zijn oog uitgekrabd.

'Ik zal jou ook missen, schat,' zei ze, en ze glimlachte.

'Ben je er al aan gewend?' vroeg Gray, haar gedachten lezend. 'Aan verloofd zijn? Het past bij je, weet je.'

'Ik weet niet of ik er ooit aan zal wennen,' zei Elle. Dit was een van de dingen die ze zo leuk aan hem vond, hij vond eerlijkheid belangrijker dan gevlei. 'Het is zo'n onnatuurlijke toestand voor mij, niet het een noch het ander. Ik had niet gedacht dat het mij ooit zou overkomen.'

Gray zei droog: 'Nou, ik ben blij dat ik al je dromen kan laten uitkomen.'

Ze hielden elkaars hand vast over de ontbijttafel; ze lachte, trok haar hand terug en pakte het manuscript weer op dat ze aan het lezen was. 'O, absoluut,' zei ze. 'Dat doe je zeker.'

Op zaterdag brunchten Elle en Gray doorgaans laat in hun appartement en terwijl Gray *The Times* en *The New Yorker* las, bladerde Elle manuscripten door en beantwoordde de e-mails waar ze door de week niet aan was toegekomen. 's Avonds gingen ze vaak uit eten met vrienden – Grays vrienden, de academici, liberalen en schrijvers uit wie hun vriendenkring bestond. Zaterdagochtend was een van haar favoriete momenten van de week, als ze op de bank in hun Soho-loft zaten, luisterend naar de mensen beneden en het vage gedreun van het verkeer op de straatstenen, want hoewel ze aan het werk was, werd ze niet gestoord door telefoontjes, mensen die naar haar toe kwamen of het getril van haar BlackBerry. Ze had tijd voor zichzelf, zodat ze de week erna met een voorsprong kon beginnen. De Frankfurter Buchmesse begon over een paar weken en hoewel ze er niet heen zou gaan, was er wel de gebruikelijke stroom manuscripten, het gebruikelijke koortszweet dat van het voorhoofd van de redacteur die miljoenen wilde bieden moest worden gewist, en de maalstroom van diners, borrels en vergaderingen die moest worden doorstaan. Als je aan het hoofd van een divisie stond, een team van vijfentwintig man leidde en (relatief) jong, succesvol en verloofd met een van New Yorks meest gerespecteerde auteurs was, bracht je maar zelden tijd thuis door en daarom waren de zaterdagochtenden haar zo dierbaar. Dineren met Grays vrienden betekende oude Italiaanse restaurants, discussies over Europese steden waar ze nog nooit was geweest en herinneringen ophalen aan mensen die ze nooit zou ontmoeten omdat ze al dood waren. En hoewel ze altijd vriendelijk tegen haar waren, wist ze wat ze dachten.

Deze zaterdag zat ze met haar benen onder zich in haar pyjama met haar laptop op schoot zo verwoed te typen dat ze Gray de kamer helemaal niet in had horen komen nadat hij had gedoucht. 'Ik ga even boodschappen doen,' zei hij. 'Kan ik iets voor je meebrengen?'

Ze schudde haar hoofd, blies hem een kus toe en typte verder. 'Nee, niets.'

Gray bleef even bij de deur staan en liep naar haar toe. Langzaam liet hij zich naast haar op de bank zakken. Elle verplaatste haar benen zodat zijn lichaam ertegen rustte. De lijnen op zijn knappe gezicht waren beter zichtbaar in het felle ochtendlicht.

'Ik heb eens zitten denken,' begon hij.

'Altijd gevaarlijk, maar ga verder,' zei Elle.

Gray knipoogde. Zijn hand verdween onder de deken, en hij streelde haar voet. 'Misschien ga ik wel met je mee naar Londen. Mijn uitgever in Frankrijk wil graag dat ik naar Parijs kom voor de verkiezingen, in elk geval om zitting in een panel te nemen, en dat heb ik steeds afgehouden. Ik zou met jou mee kunnen gaan en dan de Eurostar kunnen nemen. Vind je dat goed?'

'O,' zei Elle. Ze deed haar laptop dicht en legde haar handen erbovenop. 'Geweldig. Alleen zal ik niet veel tijd voor je hebben.' Ze legde hem het zwijgen op terwijl hij verontwaardigd jammerde. 'Ik meen het! Dat soort conferenties duren achttien uur per dag, we zitten de hele tijd in een hotel en ik zal druk zijn, ik moet mensen spreken...' Ze zweeg even. 'Ik wil heus wel met je naar Londen, dit is alleen niet zo'n goed moment. Ik vlieg letterlijk heen en weer terug, want donderdag heb ik een directievergadering en een grote presentatie,' ratelde ze verder.

'Tuurlijk, tuurlijk,' zei hij. Hij bewoog niet. Ze keek naar hem, naar zijn verweerde, knappe gezicht, de adamsappel boven het geruite overhemd, de donkerblauwe slobbertrui. 'Ik weet dat je heel druk bent, maar Elle, ik moet je familie toch ooit eens ontmoeten en ik wil graag met je mee naar Londen. Ik ben dol op die stad en zou hem graag met jou verkennen. Zodat je mij al je oude plekjes kunt laten zien en zo.'

Ze aarzelde, en hij sprong naadloos op de stilte in. 'Ik weet dat je het niet leuk vindt om erheen te gaan. Dat begrijp ik. Ik zal er ook niet te veel over zeggen als ik met je mee ga. Maar ik hou van je, Elle, we gaan trouwen. Ik wil dat stuk van je leven kennen.'

Het was zo comfortabel onder de deken, tegen de kussens aan gevlijd. Veilig, gezellig en goed. Gray was er, Dean & DeLuca zat een blok verder en ze had twee afleveringen van *30 Rock* opgenomen die ze straks kon kijken. Ze keek hem aan en pakte zijn handen. Ze kende hem zo goed en toch waren ze vreemden voor elkaar.

Eerlijk gezegd was ze doodsbang om deze stap te zetten. Veel meer dan voor wat dan ook in hun relatie tot op dat moment.

Toen Elle begon als Gray Logans redacteur konden de mensen het niet laten haar te bespotten. Hij had op de shortlist voor de Pulitzerprijs gestaan, zijn laatste twee boeken waren *New York Times* Notable Books, hij schreef voor *The New Yorker* en Philip Roth was een van zijn fans. En hij zou worden geredigeerd door het Engelse meisje dat Elizabeth Forsyte en romantische boeken deed? Belachelijk. Een van haar agenten, Bunny Friedman, had haar onomwonden gevraagd of er nog wel werk voor oudere redacteuren zou overblijven als de jongeren alle goede auteurs zouden inpikken.

'Wat voor ervaring heb jij om iemand van Grays kaliber te redigeren?' had Bunny haar in het ijskoude steakrestaurant op Sixth Avenue gevraagd, omgeven door bloederig vlees en zwaarlijvige zakenmannen.

'Geen enkele,' had Elle eerlijk gezegd. 'Het kan een ramp worden, maar we voelen allemaal de behoefte aan een frisse wending en ik beschouw het als een eer dat ik het mag doen.'

Deze strategie had ze geleerd op een cursus die ze had gedaan met de hilarische titel: 'Leer mensen begrijpen: tien instrumenten die elke manager zou moeten kennen'. Eerlijk gezegd was ze banger dan ze ooit was geweest. Dit was onbekend terrein voor haar: een auteur die prijzen had gewonnen, lezingen gaf en Amerikaanse Geschiedenis op Columbia doceerde. Wie was zij om hem te vertellen hoe hij zijn boeken kon verbeteren? Maar na de successen die ze had geboekt met het overnemen van Miles O'Shea en het vervolg op *Shaggy*

Dog Story waren Caryn, Stuart en Sidney, haar bazen, ervan overtuigd dat zij de juiste persoon was om het te doen. Sinds zij Miles uitgaf waren zijn verkoopcijfers verdubbeld. En van *Diary by Design*, een zelf uitgegeven boek dat ze in een klein boekwinkeltje in The Village had gevonden, waarop ze verliefd was geworden en dat ze vervolgens voor Jane Street had gekocht, waren meer dan een half miljoen exemplaren verkocht en het was genomineerd voor de National Book Award.

Dus toen Grays eerste boek bij haar, het vervolg op *Bethan and Judy*, dat op de de shortlist voor de Pulitzer-prijs had gestaan – maar heel slecht was verkocht – het veel ambitieuzere *Gold Standard*, over een joods gezin uit de Upper West Side wiens zoon buiten het geloof trouwt, op de *The Times*-bestsellerlijst was terechtgekomen en er meer dan 100.000 hardcovers van waren verkocht, was niemand opgeluchter dan zij. Het gerucht ging zelfs – 'Het is een gerucht, maar mijn lieve hemel, wat een gerucht!' had Caryn gegild – dat Oprah het had gelezen en erover dacht het te noemen...

Toen Sidney met pensioen ging en Stuart en Caryn werden gepromoveerd, werd Elle op drieëndertigjarige leeftijd gevraagd Jane Street Press over te nemen en in de directie te komen. Ze had nu een team van vijfentwintig mensen, een omzet van twintig miljoen dollar per jaar en een assistente helemaal voor zichzelf alleen, die dingen deed zoals het ophalen van haar kleding bij de stomerij en het reserveren van lunchafspraken. Elle zou zich een leven zonder haar niet meer kunnen voorstellen, hoewel Courtney zoveel van Elle verschilde op dezelfde leeftijd als maar mogelijk was. Ze was ingetogen, broodmager, vriendelijk en bijzonder efficiënt, bijna te goed om haar ooit te laten doorstromen naar een hogere functie. Als ze eens even niets te doen had – en dat gebeurde niet zo vaak – vergeleek Elle zichzelf op tweeëntwintigjarige leeftijd met Courtney. Courtney zou auteurs nooit met Shitley aanspreken, geen taxi's bestellen die haar baas naar Harlow in plaats van Heathrow zouden brengen of agenten een halfuur in de receptie laten wachten. Haar baan bij Jane Street was heel anders dan die bij Bluebird, maar Elle analyseerde nooit waarom een boek een succes werd, wat de toverformule was om het succes te verzekeren. Ze hield vast aan twee principes: geef boeken uit waar je zelf dol op bent en behandel je auteurs goed. Een van haar auteurs had ze zelfs zo goed behandeld dat ze nu samen met hem in zijn loft in het historisch centrum woonde, met zijn ring om haar vinger en haar toekomst verzekerd.

Gray had gelachen toen ze de week voor kerst bij hem was ingetrokken. Al haar bezittingen hadden in een taxi gepast.

'Je bent drieëndertig en je hebt drie dozen, een klein tafeltje en een lamp. Is dat alles wat je door de jaren heen hebt verzameld?'

'Ja,' had Elle gezegd. 'In Perry Street kon je je kont niet keren en de flats in Londen waren het niet waard om dingen voor te kopen.'

Ze had een paar boeken, wat posters, de lamp van een winkel in Chelsea, een paar mooie schaaltjes van Anthropologie waarin ze haar sieraden bewaarde en op haar kleding na was dat alles. Haar meeste boeken lagen in opslag, maar Felicity's exemplaar van *Venetia* had ze nog steeds bij zich, al wist ze niet waarom. Misschien was ze van plan het op een dag terug te geven of misschien vond ze het geruststellend het in de buurt te hebben.

'Je hebt je nooit ergens gevestigd,' had Gray geconcludeerd, terwijl hij de lamp had uitgepakt en die voorzichtig op het dressoir had gezet. 'Nu wel, vind je dat niet interessant?'

'Nee,' had Elle gezegd, en ze had de paar kerstcadeautjes die ze al had ingepakt onder de kleine kerstboom gelegd. 'Analyseer me niet.'

Ze was niet van plan geweest verliefd op Gray te worden; ze had haar zinnen nooit op hem gezet. God, hij was bijna vijftig! Al zijn vriendinnen lieten haar op verschillende manieren weten hoeveel geluk ze had; hij was echt een zeer goede vangst. Maar niet in haar ogen; hij was veel te oud. Daarom had ze het lange tijd niet geweten en pas toen ze op een avond in The Village zaten te eten – ze woonden dicht bij elkaar in de buurt en hadden een paar keer afgesproken – en hij iets grappigs zei, had ze naar hem gekeken en gedacht: *Ja, ik ken jou. Ik ken jou.*

Hij was briljant, interessant, en stond in hoog aanzien, maar hij was ook grappig. Hij maakte haar aan het lachen en er was al heel lang niet meer iemand geweest die dat had gedaan. En zij maakte hem aan het lachen, zoals niemand meer had gedaan sinds zijn vrouw was overleden. Het waren zijn vrienden en hun echtgenotes die constant verwezen naar Julia, zijn overleden vrouw, continu vroegen hoe het met Rachel op Stanford ging, alsof Elle verantwoordelijk was voor haar geluk of beter gezegd voor haar ongeluk. Het kon Elle niet schelen. Gray had een goede relatie met zijn dochter en ze zagen haar regelmatig als ze in New York was. En Julia maakte hier deel van uit, hij had van haar gehouden en als ze nog zou leven, dan zouden ze nog samen zijn geweest, maar dat was niet zo, dus waarom zou er geen nieuwe vrouw in zijn leven zijn? Ze had hem van niemand gestolen, maar Grays vrienden leken dat wel te denken, uit de armen van een oudere vrouw, iemand die samen met hem kon klagen over krakende knieën of kon praten over die goeie oude tijd in Studio 54, Warhol en Basquiat and Bianca. Na een poosje vond ze het niet erg meer dat hij ouder was, ze vond het zelfs wel prettig. Het gaf hem een verleden, een verleden dat hij soms wilde vergeten. Ze wilden allebei opnieuw beginnen.

Toen Gray een uur later terugkwam, had hij een stoffen tas van Dean & Deluca vol eten bij zich en een ijskoffie van Starbucks.

'Ik kwam Hana en Joel in de supermarkt tegen,' zei hij, en hij tilde de tas op de zwart marmeren ontbijtbar. 'Ze gaan volgende week naar het feestje van Joseph en ze hebben gisteravond een preview van *All My Sons* gezien. Het was fantastisch, zeiden ze.'

Elle keek op van het manuscript dat ze zat te lezen, weer een *Vliegeraar*-achtig verhaal over een jongetje uit een klein dorp, ditmaal in Turkije. 'O, wauw.' Ze ging rechtop op de bank zitten en rekte zich uit. 'Hoe was Katie Holmes?'

Gray keek haar wezenloos aan. 'Wie?'

'Katie Holmes?' zei Elle. 'Kom op zeg. Ze is getrouwd met Tom Cruise? Hij sprong voor haar bij Oprah op de bank? Het is haar Broadway-debuut, erg belangrijk.'

'Natuurlijk.' Gray glimlachte. 'Alles wat ik ervan weet is dat het een prachtig toneelstuk van Arthur Miller is en dat John Lithgow een van onze beste acteurs is. Ik zit in een culturele woestijn, vergeef me.'

Elle nestelde zich weer in haar deken en sloeg een bladzijde van het manuscript om. Als Gray zo deed kon ze hem wel wurgen. Hij overhandigde haar de koffie.

'Heb je nog nagedacht over de trip naar Londen?'

'Dank je,' zei Elle. 'Natuurlijk. Waarom gaan we niet volgend jaar in de lente? Het is beter als ik deze keer gewoon heen en weer ga. Vind je dat goed, schat?'

'Ja,' zei Gray, en hij plantte een kus op haar voorhoofd. 'Natuurlijk.'

Ze keek naar hem terwijl hij door de enorme kamer naar de ontbijtbar liep en ze vroeg zich wederom af waaraan ze hem had verdiend en wanneer hij erachter zou komen hoe ze echt was.

47

Zijn tweede poging deed hij een paar dagen later. Ze hadden afgesproken in de Regal in de buurt van Union Square om naar *The Duchess* te gaan kijken. Gray doceerde op Colombia over Amerikaanse revolutionaire politiek, de Amerikaanse Revolutie en de gevolgen daarvan en hij popelde om de film te zien, hoewel Elle een hekel had aan Keira Knightley en liever iets anders had gezien, wat dan ook, zelfs *Transformers*.

Het was extreem warm buiten, zo warm was het in september in Londen nooit. Op Broadway reed het verkeer bumper aan bumper en de uitlaatgassen stegen op naar de lege lavendelblauwe lucht. Elle wachtte op Gray in de foyer met airconditioning, huiverend onder de intense ijzige luchtstroom van het apparaat boven haar. Plotseling besefte ze dat dit het enige aan Londen was wat ze miste. De ramen konden daar open om frisse lucht naar binnen te laten, de lucht had geen temperatuur van min tien of vijfendertig graden – afgelopen zomer op 4 juli was het asfalt op JFK zelfs gesmolten toen de thermometer achtendertig graden had aangegeven. Er waren absoluut een paar dagen per jaar in New York dat Elle wenste… niet direct terug in Londen te zijn, dat niet, maar een gematigde, mistige dag, het soort weer waar Londen de helft van het jaar van genoot.

Terwijl ze naar de foto van Keira Knightley met de breedgerande hoed stond te kijken, gingen haar gedachten terug naar Libby en Rory's bruiloft, al wist ze niet waarom. Misschien kwam het doordat ze Annabel vanmorgen tijdens een videoconferentie had gesproken; Annabel had naar haar gezwaaid en geroepen: 'Hoi, Elle! Lang niet gezien!' Elle had in verlegenheid gebracht haar hand opgestoken en zich tot Celine gewend. 'Dus, Celine. Waar staan we met de pitch voor Zara Goodman?'

Ze wist dat ze zich als een trut gedroeg. Had Annabel die bruidsmeisjesjurk met die herderinnenhoed nog? Zag ze Libby en Rory nog wel eens? De laatste keer dat Elle iets van Libby had gehoord, was ze zwanger van baby nummer twee en woonden ze net buiten Tunbridge Wells. *Echt een heel leuk dorp, echt plattelands, een hechte gemeenschap,* had ze gemaild, waarop Elle had willen vragen: *Zeker bankiers en accountants die elke ochtend naar Charing Cross forenzen?* Ze had beloofd Libby een volgende keer op te zoeken. *Als ik tijd heb,* had ze geschreven, hetzelfde wat ze tegen Gray had gezegd. *Je weet hoe dit soort conferenties zijn, je hebt geen minuut voor jezelf.*

Tuurlijk, tuurlijk! had Libby gemaild. *Wanneer je maar wilt. Ik heb mijn handen toch vol aan Scarlett! Het leven als moeder is veel hectischer dan mijn werk als redacteur was, dat had ik nooit beseft!* Elle had niet gereageerd.

Rory werkte nog steeds bij Bookprint, nog maar net. Hoe onwaarschijnlijk ook, Elle had hem ten overstaan van haar Amerikaanse collega's verdedigd. 'Wie is die vent?' had Stuart op een zeker moment gezegd. 'Hij is zo slecht.'

Hij? Nou, ik heb meer dan een jaar een affaire met hem gehad. Hij was mijn baas.

Dat had ze niet gezegd, maar wel: 'Ze hebben hem erbij gekregen toen ze Bluebird kochten, hij hoorde bij de deal.'

'Bluebird?' Stuart had zijn voorhoofd gefronst.

'Het bedrijf van de familie Sassoon,' had Elle gezegd. 'Een van de laatste onafhankelijke uitgeverijen.'

'O,' zei Stuart vaag; hij deed alleen aan het grotere plaatje, nuances kende hij niet. Waarom zou hij ervan hebben gehoord? De verkoop was bijna acht jaar geleden. 'Ik herinner het me, vaag.'

Ze had niet gezegd dat zij er had gewerkt, al wist ze niet goed waarom.

Ze stond in gedachten verzonken in de lobby, doelloos van de ene herinnering naar de andere zwevend, er subtiel in prikkend, als een tong op een pijnlijke tand voor het geval een te harde aanraking te veel zeer deed, toen Gray verscheen.

'Lieverd, het spijt me zo,' zei hij lichtelijk buiten adem. 'Ik moest

Morgan vanmorgen spreken, maar hij was laat, we hadden een geweldige meeting, maar het liep uit… Het spijt me.'

'Geen probleem,' zei ze, en ze kneep in zijn arm.

Hij kuste haar. 'Heb je al popcorn gehaald?'

'Nog niet,' zei Elle. Gray was dol op popcorn. Ze leunde tegen hem aan en ademde de geur van hem in, waarvan ze zo hield: kruidige aftershave en de licht boterachtige geur van zijn huid. 'Mmm,' zei ze zachtjes. Ze deed haar ogen dicht, haalde diep adem en voelde de stress van die dag uit zich wegglijden. 'Ik hou van je,' fluisterde ze.

'Ik ook van jou,' zei Gray, en hij trok haar tegen zich aan. Hij kuste haar oor. 'Schat, gaat het wel?'

'Ja hoor, prima,' mompelde Elle, en ze ging rechtop staan. 'Laten we maar in de rij gaan staan.'

'Goed.' Gray trok een rolletje bankbiljetten uit zijn broek. 'O, trouwens, je hebt je tickets naar Londen toch al geboekt?'

'Eh… niet persoonlijk,' zei Elle. 'Het is een poos geleden al geboekt.'

'Hmm, hmmm.' Gray stopte zijn mobiele telefoon omslachtig in de zak van zijn versleten oude blazer. 'Ik denk dat ik toch maar meega naar Londen. Morgan en ik hadden het er vandaag over. Er is bepaald onderzoek dat ik alleen in de London Library kan doen. Ze hebben er een fantastische topografiecollectie en er staat een dagboek uit 1774 dat is geschreven door een dienstmeisje van Benjamin Franklin. Zou je het erg vinden, schat? Ik kan dan net zo goed tegelijk met jou gaan – hoewel ik natuurlijk ook een week later kan gaan als je echt niet wilt dat ik meega.' Ze staarde hem aan. Hij leunde voorover, turend naar het menu boven hen. 'Grote beker gezouten en twee cola. Schat, wil je ook cola? Elle?'

Ze aarzelde. Ze kende Grays trucjes uit het verleden. Wederom moest ze toegeven dat hij het ijzersterk had aangepakt. Wat voor keuze had ze? Elle beet op de binnenkant van haar wang, rode mist doemde voor haar op.

'Eigenlijk heb ik liever niet dat je meegaat, dat heb ik al gezegd,' zei ze. 'Je weet dat ik heel druk zal zijn.'

'Dat weet ik,' zei Gray. 'Heus, dat weet ik. En…' Hij haalde diep adem. 'Ik weet dat je er een hekel aan hebt terug naar Londen te gaan. Ik weet dat je er een hekel aan hebt naar je broer te gaan, maar het is meer dan vier jaar geleden.'

'Ssst,' zei Elle. Het liefst zou ze haar handen over haar oren leggen.

Zachtjes zei Gray: 'Het is vier jaar geleden dat je moeder is overleden, Elle.'

Ze knikte, haar lippen stijf op elkaar.

'We zijn al twee jaar samen, we gaan binnenkort trouwen en ik heb je familie nog nooit ontmoet. Ik weet helemaal niets van je leven daar.' Hij pakte haar handen en keek haar diep in de ogen met zijn vriendelijke hazelnootkleurige kijkers. 'Het is zes jaar geleden dat ik Julia ben kwijtgeraakt en ik dacht dat ik er nooit overheen zou komen, maar toch is het gelukt. Jij hebt de rest van je leven nog voor je liggen, schat. Misschien wordt het tijd om door te gaan.'

Ze haatte de onuitgesproken boodschap, de manier waarop hij het zei. *Je zou er nu wel overheen moeten zijn.* Hij zou het nooit begrijpen. Julia was gestorven aan een aneurysma in haar hersens, daar had hij niets aan kunnen doen. Elle trok haar handen weg, pakte haar cola en beende weg, naar de lift. Ze zei: 'Ik zou willen dat je niet mee zou gaan, maar goed dan.'

'Ik ga toch mee,' zei Gray achter haar. 'En ik begrijp niet waarom je zo doet, Elle.'

Ze had er zo'n hekel aan als hij tegen haar sprak alsof ze een stout kind was. 'Je snapt er helemaal niets van, hè?' Ze bleef staan, draaide zich om en lachte kort om de ongerijmdheid van het rood en geel in de lobby, de muzak op de achtergrond en de klanken van een explosie uit het scherm naast hen.

'Nee, dat doe ik verdorie niet,' zei hij. 'Je weigert over haar te praten, je zegt er nooit iets over, je zegt dat het mijn zaken niet zijn, nooit...'

Elle onderbrak hem. Op een robotachtige manier zei ze: 'Ik heb haar vermoord, Gray.'

'Belachelijk.' Hij hield haar tegen. 'Dat is niet waar, Elle.'

'Echt wel.' Elle rukte zich woedend los uit zijn greep.

'Uw kaartjes, alstublieft,' zei de kauwgom kauwende vrouw bij de zaaldeur laconiek terwijl ze voor zich uit staarde.

'Laten we naar binnen gaan en dit later bespreken,' zei Gray met zijn kaken stijf op elkaar, en Elle zag dat ze te ver was gegaan. Ze verafschuwde het hoe ze dat kon, hem zo op zijn nek kon zitten dat hij dichtklapte, en als Gray dichtklapte betekende het dat hij de rest van de avond kil en humeurig was. Zo was hij niet geweest toen ze elkaar voor het eerst hadden ontmoet. Soms vroeg ze zich af of dit de enige manier was die hij had om tot haar door te dringen. Niet meer communiceren tot ze was afgekoeld en om vergiffenis smeekte omdat ze zich als een lastig kind had gedragen. Dat was zo cliché; alsof hij een soort vaderfiguur voor haar was, alleen omdat hij toevallig zestien jaar ouder was.

Ze liep achter hem aan de zaal in, zich een weg tastend in het plotselinge donker.

48

Die nacht schrok Elle om drie uur klaarwakker. Alsof het licht was aangedaan. Ze ging op haar rug liggen en staarde naar het raam. Er zat een spleet naast de jaloezieën; ze kon de brandtrap van het gebouw ertegenover zien. Op straat trapte iemand tegen iets aan, een blikje?

Het beeld was terug. Het was alles wat ze kon zien.

Ze kroop uit bed, trok een badjas aan en liep op haar tenen naar de enorme woonkamer. Het was er koud, spookachtig en onvriendelijk in het donker. Ze deed de koelkast zachtjes open en pakte een pak melk. De tranen liepen over haar wangen. Ze knipperde ze woedend weg alsof er insecten tegen haar gezicht aan vlogen.

Het gebeurde continu sinds ze terug was in New York, minstens twee keer per week. Eerst had ze geprobeerd weer in slaap te komen, maar dat was zinloos. Sterker nog, het was erger, want dan lag ze daar maar en ging ze dingen beseffen. Wat ze had kunnen doen. Wat ze niet had gedaan.

Er was geen ritueel om te rouwen, niet hier in Amerika, noch in Engeland. Je droeg geen zwart meer, je scheurde je kleren niet aan flarden om samen met een groep anderen te jammeren, je bracht geen bezoek aan het graf op de sterfdag om te picknicken en verhalen te delen over degene die je was verloren. Niemand gaf je een handleiding voor wat je moest doen als je moeder stierf. Je was gewoonweg ongelukkig, wanhopig en alleen. De mensen waren aardig tegen je of ze vermeden je, je was besmet met iets wat zij niet wilden krijgen.

Elle zat op de bank en trok haar voeten onder zich. Eerst probeerde ze te lezen, maar dat had geen zin, lezen gaf haar tegenwoordig niet meer zoveel plezier. Ze kon zich niet concentreren als ze zich zo voelde, dan danste het beeld van haar moeder onder het bloederige braaksel en die twee grote zwarte woorden op het stuk papier voor haar ogen, ze verblindden haar. *Sorry Ellie. Sorry Ellie. Sorry Ellie.*

Normaal gesproken keek ze tv. Ze zette hem aan om te proberen het beeld kwijt te raken, ze wiegde zachtjes heen en weer en ademde diep in en uit. Dat leek te helpen, het was haar eigen ritueel geworden. Want als het haar raakte alsof ze tegen een muur was gerend, en ze gaf zich er echt aan over, zelfs na al die jaren, dan kreeg het haar klein, dus het beste was om het uit te zingen, een weg om de muur heen te vinden, te kijken naar iets stompzinnigs, ver verwijderd van wat ze dacht, zodat het beeld verdween, haar niet langer kwelde. Ze zapte langs de verschillende zenders. Op CNN werd een verkiezingsdebat uitgezonden, een groep blanke mannen met blauwrode stropdassen zat rond een tafel over Obama en Palin te praten. Ze staarde naar het beeld, in haar hoofd het lijstje van senators opnoemend die ze kon onthouden en vervolgens de staten, in alfabetische volgorde, tot de hysterie in haar afnam, een beetje maar.

Het beeld was er echter nog steeds. Het beeld dat steeds terug bleef komen. Het was iets kleins, maar toch groot. Anita, de vriendin van haar moeder – degene die textiel uit Rajasthan importeerde en geen bedrijfje met Mandana had, nooit had gehad en nooit zou krijgen, dat was een grote leugen, zoals zoveel dingen die Mandana Elle door de jaren heen op de mouw had gespeld – had Elle verteld dat ze haar had gezien, de avond voordat ze was gestorven. Ze waren naar de pub geweest. Mandana had de hele avond cola gedronken. Anita was haar portemonnee vergeten en na sluitingstijd teruggegaan. Ze was teruggefietst naar het dorp en daar, voor Willow Cottage, huilend op haar knieën, had Mandana half bewusteloos onzin uit zitten kramen. Anita – dat zei ze althans – had haar overeind geholpen en gevraagd of alles in orde was, en Mandana had tegen haar gezegd dat ze weg moest gaan en haar met rust moest laten. Ze was daar blijven zitten, wie weet hoe lang. Anita had haar daar achtergelaten – *lekkere vriendin*, dacht Elle, hoewel achteraf bleek dat ze helemaal geen vriendinnen waren en Anita degene was die een relatie met Bryan had. Mandana was zelfs nog nooit met hem uit geweest. Het was een grote leugen.

Hoe ze bij de schuur anderhalve kilometer verderop was gekomen, wist Elle niet, maar het was haar gelukt en ze had zichzelf doodgedronken. Wodka, whisky, tequila. Een halve fles van elk was genoeg om haar om zeep te helpen. Ze stierf aan een gigantische innerlijke bloeding, maar ze had al jaren chronisch leverfalen, cirrose, wat niemand wist behalve zij en de dokteren. In februari was ze opgenomen geweest; ook dat had niemand haar of Rhodes verteld. Toen Elle de dokter had gevraagd waarom niet, had de dokter vermoeid gezucht en gezegd: 'Ze hebben het waarschijnlijk geprobeerd, maar je hebt te maken met iemand die verschillende leugens tegen verschillende groepen mensen vertelt om de waarheid te verhullen. Ze vertelde één ding aan jou, iets anders aan ons en weer iets anders aan je broer.'

'Een misleidende ziekte,' zo had Melissa het genoemd, en ze had gelijk. Het verklaarde zoveel: de geel wordende huid en nagels, het dunne haar, de verwarring, de paranoia. Haar lever was gestopt te functioneren, hij kon niets meer afbreken en stuurde ammoniak naar haar hersens, vocht naar haar benen, en nog verborg ze het, ze gebruikte alle kracht die ze in zich had om naar de achtergrond te verdwijnen, zodat niemand het besefte en zij door kon drinken. Zelfs Rhodes en Melissa hadden niet geweten hoe erg het was. Niemand. Behalve Mandana.

Het was het beeld van haar moeder op haar knieën in het donker voor hun oude huis waar Elle niet tegen kon. Dat wekte haar, dat beeld was kristalhelder in haar geest, elke keer weer. Hoe wanhopig ze moest zijn geweest, hoe eenzaam, hoe ongelukkig, en niemand had iets gedaan om haar te helpen, jarenlang niet. Rhodes en Melissa niet, haar ex-man niet, haar vrienden in het dorp niet en vooral Elle niet, die haar spullen had gepakt en was vertrokken, weg was gegaan om een eigen leven te beginnen. Ze had eerder die dag hetzelfde tegen Gray gezegd en dat vond ze nog steeds: in plaats van naar huis te gaan naar haar moeder, was Elle met Tom naar zijn kamer gegaan, ze had met hem gevreeën, de nacht met hem doorgebracht, in een soort van behoeftige poging haar eigen gevoel van isolement in Engeland te verlichten. Ze wist dat Mandana het expres had gedaan.

Ze kon haar dochter niet vertellen hoe diep ze was gezonken, ze kon niet tegen de gedachte van een leven zonder alcohol, ze dacht niet dat ze sterk genoeg was om het te proberen. Elle was er nooit achter gekomen waarom Mr. Franklin had gedacht dat hij haar die ochtend had gezien. Misschien had hij de oude Mandana gezien, een geest, een visioen uit het verleden.

Ze wist dat ze haar had vermoord, ze had net zo goed zelf een mes in haar kunnen steken, eerst door haar ermee te confronteren en vervolgens door haar alleen te laten toen ze haar nodig had. Iedereen kon zeggen dat het niet zo was, het was een verschrikkelijke ziekte, alcoholisme, het veranderde mensen in monsters die logen tegen de mensen van wie ze het meest hielden, en Elle wist dat allemaal. Het veranderde echter niets. Het had anders kunnen gaan en daar zou ze mee moeten leren leven.

'In het hoofdartikel van *The New Yorker* stond deze week dat het presidentschap van George W. Bush het ergste sinds de wederopbouw is,' zei de nieuwslezer. 'Wat ik graag zou willen weten is, wat vindt u van deze bewering?'

'Nou, wat ik wel eens zou willen weten, Chuck, is of zij wel in dezelfde wereld leven als ik? Hoe halen ze het in hun hoofd om op die manier naar een man te verwijzen, een vaderlander, een godvrezende man die van zijn land en zijn mensen houdt?' Een prachtige blonde dame in een rood pakje sloeg met haar kleine vuist op tafel. 'Ik denk soms oprecht dat mensen de dingen vlak voor hun neus niet zien, Chuck. Echt heel, heel verdrietig.'

'Wat is er, liefje?'

Gray stond in de deuropening, gekleed in een oud T-shirt en een boxershort met zijn armen over elkaar. Nog half slapend staarde hij haar aan.

'Kun je niet slapen?'

Elle schudde haar hoofd.

'Heb je haar weer gezien?'

Elle knikte. Hij kwam naar haar toe en ging naast haar op de bank zitten.

'Je moet echt eens met je broer praten als je in Engeland bent. Je moet er met iemand over praten. Heb je het nummer van die rouwtherapeut nog?'

'Ik heb geen zin om daar weer heen te gaan,' zei Elle. 'Het is vier jaar geleden, ik kan er nu zelf wel mee omgaan.' Ze deed haar mond weer dicht.

'Oké.' Gray keek naar haar en toen naar de tv. 'Ik heb zo'n hekel aan dat mens. Zullen we dit afzetten?'

'Nee!' zei Elle, en ze griste de afstandsbediening uit zijn hand. 'Ik heb dit nodig. Laat staan. Het gaat wel, ik moet de dingen alleen... laten gaan. Laat me met rust. Waarom kun je me niet gewoon met rust laten?'

Terwijl ze dat zei, hoorde ze haar moeders stem en ze besefte hoeveel hun stemmen op elkaar leken.

Gray bewoog zich niet. Vermoeid zei hij: 'Schat, ik ben dit zo zat.'

'Jij bent dit zat?' zei Elle. 'Hoe bedoel je, je bent het zat dat ik verdriet heb over de dood van mijn moeder? Heb ik genoeg tijd gehad en die is nu voorbij?' Ze lachte en trok haar knieën onder haar kin. 'Wauw, dat is goed om te weten. Laat me nu maar even alleen, Gray. Ik kom zo weer terug naar bed.'

Waarom was ze toch altijd zo boos op hem, terwijl het zijn schuld niet was? Ze keek naar hem door haar wimpers, naar zijn knappe, gedistingeerde gezicht met de vriendelijke glimlach. Ze dacht terug aan hun tweede afspraakje, toen hij haar een weekend mee naar Martha's Vineyard had genomen – 'weg van de nieuwsgierige blikken. Ik wil niet dat iemand iets over ons weet, ik wil je helemaal voor mezelf alleen' – alsof ze een waardevolle prijs was, een beloning. Ze vond het geweldig, ze vond het geweldig zich zo te voelen. Dat hij – Gray Logan, dé Gray Logan – haar had verdiend, ze het waard was te worden verdiend.

Zo voelde ze zich nu niet, ze kon zich trouwens helemaal niet meer herinneren hoe dat voelde.

'Ik bedoel,' zei hij, en hij zuchtte zachtjes, 'dat je steeds minder lijkt op degene die je was en dat is niet goed. Ik wil niet dat je verandert, ik hou van je en ik zal altijd van je blijven houden, maar ik wil dat je gelukkig bent en ik wil dat we samen gelukkig zijn. Ik ben het zat om net te doen alsof alles in orde is en er met jou niets aan de hand is terwijl je je begraaft in je werk en gedijt bij ruzies. Je bent niet in orde. Dat wilde ik even zeggen.'

Elle knikte. Ineens voelde ze zich heel, heel moe. Een golf ervan spoelde over haar heen, als een huiverige windvlaag op straat, en heel even wilde ze dat ze in Engeland was, met heel haar hart. Ze wist niet waarom. Alleen deed de geur van natte bladeren en de regen in de straten van Manhattan haar denken aan hoe anders de herfst in Londen was, hoe je de kille mist in je botten voelde, in de vochtige oude gebouwen, en waar lichtgeel licht van de lantaarnpalen op het witte stucwerk en de rode bakstenen scheen. Doorgaans duwde ze die gedachten weg, maar nu was het niet nodig, want ze ging terug.

'Ik zal je mijn vluchtgegevens nog doormailen,' zei ze zachtjes. 'Ik blijf daar maar drie nachten. Ik zal Rhodes ook mailen en vragen of we mogen komen eten. Ik neem aan dat je hem wilt ontmoeten.'

'Ja, dat klopt,' zei Gray. Hij deed zijn mond open om iets te zeggen, maar deed hem weer dicht. In plaats daarvan leunde hij voorover en kuste haar, zijn handen voelden warm op haar koude huid. Ze leunde achterover terwijl hij met zijn hand over haar lichaam gleed en onder haar hemd in haar borst kneep. Daar hield hij zijn hand en hij bleef haar kussen. Zij aaide hem over zijn wang en kuste hem terug. Het was vreemd, maar bij Gray was ze nooit geïntimideerd door zijn ervaring, zoals wel het geval was geweest bij Rory. Toen ze nog zo jong was en hem zo graag wilde behagen, zo'n enthousiast jong ding. Ze vond het spijtig dat Grays vrouw was overleden en ze had geen interesse in zijn ex-vriendinnen; dat was nu eenmaal zo. Want als zij samen waren draaide het alleen om hen twee, hand in hand, samen lopend door de straten, de rest van de wereld verdween naar de achtergrond. Terwijl ze elkaar kusten in die donkere kamer met de tv flikkerend op de achtergrond, klampte Elle zich aan dat beeld vast, en alleen daaraan, omdat het misschien, heel misschien toch zou lukken.

49

Building Bridges Conferentie,
20 t/m 22 oktober 2008

Programma dag 1
Deelnemers verzamelen in de Oak Room
9:00 Koffie / netwerken
9:30 Introductie door CEO's **Celine Bertrand** en **Stuart Forgan**: Building Bridges en Bestsellers
10:30 Wat gaat er met het gedrukte boek gebeuren in het digitale tijdperk? Paneldiscussie met **Eleanor Bee** (uitgever Jane Street Books), **Rory Sassoon** (algemeen uitgever BBE Books) en **Tom Scott** (eigenaar Dora's boekwinkels)

'Waar slaat dit nu weer op?' Elle staarde naar het programma in haar hand. Ze pakte haar BlackBerry, maar besefte dat het in New York nog midden in de nacht was. Courtney zou nog slapen. Iemand zei: 'Hallo,' tegen haar terwijl ze naar het schermpje staarde.

'O, hoi.' Ze keek op en klopte op Celines arm. 'Celine, blijkbaar heb ik vanmorgen zitting in een panel, maar daar wist ik helemaal niets van.'

'Wat?' vroeg Celine, en ze fronste. Ze keek naar het schema en weer naar Elle. Elle voelde zich net veertien. 'Dat is heel vreemd. We hebben gemaild, je assistente heeft ons verzekerd dat je volledig op de hoogte bent. Ik heb zelfs persoonlijk met haar gesproken om er zeker van te zijn.'

'Nou, dat heeft ze mij niet verteld. Dat is...' Elle schudde haar hoofd. Ze voelde hoe haar maag zich omdraaide. Nog nooit had ze iemand anders van een fout beschuldigd. Voor alles was een eerste keer. Ze had niet geslapen in het vliegtuig of afgelopen nacht in het hotel, ze had slechts in zo'n irritante toestand tussen waken en slapen in verkeerd, starend naar het plafond. Vanavond was het etentje met Rhodes, ze had tig ongelezen e-mails die ze moest afhandelen en daarnaast moest ze nu ook nog ten overstaan van tweehonderd mensen gaan zitten met twee van haar ex-... eh... wat, geliefden? ... om e-books te bespreken.

Wauw, dacht ze. *Ik word echt ergens voor gestraft*. 'Luister,' zei Elle vlug. 'Geen zorgen, ik weet zeker dat ze het heeft gezegd.' Ze wist zeker dat Courtney het had gedaan, maar ze had niet geluisterd. 'Grappig genoeg,' zei ze, en ze haalde diep adem, 'hadden we een paar weken geleden een directievergadering over digitale zaken, dus in dat opzicht ben ik helemaal bij. Ik weet zeker dat ik er wel doorheen kan sukkelen.'

'Doorheen kan sukkelen?'

'Het komt goed,' zei Elle vastberaden. 'Geen zorgen.'

Celine knikte nors en liep door. Elle ademde diep in, leunde tegen de muur en keek om zich heen. De vergaderruimte bevond zich in een onpersoonlijk internationaal hotel in Mayfair. Voor elk raam hingen crèmekleurige gedrapeerde gordijnen die het uitzicht op Londen blokkeerden: je kon net zo goed in Singapore, Sydney of Berlijn zijn. De muren waren bekleed met een haverkleurige stof en er stond een minimum aan meubilair. Overal in de enorme zaal stonden groepjes mensen koffie te drinken en te mompelen. Je kon de Britten zo van de Amerikanen onderscheiden: ze waren iets groter, droegen kleur en hun haar zat niet zo goed. Met een ietwat schuldig gevoel omdat ze zo dacht zwaaide Elle naar Caryn en Stuart, die in een hoek van de zaal een diepzinnig gesprek stonden te voeren.

Uit het niets zei een stem: 'Als u zo vriendelijk zou willen zijn naar uw plaatsen te gaan. We gaan zo dadelijk beginnen, hartelijk dank.'

Elle pakte haar tas en met haar BlackBerry in haar andere hand liep ze met grote passen naar de conferentiezaal. Ze keek op haar horloge. Ze hoopte dat ze niet te laat zouden beginnen. Ze had er om de een of andere reden mee ingestemd met Felicity te gaan lunchen en daarvoor wilde ze nog even bij Waterstones en WHSmith langs.

'Hoi, Elle!' Annabel Hamilton dook plotseling naast haar op. Haar haar was pluizig en ze had een grote vlek op haar vest. 'Hoe gaat het? Dat is lang geleden!' zei ze. Ze kuste Elle op haar wang, en Elle deinsde verbaasd terug bij dit onverwachte lichamelijke contact. 'Wil je bij me komen zitten? Wij Britten moeten samen een front vormen, hè?'

'We hebben plaatsen toegewezen gekregen,' zei Elle, 'maar misschien zie ik je straks nog wel even.'

Annabel streed hooghartig voor haar uit; Elle betrapte zichzelf zoals ze wel vaker deed en moest lachen. 'Wat een stommeling ben je soms toch,' fluisterde ze tegen zichzelf, en ze ging naar binnen. 'Doe toch eens normaal.' Ze ging zitten en keek op haar horloge. Halftien. Nog een uur te gaan. Twee meisjes liepen langs, keken even naar haar en gingen sneller lopen. 'Mijn god, Tors, dat is Eleanor Bee. Die uit New York,' zei het eerste meisje met een perfect kleinburgerlijk uitgeefmeisjesaccent, iets waar Elle vroeger door werd omringd maar wat ze tegenwoordig bijna nooit meer hoorde. Elle deed net alsof ze haar BlackBerry bestudeerde. 'Vroeger was ze Rory's secretaresse.'

'O, jemig, heeft ze niet met...' begon het tweede meisje voordat ze zachter ging praten en vlug doorliep. Elle spitste haar oren, maar ze kon het niet horen en dat was waarschijnlijk maar beter ook, hoewel ze hen het liefst bij hun lurven zou pakken en als een oude suffragette zou zeggen: *Solidariteit, jongedames!* Ze glimlachte voor het eerst sinds ze op de conferentie was.

'Leuk je te zien,' fluisterde Rory een uur later toen hij bij Elle op het toneel stapte. Hij kuste haar op haar wang. 'Moet ik buigen en je *madam* noemen?'

'Nee, *sir*,' zei Elle, en ze gaf hem een kus terug. 'Hoe gaat het? Hoe is het met Libby?'

Rory ademde in. 'Goed, heel goed, ze is dol op Tunbridge Wells, het is geweldig, we hebben een paar goede vrienden en nummer twee is onderweg, heel spannend, weer een meisje, ik hoopte op een jongetje, zodat we ons duo compleet zouden hebben en hem Rhett konden noemen, maar hé, dit is ook goed.' Hij stond te wiebelen en rimpelde zijn ogen, de oude uitdrukking die ze zo goed kende.

'Ja, het is geweldig.' Hij wendde zich tot Tom. 'Onze dochter heet Scarlett, weet je.'

'Ja.' Tom knikte beleefd. 'Hoi, Elle,' zei hij. Hij kuste haar en ging zitten. De zaal stroomde vol, de deelnemers namen na de koffiepauze weer plaats en keken verwachtingsvol naar het toneel.

'Zo,' zei Rory, en hij wreef in zijn handen. 'We hadden dit eigenlijk eerder moeten bespreken, neem ik aan, maar zo gaan die dingen nu eenmaal! Hebben jullie suggesties, is er iets waarop we ons moeten focussen?'

Ze herinnerde zich zijn joviale ouwe-jongens-krentenbrood-houding nog goed. Dat moest je hem wel nageven: Rory was een overlever, tegen alle verwachtingen in. Sinds Bluebird acht jaar geleden was verkocht had hij betere mannen en vrouwen zien vertrekken en op de een of andere manier had hij zijn baan behouden, een mengeling van nepotisme, sluwheid en charme. Hij was gewoon slim.

'Suggesties? Nee, niets,' zei Tom. 'Alleen dat ik e-books echt onzin vind en je echte boeken moet blijven kopen bij leuke zelfstandige boekwinkels.'

Elle ging naast hem zitten, met Rory aan haar rechterkant. Het podium was belachelijk klein. Ze wilde dat ze meer ruimte had, in plaats van gevangen te zitten tussen hen twee.

'Je hebt vier winkels,' zei Rory. 'Dat is praktisch een keten, Tom. Hypocriet.'

Tom negeerde hem.

'Vier?' vroeg Elle. 'Wat geweldig.'

Hij glimlachte vergenoegd. 'Bedankt. Ja, de eerste was in Richmond, toen in Marylebone, Kensington en Hampstead. Ik vecht om boeken bij de liberale elite te krijgen. De strijd gaat verder.'

'Waar komt de volgende?' vroeg Elle. 'Niet zeggen.' Ze hield haar vinger in de lucht alsof ze probeerde te voelen waar de wind vandaan kwam. 'Bath.'

Hij lachte. 'Helemaal goed. Jij weet van wanten.'

'Ja, en van handschoenen.' Elle voelde zich lichtelijk hysterisch.

'Die heb je in New York zeker wel nodig?' vroeg Tom. 'Handschoenen?'

'Hoe dan ook.' Rory zat met zijn vingers te trommelen toen Celine uit een zijkamer tevoorschijn kwam. 'Wat doen we met die e-books?'

'Ik weet het niet, laten we iets verzinnen.' Elle voelde zich roekeloos. Dit was de eerste vergadering sinds tijden waarop ze zich niet tot in detail had voorbereid. 'We weten waarover we het hebben, Tom, zelfs al denk je dat uitgevers duivels zijn en boekverkopers de onderdrukte massa.'

'O, hou toch op,' zei Tom vrolijk. 'Je bent zelf hypocriet.'

Ze haalde haar schouders op en deed met haar hand alsof ze hem een schouderklopje gaf.

'Ben je verloofd?' vroeg Rory terwijl hij naar de diamant om haar vinger keek.

'O.' Elle keek omlaag alsof ze het wilde checken. 'Ja, ja, dat klopt.'

'Met Gray Logan?' Rory schudde zijn hoofd. 'Wauw, ik wist dat je iets met hem had, maar... wat geweldig, Elle! Ik ben een groot fan. Jullie moeten eens in Kent komen lunchen!'

'O,' zei Elle. 'Ja, dat, eh... moeten we echt doen.'

'Gefeliciteerd,' zei Tom. Hij keek haar aan. 'Ik ben echt heel blij voor je.'

'Bedankt,' zei ze. Ze voelde dat ze rood aanliep. 'Zo belangrijk is het niet.'

Hij draaide zich naar haar toe, en ze wilde dat ze niets had gezegd. 'Hoezo niet?'

'O...' Elle wuifde met haar hand, zich plotseling bewuster van haar ring dan ooit tevoren. Hij was zo groot. Het leek wel een speelgoedding. Ze had dat soort ringen vroeger bij Hamleys van haar kerstgeld gekocht. Vijf pence per stuk waren ze geweest, grote glazen diamanten, goud met groene smaragden. Het dunne laagje goud of zilver had altijd een groenig-zwarte vlek op haar vinger achtergelaten. 'Nou, ik had gewoon niet gedacht dat ik ooit zou trouwen.'

'Hoe bedoel je, wil jij dan geen bruiloft met een Jane Austenthema en zes bruidsmeisjes met enorme hoeden?' vroeg Tom. 'Dat verbaast me, ik dacht dat dat juist iets voor jou was.' Elle wierp een blik op Rory, maar hij checkte zijn BlackBerry met zijn kin op zijn borst en hoorde hen niet. 'Dat was de laatste keer dat ik je heb gezien.'

Er viel een stilte.

'Eh...' zei Elle. 'Ja.'

Hij leunde naar Elle toe. 'Elle, het spijt me van je...' begon hij, maar vanaf de andere kant zei Rory plotseling: 'Hé, Tom, mijn moeder vroeg hoe het met Dora gaat.'

'Heel goed,' zei Tom. Zijn knie drukte tegen de hare en aan de andere kant duwde Rory's arm gehuld in een versleten donkerblauw pak tegen de hare. 'Alleen is ze helaas dol op *Hannah Montana*.'

'Wie is Dora?' vroeg Elle, en ze voelde zich dom.

'Mijn dochtertje,' zei Tom. 'Ik heb haar ook Dora genoemd, maar dat had ik beter niet kunnen doen. Heel verwarrend.'

'Hoe oud is ze nu?'

'Zes...' zei Tom, en hij leunde voorover. 'Elle...'

Naast hen tikte Celine op de microfoon. 'Goedemorgen,' zei ze, en ze hield haar hand er even voor en wendde zich tot hen. 'We beginnen zo. Houd alsjeblieft een stevige discussie. Niet terughoudend doen graag. Hebben jullie nog vragen?'

Alle drie schudden ze hun hoofd zonder iets te zeggen. 'Goedemorgen nogmaals,' zei Celine tegen de rest van de zaal. 'We mogen ons gelukkig prijzen dat we nu kunnen gaan genieten van een debat over e-books met drie belangrijke mensen uit de uitgeefwereld. Rory kennen jullie natuurlijk, hij werkt hier en is bij de BBE-divisie van Bookprint UK verantwoordelijk voor e-books.' Ze wierp hem een minachtende blik toe. *Ik hou van Celine*, dacht Elle, starend naar haar perfect balancerende hoofd. 'Tom Scott is eigenaar van de snelst groeiende zelfstandige boekenketen en hij komt heel veel uitdagingen in het boekenvak tegen, waaronder digitaal uitgeven. En Eleanor Bee is uitgever bij Jane Street, een van de meest succesvolle imprints van Bookprint US. Ze is in Engeland begonnen en zeven jaar geleden naar Amerika verhuisd. Ze heeft Jane Street vorig jaar overgenomen en heeft al vijf miljoen dollar aan de omzet toegevoegd.'

Yes, dacht Elle, en ze keek de zaal in om te zien of er iemand onder de indruk was. Iedereen zat echter beleefd te luisteren en ze besefte dat de meeste mensen het niet wisten – of het kon ze niet schelen – dat ze ooit een slordige talentloze hoop ellende was geweest in een te kort rokje met de neiging in huilen uit te barsten en broodjes garnaal in archiefkasten te laten liggen. Dat was haar verhaal, niet dat van hen.

Er riep iemand iets achter in de zaal, en Celine keek op. Een man van het IT-team die voor het toneel stond fluisterde iets tegen haar. 'We hebben een probleempje met het geluid, het kan nog wel even duren,' zei hij nuchter.

Het panel zakte weer achterover, en Rory tikte verder op zijn BlackBerry.

Tom schraapte zijn keel. Elle glimlachte gespannen en beleefd naar hem.

'Ik wilde zeggen dat het me spijt van je moeder,' zei Tom zachtjes. 'Het moet heel moeilijk voor je zijn geweest.'

Ze knikte vastberaden. 'Dat klopt. Bedankt voor je lieve brief. Sorry dat ik niet heb gereageerd.'

Hij schudde zijn hoofd. 'Dat geeft niet.' Hij keek bijna boos, zijn kaken waren gespannen, zoals altijd als hij boos was. Dat herinnerde ze zich ook. 'Je had me moeten bellen. Ik wilde dat ik je had kunnen helpen.'

'Helpen?' zei Elle, en ze knipperde met haar ogen terwijl het publiek terugweek. Hoe had hij kunnen helpen, hoe had iemand, behalve zij, iets kunnen doen? Ze beet op haar lip.

Ik had niet bij je moeten blijven slapen, wilde ze zeggen. *Als ik naar huis was gegaan, zou ze niet zijn gestorven. Dan zou ik op zoek naar haar zijn gegaan, dan zou ik haar hebben gevonden en zou alles goed zijn gekomen. Maar dat deed ik niet, ik was bij jou, in plaats van bij haar, en daarom is het gebeurd.*

Tom probeerde niets uit haar te trekken, zoals sommige vrienden wel hadden gedaan, omdat ze ervan overtuigd waren dat als ze niet persoonlijk getuige van de tranen van haar rouwproces zouden zijn, ze niet echt rouwde. Hij knikte alleen maar. 'Het is stom om te zeggen, maar ik wilde dat je het wist. Ze was heel aardig, ik ben blij dat ik haar heb ontmoet. Het... Het spijt me echt.'

'Goed dan,' zei Celine in de microfoon. 'Daar zijn we weer. Zoals jullie weten, is digitaal gaan de grootste uitdaging voor ons op dit moment...'

Elle had geleerd een perfect 'gefocust en geïnteresseerd' gezicht op te zetten en dat deed ze terwijl haar gedachten afdwaalden naar de dagen nadat ze haar moeder had gevonden. Ze wist niet waarom, maar misschien kwam het omdat ze haar broer vanavond zou zien, misschien omdat ze zichzelf zo zelden toestond erover te praten. Ze keek naar Tom; de mensen begonnen niet meer over haar moeder. In

New York had ze iedereen heel duidelijk laten merken dat ze er niet over wilde praten.

Het briefje met *Sorry Ellie* had ze vernietigd. Het maakte niet uit of ze het had of niet, het stond voorgoed in haar geheugen gegrift. Na die dag verdrongen die twee woorden zich in haar ooghoeken tijdens een vergadering, op de buis als ze tv zat te kijken of als ze tijdens een etentje met Grays vrienden zat te praten.

Al het andere was geregeld. Rhodes had het huis verkocht en nog wat dingetjes afgehandeld en ze was nooit meer terug naar het dorp geweest, niet één keer, en dat zou ze ook nooit meer doen. Alles in haar leven was zo gepland om zo ver mogelijk bij de herinneringen aan Mandana uit de buurt te blijven. Ze hield haar moeders spullen niet om zich heen. Ze probeerde geen dingen te zien die haar te veel aan haar deden denken. Ze ging ook niet meer naar Engeland in het voorjaar.

Gewoon doorgaan, niet stoppen, want anders loopt alles in het honderd. Ze had geleerd dat dat de beste manier was.

'... ja, het is een groot terrein, dat onze aandacht nodig heeft,' zei Rory. 'Maar ik heb het gevoel... Ik denk dat... goede boeken blijven verkopen en dat is waar we ons echt op moeten focussen. Er is bijvoorbeeld iemand die we op dit moment uitgeven, Paris Donaldson. Geweldige vent. We geven zijn boeken al jaren uit, maar hij is nooit echt doorgebroken, hij verkoopt zo'n...'

Elle keek om zich heen en besefte dat ze midden in de paneldiscussie was gevallen, die blijkbaar al in volle gang was. Ze was ooit, na een heel slechte nacht, toen het beeld maar niet wilde verdwijnen, naar JFK gereden om Gray op te halen en toen ze daar aankwam, herinnerde ze zich niet dat ze in de auto was gestapt of erheen was gereden. Nu gebeurde hetzelfde. Ze knipperde met haar ogen; was ze maar niet zo moe!

'Paris Donaldson heeft hier niets mee te maken, als ik zo vrij mag zijn,' zei Tom. 'Het gaat erom dat auteurs met echt talent over het hoofd worden gezien ten gunste van de handel, en...'

'Wat een onzin,' zei Elle vermoeid. 'Ik ben die discussie zo zat. Dit gebeurde twintig, honderd jaar geleden ook al. Luister. Ik lees zo'n vijftien manuscripten per week en dat zijn de manuscripten waarvan anderen denken dat het de moeite waard is dat ik ze lees en ze zijn bijna altijd afschuwelijk. Het probleem is dat te veel mensen denken dat ze kunnen schrijven, maar eigenlijk zouden ze zich de moeite beter kunnen besparen. Als iemand goed is, bereikt hij of zij de top. Misschien duurt het even, maar het gebeurt wel.'

'Je optimisme is roerend,' zei Tom. Ze wendde zich tot hem en sloot Rory op effectieve wijze buiten. 'Ik loop op de winkelvloer, Elle. Ik zie geweldige boeken van fantastische schrijvers binnenkomen, maar ze krijgen geen steun, geen geld, en dan komt er een stapel rotzooi binnen van een of ander supermodel en dat is wat je ziet op de bus, al zal het nooit echt iets opleveren voor de uitgever. Zij hebben geen langdurige carrière in het verschiet zoals die geweldige auteur, maar het glimt en glinstert, dus laten we de goede auteurs dan maar negeren en op jacht gaan naar de pot goud aan het einde van de regenboog.' Hij ademde zwaar, met één hand pakte hij zijn knie.

'Als je het supermodel niet zou hebben dat geld oplevert voor het bedrijf, dan zou je niet in staat zijn "goede" auteurs te betalen, zoals jij ze noemt,' zei Elle. 'En wie zegt dat het boek van het supermodel niet goed is? Als ik het hele jaar hard werk en twee weken op vakantie ga naar Griekenland, dan heb ik geen zin in een bleek, waardig, saai boek over mensen uit de middenklasse in Londen die hun stomme levens zelfvoldaan bediscussiëren. Soms wil ik gewoon een privévliegtuig en een hoer die champagne drinkt.' Er steeg gelach op uit het publiek. Ze had niet beseft dat het grappig zou klinken. 'Het is waar,' zei ze.

'Het is fantasie,' zei Tom. 'Een illusie.'

Ze lachte. 'Ik heb maar weinig illusies, geloof mij. Het is een vorm van ontvluchten en daar draait lezen nu eenmaal om.' Ze staarde hem aan, haar wenkbrauwen opgetrokken. 'Dat is wat we allemaal willen. Toch?'

'Niet allemaal...' begon Tom, maar Celine onderbrak hem.

'Dat is fascinerend, maar zullen we ons weer op het onderwerp e-books focussen? Hoe zullen ze...'

'Jongens!' siste Rory binnensmonds terwijl Celine sprak. 'Kunnen jullie mij bij de discussie betrekken? Ik zit er ook nog!'

Elle besefte dat ze bijna recht tegenover Tom zat. Hij boog zijn hoofd naar haar toe en keek haar aan, zodat alleen zij zijn uitdrukking kon zien. Zijn grijze ogen waren donker, zijn handen omklemden zijn knieën. Ze deinsde achteruit. Ze was vergeten hoe verontrustend ze Tom vond, hoe grappig hij kon zijn en haar dan met zijn intense blik, de manier waarop hij naar haar keek, van de wijs kon brengen. Plotseling was ze weer terug in de gang van het hotel, bij zijn kamer, zijn lippen op de hare, zijn handen op haar lichaam. Haar handen zweetten. Ze veegde ze af aan haar zwarte pak. Verdorie. Hij leek te weten wat ze dacht en vond het leuk tegen haar in te gaan en ze besefte dat het altijd zo was gegaan. Ze keek hulpeloos van hem naar Rory, haar hart ging tekeer en ze dwong zichzelf zich te concentreren op wat Celine zei. *Hou ermee op, Eleanor Bee.*

50

'Ik wil graag de steak tartare en de mosselen,' zei Felicity. Ze legde het menu neer. 'En jij?'

'O,' zei Elle, en ze keek er vlug naar. 'De caesar salad alstublieft.'

'Geen voorgerecht, mevrouw?' vroeg de kelner.

'Eh... de soep.' Elle was geïrriteerd. Ze had niet veel tijd en ze had geen zin in een lunch van meerdere gangen met een eindeloos durend dessert en koffie met een brandy na, hoewel ze wist dat Felicity daar prima toe in staat was. Zij at liever niet meer dan één gang. Als ze meer at, kreeg ze een opgeblazen gevoel en werd ze in de middag slaperig. En ze wist waar dit om ging. Felicity wilde haar een stom baantje bij haar uitgeverijtje aanbieden en ze moest beleefd blijven en geïnteresseerd klinken.

Ze wist niet waarom ze had ingestemd te komen. Was het een nasluimerend gevoel van respect? Een poging het verleden terug te halen, al was het maar voor even? Maar ze dacht dat ze vooral niet op het laatste moment had afgezegd omdat ze niet kon wachten de conferentiezaal met de dikke gordijnen en het lage plafond te ontvluchten. Tom bleef voor de broodjeslunch, en Rory leek vastbesloten niet van haar zijde te wijken, als een soort talisman, en ze had echt geen zin om hem te vertellen wat ze ging doen. Ze was naar de wc gegaan en gevlucht, zich haastend door de sombere marmeren en granieten lobby de regen in.

'Ik vind het hier fantastisch,' zei Felicity, en ze keek om zich heen naar de met panelen betimmerde ruimte. 'Zo Frans! Geweldig! Een van de leuke kanten van werken in Shepherd's Market zijn de plekjes waar je allemaal kunt eten. Goed,' zei ze, en ze duwde haar glas wijn aan de kant. 'Je weet dat ik je heb uitgenodigd om je een baan aan te bieden. Een poosje geleden had je geen interesse, maar ik blijf hoop houden. Mag ik je er iets over vertellen?'

Elle, die verlangend naar het broodmandje staarde, keek vlug op en zei zwakjes. 'O, nee, Felicity, ik ben niet...'

'Ik weet dat je in New York woont, maar ik heb gehoord dat je misschien overweegt terug naar Engeland te komen,' zei Felicity.

'Wie heeft u dat verteld?' vroeg Elle. 'Het is niet waar.'

'Aha,' zei Felicity. Ze tikte tegen de zijkant van haar neus met een vinger met daaraan een antieke ring met een amethist.

'Die ring!' riep ze uit. 'Het is dezelfde!'

Felicity keek vertwijfeld naar haar handen, alsof ze verwachtte dat er spruitjes aan haar vingers groeiden. 'Hoezo?' vroeg ze. 'Ik heb hem altijd gedragen. Hoe dan ook...'

'Het is gewoon,' zei Elle in een poging het gesprek uit de buurt van de baan te houden, 'dat ik hem destijds elke dag zag; het is vreemd, meer niet. Zo lang geleden.' Ze staarde weer naar de ring, de herinneringen kwamen terug.

'Ja, zeker.' Felicity's ogen flitsten heen en weer. 'Ik kan het me nauwelijks nog herinneren, eerlijk gezegd. Er is sindsdien zoveel gebeurd.'

'Weet u nog dat ik die koffie over u heen gooide?' zei Elle. 'Het was de meest verschrikkelijke dag van mijn leven.'

'Lieve schat, dat herinner ik me nog heel goed.'

'Ik dacht dat u me zou ontslaan.' Elle gaf het op, ze pakte een stukje brood en besmeerde het dik met boter.

'Wat belachelijk.' Felicity glimlachte naar haar. 'In eerste instantie herkende ik je niet, maar toen je koffie van mijn borst af begon te vegen zag ik dat jij het was. Ik herinnerde me niet meer hoe je heette. Na het gesprekje dacht ik: *dat is dat meisje dat zo goed is, maar nog nooit een boek van Georgette Heyer heeft gelezen.*'

Elle lachte en zei: 'Ik moet u iets verschrikkelijks bekennen. Ik heb uw exemplaar van *Venetia* nog steeds, dat heb ik nooit teruggegeven.'

'Een boekendief, mijn hemel. Heb je het gelezen?'

Ernstig zei Elle: 'Jazeker, en ik vond het geweldig, ik vond ze allemaal geweldig, het was een van de beste tips die ik ooit heb gekregen en daar heb ik u nooit voor bedankt.'

Felicity haalde haar schouders op. 'Is dat niet waarom je boeken uitleent? Is het niet geweldig om te weten dat je iets goeds hebt doorgegeven?'

'Ik weet niet of onze salesmanager het met u eens zou zijn,' zei Elle. 'Hij heeft liever dat mensen nieuwe boeken kopen.'

'Lezen draait niet alleen om sales, Elle.' Felicity gebaarde de kelner nog een glas wijn te brengen. 'Jij ook?' vroeg ze.

'Nee, eh... nee dank u,' zei Elle. 'Ik zal het naar u opsturen. Ik ben...'

Felicity wuifde het weg. 'Alsjeblieft zeg, nee hoor, dank je. Nu,' ging ze verder en ze leunde naar voren. 'Verder met zaken,' zei ze vastberaden. 'Ik wil je de baan aanbieden van hoofdredacteur bij Aphra Books. Ziezo. Er zullen twee redacteuren aan jou rapporteren en ik wil dat jij het fonds vormgeeft. Je kunt in de directie plaatsnemen als je wilt. Persoonlijk zou ik dat graag zien, zodat je ons met mij en het team naar een hoger plan kunt begeleiden. Het is echt mogelijk, weet je. We hebben al twee Richard en Judy's en een van onze boeken staat op de shortlist voor de Orange-prijs en we zijn pas vier jaar bezig. Maar we willen meer.'

'Natuurlijk,' zei Elle. 'Iedereen wil meer. Onze marges...'

Felicity legde haar hand op die van Elle. 'Nee,' zei ze. 'We willen meer goede boeken. Dat is alles. Uitgezocht door iemand die meer van lezen houdt dan van wat dan ook, en daarom dacht ik aan jou.'

Elle glimlachte en knikte. Ze wist niet waarom ze zich zo triest voelde. *Iemand die meer van lezen houdt dan van wat dan ook.*

'Waar is Posy?' vroeg ze.

Felicity nam nog een stukje brood. 'O, die is vorig jaar naar Oxford verhuisd. Ze had zin in iets anders. Lieve Posy, ze was zo somber geworden. Ze werkt nu bij een kleine uitgeverij, ze is heel gelukkig, heb ik gehoord. Ze zit bij een koor.' Ze maakte een klein dirigerend gebaar met haar handen. 'Dus, wat vind je ervan?'

Elle werd verscheurd door geamuseerdheid vanwege het terzijde schuiven van Posy en een lichtelijk gevoel van ergernis dat ze wilde onderdrukken. Ze zei: 'Felicity, ik denk niet dat u het begrijpt. Het klinkt geweldig, maar ik ben niet van plan te verhuizen. Bovendien woont mijn verloofde in New York. We gaan in maart trouwen.'

'Gefeliciteerd,' zei Felicity, en ze keek op toen de voorgerechten arriveerden. 'Aha, geweldig, Pierre.' Ze begon te eten en liet Elle starend naar haar kom fletse soep in stilte zitten.

Het was een goede tactiek. Even later zei Elle: 'Het spijt me, maar het antwoord is echt nee.'

'De steak is verrukkelijk. Ik denk niet dat je al genoeg hebt gehoord.'

Ze probeerde niet boos te worden en zei: 'Zoals wat?'

'Nou,' zei Felicity. 'Je zou natuurlijk in Shepherd's Market werken. Het is hier geweldig.'

'Juist,' zei Elle. 'Ik dacht meer aan de arbeidsvoorwaarden.'

'Oké, we zijn zeer concurrerend,' zei Felicity. 'Ik weet dat je daar goed verdient.'

Elle beet op haar lip. 'Felicity, vat dit alstublieft niet verkeerd op, maar, eh... ik sta daar aan het hoofd van een divisie.' Ze dacht niet voor het eerst dat als ze een man zou zijn, ze zich niet zou verontschuldigen. 'Ik redigeer niet echt meer. Ik geef leiding aan vijfentwintig man en zit in de directie. Ik heb een budget van miljoenen dollars. Ik hoop in mijn volgende rol een bedrijf te gaan leiden. Een groot bedrijf. Niet...' Ze stak haar lepel boos in haar soep en het spatte op. 'Niet boeken te gaan redigeren bij een kleine start-up. Ik wil heus niet onaardig doen, maar ik wil wel eerlijk zijn.'

'Weet je waar dit me aan doet denken?' zei Felicity vrolijk, alsof Elle niets had gezegd. 'Het is net als dat gedoe met de banken op dit moment. Ik ben het best eens met degenen die denken dat het beter voor ons land is als we niet zo'n groot financieel centrum zouden zijn. Als mensen bijvoorbeeld naar... Genève, Berlijn of New York zouden gaan voor al die dingen. Ik zou liever hebben dat we niet zo rijk waren en alles gelijker verdeeld was en we meer tijd besteedden aan het maken van goede dingen in plaats van geld verdienen.'

Elle fronste. 'Wat heeft dat te maken...' begon ze, maar haar stem stierf weg. 'Juist, ik snap hem, maar ik vind het prettig zoals het nu is.'

'Geen probleem, geen probleem,' zei Felicity, en ze zwaaide met haar vork. 'Proef de steak tartare eens. Heb je *De echtgenote* van Curtis Sittenfeld gelezen? Vond je het niet fantastisch? Ik vond het geweldig.'

'Nee, nog niet. Ik heb geen tijd meer om boeken te lezen voor de lol.'

'Wat triest,' verzuchtte Felicity.

Elle negeerde haar en nam met haar vork een hap van de tartare. Het was verrukkelijk. Ze kon het rauwe rode vlees in haar mond voelen, de zachte volle smaak en het ei en de peper eromheen. Ze sloot haar ogen, liet het vlees in haar mond smelten en pakte nog een stukje brood. 'Misschien neem ik toch maar een glas wijn.'

'Goed plan,' zei Felicity. 'Alles met mate is goed voor je, schat.'

'Het is zo grappig om hier met u te zitten,' zei Elle. 'Als mijn tweeentwintigjarige zelf me nu eens zou kunnen zien, zou ze stomverbaasd zijn.'

'Je kunt nooit in de toekomst kijken. Toen er een einde aan Bluebird kwam, was ik er echt helemaal kapot van. Ik dacht dat mijn leven voorbij was. Nu ben ik blij. Eigenlijk is het het beste wat me ooit is overkomen.'

'Echt?' Elle kon niet geloven dat dit waar was. 'Het einde van Bluebird, het beste wat u kon overkomen? Ik geloof er niks van.'

'O ja,' zei Felicity. Ze knikte glimlachend en speelde met de oude ring aan haar vinger. 'Ik leid mijn eigen bedrijf nu op mijn eigen manier, ik kan dingen doen zoals ik ze wil en doorgaans is dat veel beter. En belangrijker nog, voordat ik op hem moest steunen, ben ik erachter gekomen dat ik mijn zoon niet kan vertrouwen. Ik heb beseft dat ik voor mijn eigen toekomst moet zorgen. En Elle, schat, het einde van Bluebird betekende het einde van jouw relatie met hem en als dat de enige reden was geweest, dan was het al goed.'

Er bleef een stukje brood in Elles keel steken. 'Wat?' vroeg ze kuchend.

'Och, het is lichtjaren geleden, laten we het er niet meer over hebben,' zei Felicity. Elle staarde haar aan, zowel vol afschuw als gefascineerd. 'Lieve schat, ik ben niet gek. Ik dacht dat het een affaire was en ik hoopte dat het niet meer dan een flirt was. Ik maakte me zorgen om je, maar wat kon ik doen? Je was echt zo'n meisje dat haar hele leven achter iemand aan had kunnen lopen die niet van haar hield, net als Posy. Hij heeft hetzelfde bij Posy gedaan, wist je dat?' zei ze, en Elle schudde haar hoofd, ondanks zichzelf geïntrigeerd. 'Twee, drie jaar, en toen zette hij haar aan de kant voor een literair agent. Arm kind. Ze is er nooit overheen gekomen. Nooit. Ik wilde niet dat jij ook zo zou eindigen.'

'Dat wist ik niet,' begon Elle. 'Nou, het doet er niet meer toe. Hij is nu heel gelukkig met Libby.'

'Ach, Libby, natuurlijk. Ze zijn perfect voor elkaar,' zei Felicity met grote nadruk. Ze kauwde luidruchtig op een stukje brood en maakte een grommend geluid. 'Dat meisje is de meest prestatiegerichte persoon die ik ooit heb ontmoet. Ze heeft haar tijd verspild met wedijveren met hem, met jou, met iedereen. Nu wedijvert ze met andere ouders. Ze heeft vorig jaar zomer getraind voor de moederrace op de crèche van mijn kleindochter. Ze vertelde me trots dat ze de dunste vrouw was die ze kende die kinderen had gekregen.' Felicity tuitte haar lippen. 'Nou, ja. Gelijke monniken... Als er geen einde aan Bluebird was gekomen, hadden we daarna niet allemaal zo'n afschuwelijke tijd gehad en dan waren al deze goede dingen niet gebeurd. Dus ik ben er in ieder geval heel blij mee. En ik ben blij voor jou. Ik ben blij dat je de tegenwoordigheid van geest had om te vertrekken.'

'Zo heb ik het nooit bekeken.'

'Het is toch zo, of niet?'

'Ja, en bedankt, eh... dat u niets hebt gezegd. Alleen ben ik niet echt een meisje om achter iemand aan te lopen, eerlijk gezegd. Ik ben zelfs niet echt meer een meisje dat ergens sentimenteel over doet. Vroeger wel, maar zo ben ik niet echt. Maakt u zich geen zorgen.'

De kelner haalde de borden weg. Felicity knikte. 'Ja,' zei ze, 'maar ergens is dat jammer.'

Elle zei niets. Na afloop stonden ze in de ijzige herfstwind voor het restaurant. Ze kuste Felicity op haar wang.

'Denk er gewoon eens goed over na,' zei Felicity. 'Over alles.'

Niet helemaal zeker wat ze bedoelde, bedankte Elle haar voor de lunch en wandelde terug naar het hotel. Ze was nauwelijks nog buiten geweest. Het was weer gaan regenen; het had bijna constant geregend sinds ze hier was. Elle liep door Shepherd's Market langs de Heywood Hill-boekwinkel, waar Nancy Mitford had gewerkt. Ze liep naar Berkeley Square en probeerde niet te veel na te denken en Londen over zich heen te laten komen. Kantoormedewerkers die te lang hadden geluncht haastten zich langs de zijkanten van de zwarte gebouwen, vroege exemplaren van de *Evening Standard* boven hun hoofd. Een meisje stapte in een plas en lachte, ze schopte haar in een zwarte panty gehulde voet uit haar schoen terwijl haar metgezel geamuseerd toekeek. Elle bleef doorlopen, gelukkig in al haar eenzaamheid. Het viel haar op dat ze de regen niet erg vond. Eigenlijk had ze het gemist. Het was koel en rook metaalachtig, de straten glommen als een kever en waren schoon en verlaten.

51

'Gabby en Kenneth wonen hier in de buurt, maar in dit gedeelte van Primrose Hill ben ik eigenlijk nog nooit geweest,' zei Gray terwijl ze die avond over Kentish Town Road liepen. Hij week uit voor een rij mensen die op de bus stonden te wachten. 'Het is prachtig.'

'Dit is Primrose Hill niet,' zei Elle snuivend. Grays positieve houding werkte haar op de zenuwen. 'Typisch weer. Dit is Kentish Town. Het is leuk, maar ik weet niet waar ze het vandaan halen. Primrose Hill.' Ze lachte omdat Rhodes en Melissa er zo'n halszaak van maakten de plek waar ze woonden zo te omschrijven. Ze manoeuvreerde langs een overvolle vuilnisbak en pakte Grays elleboog om hem naar links te leiden. 'Hierheen. Hoe was jouw dag?'

'Geweldig. Ik ben naar de bibliotheek geweest, daarna heb ik met Roger geluncht en in Green Park gewandeld en ik heb iets in het Stafford gedronken, mijn favoriete hotel. En ik ben ook even bij Hatchards geweest. Ik heb dus al drie dingen van mijn lijstje gedaan.' Met zijn paraplu tikte hij bedachtzaam tegen een boomstam. 'Ik ben blij dat ik ben meegegaan.'

'Goed,' zei Elle. Ze trok haar schouders naar haar oren, ontspande ze en voelde de botten in haar nek kraken. Ze liepen een rustige zijstraat in met leuke kleine huisjes, die allemaal in een andere kleur waren geschilderd.

'Vandaag was dus niet erger dan je had gedacht,' zei Gray.

'Eh...' Elle trok haar tas over haar schouder en het kostte haar moeite zich de dag te herinneren. 's Middags hadden ze een drie uur durende workshop over synergie gehad, waarna ze in groepen aan een project hadden moeten werken – over synergie. Ze had de leiding over een groep gehad met daarin Mary, haar oude vriendin bij Bookprint UK, en Jeremy, die oude onverbeterlijke flirt, die tot haar grote opluchting geen steek was veranderd. Het vormde een welkom doch saai contrast met de ochtend en de lunch. 'In sommige opzichten was het prima, maar in andere... erger dan gedacht.'

'Hoezo?'

Ze haalde haar schouders op en glimlachte. 'Er lopen een paar mensen rond die ik liever niet tegenkom. Van vroeger.'

'O, ik snap het al.' Gray glimlachte. 'Een vrouw met een verleden, dat is wat ik altijd zo leuk aan je heb gevonden. Ik heb zo'n beeld van je als twintigjarige in een hotelbar ergens in Piccadilly waar mannen je een vuurtje voor je sigaret aanbieden en martini's voor je kopen.'

'Je doet net alsof ik een prostituee was, maar nee, zo was het helemaal niet, geloof mij maar,' zei Elle. 'Bovendien hield ik niet meer dan vijftig pond per week over als ik al mijn lasten had betaald. Daarvoor kun je geen martini's in een bar in Piccadilly kopen.'

'Nou ja, ik heb een leuke middag gehad in de London Library,' zei Gray, die naadloos doorging met zijn verslag. 'Ik heb de dagboeken gelezen en ik heb een boek over Paul Revere gevonden dat in Amerika nooit is uitgegeven. Precies wat ik nodig had, en misschien leg ik *The New York Times Magazine* wel een ideetje over Benjamin Franklin in Frankrijk voor als we terug zijn.' Hij wreef in zijn handen.

'Je bent hier graag, hè?' vroeg Elle.

'O ja,' zei Gray. 'Net als jij in New York. Ik zou hier best kunnen wonen.'

Ze dacht aan de lunch met Felicity, die haar de hele middag was bijgebleven. Felicity's stem had in haar oor gezoemd tijdens de maalstroom van discussiepunten en cirkeldiagrammen. 'Echt waar?'

'Jazeker. Ik vind het hier geweldig.' Gray pakte haar hand. 'Hé, heb je morgen tijd om iets te gaan drinken?'

'Nee, morgen niet,' zei Elle. 'De conferentie duurt de hele dag en 's avonds is er een groot diner.'

'O.'

Ik had je toch gezegd dat ik de hele tijd moet werken, wilde ze zeggen.

'Woensdag dan? De Eurostar vertrekt pas om vijf uur, en ik zou heel graag nog een keertje terug willen naar een gezellige pub in Marylebone waar ik altijd met Adam heen ging. The Duke of York, echt geweldig.'

Het verbaasde Elle altijd hoe vlug Amerikanen tevreden waren met Engelse pubs. Ze kende The Duke of York, ze was er wel eens iets met Karen wezen drinken tijdens een van haar eerdere tripjes hierheen. Karen had nu een of andere hoge functie bij de BBC en het was dicht bij Portland Place. Het was een volkomen kleurloze tent, niets bijzonders.

'En de Windsor Castle dan, even verderop?' zei ze. 'Veel leuker, er staan allerlei memorabilia en er hangen de meest grappige foto's.'

Gray keek teleurgesteld. 'Ik wilde even naar een boekwinkel in Marylebone aan de High Street,' zei hij. 'Dora's. Is dat in de buurt? Ik wil mijn trein niet missen.'

'Die zit in Richmond.'

'Nee, er zit er ook een in Marylebone. Iedereen zegt steeds dat ik erheen moet, het schijnt echt geweldig te zijn.'

Een zesjarige genaamd Dora die dol is op *Hannah Montana*. 'O,' zei Elle, die het zich weer herinnerde. 'Sorry, natuurlijk. Ik ken de eigenaar.'

'Echt?' zei Gray. 'De zoon van Dora Zoffany? Hoe heet hij ook alweer? Tom, maar hij heeft een andere achternaam, niet Zoffany. Ik heb gehoord dat hij geweldig is en een grote passie voor goede boeken heeft.'

Elle keek naar de regenachtige straat. Ze trapte tegen een gebarsten stoeptegel en zei geïrriteerd: 'Waarom heeft iemand alleen een passie voor boeken als hij gek op bekroonde literatuur is? Waarom kun je geen passie voor boeken hebben als je gewoon romans leest?'

'Goed dan,' zei Gray, en hij stak zijn handen in de lucht. Hij lachte een scheef lachje. 'Je hebt gelijk. Dat kan. Alles is geweldig. Het is allemaal geweldig. Zo goed?'

'Ja,' zei ze, en ze hing even ontspannen tegen hem aan. 'Sorry dat ik zo'n kattekop ben.'

Hij gaf haar een kus op haar kruin. 'Je bent geen kattekop,' zei hij.

'Je bent een stekelvarken, stekelig, maar met een zalig ongewoon luchtje.'

Elle duwde hem lachend weg en keek naar het huisnummer op de deur. 'We zijn er,' zei ze. Ze liep over het pad en drukte op de bel.

52

Elke keer als Elle Rhodes tegenwoordig zag werd ze overdonderd door hoezeer hij op hun vader leek, hij was alleen donkerder en forser. Zij en haar broer waren heel anders, zo anders dat het eigenlijk makkelijk was. Ze hadden niets met elkaar gemeen. Rhodes was gek op loopbanden, John Grisham-thrillers en de *Financial Times*. Elle kon zich niet eens herinneren waar hij tegenwoordig werkte – bij een concurrent van Bloomberg, dat wist ze wel, waar hij nog altijd hetzelfde deed, dacht ze. Ze zou het moeten weten, maar ze had het al twee keer gevraagd en nog een keer zou beledigend zijn. Echt vreselijk hoe moeilijk het was informatie te onthouden die je niet helemaal snapte, hoewel de eerste verkoopweek van al haar auteurs en de namen van elke held uit Georgette Heyers boeken voorgoed in haar geheugen stonden gegrift. Hun verschillen irriteerden haar of haar broer echter niet meer zoals vroeger. Ze begreep nu dat relaties veranderen. Sommige mensen snap je niet. Anderen wel. Sommige mensen zijn je beste vrienden en verdwijnen dan geruisloos uit je leven.

Ze was Mike, haar ex, een paar jaar geleden in het voorjaar op Fifth Avenue tegengekomen terwijl hij net langs de Banana Republic tegenover de kathedraal liep. Zij was onderweg naar een afspraakje met Gray in het park geweest. Het was druk op de stoep; er stond een meisje naast hem met een koraalkleurig kasjmieren vestje over haar schouders gedrapeerd en een doorgestikte Chanel-tas schuin om. Elles eerste reactie was geweest omdraaien en verstoppen, maar hij had haar al gezien. 'Elle?' had hij gezegd. 'Hoi, hoe gaat het met je? Kom even, dit is Rose.'

Ze had naar hem geglimlacht, 'Hoi, Mike' gezegd en zich tot het meisje gewend. Maar het meisje in het koraalkleurige vestje was met een groepje snaterende vriendinnen doorgelopen. Rose liep aan de andere kant van Mike, een echte hippe vogel uit Brooklyn, vintage paisley shirt, zwarte zonnebril, capribroek, stoffen tas. Op haar shirtje zat een vlek. 'Hoi,' zei Elle, en ze probeerde niet te laten merken hoe verbaasd ze was.

'We hebben net pizza gegeten en ik zit onder de marinarasaus,' legde Rose uit, gebarend naar haar shirt.

'Hoe gaat het met je?' had Mike gezegd. 'Ik zag je naam in Gray Logans nieuwe boek staan en ik wilde je nog mailen.' Ze had geknikt, niet wetende wat ze moest zeggen. *Ja, we doen het met elkaar.* 'Nou, leuk je gezien te hebben.'

'Insgelijks,' zei ze tegen hem. Er viel een ongemakkelijke stilte.

'We moeten gaan,' zei hij. 'Succes, Elle, zorg goed voor jezelf.'

Hij had even in haar arm geknepen en was weggelopen. Omdat dat alles was wat je hoefde te doen, je hoefde niet te beloven dat een vriendschap voor altijd was, je zei gewoon: *Hé, onze relatie is dan wel ten einde, maar ik wens je niets dan goeds.* Elle dacht vaak aan die ontmoeting als ze bang was een ex-auteur in The Village tegen te komen, of collega's uit Engeland die ze door de jaren heen had gezien, Libby of zelfs Sam. Grappig genoeg kon ze zich nog eerder voorstellen dat ze iets met Sam zou gaan drinken dan met Libby en dat was vreemd. Er was te veel voorgevallen tussen Libby en haar, dat wist ze. Ze waren te dik bevriend geweest en te verschillend geworden, terwijl Sam deel uitmaakte van haar verleden, maar ze was haar dankbaar voor de jaren dat ze bevriend waren geweest. Net als met Rhodes. Ze hoefde hem niet elke week te bellen, maar ze moest hem af en toe zien. Het was misschien een gekke gedachte, maar per slot van rekening was hij de enige die hetzelfde had meegemaakt als zij.

'Ja, het is een spannende tijd, maar dat geldt voor ons allemaal en we zullen er weer sterker uit komen.'

'Pap, ik wil sap.'

'Ga maar aan mama vragen, ik ben aan het praten.' Rhodes wendde zich weer tot hen. 'Waar was ik?'

'Je zei dat Hank Paulson verkeerd wordt begrepen,' zei Gray.

'Nou, misschien niet verkeerd begrepen, maar dit is gewoon een slechte periode waar we doorheen moeten.'

'Je bent zo kalm,' zei Gray. Hij zette zijn gin-tonic voorzichtig op het gepoetste mahoniehouten bijzettafeltje. 'Elke dag lees ik in de krant dat we op de rand van een gigantische financiële crisis staan, de Senaat stemt voor een financiële injectie, hele landen gaan failliet en jij denkt dat we er gewoon even doorheen moeten?'

'Paniek maakt het alleen maar erger,' zei Rhodes. 'Geloof mij, deze dingen gaan weer voorbij.' Hij keek naar de gang. 'Hoorde ik de bel?' Hij stond op. 'Heel even, Gray. Ik ben zo terug.'

Melissa stond in de deuropening. 'Rhodes, er staat iemand voor de deur,' zei ze. Ze keek haar man beschuldigend aan.

'Je staat er vlakbij, kun jij niet even opendoen?' zei Rhodes geergerd.

'Ik heb mijn bril niet op. Ik vind het niet prettig om de deur open te doen voor vreemden.'

Hij knikte. 'Lauren, ga weg.' Hij haalde zijn dochters hand van zijn been.

'Kan ik iemand nog wat te drinken inschenken? Gaat alles goed hier?' vroeg Melissa. 'Het eten is bijna klaar, we... Lauren, liefje, wat doe je?'

'Ik wil sap,' zei Lauren. 'Pappie zei dat hij het voor me zou gaan halen.'

'Nou, volgens mij heb je genoeg gehad, Lauren.' Melissa streek haar dochters haar glad. 'Ik denk dat je naar bed moet. Wil je...' Ze boog zich voorover en fluisterde hard genoeg zodat iedereen het kon horen: '... wil je dat Elle je een verhaaltje voorleest? Ze is je tante en speciaal voor jou hierheen gekomen.'

'Mijn tante, net als tante Francie met de tuin en de grote glijbaan?'

'Ja, precies zo.'

Elle keek naar het meisje met de blonde krullen, haar meest naaste familielid naast haar vader en haar broer, en de andere kinderen van haar vader natuurlijk. Ze leek sprekend op Melissa. Dit was haar familie. Dit was haar vlees en bloed, haar familie in deze wereld, dit kleine blonde meisje en haar stevige vader die op zijn borstkas krabde en naar de deur liep.

'Nee,' zei Lauren. 'Dat wil ik niet.' Ze sloeg haar armen over elkaar.

'Ik wil dat Gray mij *Charlotte's web* voorleest,' fluisterde ze tegen haar moeder.

'Je wilt dat Gray...' zei Melissa. 'Nou, schat, ik weet niet zeker of...'

'Graag,' zei Gray, en hij stond op. '*Charlotte's web* is een goede keuze. Lang geleden dat ik dat heb gelezen.'

'Gray is een beroemde schrijver, schat,' zei Melissa, en ze glimlachte schaapachtig naar Gray. 'Maak het dus niet te lang. Je hebt heel veel geluk.'

Er klonken voetstappen in de gang.

'Binnenkort word ik je oom,' zei Gray tegen Lauren, die hem aanstaarde. 'Ik ga met je tante trouwen.'

Tante, wat een gek woord. *Tante, tante, tante*. Het verloor alle betekenis als je het een paar keer achter elkaar zei. Gray keek richting de gang. 'Hallo,' zei hij. 'Ik ben Gray Logan.' Hij stak zijn hand uit.

Elle draaide haar hoofd om en zag wie er in de gang stond. 'Pa?' zei ze. Haar ogen vlogen van haar vader naar haar broer. 'Wat... fantastisch!'

'Ik wist dat je geen tijd had om naar Brighton te komen.' John legde zijn hoed op de tafel naast hen, gaf Elle een kus en kneep in haar schouders. 'En ik wilde niet dat jij je schuldig zou voelen. Dus toen je zei dat je naar Rhodes ging, heb ik mezelf uitgenodigd. Het is te lang geleden en ik wilde je graag zien,' zei hij vlug, en dat vond Elle geruststellend klinken. Evenals de andere Bees, wilde hij altijd zijn zin hebben. 'En ik kon niet wachten om deze kerel te leren kennen.' Hij pakte Grays hand. 'Goedenavond, wat enorm leuk je eindelijk te ontmoeten.'

Elle keek naar haar vader, naar zijn zachte blauwwollen trui, zijn onberispelijk gestreken donkerblauwe broek, de glanzende schoenen. Hij zag er jonger uit en pompte Grays arm op en neer. Zij wipte van haar ene been op het andere.

'Mag Elle me ook voorlezen?' vroeg Lauren, die nu ook op één been stond en al haar tanden bloot lachte tegen Elle.

'Nee, Lauren,' zei Rhodes van achter hun vader. 'Jij hebt je kans gemist. Elle wil nu even met opa praten. Ze heeft hem al heel lang niet gezien.'

Ze stonden in de kleine huiskamer met het lage plafond en konden het getik van de regen door de crèmekleurige jaloezieën van de erker heen horen. Terwijl Lauren begon te huilen keken ze alle vijf op haar neer; Elle, Gray, Melissa, Rhodes en John. In het licht van de vlammen waren hun schaduwen op de crèmekleurige muren gigantisch.

'Ik breng je naar boven,' zei Gray. Hij deed een stap naar voren, pakte Laurens hand, en verbaasd stopte ze met huilen.

'O, ik loop wel even mee, ze houdt niet van vreemden,' zei Melissa. 'Kom op.' Ze duwde hem zachtjes de kamer uit.

Alleen achtergebleven keken Rhodes, Elle en hun vader elkaar aan.

'Nou, nou, daar staan we dan.' John liet zich op de stoel zakken waar Gray zojuist had gezeten, bij de haard. 'Erg leuk.' Hij legde zijn handen keurig op zijn knieën. 'Nou. Is dit niet geweldig.'

Rhodes zei: 'Wanneer zijn we voor het laatst met ons drieën samen geweest?'

'Op mams begrafenis,' zei Elle automatisch.

'Ik denk,' zei John alsof Elle niets had gezegd, 'op Alice' zestiende verjaardag, vorig jaar zomer.'

Rhodes trok aan zijn horloge. 'Pa, kan ik iets te drinken voor je inschenken? We hebben wijn, gin-tonic, er is bier, van alles. Wat wil je hebben?'

'Wijn, een groot glas witte wijn graag.'

Het was heel gek om hier in een onbekend huis te zitten met het geluid van een vreemd kind dat boven schreeuwde, kijkend naar haar broer en vader naast elkaar, hun handen tussen hun benen geklemd, ze hadden allebei dezelfde uitdrukking en leken zo griezelig op elkaar, hoewel Rhodes groter was, uitbundiger op de een of andere manier. Haar broer sloeg zich op zijn dijbenen en stond op om de drankjes te gaan halen. John veegde een stofje van zijn onberispelijke broek. Elle keek naar hem en herinnerde zich hoe boos ze op hem was geweest nadat hij hen had verlaten, als hij hen kwam halen voor een dagje uit en ze naar Brighton of Hastings gingen en ze zijn kleren niet herkende. Als hij naar Willow Cottage kwam, voordat ze waren verhuisd, was er altijd iets anders, en het benadrukte precies wat ze probeerde te vergeten – dat haar vader was doorgegaan met zijn leven. Hij had een nieuw leven en dat gaf hem kracht. Hij was veel gelukkiger dan bij hun moeder, terwijl zij niet veranderde, en dat werd uiteindelijk haar dood.

Elle staarde naar zijn gestippelde blauwe das die netjes in zijn trui zat en knipperde met haar ogen. 'Het is fijn om je te zien,' zei ze uiteindelijk. 'Het spijt me dat dit zo'n gehaaste zakenreis is. Niet het beste moment om bij te praten, daarom heb ik niet voorgesteld om naar Brighton te komen. Hoe gaat het met Eliza? En met Jack en Alice?'

Haar vader knikte woest. 'Met Eliza gaat het goed, hoewel het momenteel heel druk is op Chirurgie. Alice vindt het geweldig in het eindexamenjaar. We maakten ons zorgen omdat ze kunstgeschiedenis had gekozen, maar blijkbaar accepteren universiteiten dat, en ze fluit nog steeds heel graag. Ja. O, dank je, jongen.' Hij nam een grote slok wijn uit het glas dat Rhodes hem aangaf. 'Hoe gaat het op je werk? Neem je binnenkort de leiding over? Ik vertel al mijn vrienden dat mijn dochter in de directie zit.' Hij glimlachte. 'Het verbaast ze allemaal.'

'Het verbaast ze?' zei Rhodes met een lachje. 'Wat aardig, pa. Ze runt een divisie, hoor, het is geen mazzel of zo.'

'Dank je, Rhodes,' zei Elle. 'Ik heb me geen weg naar de top gevreeën, hoor pa.'

John keek geschokt. Hij stak zijn handen in de lucht. 'Natuurlijk niet. Dat weet ik ook wel. Sorry,' zei hij. 'Ik bedoelde alleen maar dat ik had verwacht dat het misschien andersom zou zijn.' Er viel een stilte. 'Niet dat ik niet trots op jou ben, Rhodes…' Zijn stem stierf weg.

Zij drieën waren geen familie, ze waren meer een ongemakkelijk verbond dat bijeen werd gehouden door een bloedband en de onuitgesproken tragedie die om hen heen hing. Rhodes klopte zijn vader op de schouder. 'Ik ga even kijken hoe het met het eten is voordat je echt iets betreurenswaardigs zegt, pa,' zei hij. 'Kunnen jullie even praten.'

Elle keek hem na. *Vind ik mijn broer nou gewoon aardig?* dacht ze. *Kan dat? Vreemd.*

'En Jack?' vroeg Elle. Ze wilde dat Gray er was. 'Hoe gaat het met Jack?'

'Jack. Ha.' Haar vader zuchtte. 'Jack zorgt nog steeds voor problemen, ben ik bang. Hij is heel lastig op het moment.' Hij nam een slokje wijn.

'Hoezo? Wat heeft hij gedaan?'

John wuifde het weg. 'O, Elle, het is te saai voor woorden.'

Hij viel stil, en Elle werd herinnerd aan haar lunch met Felicity. Ze was gewoon opgehouden met praten en plotseling besefte ze dat dit haar vaders manier was om het gesprek te leiden. Hij gebruikte stilte als een wapen, zodat iemand anders moest praten om het gat op te vullen. Hij had het altijd bij hun moeder gedaan, haar laten praten totdat ze schreeuwde, om haar vervolgens met een scherpe opmerking neer te sabelen.

Hij deed het altijd, dacht ze. *Hoe komt het dat ik dat nu pas merk?* Ze zei niets, knikte slechts verwachtingsvol, wachtend tot hij weer iets zei.

Na een stilte die eeuwen leek te duren, kneep haar vader zijn ogen samen en zuchtte. 'Hij is van school getrapt. Ze hebben het heel slecht aangepakt, moet ik zeggen. Dwaas gedrag van allebei de kanten, vooral van hem.' Hij nam nog een slok. 'Vergeet het maar. Hoe gaat het op je werk?'

'Het is druk, uitdagend, bla bla bla,' zei Elle. 'Kom op, pa, wat heeft hij gedaan? Gaat het goed met hem?'

'Hij heeft geprobeerd een auto te stelen. Van een van de leraren. Toen hij werd betrapt...' John haalde adem met zijn lippen op elkaar, '... beledigde hij de leraren en heeft hij iemand een trap verkocht. Zo gênant, zo stom. Maar met hem gaat het goed,' zei hij met grote sarcastische nadruk. 'Zijn moeder en ik hebben het alleen helemaal gehad met hem. We hebben een soort keerpunt bereikt. Het is erop of eronder op het moment. Vaak weten we niet eens waar hij is, wat hij doet, waar hij heen gaat. We hebben zijn computer in beslag genomen en ik ben bang dat de volgende stap is hem het huis uit gooien als hij niet luistert. Als waarschuwing. Hmmm.'

Hij schudde zijn hoofd, alsof Jacks vergrijp maar vaag iets met hem te maken had, alsof het iets irritants was, zoals een autoalarm dat verderop in de straat afgaat.

'Moet je er niet met hem over praten?' vroeg Elle.

'O, doe niet zo Amerikaans.' John glimlachte, maar het was maar deels een grapje. 'Hij moet weten dat het zo niet langer kan. Dronken van zijn stokje gaan in de gang, zijn moeder scheldwoorden toeroepen die ik nog nooit heb gehoord. Hij heeft me een keer tegen de muur geduwd. Deed verdomd veel pijn. Nee, het is misschien tijd om de kwestie te forceren.'

Elle huiverde en wreef over haar armen. Ze kon zich nog heel goed herinneren hoe koppig haar vader was, hoe hij zich afsloot als hun moeder boos was of zich slecht gedroeg, alsof het niets met hem te maken had. Een paar weken na de vakantie in Skye, op een picknickconcert bij een landhuis in de buurt, had Mandana rondgewandeld en gezellig met iedereen gepraat. Nu was het voor Elle duidelijk dat ze dronken was geweest. Ze had gewaggeld, zich niet bewust van het ge-sssj en de toegesiste bevelen van de andere picknickers om te gaan zitten en haar mond te houden. John had in plaats van op te staan, naar haar toe te benen, haar bij de arm te pakken en haar mee naar de parkeerplaats te sleuren, zijn armen over elkaar geslagen, haar genegeerd en de kinderen meegenomen. Hij was in de auto gestapt en zonder haar weggereden. Alsof ze een vreemdeling was, een armoedzaaier op straat.

Rhodes kwam terug met een stapel boeken onder zijn ene arm en een fles wijn onder de andere. '*Assepoester*, *Rapunzel*, *Doornroosje*...' las ze hardop. '*Slaapliedjes*, *Roodkapje*... Rhodes, waar heb je deze vandaan?' Ze sloeg een van de stijve kartonnen kaften open. Het stond vol met haar tekeningetjes, een paar stickers en wat krabbels.

'Ik heb ze al jaren, sinds we hebben opgeruimd,' zei hij. 'Ik denk dat jij ze mee had willen nemen, maar ze lagen in de schuur in een stapel op tafel.'

'Ja.' Elle herinnerde het zich. 'Dat klopt.' Ze greep ze stevig vast. 'Ik moet ze hebben laten liggen. *Assepoester!*' zei ze, en ze pakte het eerste boekje op. 'Ik kan me nog herinneren dat ik dit heb getekend. Moet je Assepoesters jurk eens zien.' Ze hield het open bij een scène van het bal, compleet met een extra viltstiftrandje rondom de jurk, een pijl en '*mooi*' geschreven in grote, niet bij elkaar passende letters.

'Is dat hoe je redigeert?' vroeg Rhodes.

'Ja, ik gebruik altijd een groene viltstift,' zei Elle. Rhodes lachte. 'O, kijk, de tweede jurk was mijn lievelingsjurk, niet de derde. Ze draagt blauw, zo mooi. Hij past bij haar ogen.'

Hun vader en Rhodes keken naar haar, ietwat in verlegenheid gebracht. 'Kijk, *Rapunzel*,' zei Elle. 'Eigenlijk vond ik dat altijd een heel irritant verhaal.'

'Ik vond ze allemaal irritant,' zei Rhodes. Hij pakte het boekje op. 'Allemaal klinkklare onzin.'

'Nee, deze is gewoon raar. De prins wordt volledig blind en zwerft rond door de uitgestrekte woestijn.' Elle bladerde door het boekje. 'En zij vindt hem. Hoe vindt ze hem om te beginnen in die enorme woestijn? Hoe dan ook, haar tranen vallen op zijn ogen en plotseling kan hij weer zien.' Met een klap sloeg ze het boekje dicht. 'Ik heb het nooit eerlijk gevonden. In *Assepoester*, ja, daar is magie in het begin, maar aan het einde vindt de prins haar door stad en land af te zoeken en iedereen het glazen muiltje te laten passen. Hij doet er moeite voor. Maar zij huilt een paar magische tranen, geneest hem en maakt alles weer goed. Zo zit het echte leven niet in elkaar.'

'Het is een sprookje, Elle, schat,' zei John. 'Wat had je dan gewild?'

De zachte bank bekleed met de stof van groene appeltjes bij de haard in Willow Cottage, zij en Rhodes tegen elkaar aan terwijl Mandana haar voeten onder zich trok en hun voorlas. Elle kon dat beeld ineens zo duidelijk voor zich zien. Ze kon de rook van de haard ruiken, de tocht van het openstaande raam in haar nek voelen, de stapels boeken op de planken zien, en de gezellige rommel die hun thuis was geweest. Ze staarde naar Rhodes. Herinnerde hij het zich ook? Ooit waren ze gelukkig geweest, een gelukkig gezin haast, en dat was dankzij hun moeder, niet ondanks haar. Bij de gedachte aan haar moeder sprongen de tranen in haar ogen.

'Ik neem aan dat ik meer verwacht,' zei ze. Ze stopte de boeken voorzichtig in haar grote manuscriptentas, omlaag kijkend, niet naar haar vader.

53

Elle had op haar reisjes naar Engeland in een aantal van de beste restaurants van Londen gegeten, maar ze kon zich niet herinneren wanneer ze voor het laatst bij iemand thuis was geweest. Ze kwam tegenwoordig nog maar zelden bij iemand thuis. In New York woonde iedereen in een appartement en daar kwam je nooit – je ging buiten de deur eten of ergens iets drinken. Ooit was ze een keer bij Sidney thuis geweest voor een borrel ter gelegenheid van Elizabeth Forsytes nieuwe boek. En ze was een keer bij haar assistente thuis geweest. Courtney had griep gehad en toen had ze haar een beker soep gebracht. Het was er een rommel geweest, vol meidendingen, vier halfvolle flessen shampoo in de douche, panty's die boven de gootsteen te drogen hingen, en toen ze die avond was teruggegaan naar Grays onberispelijke, spaarzaam gemeubileerde appartement had ze gedacht: *ik woon hier. Wat fijn.*

Maar die avond bij Rhodes viel het haar op dat dit kleine huisje een thuis was. Het was er gezellig en opgeruimd, vol speelgoed, dvd's en kussens, ansichtkaarten op de koelkast, stapels wasgoed bij de wasmachine en boven een kindje dat op haar kamer sliep.

'Hé, zijn dat niet mama's borden?' riep ze uit. Rhodes draaide zich om.

Melissa keek op van de sla die ze stond te husselen. 'Ja, ja, dat klopt. We dachten, omdat jij het buffet had meegenomen...'

Elle onderbrak haar. 'O, zo bedoelde ik het niet. Het is gewoon gek om ze te zien. In een andere omgeving.'

'Heb jij een buffet?' vroeg Gray, die naast haar ging zitten. 'Dit is echt onvoorstelbaar, jongens, toen Elle bij mij introk had ze helemaal niets. Een, twee dozen met persoonlijke bezittingen, meer niet.'

'Heb je de rest nog niet verscheept?' vroeg Rhodes. 'Staat alles nog steeds in opslag?'

'Eh... ja,' zei Elle. 'Ik heb nog... Nou, we wisten niet of... Misschien blijven we daar niet wonen als we zijn getrouwd. Het is gewoon nooit het juiste moment geweest,' eindigde ze slap, spelend met haar diamanten verlovingsring. Er zaten scherpe randjes aan, ze vond het leuk om die in haar vingerkussentjes te duwen, om te kijken hoe hard ze kon duwen.

'Elle heeft het nooit prettig gevonden zich ergens te vestigen,' zei John tegen Gray. 'Voordat ze naar Amerika vertrok woonde ze in een soort eenkamerflat. Mijn god. Ik heb daar ooit eens een paar planken opgehangen. Wat een rommel. Overal lege flessen. Foto's van oude acteurs aan de muur. Vlekken in de vloerbedekking.'

'Mag ik even zeggen dat de acteurs en de vlekken niets met mij te maken hadden, die had ik er gratis bij gekregen,' onderbrak Elle hem gehaast. 'Dank je, pa.'

'Graag gedaan,' antwoordde John. 'Ik zei tegen haar, Gray, ik zei, koop toch eens iets nieuws! Settel je ergens! Maar ze had geen zin om te luisteren. Weg was ze weer.'

Gray rolde zijn ogen naar John; ze kregen een band. Elle staarde ernaar.

'Wat een onzin,' zei ze, hoewel ze niet als een opstandig kind wilde klinken dat haar ouders afbekte in het bijzijn van haar vriend. Maar ze moest er iets van zeggen. 'Pa, jij zei dat ik naar New York moest gaan. Jij bent degene die zei...' Ze stopte.

'Wat heb ik gezegd? Dat is niet waar,' zei haar vader.

Elle probeerde zijn blik te vangen. 'Goed dan.' Maar ze kon het er niet bij laten, het was net een muggebult waaraan ze moest blijven krabben. 'Jij hebt gezegd dat ik mama achter me moest laten, opnieuw moest beginnen, dat ze egoïstisch en manipulatief was, dat ze me gebruikte.' Hij keek haar wezenloos aan. 'Herinner je je dat niet? Ik wel, want daarom ben ik gegaan, daarom heb ik haar in de steek gelaten, en dat had ik niet moeten doen.' Ze kneep haar handen onder tafel ineen, niet kijkend naar Rhodes of Melissa, die met de schalen eten in hun handen naar hen stonden te kijken.

'Zo was Mandana,' zei John. 'Het was beter voor je. Je hebt het besluit zelf genomen.' Hij nam een slokje van zijn wijn en keek om zich heen alsof het onderwerp gesloten was. 'Nou, dit is erg...'

Elle had er een hekel aan om over haar moeder te praten. Ze vermeed elke situatie waarin ze ter sprake kon komen, maar nu kon ze niets doen aan de woede die in haar opborrelde. 'Ze had niet dood mogen gaan, pa. Ze was geen slecht mens. Ze was goed. Ze was mijn m-m-moeder.' Ze kon haar zien, haar ruiken, haar lach horen alsof ze in de kamer was. Ze zou gaan huilen, ze wist het.

Onder tafel kropen Grays koude vingers over haar schoot en pakten haar hand.

'Sorry,' zei Elle. De anderen zaten als bevroren naar haar te kijken, alsof ze niet wisten wat ze moesten doen. 'Ik vind dat we haar in de steek hebben gelaten.'

Dit is wat ik niet wilde, dit is wat ik probeerde te vermijden en dit is wat er gebeurt.

'Je kunt niet zomaar terugkomen en dit soort beschuldigingen roepen,' zei Melissa kalm. 'Je was hier niet. Wij hebben het geprobeerd. We hadden geen idee hoe erg het was. We hadden haar in een afkickkliniek moeten stoppen. Ver voor die tijd.'

Elle dacht aan de avond voordat ze zichzelf dood had gedronken. 'Het was me bijna gelukt,' zei ze. Het klonk zo nietszeggend dat ze huiverde.

Melissa keek haar aan. 'Bijna?' zei ze. 'Wauw, Elle. Goed gedaan. Bijna. Jemig.' Elle liet haar hoofd hangen. Vermoeid zei Melissa: 'Luister, ik weet...'

Rhodes onderbrak haar. 'Melissa, ik denk dat we allemaal schuldig zijn.' Hij keek naar hun vader. John legde zijn servet in zijn schoot, het katoen voorzichtig gladstrijkend alsof dit gesprek gewoon niet gaande was. 'Pa?'

'Ja.'

'Luister je wel?' vroeg Rhodes. Elle keek naar hem.

'Het is verleden tijd, Rhodes.'

'Nee hoor,' zei Elle. 'Het gebeurt nu. Het houdt me tegen om dingen te doen, door te gaan met mijn leven. Ik weet dat het cliché klinkt, maar het is waar. Want ik geef mezelf er de schuld van dat ik mama heb laten sterven en het is gewoon...' Een eenzame traan plopte op tafel. 'Daardoor twijfel ik overal aan.' Ze trok haar hand uit die van Gray. 'Rhodes, snap je wat ik bedoel?'

'Nee,' zei Rhodes botweg. Hij zette een schaal op tafel. Ze keken er allemaal naar, alsof eten een onverwachte nabeschouwing was.

'Ik twijfel niet aan mezelf en dat zou jij ook niet moeten doen, Elle. Ik denk dat ze egoïstisch en gemeen was. Ik vond haar een monster,' zei Rhodes. Hij pakte twee opscheplepels uit de Le Creuset-pot bij de AGA. Elle keek naar hem en ze zag hoezeer hij op zijn gemak was. 'Ze hield van drank, niet van ons. Ze was gênant. Als ze echt van ons had gehouden, had ze er iets aan gedaan. Egoïstisch, ja, zoals ik al zei, egoïstisch.'

'Het was haar schuld niet,' zei Melissa. 'Rhodes, dat is niet eerlijk, ze was ziek. Het is een ziekte.'

'Zij heeft ervoor gekozen,' zei Rhodes, die de opscheplepels boos op tafel smeet.

'Nee, Rhodes,' zei Melissa. 'Ik was geen fan van haar, dat weet je, en ik denk ook niet dat ze stapel op mij was.' Rhodes knikte. Elle besefte met een schok dat voor haar hetzelfde gold, maar ook dat het leven nu eenmaal zo was. Je leerde er gewoon mee leven, stuurde verjaardagskaartjes en cadeautjes naar Lauren en je probeerde je er niet aan te ergeren. 'Maar ik denk dat ze het niet zelf in de hand had. Ik heb het bij mijn vader gezien, hij heeft geleerd het onder controle te houden en nu beheerst dat zijn leven in plaats van de drank. Zij kon het niet,' zei Melissa. 'Ik denk gewoon dat het leven niet was wat ze ervan had verwacht en ze gebruikte alcohol om daarmee om te gaan.'

'Nou. Zo vader, zo dochter,' zei John. Hij keek naar de slakom. 'Ze heeft altijd gedacht dat zij hem had vermoord, wisten jullie dat? Zo belachelijk. Dit ziet er lekker uit. Is dat geitenkaas?'

'Hoe bedoel je dat, zo vader, zo dochter?' vroeg Rhodes.

'Ja pap, wat bedoel je daarmee?' zei Elle.

'Gewoon.' John schraapte zijn keel. 'Hij was alcoholist en kreeg voor haar ogen een hersenbloeding. Dat wisten jullie toch wel?'

'We waren nog kinderen,' zei Rhodes scherp. 'Hoe hadden we dat kunnen weten?'

John zuchtte. 'Sorry, ik dacht dat ze het jullie misschien had verteld. Ze dronk toen al te veel. Dat had ze altijd gedaan, maar het was erger geworden. Ik heb haar brochures gegeven, haar naar een collega verwezen, maar ze wilde niet luisteren. Ze ging naar hem toe, naar haar vader, bedoel ik. Ze liep met de gedachte rond dat het allemaal zijn schuld was; hij sloeg haar en haar moeder altijd.' Hij keek naar zijn handen. 'Mandana gaf hem altijd de schuld van al haar problemen, jullie weten hoe ze was.'

Het vreemde gevoel bekroop Elle dat haar vader was vergeten dat hij het tegen hen had. 'Hoe dan ook, ze kregen enorme ruzie. Hij zei dat het haar niet aanging en sloeg haar opnieuw. Haar moeder – die nog geen boe tegen een gans durfde te roepen – keek toe. Mandana begon tegen hem te schreeuwen. Ze sloeg hem, en hij bleef schreeuwen. Toen viel hij ineens op de grond. Morsdood.'

Hij schraapte zijn keel weer en keek om zich heen, alsof hij zich ineens weer herinnerde waar hij was en met wie. 'Die vakantie in Skye was slechts een paar weken daarna en tegen die tijd had ze al besloten dat het haar schuld was. Het was... alsof er een knop was omgegaan.' Hij haalde zijn schouders op.

Met een kracht die haar bijna met geweld overviel, had Elle plotseling zin haar mild uitziende kalme vader een klap te verkopen, hem los te schudden uit die muur van zelfingenomenheid die hij om zich heen had gebouwd, waardoor hij zich geen zorgen hoefde te maken over de problemen van zijn ex-vrouw of het vergrijp van zijn tienerzoon of de levens en dromen van zijn oudere kinderen zodra ze iets afweken van wat hij dacht dat juist was.

'Daar wist ik helemaal niets van,' zei Rhodes.

Gray pakte Elles hand steviger vast. Ze schudde hem weg. 'Wist je... dat hij alcoholist was?' vroeg ze haar vader.

'Jazeker. Hij was een nare man. Aan de buitenkant zag hij er prima uit. Respectabel, maar hij sloeg haar moeder in elkaar, gaf al het geld dat ze hadden uit aan alcohol en zat de hele avond in zijn studeerkamer te drinken. We zagen hem eigenlijk nauwelijks. M-Mandana ging er soms in haar eentje heen.' Hij struikelde over haar naam. 'Ze hebben haar onterfd toen ze zwanger raakte, ze wilden niet op de bruiloft komen. Dat heeft haar hart gebroken,' zei hij bijna terloops.

Rhodes en Elle keken elkaar aan. 'Dat heb ik ook nooit geweten, pa,' zei Elle terwijl ze met haar vingers het tafelkleed gladstreek. 'En hij sloeg haar ook?'

'O, ja. Een paar keer. Niet stelselmatig, alleen als hij echt heel erg ver heen was. Daarom is ze die eerste keer ook weggelopen en naar Amerika gegaan, toen ze net achttien was. En nog een keer toen ze in de twintig was, en toen heeft ze ook domme dingen gedaan, zoals het verkopen van hasj. Ze was het spoor al bijster toen ik haar ontmoette, dat zie ik nu wel in.'

Elle besefte dat haar mond openstond van verbazing. Ze keek naar Gray, maar hij staarde ook naar John. Haar blik kruiste die van Rhodes aan de andere kant van de tafel. Langzaam schudde hij zijn hoofd.

'En u denkt niet dat die dingen invloed kunnen hebben gehad op het feit dat ze alcoholiste werd?' vroeg Melissa in haar heldere, nauwkeurige stem. Ze liep naar het aanrecht en pakte een kan water. 'U weet dat iemand met een alcoholist als ouder drie keer meer kans heeft zelf ook alcoholist te worden. U hebt er nooit over gedacht dit met haar te bespreken? Dat moet u hebben geweten, u bent dokter.'

Elle kon haar wel omhelzen. John verstijfde in zijn stoel. 'Melissa,' zei hij kil, 'luister, lieverd. Misschien ben ik wat ouderwets, maar ik heb geen zin mijn eerste huwelijk met jou te bespreken. We waren ongelukkig. Ik hou van mijn kinderen, maar...'

'Je kunt haar niet zomaar uitwissen,' zei Rhodes. 'Wat een onzin.'

Elle zat naar hen te kijken. De beelden waren sterker dan ooit. Mandana die hun voorlas, Mandana in de bibliotheek, de verlegen kindjes in Clothkits-schortjes die ze meenam naar de kindersectie, Mandana die over het grasveld rolde met hun stinkende hondje Toogie. En het was weer terug; ze knipperde met haar ogen, het was verschrikkelijk: de woorden *Sorry Ellie* op dat stuk papier. *Sorry*. Het spijt me.

Haar vader was een beetje rood aangelopen. Ze was blij, het leek alsof het hem wat deed. 'We geven jou de schuld niet, maar dat moet je niet doen,' zei ze. 'Ik wilde dat we het hadden geweten. Ze wilde niet... Wat zonde.' Elle zei het simpel en friemelde met haar handen in haar schoot.

'Het klinkt alsof je het me wel verwijt,' zei John.

'Nou, jij bent bij haar weg gegaan,' zei Elle. 'Jij hebt haar hart gebroken en bent er met iemand anders vandoor gegaan en leidt een geweldig leven. Zij niet.'

'Zo is het niet gegaan,' zei John. 'Ik heb jullie moeder nooit bedrogen. Ik was gewoon...' Hij wreef over zijn gezicht en keek op. 'Ik was tegen die tijd gewoon heel erg moe. Misschien had ik meer moeten doen. Het ging mis nadat haar vader was gestorven, ze veranderde, dat weet ik. Het was een soort trekker die werd overgehaald, alles kwam aan het licht. Ze dronk en dronk, en ik kon haar niet tegenhouden. En het kon haar niets meer schelen. Ik wilde gewoon weg.'

'Maar je vond het niet erg ons daar achter te laten,' zei Rhodes.

John beet op zijn lip en haalde zijn schouders op. 'Ik wist dat ze jullie geen pijn zou doen. En jullie zijn goed terechtgekomen, allebei. Ze was een goede moeder.'

Het was een keurige speech, er was geen speld tussen te krijgen zonder kritiek te leveren op degene die ze probeerden te verdedigen. Elle zou het liefst zeggen: *Maar ze heeft twee keer een aanrijding veroorzaakt terwijl wij bij haar in de auto zaten en ze dronken was. En... en ik dronk ook, ik werd zelf bijna alcoholiste. Dat kan ik nu wel zeggen. Het heeft me bijna kapotgemaakt dat ze overleed. We zijn niet langer een gezin.* Ze wilde dat ze het hardop kon zeggen en toen vroeg ze zich af waarom ook eigenlijk niet.

Ze haalde diep adem en zei: 'Pa, ze heeft ons twee keer bijna vermoord, in de auto. Ik dronk meer dan een fles per dag en ben bijna dezelfde kant op gegaan als zij. Ik ben er bijna aan onderdoor gegaan toen ze stierf. We zijn geen echt gezin meer. Ik kan niet geloven dat je dat allemaal wist en het ons nooit hebt verteld of hebt geprobeerd haar te helpen.' Er viel een stilte. 'Het is heus niet allemaal jouw schuld, maar sommige dingen wel.'

'Ik...' zei John, meteen in de verdediging schietend, maar hij stopte weer. 'Nou ja, sommige dingen wel. Het spijt me. Het spijt me echt.'

In de romans die Elle las omhelsden de mensen elkaar huilend na een ruzie met een onhandelbare zoon of ouder of wie dan ook en zeiden: 'Vergeef me, kunnen we nu gelukkig zijn?'

Het echte leven zat zo alleen niet in elkaar en zij waren niet zo. Rhodes draaide zich om en wierp een blik op Elle en toen knikte hij, alsof hij voor hen beiden antwoordde.

'Prima,' zei hij.

'Heel goed,' zei Gray zachtjes. Hij glimlachte naar Elle. 'Erg goed, inderdaad.'

Elle wist niet of het goed was of niet. Het ergerde haar dat Gray knikte, alsof alles nu in orde was. Ze was heel moe en stond op het punt in huilen uit te barsten, omdat de gedachte aan haar moeder en de manier waarop haar leven was verlopen zo ver buiten haar bereik lag dat het haar een leeg en boos gevoel gaf, maar ze kwam er maar niet achter op wie ze boos moest zijn. Op haar opa, omdat hij alcoholist was geweest en Mandana had geslagen? Op haar vader omdat hij haar had verlaten? Op Rhodes, Melissa, Bryan, Anita, de mensen om haar heen, die er niet in waren geslaagd haar te helpen? En vooral op zichzelf, omdat ze haar moeders leugens had geloofd omdat ze ze wilde negeren, omdat ze haar kop in het zand had gestoken. Er was niet echt een goed antwoord, en ze kon de laatste bladzijde niet omslaan zoals in een roman. Einde verhaal, alles netjes afgerond.

Ze schonk water in de glazen. 'Laten we een toost uitbrengen op mam,' zei ze, omdat ze heel graag van onderwerp wilde veranderen, weg wilde manoeuvreren van het verleden. 'Water, geen wijn, het kan me niet schelen of dat geen geluk brengt. Wijn bracht haar geen geluk. Op Mandana.'

Met zijn vijven klonken ze hun glazen tegen elkaar in de kleine warme keuken.

Damerel schreed naar de deur en deed hem op slot.
'En nu, mijn schat,' zei hij, en hij liep terug naar Venetia, 'voor de vierde keer!'

– Georgette Heyer, *Venetia*

54

Lieve Elle,
Bedankt voor je tijd gisteren. Het was goed om even bij te kunnen praten en je over onze plannen voor Aphra Books te vertellen. Ik weet hoe druk je het hebt, dus hartelijk dank.
Je zei dat je niet van plan was te verhuizen, maar ik zou je willen vragen het opnieuw te overwegen. Ik weet niet waarom ik het je blijf vragen, maar je zou echt perfect voor deze baan zijn en ik durf dit te beweren als iemand die jou al een tijdje kent. Deze baan zou echt perfect voor je zijn. In dit licht en voor het geval het je interesseert, vind ik het prettig de arbeidsvoorwaarden voor je op een rijtje te zetten.
Hoofdredacteur. £... salaris plus ... aandelen in Aphra Books.
Lid van de directie met maandelijkse directievergaderingen.
Er wordt van je verwacht dat je minimaal vier à vijf boeken per jaar aankoopt en een bijdrage aan de algemene vorm van de lijst levert. Je hoeft geen leiding te geven tenzij je het leuk vindt: je zult doen wat je het leukste vindt. Jij kent meer dan wie dan ook de waarde van een goed boek.
Het was geweldig je weer te zien. Ik wens je het allerbeste.
Ik denk dat je gelukkig zou zijn in Londen. Jezelf kennen is weten waar je vandaan komt.
Je vriendin,
Felicity Sassoon

Ps Mijn exemplaar van Venetia mag je houden

De tweede dag ging zoals alle conferenties voorbij in een waas van tl-licht en duur mineraalwater. Elle kon zich er niets meer van herinneren; ze schudde handen, ging naar vergaderingen en beantwoordde e-mails terwijl ze eigenlijk alleen wilde zijn, wilde nadenken en over straat wilde wandelen. De laatste ochtend van de Londense conferentie was dodelijk vermoeiend en irritant: Hoe verhogen we de winstmarges? Bekende auteurs, grotere oplages. Regulier leveren is belangrijker dan levering van kwaliteit, daar kwam het op neer, eindeloze discussies over de opvolgers van *Twilight* en *De vliegeraar*, waar allemaal natuurlijk miljoenen boeken van zouden worden verkocht.

Zich ergerend aan haar magnetische naambordje, dat aan de revers van haar pak trok, zat ze voor in de enorme conferentiezaal te kijken naar Stuart en Celine, die een tienstappenplan uitstippelden voor de groei in 2009 met behulp van een PowerPoint-presentatie, alsof het een grote politieke partijconferentie was. Zo'n honderd ernstige zielen zaten achter haar aantekeningen te maken. Drie stoelen verderop op dezelfde rij zat Rory, die de helft van de tijd veelbetekenend zat te knikken en roddels tegen zijn buren fluisterde. Elle keek alleen maar. Ze schreef niets op, in plaats daarvan wilde ze het liefst schreeuwen: *Mensen willen goede boeken*. Ze bleef maar denken aan Obama's vergissing vorige maand, waarvan werd gezegd dat het hem de verkiezingen kon gaan kosten. Je kunt een varken wel lippenstift opdoen, maar het blijft een varken.

'Geweldige presentatie,' zei ze. Ze schudde Celines hand en klopte Stuart op zijn rug toen ze van het toneel kwamen en nadat ze tegelijkertijd met Rory was opgesprongen om hen te feliciteren.

'Geweldig, heel interessant, Celine,' zei hij.

Celine had geglimlacht en geknikt. 'Wat fijn,' zei ze. 'Bedankt, Rory.'

Elle voelde een huivering over haar rug lopen door de manier waarop ze samen op de grote bazen waren afgesneld om hen te feliciteren. Was dat het? Veranderde ze in hem, iemand die gewoon meeging in het kielzog, alles deed voor een makkelijk leven? Ze keek omlaag, in verlegenheid gebracht omdat ze zichzelf had betrapt, haar vingers gleden automatisch over haar BlackBerry en op dat moment had ze de e-mail van Felicity gezien.

'Het is te gek voor woorden, maar ik vind haar lef bewonderenswaardig,' zei Gray een halfuur later in de pub lachend boven Elles inbox. 'Ze klinkt echt geweldig, die Felicity. Ik zou haar graag eens ontmoeten.' Hij keek op zijn horloge. 'Schat, wil je nog iets drinken?'

'Tuurlijk.' Elle genoot van de gezellige warmte in de pub; er kleefde iets van verwennerij aan whisky en ginger-ale midden op de dag met beslagen ramen en regen die buiten met bakken naar beneden kwam. Ze had – en dat was uitzonderlijk – haar snor gedrukt bij de conferentie-debriefing om iets met Gray te gaan drinken. Ze vond het doodeng om afscheid van hem te nemen, al wist ze niet waarom. Londen veranderde haar. Gray was de constante factor in haar leven en het was alsof ze zichzelf aan hem had toevertrouwd: *Alsjeblieft. Zorg voor me. Dat vind jij prettig en dat vind ik prettig.*

'Ergens klinkt het wel aanlokkelijk,' zei ze tegen Gray terwijl hij zijn portefeuille tevoorschijn haalde. 'Misschien mis ik het hier meer dan ik besef.'

Gray keek naar haar en lachte. 'Dat meen je niet. Je overweegt het toch niet serieus?'

'Nee, maar... misschien wel, eventjes maar,' zei Elle. 'Het komt waarschijnlijk omdat ik over een paar uur terugvlieg. Er is toch niets mis met speculeren? Trouwens, jij zei dat je graag in Londen zou willen wonen.'

'Wanneer dan?' zei Gray met een nepgrijns. 'Dat heb ik nooit gezegd.'

'Op maandag toen we onderweg naar Rhodes waren, zei je dat...'

Gray leunde voorover. 'Schat, het spijt me. Ik bedoel, ik vind het hier geweldig, maar echt niet!' Hij zakte weer achterover tegen het harde leer. 'Ik zou niet uit New York weg kunnen. Mijn baan, mijn vrienden, mijn leven... ik heb daar alles.'

'Rachel gaat een jaar naar Oxford,' bracht Elle te berde. Rachel was Grays dochter, die momenteel in het tweede jaar op Stanford zat.

Gray haalde zijn schouders op. 'Dan gaan we bij haar op bezoek. Ze is nu toch het grootste gedeelte van het jaar in Californië. Dat is niet veel anders.'

'Ik dacht dat je het hier prettig vond.'

Gray trommelde met zijn vingers op tafel. 'En ik dacht dat jij het hier zo verschrikkelijk vond.'

Ze haalde diep adem. 'Dat dacht ik ook, maar misschien vind ik het toch niet meer zo erg.'

'Komt het door maandag, het openhartige familiegesprek? Schat, ik weet dat het je in de war moet hebben gebracht, maar ik denk niet dat je beslissingen over je leven moet baseren op een semi-afronding van iets met je vader en broer.'

Elle keek naar hem, maar zei niets. Ze stopte haar BlackBerry in haar tas. 'Het is al goed, vergeet het maar,' zei ze. 'Ik wilde er gewoon over nadenken. Het is al goed.'

'Het is ook goed,' zei Gray. 'Het is meer dan goed, oké? Geloof mij, ik weet wat het beste voor je is.'

'Dat is ook zo, hè?' Ze glimlachte terwijl de pubdeur openging en er een koude windvlaag over haar rug blies. Ze huiverde.

Gray keek weer op zijn horloge. 'Vind je het erg om te gaan? Ik wil heel graag naar Dora's en als we nog iets te drinken nemen, hebben we niet genoeg tijd.' Elle knikte en stond op. 'Je bent een geweldige vrouw,' zei Gray. Hij pakte haar schouders zachtjes beet en plantte een kus op haar haar. 'Ik vind het echt fijn dat je denkt dat je op een dag weer in Londen kunt wonen, dat je bruggen aan het bouwen bent. Nog geen drie weken geleden zag je het niet meer zitten. Nu ben je... heel anders.' Met een van zijn lange vingers veegde hij een haarlok opzij en streelde haar wang.

'Fijn dat je zo denkt,' zei Elle, en ze ging opzij. Ze was ineens niet in de stemming voor Grays 'red Elle-therapie'. Ze zou het liefst weglopen, tegen hem zeggen dat hij haar met rust moest laten, maar ze weerstond de drang, zoals altijd. Het lag aan haar, niet aan hem. 'Hoe laat gaat je trein?'

'Om vijf uur.'

'Dan kunnen we maar beter gaan,' zei Elle. 'Sla hem achterover, kom op.' Ze wachtte even. 'Je laat geen vol glas achter in een pub. Karel II heeft dat verboden. Het is nog altijd niet gepast.'

'Echt? Die traditie kende ik niet.' Gray keek verrukt en spoelde de rest van zijn drankje weg. Ze slikte schuldig en voelde de whisky zoet branden in haar keel.

Ze verlieten de pub. Gray zette zijn paraplu op en sloeg een arm om haar heen. Ze leunde tegen hem aan met haar hoofd op zijn schouder, terwijl ze over de brede, glibberige straat liepen. Ze staken Harley Street over en Gray liep te kletsen over wie hij in Parijs allemaal zou ontmoeten en waarom dit zo belangrijk voor zijn boek was. Elle zei niets. Ze zei tegen zichzelf dat ze moe was, de conferentie en het diner met haar vader hadden veel van haar krachten gevergd.

Sinds ze terug in Londen was, leek alles grijzer, maar helderder. Ze kon het niet uitleggen. Ze had verwacht dat het verschrikkelijk zou zijn, maar dat was niet zo. Het allervreemdste was echter dat ze zich haar New Yorkse zelf niet kon herinneren, degene die naar vergaderingen rende, werknemers achter gesloten deuren troostte, een assistente had om haar kleren bij de stomerij te halen en met winnaars van de Pulitzer uit eten ging. Ze wilde dat deel van zichzelf terug, maar ze kon zich niet meer herinneren hoe het was om die Elle te zijn. Af en toe ving ze er iets van op, zoals een stukje van een liedje waardoor je je nog steeds het refrein niet kon herinneren, en dan was het weer verdwenen. Ze klemde haar kaken op elkaar en haar ogen vlogen open toen Gray zei: 'We zijn er. Wat een geweldige winkel.'

Dora's glom amberkleurig in de regen – het had non-stop geregend sinds ze in Londen was, besefte Elle, en haar paraplu was continu doorweekt geweest. Gray duwde de houten deur open. 'Na jou, schat.'

Het was leuk om weer in een Engelse boekwinkel te zijn. Het was er prachtig. De planken waren van hout en er stonden oude mahoniehouten tafels met hoge stapels verschillende boeken. Midden in de ruimte stond de toonbank, met daarachter een trapje van drie treden en een nis voor kinderen. Als Elle haar nek uitstak kon ze zien dat de GVR op de muur was geschilderd en ze hoorde een kind gillen.

'Dora's heeft een fantastische geschiedenissectie, heb ik gehoord,' zei Gray. Zijn ogen glinsterden enthousiast, en hij raakte zachtjes haar schouder aan. 'Hier.' Hij stuiterde door de winkel heen. 'Kijk!'

'Ik ga even bij de Penguin Great Ideas-boeken kijken, misschien neem ik er wel een mee voor Rhodes,' zei Elle. Het kind ging harder gillen terwijl ze naar de andere kant liep.

'Hé!' hoorde ze iemand roepen. 'Luister, ik zal... Heb je soms zin in een koekje? Neem een koekje en hou op met die herrie.'

Elle pakte een paperback en begon te bladeren.

'Argh. Ellendig kind. Wat is er toch aan de hand?' vroeg de stem. 'Vertel me wat er mis is en dan maak ik het weer goed.'

'Er zit een spinnenweb!' gilde het kinderstemmetje huiverend. 'Ik hou niet van spinnenwebben! Die zijn eng!'

'Ga daar dan weg en ga mee de winkel in. Daar zitten geen spinnenwebben.'

'Ik wil Matilda meenemen.'

'Prima,' zei de stem. 'Laten we Matilda meenemen, maar stop verdorie met gillen. Je lijkt Alice Cooper wel.'

'Alice Cooper-Smith van school?'

'Nee, Alice Cooper, de zanger en golfspeler, rare combinatie. Hij draag heel veel zwarte make-up. We zijn... Elle? Wat doe jij nu hier?'

Elle liet het boek uit haar handen vallen. 'Tom? Wat doe jij hier, kan ik beter vragen.' Ze staarde naar hem en het kleine meisje dat zijn hand vasthad.

'Ik, eh... ben de eigenaar van deze winkel, weet je nog?'

'Eh... ja,' zei Elle. 'Ik bedoelde...' Haar stem stierf weg.

'Dit is mijn dochter Dora,' zei Tom. 'Dora, dit is mijn vriendin Elle. Ze heeft gehoord dat je daar zo tekeerging,' zei hij somber tegen Dora. 'Je hebt haar bang gemaakt. Nu denkt ze dat je een monster bent, geen klein meisje.'

Dora gluurde naar Elle door haar bot afgeknipte zwarte pony. 'Er zat een spinnenweb,' zei ze.

'Ik haat spinnenwebben ook,' zei Elle tegen haar.

'Ik ben bang voor ze, ik ben bang dat ze op mijn hoofd vallen en in mijn haar gaan zitten.'

'Daar ben ik ook bang voor,' zei Elle. 'Maar ik ben bijna vierendertig en het is nog nooit gebeurd, dus misschien gebeurt het wel nooit.'

'Zie je wel,' zei Tom. 'Je bent niet de enige.' Dora raapte het boek op en sloeg het voorzichtig open. Tom legde een hand op Elles arm. 'Mijn god. Wat is het fantastisch om je te zien,' zei hij zachtjes. 'Je was maandag zo vlug weg. Ik wilde dat we meer tijd hadden gehad om...'

'Elle? Kom eens hier, ik wil je...'

Elle draaide haar hoofd om. 'Gray, wil je even hierheen komen?'

'Nee, kom jij maar hierheen.'

Elle zuchtte. 'Nee,' zei ze, en ze probeerde niet te gaan schreeuwen van de stress, vermoeidheid en verbazing, wat het ook was waarom ze stond te trillen en wazig zag. 'Kom even hierheen, ik wil je graag aan iemand voorstellen.'

Gray verscheen met een dik boek in zijn hand. 'Dit ziet er interessant uit,' zei hij. 'Het is een nieuwe biografie van George III. Ik besefte niet... Hallo. Gray Logan.' Hij stak zijn hand uit.

'Gray, dit is mijn vriend Tom, de eigenaar van Dora's.'

'Het is mijn naam,' zei Dora. 'Net als die van mijn oma.'

'Jouw oma was een geweldige dame,' zei Gray, en hij keek haar aan. 'Ik heb ooit het genoegen gehad haar te ontmoeten, eind jaren zeventig. Ze sprak bij mij op de universiteit, het was geweldig. Ik was dol op haar boeken.'

Toms harde grijze starende blik werd milder.

'Dus je kent Elle van...' Gray maakte de vraag niet af.

'O, we hebben samengewerkt...' zei Elle terwijl Tom tegelijkertijd zei: 'We gingen wel eens samen weg, we waren vrienden...'

'Ja, dat klopt,' stamelde Elle. Ze keek weer naar Dora. 'Dus, Dora, hoe oud ben jij?'

'Ik ben zesenhalf, ik word in maart zeven.' Ze trok aan haar vaders overhemd. 'Pap, mag ik weer met Matilda-pop gaan spelen?'

'Ja hoor,' zei Tom, 'maar je zei dat je het daar verschrikkelijk vond en bang was voor spinnenwebben.'

'Ze zijn weg,' zei Dora, en ze liep met grote passen naar de nis.

'Wat leuk je te ontmoeten,' zei Gray. 'Ik neem dit boek en dan denk ik dat we moeten gaan, schat,' zei hij tegen Elle. 'Het is al later dan ik dacht.'

Hij liep naar de kassa en liet Elle en Tom alleen achter.

'Hoe was de rest van de conferentie?' vroeg Tom. 'Het zag er akelig uit.'

'Het ging wel,' zei Elle. Ze kon haar blik niet van hem af houden. 'Het spijt me dat we elkaar niet hebben gesproken. Is... Is Caitlin er ook?'

'Neeee,' zei Tom. 'Ze is in Bath, ze is daar een winkel aan het openen. Zij heeft Dora in het weekend. Soort van.'

'O,' zei Elle. 'Dus jullie zijn...'

'We zijn niet,' zei Tom. 'Nooit geweest, ook. We hebben het ongeveer een jaar geprobeerd, maar dat was een ramp. Dus heb ik een flat in Richmond gekocht, in dezelfde straat, zodat we bij elkaar in de buurt woonden. Toen is Dora eigenlijk bij mij komen wonen en zo is het nu nog steeds.'

'Yorkshire Road, Richmond,' zei Elle als in een droom. 'Je woont in dezelfde straat als zij. Dat verklaart een boel.'

'Verklaart wat?'

'Ik dacht...' Ze herinnerde zich nog hoe boos ze op hem was geweest – en op zichzelf – toen ze met elkaar naar bed waren geweest, dat ze wilde dat het goed was, hoe ze had geprobeerd er niets meer achter te zoeken dan een onenightstand. Wat had Jeremy ook alweer gezegd, jaren geleden, op de bruiloft van Libby en Rory? *Ik heb ze samen afgezet, bij hen in de straat,* of iets dergelijks. 'Ik wist het niet,' zei ze. 'Ik wist dat jullie allebei in Richmond woonden, ik dacht dat jullie nog samen waren.'

'Nee, absoluut niet,' zei Tom vastberaden. Hij keek naar Dora, die met haar vlakke hand tegen iets op de muur sloeg en in zichzelf stond te praten. 'Caitlin en ik, wij horen gewoon niet bij elkaar, maar ik vond het verschrikkelijk om niet bij Dora in de buurt te zijn. Daarom ben ik tien huizen verderop gaan wonen.' Hij zuchtte, maar met een glimlach. 'We hebben een dochter en zij is echt het beste wat me ooit is overkomen, zelfs al kan ze alleen maar bulderen en is ze belachelijk bang voor denkbeeldige spinnenwebben.' Met zijn donkergrijze ogen keek hij haar aan. 'Het was niet wat ik ervan had verwacht, maar het is goed gekomen.'

'Zo klinkt het wel. Ik ben echt heel blij voor je, Tom.' Elle wist niet wat ze anders moest zeggen. 'Luister, ik moet gaan.'

Hij keek om zich heen en zei zachtjes: 'Elle, weet je, ik was niet meer met Caitlin samen toen wij met elkaar naar bed gingen. Het was toen allang voorbij. Ze is met iemand anders, het is goed zo, iedereen is gelukkig.'

'Het is al goed.' Elle schudde haar hoofd, maar het liefst zou ze zeggen: *Dat weet ik nu.* 'Dat hoefde je niet te vertellen.'

'Dat weet ik, maar ik wilde dat je het wist,' zei hij. 'Natuurlijk wilde ik niet dat het anders was gegaan met Caitlin, vanwege Dora, maar aan de andere kant ook wel.'

Ze kon Gray met zijn lage charmante stem tegen het meisje achter de toonbank horen praten en daarna het geritsel van het plastic tasje met het boek dat hij aanpakte. Elle staarde naar Tom, wanhopig bijna. 'Hoe dan?'

'Nou... ik was verliefd op je, die zomer lang geleden, Elle. Ik heb het je nooit verteld door alles wat er is gebeurd, maar het is nooit overgegaan.' De lijnen in zijn gezicht verstarden, net als zijn kaken terwijl hij naar Gray keek. 'Alles is verkeerd gegaan met ons qua timing, hè?'

'Tom...' begon ze.

'Ik wilde het je alleen maar zeggen. Je laten weten dat ik geen idioot was, geen rotzak die je pijn wilde doen. Dat zou ik nooit kunnen. Er waren gewoon bepaalde redenen.'

Ze schudde haar hoofd. 'Niet zeggen,' zei ze met een dikke stem. 'Niet doen.'

Hij ging zachter praten. 'Ik moet nog één ding zeggen. Ik was verliefd op je en ik ben blij dat we die nacht samen hebben gehad. Het was geweldig. Ik weet dat wat er naderhand met je moeder is gebeurd alles verandert, maar voor mij was het heel bijzonder.'

Zijn hand lag op de hare, die ze voor zich had. Elle slikte. Ze kende hem zo goed, de geamuseerde, afstandelijke toon van zijn stem, de kromming van zijn oor, zijn ogen, zijn knokige lichaam. Iemand die ze er altijd bij wilde hebben, iemand die de wereld hetzelfde zag, en zo was het altijd geweest.

'Ik denk...' zei Tom. 'Soms denk ik dat stukjes van je leven in de verkeerde volgorde gebeuren of allemaal tegelijkertijd en je verdoet je tijd met boos zijn, maar zo is het nu eenmaal, zo is het leven. Je ontmoet degene van wie je denkt dat ze je de rest van je leven gelukkig kan maken, maar tegelijkertijd vertelt je ex-vriendin die je tig keer heeft gezegd dat ze je nooit meer wil zien dat je vader wordt.'

Elle nam het verhaal over. 'En dan verhuis je naar een ander land en de volgende keer dat je de ander ziet, zelfs al lijkt het net alsof er geen tijd is verstreken, ga je met elkaar naar bed en dan... sterft je moeder.' Ze lachte een kort verdrietig lachje. 'Ja, dat is pas waardeloze timing. Maar Tom, misschien...'

Gray dook tussen hen op. 'Hallo!' zei hij. 'Ik denk dat we moeten gaan, schat. Tom, ik vond het geweldig jou en je prachtige dochter te ontmoeten en de winkel te zien. Lof voor beiden. Succes.' Hij schudde Toms hand vriendelijk. 'Elle?'

'Jazeker,' zei Elle houterig.

'Natuurlijk,' zei Tom mechanisch.

Ze hing haar tas over haar schouder, niet wetend wat ze anders moest doen. 'Dag... dan maar.'

'Dag,' zei Tom. 'Ik vind het fijn je gezien te hebben.' Hij wendde zich af.

Gray sloeg zijn arm om haar heen terwijl ze de winkel uit liepen, en ze keek niet één keer achterom. Op de stoep kuste hij haar. 'Dit is een geweldige reis geweest, vind je ook niet? Ik heb het gevoel alsof je ergens doorheen bent. Geesten ter ruste hebt gelegd. Is het niet afschuwelijk om dat te zeggen?'

'Nee hoor.' Elle pakte zijn arm terwijl ze wegliepen, hem zo hard mogelijk meetrekkend. Ze kon niet achteromkijken. Ze rechtte haar schouders en keek even naar hem. 'Bedankt, schat, bedankt dat je bent meegekomen. Ik ben blij dat je het hebt gedaan.'

'Soms is dat de enige manier met jou,' zei Gray. Hij stak zijn hand op en riep: 'Taxi!' Er stopte een taxi, en Gray keerde zich naar haar toe. 'Schat, ik zal je missen. Ik bel je zodra ik in het hotel ben. Ik hou van je. Ik ben blij dat je weer bij me bent. Het was het waard.'

Elle kuste hem. 'Hoe bedoel je?'

'Ik weet het niet...' Gray glimlachte. 'Ik heb me wel eens afgevraagd of we het wel zouden redden of dat het gewoon te zwaar zou zijn.' Hij knikte en pakte haar polsen. 'Verder niets, schat. Ik hou van je. Ik zie je thuis. Thuis!'

Hij stapte in, draaide het raampje naar beneden en leunde naar buiten. Ze liep naar hem toe.

'Waar gaat u heen?' vroeg de taxichauffeur geërgerd.

'Heel even nog,' zei Gray fronsend. 'Tot ziens, mijn schat. Wees voorzichtig. Goed onthouden.'

Elle legde haar hand op zijn wang. 'Dank je,' zei ze.

De taxi reed weg, en ze vroeg zich af waarom ze dat had gezegd. *Dank je.*

Ze stond alleen op de stoep en keek de zwarte taxi na door High Street. Vervolgens keek ze naar de boeken in de etalage. Rijen prachtige boeken, verschillende kleuren en maten, die andere dingen beloofden, in elk boek een nieuwe wereld. Ze wist niet hoe lang ze daar stond, kijkend naar de bewegingen binnen, op zoek naar iemand die ze niet zag.

Het regende zachtjes, het was een dunne mist als een zachte deken. Ze voelde de druppels in haar haar vallen, achter in haar nek, op haar huid. Ze draaide zich om en daar was de winkel weer, warm stralend in het grijze licht van de Londense namiddag. Ze staarde er vol verlangen naar. Iemand bewoog bij de plank naast het raam, een donker hoofd. Het verdween uit het zicht.

Elle draaide zich om. Ze beet op haar lip en begon richting Mayfair te lopen. Ze moest Courtney bellen. Ze moest gaan inpakken en haar e-mail checken. Ze moest...

'Elle?'

Het klonk zo vaag, het had van alles kunnen zijn.

'Elle?'

Ze draaide zich om. Tom rende op haar af.

'Gelukkig, ik dacht dat ik je had gemist.' Hij hield zijn hand uit. 'Elle...'

'Ja?' vroeg ze.

'Alsjeblieft. Je was je paraplu vergeten.' Hij legde hem in haar hand en hield hem daar.

'O.' Ze pakte zijn hand even. 'Bedankt,' zei ze. 'Wat dom van me.'

Tom zei: 'Nou, ik dacht... Je zult hem nodig hebben als je ooit terug naar Londen verhuist. Heel belangrijk.'

'Ik verhuis niet terug naar Londen,' zei ze.

'Ik dacht misschien van wel.' Hij haalde zijn vingers door zijn korte zwarte haar, de regen wegvegend.

'Nou, Gray wil niet.'

'En jij?'

Ze schudde haar hoofd. 'Dat moet je niet vragen.'

'Waarom niet?' drong hij aan. 'Waarom niet, Elle?'

'O...' Ze zette de paraplu op en bewoog naar hem toe zodat ze er allebei onder stonden. 'Een week geleden zou ik hebben gezegd dat je gek was. Maar je weet nooit wat er komen gaat, hè?' Ze lachte lichtelijk hysterisch, een onverbiddelijke emotie bekroop haar, waar was ze verdorie mee bezig? 'Ik heb het gevoel dat... Ik heb gewoon een gevoel. Ik kan het niet uitleggen. Alsof ik hier niet per se beter af zal zijn, maar het gewoon juist zou zijn. Snap je wat ik bedoel?'

'Ja,' zei hij. 'Ja, dat snap ik wel.' Zijn grijze ogen waren de kleur van de hemel. 'Ik wil niet dat je teruggaat, Elle,' zei hij. 'Ik wil dat je blijft.'

'Echt?' Ze veegde de regen uit haar ogen en keek om zich heen.

'Ga met me mee,' zei Tom ineens. Hij pakte haar hand, en ze liep met hem mee, zonder iets te zeggen. In stilte liepen ze over straat, zijn vingers hielden haar vast en hij schoot met haar een cafeetje in. Ze gingen aan een tafeltje bij het raam zitten, en hij bestelde.

'Moet je niet naar de winkel? Hebben ze je niet nodig?'

'Ze weten dat ze me hier kunnen vinden, we gaan hier altijd koffiedrinken,' zei hij, en hij schoof het papieren kopje vastberaden naar haar toe. 'Drink op.'

De koffie was sterk, warm en verrukkelijk. Elle deed haar ogen dicht en ademde de geur in. 'Ik ben zo moe,' zei ze.

Tom zette zijn elleboog op tafel en legde zijn kin in zijn hand. 'Wat heb je gedaan? Tot diep in de nacht gewerkt?'

Ze was niet van plan het er allemaal uit te gooien, maar ze deed het wel. Ze vertelde hem alles. Hoe haar moeder was gestorven, hoe het was om terug in New York te zijn, waar ze met niemand kon praten, het beeld dat ze bij zich hield, de avonden alleen voor de tv. Haar moeder en de vader van haar moeder, de dag dat hij was gestorven, het etentje maandagavond en wat daar was gebeurd. En hij luisterde. Hij zei niets, onderbrak haar niet en vertelde haar ook niet wat ze moest doen. Hij zat daar gewoon en luisterde aandachtig.

Aan het einde, toen Elle klaar was, voegde ze eraan toe: 'Ik weet niet waarom ik je dit allemaal vertel.'

'Ik vind het fijn dat je het hebt gedaan.' Hij pakte haar hand en hield hem vast. Ze liet hem begaan.

'Ik moet vanavond terug,' zei ze. 'En ik kan het niet. Ik durf niet. Ik wil hier blijven en ik weet niet waarom. Ik heb een soort van tijdelijke inzinking en ik kan het niet uitleggen want het slaat nergens op. Ik weet alleen dat ik niet weg wil, maar niet waarom. En ik weet niet wat ik moet doen.'

Tom draaide haar hand om en ging met zijn vingers over haar handpalm. Hij kneep in haar vingertopjes. Elle keek naar hem.

Ineens voelde ze geen stress meer, geen haast, ze was niet verward meer of boos. Vredig, alleen zij samen. Al het andere bestond niet meer.

'Luister, ik moet het nog een keer zeggen... Ik hou van je,' zei Tom even later. 'Dat is altijd zo geweest en ik denk dat je terug moet komen naar mij én Dora, ben ik bang, maar vooral naar mij.'

Ze kneep in zijn vingers en keek omlaag. Zijn handen, haar handen, ineen.

'Het probleem is dat ik niet heel goed ben in vertrouwen op mijn instinct,' zei ze. 'Ik heb het al vaker mis gehad. Heel vaak.'

'Wat dan?' Tom leunde voorover en veegde een traan van haar wang. 'Je maakt je te veel zorgen, Elle, over van alles. Je maakt het jezelf zo moeilijk.'

'Ik had het mis met Rory...'

'Toen was je vijf-, zesentwintig! Iedereen heeft het recht om op enig moment verliefd op de verkeerde te worden. Eigenlijk is het verkeerd om dat niet te doen. Kom op.'

Elle schraapte haar keel in een poging de opkomende vloedgolf van emoties in te dammen. 'Eh... ik heb me vergist in Rhodes en Melissa. Ik dacht dat ze verschrikkelijk waren, maar dat is niet zo.'

Tom schraapte zijn keel. 'Het zijn mijn zaken niet, maar volgens mij hebben ze jou ook verkeerd ingeschat, en je moeder.'

'Ja, maar dat is het nu juist. Ik heb mijn moeder verkeerd ingeschat. Helemaal verkeerd, en dat is...'

Ze maakte een snikkend geluid, ze boog haar hoofd voorover en haar haar viel voor haar gezicht.

'Dat is wat?' vroeg Tom zachtjes. Hij stopte een haarlok achter haar oor.

'Dat is vooral mijn fout. Ik heb jarenlang mijn kop in het zand gestoken en niets gemerkt en dat had wel gemoeten, ik had haar kunnen redden.'

Elles keel deed pijn van alle pogingen niet te huilen. Tom stak zijn hand uit, wreef over haar rug en de tranen begonnen op de grond te vallen, steeds meer. 'Het is oké,' zei hij. 'Je moet gewoon huilen. Veel huilen. Het is afschuwelijk wat er met haar is gebeurd.' Elle schudde haar hoofd, zacht snikkend, het kon haar niet schelen of er iemand keek, ze was niet in staat te stoppen. 'Maar Elle, één ding heb je mis. Je denkt dat je haar had kunnen redden. Dat is niet zo. Dat kon niemand. Ze was ziek, Elle. Ze dronk jarenlang in het geheim en wist dat ze eraan zou overlijden. Echt, je denkt misschien dat je je kop in het zand hebt gestoken, maar dat is heel iets anders. Er is niets wat je voor haar had kunnen doen.'

Elles schouders schokten. 'Als ik die avond eerder naar huis was gegaan...'

'Nee,' zei Tom vastberaden. Hij boog zich voorover, waardoor ze zijn adem in haar oor kon voelen. 'Ik heb jou overgehaald te blijven. Zij zou het opnieuw hebben gedaan, de volgende avond of de avond nadat je was vertrokken. Elle, er is niets wat je voor haar had kunnen doen. Ik heb haar ontmoet, ik heb gezien hoeveel ze van je hield, dat deed ze, ze hield heel veel van je. Ze was zo trots op je, dat was overduidelijk, ze loog zodat jij je niet voor haar hoefde te schamen, zodat jij succesvol kon zijn en je geen zorgen maakte. Ze zou het niet leuk vinden als ze zou weten dat jij jezelf de schuld gaf.'

'Gray zegt dat ik terug naar de therapeut moet,' zei Elle tussen het gesnik door. De muur die haar haren vormden schermde haar nog steeds van alles af. 'Hij zegt dat...'

'Nou, misschien is dat ook wel goed, een rouwconsulent of iets dergelijks,' zei Tom. 'Want je vader en je broer zijn niet meer zo van slag, of wel? Denk je dat ze zich nog steeds zo voelen over haar dood, vier jaar nadat het is gebeurd?' Hij streelde haar haren weer, en zij ging rechtop zitten en snoot haar neus.

'Nee, dat doen ze niet,' zei ze kalm. Ze haalde diep adem. 'Haar vader was een alcoholist. Hij sloeg haar. Hij is gestorven in de zomer dat ze weer echt is gaan drinken. Daar ben ik eigenlijk maandag pas achter gekomen.'

Tom knikte. 'Verdorie,' zei hij.

'Ik denk dat we hadden moeten...'

'Luister, Elle,' zei Tom vastberaden. Hij pakte haar handen opnieuw en hield ze stevig vast, zijn smalle, vriendelijke gezicht nog geen paar centimeter bij haar vandaan. 'Mijn moeder is gestorven aan een ziekte en ik gaf mijn vader de schuld, dat doe ik ergens nog steeds, maar ik weet nu dat het stom is om dat te doen. Dat is het punt. Je moeder had een ziekte. Haar vader ook. Misschien had jij het ook gekregen, maar je kunt zeggen dat je er die zomer van weg bent gelopen. En toen heb je haar geprobeerd te helpen, maar dat wilde ze niet. Ze wist dat het geen zin meer had. Ik denk dat jij denkt dat het in je aard zit een mislukkeling te zijn, maar het tegenovergestelde is het geval. Je bent een ster, je bent geweldig, alleen besef je dat zelf niet.'

'Blèèèh,' zei ze in verlegenheid gebracht, maar hij leunde voorover en kuste haar. Haar wangen waren rood en warm van het huilen, haar lippen opgezwollen. Hij legde zijn handen om haar gezicht en trok haar zachtjes naar zich toe zodat hun lippen elkaar raakten, eerst zachtjes en toen hard. Zijn huid voelde koud op die van haar. Ze sloot haar ogen even, herinnerde zich het gevoel. Het was vreemd, jaren en de oceaan hadden hen gescheiden, maar ze wist nog steeds hoe hij smaakte, hoe het voelde hem te kussen. Ze legde haar handen op zijn schouders, achter in zijn nek, maar ergens voelde ze iets aan haar trekken. Gehaast trok ze zich terug.

'Ik kan dit niet,' zei ze. 'Ik ben... Dit kan ik niet, ik ben verloofd, Tom. Dit kan ik niet maken.' Ze stond op. 'Jezus, wat haal ik me in hemelsnaam in mijn hoofd.' Ze veegde haar ogen droog, lichthoofdig van het huilen, en ze keek naar buiten, verwachtend dat de hemel zou openbarsten, maar de grijze wolken hingen nog altijd onveranderd boven hen. Hij trok zachtjes aan de manchet van haar jas.

'Dat kun je wel,' zei hij. 'Hou je van hem?

'Ja,' zei ze. 'Alleen... O, ik kan het niet uitleggen. Ik zou hier niet mogen zitten. Ik moet gaan,' zei ze, en ze nam nog een slok koffie.

'Wat gebeurt er als je hier een dag langer blijft?' vroeg Tom. 'Met me gaat eten?'

'Ik kan dat soort dingen niet doen,' zei Elle. Ze glimlachte. 'Ik vlieg vanavond terug. Ik heb morgen een directievergadering en een presentatie voor een auteur en we moeten het budget voor volgend jaar nog doen en onderhandelen over de salarisverhogingen. Ik kan niet zomaar mijn snor drukken.'

Ze dacht weer aan Felicity's e-mail, aan de frisse groene lente in Londen, aan de diners met Grays vrienden, aan de manier waarop hij haar wilde redden.

'Wat wil je?' vroeg Tom vasthoudend.

'Gelukkig zijn. Iemand anders gelukkig maken. Mijn werk goed doen, een goed mens zijn, en dat betekent...' Elle trok haar schouders op, haalde diep adem en schudde haar hoofd. 'Het betekent... Nou, ik weet het niet. Zeg jij het maar. Ik doe de laatste tijd niets anders dan mensen vertellen wat ze moeten doen. Wat denk jij dat ik moet doen?'

'Dat kan ik je niet vertellen.' Hij legde zijn hand op de hare. 'Jij moet beslissen wat je wilt.'

'Wat wil jij?' vroeg Elle. 'Weet jij wel wat je wilt?'

'Ik wil jou,' zei hij. 'Ik wil bij jou zijn. Ik wil dat Dora gelukkig is, ik wil nog een boekwinkel openen en ik wil bij jou zijn.' Hij haalde zijn schouders op. Hij was zo slungelig geweest toen ze hem voor het eerst had ontmoet, slecht op zijn gemak en boos in zijn pak. Nu was hij nog altijd slungelig, maar het paste bij hem. Hij was zichzelf. 'Ik weet wel wat ik wil.'

Ze stonden elkaar aan te kijken boven het kleine ronde houten tafeltje en toen ging ineens de deur open en riep iemand zijn naam. 'Tom... Tom...'

Ze draaiden zich om. De verkoopster die Gray had geholpen kwam naar binnen stormen. 'Ik wist wel dat je hier was. Dora draait helemaal door, Tom, ik weet niet wat ze wil, maar ze blijft maar iets over spinnenwebben roepen,' zei ze buiten adem. 'De winkel staat vol en...'

'Oké, oké,' zei Tom. Hij wendde zich weer tot Elle en wreef over zijn gezicht. 'Kan ik je spreken als ik klaar ben met werken? Logeer je in het conferentiehotel?'

'Ja,' zei ze. 'Het is verschrikkelijk. Tom... ik moet vanavond terug, echt.'

'Tom... luister, ze draait echt helemaal door, het is niet eerlijk...'

'Ik moet gaan. Ga jij maar een stukje lopen. Je hebt behoefte aan frisse lucht na de hele dag opgesloten te hebben gezeten. Overdenk alles goed. Denk na. Ik bel je.'

Hij raakte haar arm even aan en toen was hij verdwenen. Ze wilde niet dat hij ging. Buiten was de lucht fris en het was koud. Elle wreef in haar ogen, rolde haar nek van links naar rechts, en ze besefte dat ze zich op de een of andere manier lichter voelde. Ze kon de warmte van zijn huid op haar handen voelen, op haar lippen. Ze draaide zich om en liep terug naar het hotel, richting het zuiden, maar toen stak ze over. Ze liep door Marylebone in oostelijke richting zonder er echt goed over na te denken wat ze deed. Ze pakte haar telefoon en belde Courtney.

'Hoi, Elle.' Courtney klonk een beetje zenuwachtig. 'Hoe gaat het? Celines assistent vertelde me dat er een probleem met het programma was. Is alles in orde?'

'Ja, prima,' zei Elle. 'Het lag aan mij, dom van me. Het spijt me dat jij je er zorgen om hebt gemaakt. Ik had het mis.'

'Het is al goed.' Courtney ademde uit. 'Wauw. Pfff.'

'Hoe gaat het? Zijn er nog berichtjes?'

'Zeker.' Courtney ritselde met wat papieren. 'Caryn heeft me gevraagd je te herinneren aan de cijfers voor de vergadering morgen. Ik heb haar verteld dat je ze al klaar had, dat ze geprint zijn en klaarliggen om te worden uitgedeeld. Ik hoop dat dat oké was.'

Courtneys megaprofessionele, neutrale stem was zo geruststellend. 'Ja, helemaal goed.' Soms vroeg Elle zich af of Courtney haar werk niet gewoon voor haar kon doen, de knopjes kon bedienen zoals de man achter de Tovenaar van Oz. 'Verder nog iets?'

'Ik heb een auto gereserveerd die je vanavond om elf uur komt halen, maar ik wilde je er even aan herinneren dat je op Newark vliegt, niet op JFK.'

Elle aarzelde. 'Ja, dat wist ik,' zei ze. 'Hoor eens, ik vroeg me af, hoe makkelijk zou het zijn om mijn ticket te wijzigen? Met een paar uur? Of zelfs een dag of twee?'

'Eh...' Courtney klonk verward. 'Bedoel je een eerdere vlucht?'

'Nee,' zei Elle. 'Een latere.'

'Wil je dat ik de vluchttijden controleer voor een vlucht waarmee je op tijd voor de directievergadering bent?'

'Ik denk erover de directievergadering misschien over te slaan. Wat later terug te komen.'

Courtney schraapte haar keel. 'Goed, eh... ik zal... Moet ik...' Ze probeerde het opnieuw. 'Caryn heeft me vandaag alleen al twee keer gevraagd wanneer je terugkomt, hoe laat je landt en of je de presentatie al klaar hebt. Ik denk dat ze je hier verwachten voor de vergadering en...'

'Courtney, maak je geen zorgen,' zei Elle, en ze krabde aan haar wang. Ze wilde haar niet verontrusten. 'Ik laat het je nog weten.

Waarschijnlijk gaat het toch niet door. Er zijn… Er zijn hier nog een paar dingen die ik moet regelen.'

'Ik begrijp het. Laat maar weten of ik iets voor je kan doen.'

Ze klonk jonger aan de telefoon. Elle moest zichzelf er altijd aan herinneren dat ze pas vierentwintig was. Ze was zo efficiënt, een robot bijna, daarom vergat ze het soms. 'Bedankt, Courtney. Ik laat het je weten, schat,' zei ze, niet zeker wetend waarom ze haar schat noemde – dat deed je bij Jane Street niet, liefkozingen laten vallen tijdens een gesprek. Ze hing op en bleef doorlopen. *Ga jij maar een stukje lopen.*

Stampend over het grijze wegdek, haar zwarte laarzen glad van de regen, dacht Elle terug aan de maand ervoor, toen Courtney zware griep had gehad. Ze had zo ellendig geklonken, dat Elle iets vroeger van kantoor was vertrokken en haar een beker kippensoep had gebracht. Haar assistentes kale, maar gezellige appartementje had haar een nostalgisch gevoel gegeven; vintage lampenkappen en dekens, een versleten oude boekenkast vol Penguin-klassiekers en moderne meidenklassiekers: *Vrouw zoekt man*, Marian Keyes en Jonathan Lethem. Converse-gympen in de gang en halflege zakjes crackers en een *People Magazine* op de oude eiken hutkoffer die ook dienstdeed als salontafel.

'Die heb ik afgelopen weekend in Brooklyn gekocht,' had Courtney trots tegen haar gezegd, terwijl ze met haar handen het warme hout streelde en nieste. 'Ik had hem een paar maanden geleden zien staan en sindsdien heb ik ervoor gespaard. Vind je hem niet prachtig?' Ze had haar voeten onder zich getrokken en was nog dieper in haar dekbed weggezakt. Elle had naar haar gekeken en er ineens naar verlangd haar schoenen uit te schoppen en daar bij Courtney en haar kamergenote Sarah te blijven, die net was thuisgekomen. Ze stonden op het punt aan een *Golden Girls*-marathon te beginnen: de chips en sausjes, ijs, Gatorade voor Courtney en de prachtig verpakte beker soep van haar bazin stonden al klaar.

Toen besefte ze dat ze zaten te wachten tot ze zou vertrekken. Haar tijd was om. Zij was de bazin op hoge hakken, niet hun vriendin met wie ze samen op de bank zaten. Ze was de trappen af gelopen en ze had zich vreemd gevoeld, zo niet een beetje gegeneerd, en was terug naar Grays appartement gegaan. Toen ze de sleutels op het gladde marmeren aanrechtblad legde, herinnerde ze zichzelf eraan dat dit veel beter was, dat dit hetgeen was waarvoor ze zo hard had gewerkt.

Het middaglicht vervaagde al. De witgepleisterde gebouwen barstten op sommige plekken open, de gaten verhulden stallingen, straten, pubs met gouden licht dat naar buiten scheen. Elle bleef in oostelijke richting lopen, wetende dat ze de verkeerde kant op ging, maar op de een of andere manier was ze niet in staat van richting te veranderen. Ze besefte dat ze in feite slechter af was dan Courtney. Haar werk had helemaal geen vruchten afgeworpen, behalve een verlovingsring en een opzichtig appartement dat iemand anders had gekocht. Courtney had een houten dekenkist, ze had ervoor gespaard en hem vier trappen op gesjord. Elle had een auto die haar op het vliegveld stond op te wachten, een assistente, een verloofde, een carrière, maar toch had ze niets wat echt van haar was.

Ze realiseerde zich dat ze niet wist waar ze was. Ze was de weg kwijtgeraakt in Londen, in de straten die ze eens zo goed had gekend. Ze liep door Cleveland Street, langs de oude apotheek, de George and Dragon en het toornige bord op de voordeur van een huis dat vastberaden uitschreeuwde: *Dit is geen bordeel!* naast een huis dat onmiskenbaar een bordeel was: gebroken ruiten met karton ervoor, onkruid tussen de scheuren in de stenen, peertjes in elke kamer zichtbaar vanaf de straat en een magere vrouw met gebarsten lippen in een kale voorkamer met een sigaret in haar hand. Ze staarde naar Elle en Elle staarde terug, maar ze schudde zichzelf wakker en liep gehaast verder.

Er was veel verkeer op Tottenham Court Road, de weg was breed en de motoren en drilboren van de wegwerkzaamheden dreunden in haar oren. Elle liep vlug door, zich plotseling realiserend waarom ze hier was, en ze stak over, rennend bijna. Aan de andere kant van Bedford Square keek ze omhoog naar de huizen tot ze had gevonden wat ze zocht.

Lichtelijk buiten adem stond Elle onder aan het trapje, net zoals die eerste dag meer dan elf jaar geleden, en ze keek omhoog naar de voordeur. Haar telefoon begon te rinkelen. Het was Caryn. Elle drukte haar weg en bleef naar het oude Bluebird-gebouw staan kijken. Er was echter geen spoor van Bluebird meer te bekennen: het bord was samen met Felicity op die ijzige koude dag voor Kerstmis verdwenen, en voor de ramen op de bovenste twee verdiepingen hingen dikke witte rolgordijnen. Op de plek waar de oude bel met de drie verschillende knopjes had gehangen, hing een nieuw koperen bord. Ze liep de trap op om ernaar te kijken.

Begane grond: Brightstar Media Property Ltd
Eerste verdieping: Adex Digital Resources
Tweede verdieping: Paul Hurridge

Elle deed glimlachend een stap naar achteren. Wat had ze dan verwacht? Een boekbinder en een archivaris met een werkplaats vol elfjes die in de kelder glazen muiltjes maakten? Ze herinnerde zich dat ze koffie over Felicity heen had gegooid, dat ze 's avonds de treden met Sam of Libby af was gerend, dat ze om de hoek op Rory had staan wachten en op het plein op een bankje een boek had zitten lezen, een willekeurig boek met haar geliefde Pret-sandwich en Pied a Terre-schoenen uit de uitverkoop, die ze droeg tot ze van ellende uit elkaar vielen.

Maar er was niets meer, het was verleden tijd en zij was geen meisje meer, ze was een vrouw die in haar eentje in de regen stond en zocht naar iets wat ze niet zou vinden.

Het was tijd om naar huis te gaan.

Epiloog

Vier maanden later

'Hier staan de koffie en thee. We dragen allemaal vier pond per maand bij aan de pot, maar ik zorg voor de koekjes. En, o, dit is je bureau.'

'Dit is mijn bureau?'

'Ja.'

'Ik dacht dat ik een kantoor zou krijgen?'

'Zoek een bestseller, verkoop er een miljoen van en je krijgt een kantoor.'

Elle zette haar handen in haar zij. Ze glimlachte en zei vastberaden: 'Ik heb een kantoor nodig.'

'Ik maakte maar een grapje,' zei Felicity. 'Dit is je kantoor.'

Ze deed de deur open van een klein kamertje met uitzicht over Curzon Street. Op het bureau stond een bos bloemen, een computer, en er lag een smal zwart pakje.

'Dat is je e-reader,' zei Felicity. 'Dit is een nieuwe computer en je assistente heeft je BlackBerry.' Ze glimlachte om Elles overduidelijke verbazing. 'We leven niet meer in het Caxton-tijdperk. Ga met je tijd mee, Elle.' Ze pauzeerde even. 'Dus je bent nu twee maanden terug, wat heb je allemaal gedaan?'

'Niets eigenlijk,' zei Elle. 'Ik ben bij mijn familie geweest. Ik heb tijd doorgebracht met... mensen. Oude vrienden.' Ze glimlachte en keek omlaag, want ze wilde het voor zichzelf houden, maar toen herinnerde ze zich weer dat Felicity haar neus niet in andermans zaken stak. Het zou haar niet interesseren. Elle vond het geweldig, het was het beste wat haar ooit was overkomen. Voor Felicity, zag ze nu in, was liefde alleen iets wat op de pagina's van een boek gebeurde. Lange periodes in haar leven had zij dat ook gedacht. Maar het was niet zo. Het ging om jou en hem, jullie samen, een team dat samen de wereld aankon, en daar had ze al die jaren naar gezocht. Geen idool, lekker ding of iemand die haar beter wilde maken. 'Ik heb een flat in de buurt van de rivier gehuurd en daar mijn moeders buffet neergezet, een bank gekocht, erop gelegen en niets gedaan. Vooral gelezen.'

'Wat fantastisch,' zei Felicity. Ze keek even vlug naar Elle. 'Ik ben blij dat te horen.' Ze keek op haar horloge. 'Zal ik je nu even alleen laten? Onze redactievergadering is op maandag om elf uur. Als we elkaar meteen na het weekend zien, liggen we een stap voor op de concurrentie. Ik herinner me nog...'

Het was goed te weten dat sommige dingen niet waren veranderd en Felicity nog steeds graag lange, zinloze verhalen vertelde. Elle luisterde naar een anekdote over de keer dat Felicity Carmen Callil had verteld hoe ze Virago moest runnen en glimlachte beleefd, zette haar computer aan en opende de post in haar bakje. Er lag een grote envelop die al geopend was. Ze schudde de inhoud eruit. Bovenop lag een ansichtkaart, een prent van Veronese met daarop in een groot krullend handschrift:

Ik heb je nieuwe adres niet, dus ik stuur je post maar door naar Aphra Books. Succes, schat. Zorg goed voor jezelf, Gray

Ze glimlachte. Ze had Gray nog niet helemaal vergeven dat hij zijn verwonde trots als een mantel door New York had gedragen, waardoor de mensen de paar maanden dat ze daar nog was geweest met samengeknepen ogen naar haar hadden gekeken. 'Ze is gek geworden,' had ze iemand bij een boekpresentatie horen zeggen een paar dagen voordat ze terugvloog. 'Hij heeft het erg moeilijk met haar gehad, wist je dat? Ze is nog zo jong, arme Gray.' Hoewel Gray in feite nog geen twee weken nadat Elle en hij uit elkaar waren gegaan Jessica, mededocente en weduwe, aan de haak had geslagen. Nadat ze het had uitgemaakt, had het haar iets minder dan een uur gekost om al haar spullen in te pakken en in een hotel te trekken.

'Dit is nooit je thuis geweest,' had hij zakelijk gezegd.

'Wel waar,' had ze gezegd. 'Dat was het wel, alleen nu niet meer.'

Nadat ze Gray en Jane Street had verlaten was ze in New York zo sterk op de ranglijst gedaald dat ze tegen de tijd dat ze terug naar Londen vloog, vlak voor kerst, bijna van al haar schuldgevoelens bevrijd was. Ze hadden Elizabeth Forsyte verteld dat ze was ingestort. Toen Elle dat had gehoord was ze woedend geweest, maar vervolgens had ze haar schouders opgehaald en geglimlacht. Misschien was dat ook wel zo. Was het gek om je ontslag in te dienen als je zo'n baan had, dat leven achter je te laten en hartje winter terug naar Londen te gaan om werk te gaan doen waarvoor ze eerst iemand anders in dienst had?

Misschien wel, maar misschien ook niet. Caryn had Courtney haar spullen met een koerier naar het Midtown-hotel laten brengen waar ze had gelogeerd, op de laatste dag, en een concurrentiebeding laten ondertekenen.

'Ik ga naar een kleine beginnende uitgeverij,' had Elle geërgerd tegen haar bazin gezegd.

Ze had Elle op haar rug geklopt. 'Zaken zijn zaken. We zullen je missen. Kom terug als wat-het-dan-ook-is uit je systeem is.'

Het postpakketje uit Amerika zat vol mondaine dingen: herinneringen om haar abonnementen te vernieuwen, uitnodigingen om bij Dean & Deluca te komen winkelen en om de limiet van haar Bloomingdale's-kaart te verhogen. Ze duwde alles opzij en keek naar de rest in het bakje. Er lagen verschillende kaarten van agenten en uitgevers die haar welkom heetten bij Aphra Books. De laatste was een afbeelding van Sherlock Holmes die een pijp rookte. Er stond op:

Tegen de tijd dat je deze kaart krijgt, is papier waarschijnlijk al achterhaald.
Koester dit dus en veel succes. We kunnen niet wachten tot je vanavond komt eten.
Veel liefs, Tom en Dora xx

Elle glimlachte, ze pakte de oude paperback van *Venetia* uit haar handtas en zette hem op de vensterbank naast de kaart. Ze deed het raam open, rook de frisse lucht en draaide blij rond op haar stoel, haar handen stevig om de armleuningen geklemd. Het voorjaar kwam eraan.

Dankwoord

In het bijzonder wil ik Jane Morpeth bedanken omdat ze me jaren geleden heeft aangenomen en in me geloofde. Zij is mijn heldin in het echte leven, een fantastische baas en een geweldige vrouw, en ik mis haar nog elke dag nu we niet langer meer samenwerken.

Heel veel dank aan Nikki Barrow, Auriol Bishop, Lindsey Evans, Abigail Hanna en Tora Orde-Powlett voor de in wijn gedrenkte herinneringen aan die goede oude tijd en voor de goede tijd zelf. Ook dank aan Lance Fitzgerald, Georgina Moore, Rebecca Folland, Sophie Linton en Roland Philipps voor hun hulp. En vooral dank aan Chris voor het repeteren van de plot en voor alles, eigenlijk.

Muchas gracias aan iedereen bij Curtis Brown, met name Melissa Pimentel, Alice Lutyens, Lucia Rae en natuurlijk Jonathan Lloyd.

En dank aan iedereen bij HarperCollins, vooral Kate Elton, Thalia Suzuma, Kate Stephenson en de enige echte Elinor Fewster. Mijn bijzondere dank gaat uit naar Liz Dawson, ik mag van geluk spreken dat ik jou aan mijn zij heb. Ten slotte mijn redacteur Lynne Drew, die het al vele jaren met me uithoudt, me heel veel heeft geleerd en echt geweldig is, en daarom draag ik dit boek op aan jou, met heel veel liefde.